afgeschreven

DE HEILIGE WERELDOORLOG
Halfweg de kruistocht tegen het moslimterrorisme

JEF LAMBRECHT

DE HEILIGE
WERELD-
OORLOG

Halfweg de kruistocht tegen het moslimterrorisme

UITGEVERIJ VAN HALEWYCK

Ter nagedachtenis aan mijn vader R, mijn broer R en mijn zuster R
en van mijn vrienden HC en RJG.
Met dank aan Ariane, Jos, Olivier en Anja, Rik en Gudrun, Willy, Mark en Pierre.

Eerste druk: juni 2009
Tweede druk: juli 2009
Derde druk: juli 2009

© 2009 - Jef Lambrecht & Uitgeverij Van Halewyck
Diestsesteenweg 71a - 3010 Leuven
www.vanhalewyck.be

Cover: Mediacombo
Foto cover: Olivier Matthys
Druk: Peeters, Herent

NUR 689/697
ISBN 978 90 5617 925 0
D/2009/7104/36

Inhoud

Voorspel

Ik verbleef in een nagelnieuw en afgelegen hotel in de buurt van Issyk Kul, het zoutwatermeer hoog in de ongerepte bergen van Kirgizië. Het lag op de hachelijke pistes van de oude zijderoute, waarlangs in de middeleeuwen de pest zich verspreidde die de bevolking van Europa decimeerde. De scherpe, besneeuwde toppen van de 'Hemelse Bergen' zweefden boven de onzichtbare oever aan de overkant. Het was oktober en acrobatische ruiters die nog steeds de meisjes schaakten met wie ze wilden trouwen, keerden met hun kudde terug naar de valleien. Een tijdloze zone van oerpaarden, langharige jaks, kamelen, sneeuwluipaarden en yeti's, die zich vertakt in de diepe kloven van het dak der wereld en de valleien van de machtige rivieren die er ontspringen.

Het nieuws dat mij bereikte was geen bericht uit de antieke steden die me benieuwden op de bodem van het meer. Het was geen uitgeputte ruiter die het bracht uit de Woestijn Waaruit Geen Wederkeert, aan de Chinese overkant, of een bestuurder van een bejaarde, onverwoestbare Russische vrachtwagen in de verlaten hoogvlakte. Het was geen onheilsboodschap over een zoveelste Chinese kernproef in de woestijn of een ongeluk met het Russisch nucleair afval in het meer. Het was niet het verhaal van de koning met de ezelsoren, al verdient het kort te worden verteld.

De vorst liet stelselmatig zijn kappers vermoorden. Toen het vreselijke geheim werd verklapt aan een waterput waarvan het deksel op een kier was blijven staan, was het bronwater zo sterk gaan stuwen dat het koninkrijk uiteindelijk werd verzwolgen door de golven.

De mensen spraken van vier steden op de bodem van het meer. Archeologen vonden er eind 2007 de resten van een grote, 2500 jaar oude metropool, die volgens hen niet onderdeed voor de Griekse of Egyptische beschavingen. Een mysterie blijft het Armeense klooster dat volgens een Catalaanse atlas uit 1375 in deze buurt stond en de relikwieën bewaarde van de evangelist Matteus, de belastingontvanger onder de apostelen.

Het zilveren, onvoorspelbare Issyk Kulmeer glom vreedzaam en was niet zinnens zijn geheimen prijs te geven. Het was koud en de muren van dit Anton Pieck-kasteel in de ongerepte bergen waren van karton. Maar binnen, in een salon, brandde een televisie waarop ik BBC World kon zien. Een Pakistaanse generaal, Pervez Musharraf genaamd, was een stoutmoedige, geweldloze staatsgreep aan het plegen tegen de regering van Nawaz Sharif. Zijn landing op de luchthaven van Karachi, met een vliegtuig bijna zonder brandstof, was een thriller. Het was de avond van 12 oktober 1999. Enkel een streepje Afghanistan scheidde me van het broeierige land waar het koningsdrama zich voltrok. Toch voelde ik me er verder van verwijderd dan was ik in Brussel gebleven.

Musharraf was voor de Amerikaanse presidentskandidaat George W. Bush een jaar later nog een onbekende. Dat veranderde na 11 september in zijn eerste regeringsjaar. De generaal werd een toeverlaat in de 'oorlog tegen het terrorisme', het eerste grote conflict van het nieuwe millennium, een strijd die het presidentschap van Bush zou beheersen. De neoconservatieven, die door 11 september met de steun van Bush, Rumsfeld en Cheney de controle hadden veroverd over het Amerikaans buitenlands beleid ten koste van de wijze huisneger Colin Powell, spraken van de Vierde Wereldoorlog. Het Witte Huis voorspelde een langdurige strijd. Een ideologische oorlog. Een oorlog zonder slagveld maar niet zonder spektakel. Een verwarrende oorlog die pas door de financiële crisis naar het tweede plan werd gedrongen. Ga naar Disneyland, had de president gezegd na 11 september en de volkeren van het Westen hadden geleefd alsof er helemaal geen oorlog was. Tot er weer een bom ontplofte in een station, een vakantieparadijs of de metro. Of in een onbegrijpelijk en warm land waar westerse soldaten vochten om foute redenen, de plaatselijke bevolking tegen zich in het harnas joegen en in de armen dreven van de vijand.

Of tot de duivel met het zoete jezusgezicht weer op tv verscheen om met zalvende stem dood en vernieling te beloven en te tonen dat hij springlevend was. Hoe kon het dat niemand Osama bin Laden verraadde ofschoon op zijn hoofd meer geld stond dan ooit tevoren was uitgeloofd?

Zover was het nog lang niet toen ik in de Hemelse Bergen naar de beelden staarde van de jongensachtige generaal die de natie toesprak na zijn meesterlijke staatsgreep. Het was de zoveelste militaire coup in de jonge geschiedenis van Pakistan, het hete land dat net als het koude meer, hoog daarboven, een bakermat was van verdwenen en amper bekende beschavingen.

BRANDPUNT VAN EEN HEILIGE OORLOG

Geen twee jaar later was Pakistan, 'land van de zuiveren', het brandpunt van een heilige oorlog. Heilig voor felle geestelijken die al jaren predikten tegen de goddeloze wereld, de morele ondergang en Amerika. Piramides van stukgeslagen televisietoestellen en totems met wapperende cassettebandjes waren de overwinningsmonumenten van de taliban en spraken tot de verbeelding van hun ontembare Pathaanse volksgenoten in beide Pakistaanse grensprovincies. Daar was de bevolking tijdens de oorlog van de jaren 1980 tegen de heidense Sovjets aangegroeid met enkele miljoenen vluchtelingen, de hulptroepen van de heilige strijders. Het Pakistaanse grensgebied was voor hen een veilige terugvalbasis. Het felle Pathaanse chauvinisme was door mullahs met het heilig vuur omgesmeed tot een speerpunt van de zuivere leer. Ze waren de fiere verdedigers geworden van het ware geloof en waanden zich daarom onoverwinnelijk. Dat strookte met hun krijgshaftige geschiedenis. De Verenigde Staten en Saudi-Arabië, die het verzet tegen de Sovjets financierden, zagen dat het goed was.

Wat tegen de Russen was gelukt moest ook tegen het even goddeloze Amerika mogelijk zijn, dacht Osama bin Laden, de leider van het vreemdelingenlegioen dat met de Afghanen tegen het Rode Leger had gevochten. Hij had een wrok opgevat tegen de Saudische koning die na Saddams verovering van 'de negentiende provincie' Koeweit zijn aanbod had afgewezen om het emiraat te gaan bevrijden en de voorkeur gaf aan de Amerikanen. Osama's wraak mocht niet onopgemerkt blijven en hij smeedde overmoedige plannen om de Amerikaanse macht op de knieën te dwingen, een project dat niemand ernstig nam, al volgden er aanvallen op ambassades, kazernes en oorlogsbodems. De man met de baard en de warme stem was vóór 11 september al een nieuwe Saladin, vooral voor jonge moslims zonder toekomst. Zijn reputatie kon niet meer stuk toen hij zich vergreep aan wat het nieuwe Babylon het dierbaarst was: de torens van zijn rijkdom in New York en het hoofdkwartier van zijn militaire almacht in Washington.

President Bush, gedwongen tot een antwoord, zei dat fundamentele waarden op het spel stonden, zoals de democratie en de vrijheid en dat de beste verdediging bestond uit het uitdragen van die bedreigde idealen in een wereld waar ze onbekend waren. Bovenal zag hij de kans om af te rekenen met de oude vijand in Tweestromenland, bakermat van de beschaving.

Er rees een probleem toen hij besliste om de taliban te straffen voor hun traditionele gastvrijheid maar verzuimde om hun gevaarlijke 'gast' te pakken in de bergen van Tora Bora bij Jalalabad. Vanzelfsprekend waren de krijgers op sandalen met hun kleine, vaak handgemaakte wapens uit het land dat al jaren een ruïne was, geen eervolle partij voor Amerika en was de 'overwinning' niet compleet zonder de arrestatie of dood van de gesel Gods met zijn lange baard. De val van de taliban stilde de roep naar gerechtigheid niet want zij waren niet de daders.

MESOPOTAMIË

De Amerikaanse regering richtte al kort na de vernederende aanslagen van 11 september de schijnwerpers op Mesopotamië, waar al jaren een uitdagende despoot met een te duchten leger heerste over een immense olieplas. Ook hij was een foute tegenstander en weer werden de geldschieters van het fanatisme ontzien omdat ze goede vrienden waren. De nieuwe oorlog bracht zelfs een nieuwe generatie terroristen voort.

Al die jaren bleef een omwenteling uit in het land van Mekka en Medina, waar een extreem formalistische en behoudsgezinde school van de islam – het wahhabisme – staatsgodsdienst was en driekwart van de kamikazes van 11 september vandaan kwam. De schatrijke olieleveranciers die de heilige oorlog betaalden, werden niet gedwongen tot de keuze tussen obscurantisme en moderniteit. Amerika trok, kort na de invasie in Irak, zijn soldaten terug uit Saudi-Arabië, wat een hoofdeis was van de miljardair-terrorist. De paradox werd nauwelijks opgemerkt want meteen ontketenden Osama's volgelingen een offensief tegen de Saudische koning. Daarbij vloeide veel bloed maar de monarchie bleef overeind en besliste onder de nieuwe koning Abdullah, die op 3 augustus 2005 zijn overleden broer Fahd opvolgde, tot minimale democratische hervormingen. Op de koude ochtend van 7 november 2007 ontmoette Abdullah de paus in het Vaticaan om een gesprek voor te stellen tussen christenen, moslims en joden. Een historische ontmoeting in een 'hartelijke' atmosfeer...

Nog een ernstige vergissing was dat Washington van de Pakistaanse generaal niet eiste dat hij komaf maakte met de erfenis van een andere militaire heerser: de steun van zijn almachtige geheime dienst ISI aan de jihad.

Acht jaar na de putsch van Musharraf was ik op het steenrijke eiland Bahrein, voor de Saudische kust, deze keer in een kamer met alle comfort. Opnieuw braakte de televisie *breaking news* en opnieuw kwam dat uit Pakistan. Het was de avond van 3 november 2007 en Musharraf pleegde een nieuwe machtsgreep, een coup binnen de coup. Hij schoof de grondwet opzij, legde de pers aan banden en riep de noodtoestand uit. De reacties waren net als toen verontwaardigd maar veelal schijnheilig en van korte duur. Behalve bij de Pakistaanse bevolking die genoeg had gekregen van de generaal.

IN DE GREEP VAN DE TALIBAN

Ik was voor het eerst in Pakistan in het voorjaar van 2001. Dagenlang struinde ik door het stoffige en snikhete Peshawar, wachtend op een vliegtuigje dat misschien niet komen zou om me als 'hulpverlener' naar

Mazar-i-Sharif te brengen. Mazar, het 'graf', de grootste stad in het noorden van Afghanistan, was stevig in de greep van de taliban en al-Qaeda. Kort tevoren waren in het centrum van het land de reusachtige Boeddhabeelden van Bamiyan opgeblazen. 'Onmiddellijk heeft mullah Omar bevolen om duizend runderen te slachten', zeiden de mensen van Mazar, die het bevel misschien bizar vonden maar ook veelbetekenend. Later bleek dat de eeuwenoude beelden niet door zijn taliban, maar door springstofexperts van al-Qaeda waren neergehaald. Er werd gefluisterd over de gevreesde Brigade 055, de stoottroepen van al-Qaeda. Het meest opmerkelijke gerucht ging over de bejaarde koning Zahir Shah, die al bijna dertig jaar in ballingschap leefde. Om onduidelijke redenen geloofden de Afghanen dat de man, die een stuk in de tachtig was, weldra terug zou keren uit Rome waar hij passioneel was gaan tuinieren.

De taliban en de beruchte Brigade hadden de zaak stevig onder controle. Ze waren herkenbaar aan hun zwarte tulband, kalasjnikov en bloeddoorlopen ogen, want ze rookten meer hasjiesj dan de rest van de bevolking. Ze hielden alles in de gaten. Bij hun controleposten ritselden slierten buitgemaakte muziekcassettes. Er was de wereld van de taliban en er was een wereld die ze in hun ijzeren greep hielden, onder meer door te bevelen dat iedere man voor elk gebed naar de moskee moest en een baard moest hebben van minstens een vuist. Of door voetballen te verbieden en het in Afghanistan populaire vliegeren. Door muziek te verbannen en natuurlijk ook televisie. Het internet was geen probleem, er waren amper aansluitingen.

Rechtop in de laadbak van hun pick-ups, beladen met patronengordels, kalasjnikov in de hand, granaatwerper op de schouder, zagen ze toe op de rust en de naleving van hun bizarre voorschriften. 's Middags reden ze met tanks een rondje op het plein voor het indrukwekkende mausoleum van Ali, de schoonzoon van de Profeet, dat van Mazar de hoofdstad van het noorden had gemaakt. Op de uren van het gebed liep de verkommerde bazaar leeg en was er alleen nog de wind in de stoffige straatjes. Jonge Afghanen speelden schaak, droomden in het geheim van een Leonardo DiCaprio-kapsel en dweepten met de film *Titanic*. Hoe konden ze die kennen? Sommige meisjes en vrouwen liepen ondanks het verbod nog steeds op klepperende schoentjes. De mensen betastten mij en dachten dat ik een Rus was.

Peshawar, de laatste Pakistaanse halte op de weg naar Kabul, is het voorgeborchte van Afghanistan. De kleinhandel is er hoofdzakelijk een Afghaanse aangelegenheid en de bevolking is overwegend Pathaans en behoort dus tot hetzelfde volk als aan de overkant van de grens. De weg daarheen, de legendarische Grand Trunk Road die vertrekt in New Delhi, voert net buiten Peshawar door een der grootste illegale markten ter wereld. Onooglijke winkeltjes, herkenbaar aan de weegschaal in de vitrine, zijn groothandels waar heroïne, opium en hasjiesj bij de kilo wordt verkocht als was het suiker. In al even krakkemikkige etablissementen worden kalasjnikovs en ander wapentuig aan de man gebracht. In dit gebied zijn er verschillende stadjes waar zowat alle wapens met grote precisie worden nagemaakt. Ik zal niet licht het salvo vergeten, pal achter mij, toen ik quasi argeloos voorbij de slagboom was gekuierd om er een uurtje te *window shoppen*. De markt is met een bareel gescheiden van een grote bazaar daar net buiten, op het grondgebied van Peshawar, waar belastingvrij gebruiksgoederen worden verkocht. De uitgestrekte wapen- en drugsmarkt bevindt zich dus wel in Pakistan maar valt onder het recht van de Afridi's, de belangrijkste stam in Khyber Agency, een van de zeven tribale gebieden. De plaatselijke bevolking loopt ongehinderd voorbij de slagboom die alleen bleek te dienen om vreemdelingen tegen te houden en na te gaan of passerende voertuigen beschikten over een vergunning om het stamgebied te doorkruisen tot de landsgrens op de legendarische Khyber-pas, vijftig kilometer verderop. Toen ik mij stond te vergapen als een Pathaanse bezoeker aan de walletjes van Amsterdam, werd ik in de kraag gevat door een reusachtig lid van het Frontier Corps in ruwe bruine wapenrok, en zonder complimenten teruggebracht naar de overzijde van de bareel. Ik nam het de potige paramilitair niet echt kwalijk.

Opzienbarend was het openbaar gebed in Peshawar. Wanneer de muezzin begon te zingen, verzamelden de mannen en knielden in rijen midden op de openbare weg. Dat had ik op mijn vele reizen in moslimlanden nooit gezien. De religieuze ultra's en hun milities, inclusief bin Laden, al-Qaeda en de taliban, genoten aanzien en werden met respect behandeld door de pers. In de kranten waren er dagelijks pagina's voorbehouden voor nieuws uit Kasjmir en Afghanistan, twee kwesties die uiterst gevoelig bleken te liggen.

Het visum moest worden afgehaald op het Afghaanse consulaat in Peshawar. Pakistan was met de Verenigde Arabische Emiraten en Saudi-Arabië het enige land dat diplomatieke betrekkingen onderhield met het Afghanistan van de taliban. De consul, een weldoorvoede kraai, bladerde door mijn paspoort. 'Press, hmm...', zei hij, proevend van het woord, als was het 'prostitutie'. Ik vreesde dat de deur op de valreep zou dichtklappen nu ik ontmaskerd was. Maar met het gewicht van zijn ambt plaatste hij de verlossende stempel. Bagagecontrole was er in het rijk van de taliban niet. De koffers werden van het vliegtuigje, het enige toestel op het tarmac, rechtstreeks naar de wachtende auto gebracht. Mijn paspoort werd afgestempeld door een schriele zwarte tulband achter een bureau in een uitgeleefde zaal waarin enkel nog een afgedankte sofa stond, vermoedelijk het enige meubilair op de 'internationale luchthaven'. Er was niet alleen een visum nodig om het Emiraat binnen te komen, er was ook een van doen om buiten te raken. Het moest worden aangevraagd bij de plaatselijke commandant van de taliban, die ook andere klanten had met wie hij niet uitgepraat raakte in zijn overvol kantoortje, vlakbij de grote moskee en die hij imponeerde door de westerlingen onderdanig te laten wachten. De hulpverleners die me gastvrijheid hadden geboden, vreesden dat ze niet lang meer in Afghanistan zouden worden geduld.

Een half jaar later kwam een einde aan de godvruchtige tijdloosheid van het kortstondige Emiraat. Toen ik Kabul bezocht, kort na de 'bevrijding', kon ik mij geen stad herinneren met meer fotografen. Sommigen van hen waren tovenaars met antieke apparaten voorzien van lange slurven. Het was ook een paradijs voor handelaars in zelfgemaakte schotelantennes, zoals Bagdad dat was een jaar later, na de val van Saddam. Die nieuwe gadgets beïnvloedden de Afghaanse volksaard maar tot op zekere hoogte. Ik kon de vrouwen tellen die de blauwe boerka, 'symbool van onderdrukking', hadden afgeworpen.

LIBANESE BURGEROORLOG

Het was in het voorhistorische tijdperk van de ratelende telexmachines dat de burgeroorlog woedde. Er ging geen dag voorbij zonder alarmbelletjes en de berichten begonnen onveranderlijk met de zin: 'In de Libanese hoofdstad Beiroet is een bom ontploft.' Het aantal doden varieerde. Soms waren er maar enkele, soms honderden zoals op die herfstdag in 1983, toen een kamikaze met een vrachtwagen vol springstof inreed op de kazerne van de Amerikaanse mariniers, gevolgd door een tweede die de Franse parachutisten als doelwit had. Het visitekaartje van Hezbollah, een nieuwe speler, die de eerste zelfmoordaanslagen pleegde sinds de Japanse kamikazepiloten in de Tweede Wereldoorlog.

Bij de twee bijna simultane ramkraken met vrachtwagens vol springstof kwamen 241 Amerikaanse soldaten en 58 Fransen om. Het brein achter de aanslagen, Imad Mughniyeh, kwam met stip op één op de nagelnieuwe lijst van de Amerikaanse wraak en bleef daar tot 11 september tronen. Zelfmoordenaars aan het stuur van bomauto's waren nog niet vertoond en niemand kon vermoeden dat ze school zouden maken.

In september 1982 was er Sabra en Shatila, de voorbode van een nieuwe oorlogsgruwel en een nieuw modewoord: 'etnische zuiveringen', een elegante term voor slachtpartijen waarin niets en niemand wordt ontzien. Politieke zwaargewichten waren een geliefd doelwit in Beiroet. Het dieptepunt in een lange rij politieke moorden was die van 1982 op de pas verkozen president Bashir Gemayel. Met het einde van de burgeroorlog vielen de politieke aanslagen stil. Op Valentijnsdag 2005 werden ze hervat. Ik was in Beiroet in maart 1991, onmiddellijk na de burgeroorlog. Het was een wezenloos spektakel. Beide kanten van de kilometers lange Groene Lijn die het christelijke oosten scheidde van het islamitische westen, waren herschapen in een onherbergzaam en grillig stenen kantwerk. Grondig doorzeefd puin staarde me aan zover het oog kon zien. In het midden van deze donkere spookstad lagen mijnen onder de brokstukken van de Place des Martyrs. Hier en daar nestelde nog een sluipschutter terwijl de eerste krakers opdaagden, of waren het de vroegere bewoners, in de spelonken van dit onwerkelijk filmdecor. Ze hingen wapperde vodden en lappen voor de gaten die eens ramen en gevels waren.

Het was onmogelijk om niet meteen van deze stad te houden. Strijders die mekaar beschoten op werkdagen, speelden 's zondags soms in hetzelfde elftal. Na vijftien jaar oorlog waren ze eindelijk leeggeschoten en moe. De Syrische bevoogding namen ze erbij, al was Damascus misschien wel de sluwste en meest opportunistische partij geweest in de Libanese dodendans. In 2005 ontworstelde Beiroet, heropgebouwd door de soennitische premier en zakenman Rafik Hariri, zich aan de verstikkende Syrische omhelzing. Daar legde Damascus zich node bij neer.

Het is ook onmogelijk om niet te houden van het oude Damascus, waar de stenen spreken van de wereldgeschiedenis. De weg naar de stad is synoniem van een goddelijke ingeving en al tweeduizend jaar noemt de hoofdstraat 'de rechte'. De moskee van de Ummayaden, de eerste moslimdynastie, was ooit een meesterwerk van vroegchristelijke bouwkunst. Nog steeds weerkaatst de zon op de mozaïeken van het binnenplein die wereld van de late oudheid in smaragdgroen en verblindend goud. In een moskee vlakbij rust de Koerd Saladin, die de kruisvaarders verdreef uit Jeruzalem.

In het Nationaal Museum ligt de kleine steen uit Ugarit aan de Middellandse Zee, met het oudste alfabet ter wereld. Te bezichtigen zolang het licht niet uitvalt.

* * *

In de loop van mijn omzwervingen werd me duidelijk dat de kleine archaïsche geloofsgemeenschappen in het Midden-Oosten, met wortels in de oudheid, de hedendaagse conflicten wellicht niet zullen overleven. Dat intellectueel, economisch en cultureel verlies tapt de levenssappen weg, veroorzaakt steriele monoculturen en bevordert intellectuele woestijnvorming. Mij bekroop ook het gevoel dat belangrijke processen in cruciale landen van het Oosten, dikwijls worden aangedreven door clanleiders, familiegeschiedenissen en oude vetes en dat de massa in het beste geval kiesvee is zonder keuze. Ik begon te denken dat dit koortsachtig gebied afstevende op een confrontatie tussen zijn twee grote gemeenschappen, soennieten en sjiieten, eerder dan met het Westen.

* * *

Dit boek is geen reisjournaal, al blijf ik soms ergens toeven. Wat volgt is de weinig romantische reconstructie van een drama met vele *cliffhangers*. Ik keek als een westers waarnemer, maar met een plaatselijke bril. De details van de verhalen die volgen berusten veelal op locale bronnen. De bedwelming en het raffinement van de intriges dreven me tot de productie van een manuscript dat drie keer de omvang had van dit boek. Ik liet met genoegen de hakbijl hanteren door de uitgever en poetste het resultaat zo spoedig mogelijk op om tijdig en met enige stijl afscheid te kunnen nemen van een vak waaraan ik mijn hart had verpand. Net op tijd naar ik vrees, want voor de passie om de wereld te vertalen is helaas steeds minder animo.

Het kostte tijd voor de titel er was. Lang dacht ik aan 'Bushs oorlogen' omdat ze onder zijn presidentschap begonnen, meer precies op 11 september 2001. Oorlogen van het beste leger ter wereld tegen een onzichtbare, alomtegenwoordige primitieve vijand. Het was fonetisch een problematische titel en hij deed ook onrecht aan de tegenstanders. Bovendien liet Bush zijn conflicthaarden na aan zijn opvolger.

De verspreiding van die haarden over verschillende continenten bracht me tot de 'wereldoorlog'. Doordat er amper klassieke slagvelden waren en het geweld sporadisch en onvoorspelbaar was, werd de strijd in het Westen na verloop van tijd aangevoeld als een abstractie. Het was een zaak van beroepssoldaten en de bevolking werd niet lastiggevallen met de factuur. Militairen spraken van een 'asymmetrisch conflict'.

De oorlog was al een tijdje bezig zonder dat veel mensen er erg in hadden. Hij was in de zomer van 1998 door Osama bin Laden verklaard aan 'de Joden en de kruisvaarders'. Toen de Amerikaanse president op zijn beurt een 'kruisvaart' ontketende, die avond van 11 september, onder het motto 'wie niet voor ons is, is tegen ons' werd het menens.

Bush en bin Laden kregen in 2005 assistentie van een derde hoofdacteur met apocalyptische aanleg: Mahmoud Ahmadinejad. Ze voedden zich aan elkaar. De Iraanse president en de Saudische miljardair zagen in

Bush om verschillende redenen de belichaming van het kwaad. De Venezolaanse president Chavez rook ooit de solferlucht die Bush volgens hem had achtergelaten op het spreekgestoelte van de Verenigde Naties. Bin Laden nam na acht jaar waarschijnlijk node afscheid van Bush. De terrorist had hem een tweede ambtstermijn bezorgd door pal voor de presidentsverkiezing op televisie te komen vertellen dat het er niet toe deed op wie de Amerikanen zouden stemmen. Amerika koos na dat advies van de baardige duivel voor veiligheid en Bush.

De president en zijn twee tegenspelers deelden een gelijkaardige visie op de geschiedenis en zagen zichzelf als witte ridders kampend tegen het kwaad. Ze waren ervan overtuigd dat de eindstrijd nabij was, voor zover hij al niet was begonnen, en dat ze optraden in naam van een hogere, een goddelijke macht. Daarom was dit bittere conflict voor elk van hen een 'heilige oorlog'.

En op de achtergrond bromde nog iets heiligs: de heilige koe die niet leven kon zonder het zwarte goud waarvan de wereld afhankelijk was als van water.

DE HEILIGE WERELDOORLOG

De keerzijde van de rede

AMMAN (JORDANIË) - *Bij een kort bezoek aan Amman, eind*

mei 2007, vertelde Bayan al-Qubeisi,[1] een Iraakse professor en journalist, mij het

verhaal van de opkomst en uiteindelijk de ondergang van al-Qaeda in de uitgestrekte

Iraakse woestijnprovincie Anbar. Hij woonde aanvankelijk in de provinciehoofdstad

Ramadi, later in het roemruchte Falluja, vijftig kilometer dichter bij Bagdad, de

gevaarlijkste steden ter wereld.

Ik was in Ramadi overvallen toen ik onderweg was naar de hoofdstad in de prille dagen van de 'bevrijding'. Een vijftal gewapende jonge mannen bezette een controlepost die pas enkele uren tevoren door de Amerikanen was verlaten. Een van de rebellen of struikrovers droeg een Irakees militair uniform en had een lange zwarte baard. Baarden waren in het Irak van Saddam een teken van buitensporige vroomheid en daarom taboe. Het was uitgesloten dat de bezitter van dit fors exemplaar het in enkele dagen had kunnen kweken. Nu de geschiedenis van al-Qaeda in het rijk van Saddam geleidelijk contouren krijgt, rijst mijn vermoeden dat de baardige jongeman die mij met een ontgrendelde kalasjnikov bedreigde, mijn satelliettelefoon stal en de auto leegroofde, een van de eerste missionarissen was van al-Qaeda in Anbar. In de herinnering van al-Qubeisi arriveerden de eerste militanten later.

'Vijf, zes maanden na de val van Bagdad was het een groep van twintig, misschien dertig man in Falluja. Ze stonden onder leiding van Omar Hadid, een Iraaks Afghanistan-veteraan', zei de journalist, die de zoon was van een soennitisch imam, zelf intussen vader was maar verscheurd werd door zijn liefde voor een andere vrouw.

'Op hetzelfde moment was er in Falluja een veel grotere groep van een zestigtal nationalisten die de wapens had opgenomen tegen de bezetter. Zij stonden onder leiding van al-Jannabi. Er ontstonden spanningen toen al-Qaeda de oorspronkelijke samenwerking met de nationalisten opzegde en voor eigen rekening begon te rijden. De terroristen waren intussen aangegroeid tot zo'n tweehonderd man. Ze bleven snel in aantal toenemen en uiteindelijk, in 2005, waren er om en bij de vijfduizend. Ze kwamen uit alle hoeken van soennitisch Irak en uit het buitenland. De buitenlanders hadden de leiding, al was hun aantal nooit veel groter dan pakweg tweeduizend. Later zijn veel terroristen uit Irak ontsnapt.

De problemen begonnen toen al-Qaeda zijn wet begon op te leggen. Het was een stapel verordeningen, de ene al onbegrijpelijker dan de andere. Zo mocht er geen ijs worden verkocht om levensmiddelen koel te houden omdat er geen ijs bestond in de tijd van de profeet. Vrouwen moesten zich op de ogen na bedekken en in de auto mochten ze niet naast de chauffeur zitten maar op de achterbank. Daar bleef het niet bij. Weldra lanceerden ze een jacht op al wie voor de politie werkte. Een 'verdachte' werd van het dak van een torengebouw gegooid. Een jongetje van tien en een meisje van dertien werden afgeslacht omdat hun vader misschien politieman was. De terroristen hadden een uitgesproken voorkeur voor onthoofdingen. Die werden soms voltrokken door adolescenten die ervoor werden betaald, vaak Irakezen. Geleidelijk werden steeds meer families getroffen door de terreur en uiteindelijk bleven zelfs de stamhoofden en sjeiks niet gespaard. Toen een van hen een geliefd familielid verloor, sloeg het uur van de vergelding.

De sjeik, al-Jadan heette hij, vormde in de zomer van 2006 een groep met andere slachtoffers van de terreur. Ze noemden zich de Revolutionairen van Anbar. Hun doel was de eliminatie van de leiders van al-Qaeda en van de beulen. Ze hadden een goede terreinkennis en veel invloed bij de bevolking, spoorden hun verdachten een voor een op en doodden hen. Zo'n tweehonderd moesten eraan geloven. De Amerikanen, die al die jaren weinig hadden kunnen beginnen tegen al-Qaeda, vonden het prachtig en steunden de Revolutionairen. De terreurorganisatie liet zich niet onbetuigd en tegen december 2006 waren er zoveel sjeiks en stamhoofden die dierbaren hadden verloren – een van hen betreurde elf familieleden – dat verschillende stammen zich verenigden. Ze beslisten om al-Qaeda te stoppen en daarbij samen te werken met de Amerikanen en de regering van Nouri al-Maliki. De Amerikanen waren enthousiast maar Maliki zei dat aangezien al-Qaeda te sterk was voor de Amerikanen de terroristen dat zeker zouden zijn voor de stammen. Vooral vreesde hij een nieuwe soennitische militie die oncontroleerbaar kon worden. De stammenraad was succesvol. Mannen van de aangesloten stammen namen dienst bij de politie. 'Vandaag zijn er nog wel terroristen in Anbar, maar de leiders zijn gevlucht en financieel zitten de militanten aan de grond.'

Rond de tijd dat al-Qubeisi mij zijn verhaal vertelde doken de eerste berichten op over het conflict tussen al-Qaeda en de stammen. Dit was het eerste omstandige gesprek met een ooggetuige, bovendien een journalist. Ik monteerde het in een serie van drie afleveringen voor de nieuws-arme zomervakantie. Ze werd helaas nooit uitgezonden.

De bewering van Iraanse betrokkenheid bij al-Qaeda klonk onwaarschijn-lijk. Al-Qaeda in Mesopotamië onderscheidde zich door een uitgespro-ken anti-sjiitisch palmares. Het was niet logisch dat Iran de moordenaars van zijn geloofsgenoten zou helpen. Toch is niets in het Midden-Oosten helemaal uitgesloten en de redenering van al-Qubeisi was plausibel. 'La logique n'est pas du coté de la raison ici', zei een van de weinige westerlingen in het Bagdad van die dagen mij bij herhaling.

Al-Qubeisi bevestigde het prille nieuws dat de bevolking van Anbar tegenwoordig de Amerikanen verkoos boven al-Qaeda, omdat ze minder bloeddorstig waren en de bevolking beschermden tegen onder meer niet ontplofte munitie. 'We hebben de strijd opgegeven', zei Qubeisi, 'we hebben niets binnengehaald. Vandaag zijn de Amerikanen vrienden.'

Dat was niet altijd zo. Toen hij als ooggetuige van een aanval op een Amerikaanse tank melding maakte van tien Amerikaanse doden in zijn krant, terwijl de Amerikaanse legerleiding het hield op twee, kreeg zijn familie bezoek van de bezetter. Zijn familie loog dat hij in Syrië was. Op de vraag of de Amerikanen dan logen over hun dodencijfers, zei hij: 'Het is oorlog, ze moeten liegen.'

De journalist, die ei zo na zelf in het gewapend verzet was gegaan toen een van zijn vrienden stierf bij een Amerikaanse actie, kreeg uiteindelijk schrijfverbod van al-Qaeda. Voor het werk van het voorbije half jaar moest hij de eerste cent nog krijgen. Als soenniet uit Anbar kon hij immers niet naar zijn krant in Bagdad omdat hij gevaar liep bij de controleposten van het sjiitische Leger van de Mahdi, de militie van Moqtada al-Sadr.

De regelneverij van al-Qaeda, waarover Qubeisi vertelde, bevestigde ook de wederopstanding van het takfirisme.[2] Wie de voorschriften niet tot in het absurde volgt is voor de takfiri's een heiden. Lakse gelovigen zijn voor hen ongelovigen en verdienen dus de dood. Abu Musab al-Zarqawi, de leider van al-Qaeda in Mesopotamië, was dat ook door de sjiieten als groep de oorlog te verklaren, wat niet echt paste in de officiële al-Qaeda-strategie. Vanaf 2003 kende het takfirisme een steile opgang bij al-Qaeda. 'Lakse' moslims werden beschouwd als een vijfde colonne van de vijand die moest worden uitgeschakeld. De 'afvallige' leiders van moslimlanden stonden bovenaan de moordlijst. Er is een hele weg afgelegd sinds al-Qaeda in de jaren negentig alleen nog maar de bevrijding predikte van het westers juk, constateerde Syed Saleem Shahzad, de terrorisme-expert van de Asia Times.

Olie op het vuur

TEHERAN (IRAN) - *In mei waren de regeringssubsidies al inge-*

trokken en op 27 juni 2007 ging de benzine op de bon. Iran, de vierde olieproducent ter

wereld, was tot rantsoenering verplicht omdat de bevoorrading sputterde. De eigen,

raffinaderijen konden de vraag niet aan en het land moest veertig procent van zijn

olieproducten invoeren. Die import dreigde onder Amerikaanse druk droog te vallen.

De onontwarbare verkeersknoop in de miljoenenstad Teheran was meteen opgelost. De permanente smog trok op maar de bevolking was verbolgen en president Mahmoud Ahmadinejad kreeg voor het eerst sinds
zijn aantreden de wind van voren van zijn machtsbasis: het volk. De
meeste Iraniërs hadden allang de buik vol van de ayatollahs, maar waren
ook bitter ontgoocheld over de onmacht van de hervormers. Er braken
zware rellen uit in Teheran en in andere grote steden.

Maar als gewezen commandant van de Revolutionaire Garde wist
Ahmadinejad hoe hij met dit soort situaties moest omgaan en van veel
oproer werd na die woelige zomernacht niet meer gehoord. Hij posteer-
de politiemannen in uniform en in burger bij de tankstations en het rant-
soen bleef honderd liter per maand voor gewone burgers, achthonderd
voor taxichauffeurs.

Het oproer was een waarschuwing voor Ahmadinejad die in juni 2005
verkozen was met een programma dat een verdeling van de olierijkdom
onder de bevolking beloofde. In werkelijkheid waren alleen de Revolutionaire Gardisten beter geworden van het nieuwe beleid. De rantsoenering trof vooral de talloze stedelingen die de eindjes aan elkaar knoop-
ten door buiten de werkuren clandestien taxi te spelen. De media
zwegen. De laatste hervormingsgezinde bladen en andere dissidente
stemmen kregen de duimschroeven aangedraaid. Intussen waren, maanden geleden, Amerikaanse Iraniërs bij bezoeken aan hun land aangehouden op beschuldiging van spionage.

Kwam daarbij de nucleaire kwestie met de vraag of Iran al dan niet om
militaire redenen begonnen was met de verrijking van uranium. Teheran

had zijn atoomprogramma jarenlang verstopt en hield nu vol dat het vreedzame bedoelingen had. De rest van de wereld – vooral Israël en de Verenigde Staten – waren daar allerminst zeker van. De Europese Unie voerde moeizame en weinig vruchtbare onderhandelingen met Iran, terwijl Ahmadinejad uitdagend opschepte over de nieuwste verrijkingsinstallaties. Tegelijk betwistte hij het bestaansrecht van Israël en voorspelde het einde van de Joodse staat. Als om zich voorgoed onaanvaardbaar te maken bagatelliseerde hij de Holocaust en schreef hij, in de furie van de Deense cartoons, een internationaal concours uit voor de beste Holocaustspotprent.

In de Amerikaanse regering waren de stemmen die actie vroegen tegen Iran geenszins het zwijgen opgelegd door het debacle in Irak. De benzinecrisis was koren op hun molen. Maar de Iraans-sjiitische dreiging werd misschien nog het sterkst aangevoeld in de Arabische, soennitische landen van de Golf: de Arabische (of Perzische) Golf, het grote oliereservoir van de planeet.

Een vet contract

SHARM EL-SJEIK (EGYPTE) - *Op 31 juli landde de Amerikaanse minister van Buitenlandse Zaken Condoleezza Rice met haar nieuwe collega van Defensie Robert Gates in de mondaine Egyptische badplaats Sharm el-Sjeik. In haar koffertje staken de papieren voor het zwaarste wapencontract uit het hele presidentschap van George Bush.*

Ze wilde voor twintig miljard dollar aan wapens slijten aan de zes landen van de Samenwerkingsraad van de Golf, de Gulf Cooperation Council (GCC). De wapens moesten 'de gematigde krachten helpen tegen de negatieve invloed van al-Qaeda, Hezbollah, Syrië en Iran'. Teheran was door een wesp gestoken en reageerde ongebruikelijk snel: 'Een pyromaan project, bedoeld om angst en tweedracht te zaaien onder de landen in de regio, in het belang van de Amerikaanse wapenhandel.'

De zes landen van de GCC (Bahrein, Koeweit, Oman, Qatar, Saudi-Arabië en de Verenigde Arabische Emiraten) hadden geen nieuwe wapens gevraagd. Het Amerikaanse aanbod plaatste hen in een vervelende positie. Moesten ze het afwijzen en de machtige bondgenoot tegen de haren instrijken of het aanvaarden en de spanningen in de regio verder opdrijven? Onder aanvoering van Saudi-Arabië probeerden de zes totnogtoe hun geschillen met Iran en Syrië diplomatiek op te lossen.

Nu stelde Washington de aanschaf voor van jachtbommenwerpers, oorlogsschepen, luchtdoelraketten en satellietgeleide bommen. Niet het geschikte arsenaal voor de strijd tegen het terrorisme. Het was duidelijk dat Iran werd geviseerd. In de lente al was sprake geweest van een deal, maar het bedrag dat nu werd genoemd was twee keer zo hoog. Door het verzet van Israël, dat vreesde voor ultramodern wapentuig in Arabische handen, hadden de onderhandelingen vertraging opgelopen. Met de Saudi's werd overeengekomen dat de raketten Israël niet zouden kunnen treffen.

De reis van Rice en Gates moest ook leiden tot meer steun van Saudi-Arabië voor de regering-Maliki in Irak. Nog steeds werden de Saudi's verdacht van steun aan de soennitische opstand in Irak en het Pentagon was er eindelijk achter dat niet alleen de Syrische grens maar ook die met Saudi-Arabië erg populair was bij vrijwilligers voor de heilige oorlog in Mesopotamië.

Het wapencontract zou in het najaar de zegen krijgen van het Amerikaanse Congres maar de eerste stemmen in de nieuwe democratische meerderheid pleitten er voor een blokkering.

De deal omvatte ook een forse verhoging van de militaire bijstand aan Egypte en een verhoging met een kwart van de gratis hulp aan Israël. De Israëlische regering van Ehud Olmert gaf haar stilzwijgende goedkeuring. Olmert sprak ook van een 'eenheidsfront' van gematigde Arabische landen, de Verenigde Staten en Israël tegen Iran.

Terwijl zijn topministers op zakenreis waren, ontmoette president George Bush in Camp David de nieuwe Britse premier Gordon Brown. Bush, die na zijn eerste ontmoeting met Blair in 2001 had gegekscheerd over beider voorliefde voor Colgate, overliep deze keer een sombere waslijst: Irak, Afghanistan, Darfur, het Europees rakettenschild en het Iraans nucleair programma. 'Iedereen vraagt zich af of we het op sommige punten eens zijn. Het antwoord is: absoluut', zei Bush. Gordon Brown had het over de 'verplichtingen en verantwoordelijkheden' van zijn kabinet tegenover de democratisch verkozen regering van Irak. Het klonk niet begeesterend. Nu na de Duitse kanselier Angela Merkel en de Franse president Nicolas Sarkozy ook Brown niet bleek af te haken, zag Washington dat het goed was.

Brown was nooit enthousiast geweest over het avontuur in Irak, maar hij kondigde geen terugtrekking aan van de vijfduizend Britse militairen, een contingent dat intussen zwaar afgeslankt was. Het voorbije jaar was het Britse korps met tweeduizend eenheden verminderd. De aftocht was sluipend. Maar Washington sprak van een nieuwe Europese dynamiek en een kans op een echt partnerschap onder gelijken met de Amerikanen.

De dood van de laatste koning

KABUL (AFGHANISTAN) - *Op maandag 23 juli stierf in Kabul Mohammed Zahir Shah, officieel bekend als 'de vader van de natie'. Hij had de gezegende leeftijd bereikt van 92 jaar.*

Al veertig jaar was hij koning van Afghanistan, toen hij tijdens een reis naar Italië door zijn neef Daoud Khan aan de dijk werd gezet en alle ellende begon. Zahir Shah was een tragische figuur. Hij was pas negentien en had zijn jeugd grotendeels doorgebracht in Frankrijk toen hij in 1933 de eed aflegde na de moord op zijn vader, Nadir Shah.

De koning bleef in Rome na de staatsgreep van zijn neef. Hij herstelde er van een medische behandeling, verzorgde zijn tuin, las Franse romans, fotografeerde veel en volgde van op afstand de trage, onafwendbare ineenstorting van zijn koninkrijk.

Zahir Shah had lang geregeerd maar zonder grote belangstelling voor de uitoefening van de macht. Hij had zoals de Merovingische koningen geheerst en de regering overgelaten aan vertrouwelingen. Dat werd hem fataal. Hij had de Koude Oorlog weten uit te buiten zonder partij te kiezen voor een van de grootmachten, die wedijverden met grote investeringen in het hoger onderwijs en de infrastructuur. Tot vandaag bestaat het Afghaanse wegennet uit een ringweg waarvan de noordelijke helft is aangelegd door de Sovjets en de zuidelijke door de Amerikanen. Zulke dingen kreeg Zahir Shah met zijn neutraliteitspolitiek gemakkelijk voor elkaar.

De intellectuele en militaire elite van het land werd opgeleid aan Amerikaanse en Russische universiteiten en aan de aloude islamitische al-Azhar universiteit in Caïro. In de jaren zestig keerden de studenten terug met revolutionaire opvattingen. De universiteit van Kabul was in de greep van de contestatie en er woedde een propagandaoorlog tussen marxisten, nationalisten en moslimbroeders. De strijd was soms gewelddadig en daarom werden in het gezegende jaar 1968 alle politieke activiteiten op de campus verboden. Pas vijf jaar later werd de 'Nieuwe Democratie' afgeblazen, die was ingeluid met de afkondiging van een liberale grondwet en de oprichting van een raadgevend parlement. Politieke partijen bleven verboden, al waren er twee keer parlementsverkiezingen.

Daoud Khan was een machtig man onder Zahir Shah. Na de Tweede Wereldoorlog als minister van Binnenlandse Zaken; later, in de jaren vijftig, als premier. Waarschijnlijk koesterde hij een wrok omdat de koning hem in 1963 van zijn macht had beroofd toen hij het land op de rand van een oorlog met Pakistan had gebracht door de onafhankelijkheid te bepleiten van de Pathaanse provincies Baluchistan en de North-West Frontier Province (NWFP).

Bij zijn machtsgreep van juli 1973 kreeg Daoud steun van de linkse intelligentsia. Hij schafte de monarchie af, riep de republiek uit en rekende af met het nog prille fundamentalisme van studenten die als moslimbroeders uit al-Azhar waren teruggekeerd. Hij steunde op Moskou voor militaire en ontwikkelingshulp, maar zocht na verloop van tijd toenadering tot Amerika en de sjah van Iran.

Dat was verraad voor de kleine groepen communisten in Afghanistan. De oprichting, in maart 1977, van de Nationaal Revolutionaire Partij (NRP) als enige toegelaten formatie, deed de deur dicht. De NRP was een middel om aan vriendjespolitiek te doen. De rivaliserende communisten van Khalq ('het volk'), dat in hoofdzaak uit Pathanen bestond, en de Tadzjiekse Parcham ('de vlag') sloten voor het eerst en voor het laatst de rangen.

Op 17 april 1978 brachten ze op de begrafenis van een vermoord Pathaans partijlid vijftienduizend mensen op de been voor een manifestatie tegen de regering. Tien dagen later werd Daoud ten val gebracht bij een operettestaatsgreep van een aantal muitende officieren. Daoud en dertig van zijn verwanten werden vermoord, het nieuwe regime riep de volksrepubliek uit en begroette diezelfde avond nog zijn 'glorierijke bondgenoot' Moskou, die door de gebeurtenissen totaal was verrast. De wittebroodsweken van de Saur-revolutie, genoemd naar de maand waarin ze plaatsvond, duurden niet lang. In mei braken opstanden uit 'in naam van God'.

Meteen na de machtsgreep laaide de oude rivaliteit tussen Khalq en Parcham, Pathanen en Tadzjieken, weer op. De sterke man van het regime, de Pathaan Nour Mohammed Taraki, voorzitter van de Revolutionaire Raad, ontketende een vervolging van de Tadzjiekse kameraden. De ondervoorzitter van de Raad, de Tadzjiek Babrak Karmal, leider van Parcham, werd verbannen als ambassadeur in het verre Tsjecho-Slowakije.

De uitschakeling van de Tadzjiekse kameraden verzwakte de smalle machtsbasis van het regime nog verder, maar uiteindelijk werd Taraki ten val gebracht door een volksgenoot, Hafizullah Amin, die met Taraki en Karmal de Afghaanse Democratische Volkspartij had opgericht. Hij had zijn moment geduldig afgewacht. Als minister van Buitenlandse

Zaken en later premier had hij een stevige aanhang gekweekt in het leger. Op 16 september 1979 verklaarde hij Taraki 'ongeschikt voor het leiderschap'. Drie weken later werd Tariki vermoord. Het was de triomf van de 'zwarte' Khalqis op de 'rode'.

In anderhalf jaar had het bewind een opmerkelijk traject afgelegd op de weg naar de zelfdestructie. Onder Amin kwam het in vrije val. Er werd een nieuwe ronde in de afrekeningen ingezet en er braken gevechten uit tussen verschillende legereenheden. Bovendien dreigde Amin over te lopen naar het Amerikaanse kamp. Moskou bekeek de gebeurtenissen met grote ongerustheid en het heeft er de schijn van dat radeloosheid achter de beslissing stak om Afghanistan op kerstavond 1979 binnen te vallen. Dat was een van de meest fatale politieke en militaire beslissingen uit de moderne geschiedenis. Ze droeg bij tot de ineenstorting van de Sovjet-Unie en de opkomst van al-Qaeda.

Vanzelfsprekend had de geschiedenis een andere wending genomen zonder de machtsgreep van Daoud en het einde van de monarchie. Allicht had ze er ook anders uitgezien als in 2001 was beslist om de oude koning, die niet uit was op macht, zijn functies na veertig jaar terug te geven. De Amerikanen wisten dat Zahir Shah onontbeerlijk was om Afghanistan na de val van de taliban te stabiliseren en de eenheid van het land te waarborgen maar ze weigerden de monarchie te herstellen.

Op 18 april 2002 werd Zahir Shah in Rome op een vliegtuig gezet richting Kabul om er een traditionele Loya Jirga, een 'grote vergadering' te openen van Afghaanse chefs. Daarmee werd zijn gezag impliciet erkend want de bijeenroeping van de Loya Jirga was een koninklijk prerogatief. De ayatollahs in Iran zagen de oude vorst met afgrijzen terugkeren. Ze vreesden voor een inspirerend precedent op het ogenblik dat de verdreven Iraanse monarchie veld won bij de publieke opinie. In Pakistan daarentegen werd stilletjes gehoopt op een herstel van de monarchie.

Op de vooravond van de Loya Jirga kreeg Zahir Shah het bezoek van de Amerikaanse ambassadeur Zalmay Khalilzad, die hem met aandrang verzocht geen presidentskandidaat te zijn 'omdat de stamhoofden geen oude man aan het roer wilden'. Het leverde Khalilzad in Afghanistan de roepnaam 'onderkoning' op. Andermaal was een Amerikaanse beslissing niet door pragmatisme ingegeven maar door ideologie, zonder rekening te houden met lokale gevoeligheden.

Een mislukt offensief in Glasgow

GLASGOW (SCHOTLAND) - *Op 30 juni ramde een groene*

Amerikaanse Cherokee-jeep de toegangsdeuren van de luchthaven van Glasgow. De

bom met propaanflessen ontplofte niet en daarom goot de chauffeur er benzine over om

dan als een levende toorts, onder de aanroeping van Allah, een gevecht aan te gaan

met de toegesnelde politie. Er brak paniek uit bij de duizenden vakantiegangers.

Al snel werd een verband gelegd met twee Mercedessen die twee dagen tevoren in de buurt van Piccadilly Circus, hartje Londen, waren aangetroffen. Twee bomauto's met spijkers en propaan. Ze hadden moeten ontploffen vlakbij de Tiger Club waar het op donderdagavond *ladies' night* is.

Dat complot deed denken aan nog een andere samenzwering waarbij de Britse inlichtingendienst lucht had gekregen van een aanslag op 'promiscue' vrouwen in een nachtclub. De autobommen waren ingesteld om met een tussenpauze te exploderen. De tweede moest ontploffen op het moment dat de eerste explosie de panikerende fuifnummers op straat had gebracht. Was de dubbele aanslag geslaagd, dan was er een bloedbad aangericht dat de aanslagen van 7 juli 2005 op de Londense metro in de schaduw zou hebben gesteld. Toen waren er 52 doden.

Binnen de kortste keren bracht Scotland Yard het complot in kaart. Wat het publiek vernam was schokkend. Zeven van de acht arrestanten waren arts of werkzaam in de Britse medische sector. De achtste, Kafeel Ahmed, was een begaafd ingenieur met een bijzondere belangstelling voor aerodynamica, elektronische kaarten en inktpatronen. Hij was de chauffeur van de Cherokee die in extase leek toen hij zichzelf in brand stak. Hij werd bewusteloos, met negentig procent brandwonden en zonder een kans op overleving afgevoerd naar het ziekenhuis. Kafeel was uit India afkomstig en had aan de universiteiten van Bangalore en Anglia Ruskin gestudeerd. Op de luchthaven van Liverpool werd zijn broer gearresteerd, een geneesheer. In Australië werd hun neef aangehouden, eveneens een dokter die aan Indiase en Britse universiteiten had gestudeerd. Kafeel, de ingenieur, had zijn broer uit Liverpool geïntroduceerd bij Mohammed Asha, een briljant neurochirurg van Palestijnse afkomst uit Addenbrooke in Staffordshire. Asha en zijn vrouw, een laborante, werden klemgereden door de politie kort na de mislukte aanslag in Glasgow. Verder werden nog twee Saudische artsen in opleiding aangehouden, maar die kwamen na enkele dagen vrij. Bilal Talal Abdullah, de Iraakse dokter die naast Kafeel in de Cherokee zat, droeg een springstofgordel zodat het ziekenhuis moest worden ontruimd toen hij werd binnengebracht. Allen waren ze twintigers.

Er werd gesproken van amateuristische bommen. De veiligheidsdiensten in Noord Ierland zegden dat Kafeel banden had met Abbas Boutrab, de al-Qaedabommenmaker die in 2006 zelfs in zijn cel in de gevangenis van Maghaberry een bom had geknutseld. Boutrab, een Algerijn, was door de rechtbank van Belfast veroordeeld wegens het bezit van informatie ten behoeve van terroristen, waaronder blauwdrukken voor bommen die vliegtuigen kunnen neerhalen.

De ontsteking van de springtuigen in de Cherokee mocht dan al niet deugen, de aanslag deed denken aan de dagelijkse autobommen in Bagdad. Bij de politie werd gesproken van een mogelijk verband. De Iraakse dokter in de Cherokee was getrouwd met een verwante van de invloedrijke al-Qaeda-ideoloog sjeik Ahmad al-Qubeisi. 'De Iraakse sjeik was zijn held', zei een oom van de arts tegen *The Guardian*. De geestelijke, een televisiester in de Arabische wereld, verdedigt zelfmoordaanslagen. Voor hem zijn de kamikazes de 'grootste martelaren' uit de geschiedenis van de islam. Bilal, zijn bewonderaar, was weliswaar van Iraakse afkomst maar geboren in Aylesbury toen zijn vader daar zijn artsenopleiding voltooide. Hij was in Bagdad opgegroeid maar keerde geregeld terug naar zijn geboorteland waar hij uiteindelijk een jaar tevoren werk had gevonden. Veel concreter werd de band met al-Qaeda niet.

De artsen waren met elkaar verbonden door een netwerk van familiebanden, professionele contacten en toevallige ontmoetingen, maar de inlichtingendiensten hielden rekening met opdrachtgevers in Irak. Onder de Egyptenaar Abu Ayyub al-Masri, de opvolger van het ongeleide projectiel Abu Musab al-Zarqawi, was al-Qaeda in Irak beter onder controle gekomen van de centrale leiding. In april had het vierjaarlijks rapport van het Joint Intelligence Analysis Centre gewaarschuwd dat al-Qaeda in Mesopotamië vertakkingen had in het Verenigd Koninkrijk. Abd al-Hadi, de persoonlijke vertegenwoordiger van Osama bin Laden in Irak, beraamde volgens het rapport aanslagen in Groot-Brittannië. Hadi wilde een grote aanslag voor het afscheid van Tony Blair als premier.

Voor een keer kwam geen radicaal gebedshuis in het vizier. De verdachten waren wel bezoekers van de eerbiedwaardige moskee van Cambridge. Een van de imams was een gerespecteerd academicus en de geloofsgemeenschap gold als een model van integratie, al herinnerden sommigen zich de obsessie van de bendeleden voor Irak en Palestina.

De snelle vordering van het onderzoek was onder meer te danken aan de sporen die de complotteurs hadden achtergelaten op de radar van de veiligheidsdiensten, buitenlandse gsm-gesprekken en bezoeken aan extremistische websites. De politie had de nachtclubeigenaars van Londen enkele dagen tevoren gewaarschuwd over de mogelijkheid van een aanslag.

Opvallend was ook dat het Amerikaanse Department of Homeland Security bij monde van minister Michael Chertoff zei dat er geen plannen waren om de nationale alarmgrens te verhogen omdat er 'geen specifieke, geloofwaardige informatie' was over een dreiging in de Verenigde Staten.

De Britse Veiligheid was niet verrast[3] en de Amerikaanse was zelfverzekerd. Dat zei iets over wat ze intussen wisten van het terroristische gevaar. De meeste successen van de geheime diensten haalden nauwelijks het nieuws, enkel de (half) geslaagde aanslagen waren goed voor de voorpagina.

Toch noemde de secretaris-generaal van Interpol, Ronald Noble, in een open brief in *Le Figaro* de Britse aanpak van de terreurdreiging achterhaald. De Britten delen hun lijst van tweeduizend vermoedelijke terroristen niet en gebruikten evenmin de lijst van Interpol met elfduizend namen om na te gaan wie de grens oversteekt. De Britten controleren ook niet goed op valse documenten ondanks een gegevensbank van zeven miljoen gestolen of verloren persoonsbewijzen en het 'duidelijk verband tussen gestolen paspoorten en terreuractiviteiten verbonden met al-Qaeda'. De grote baas van Interpol noemde het streng verbod op vloeistoffen in de handbagage op de luchthavens een verkeerde prioriteit. Amper 17 van de 186 landen die bij Interpol zijn aangesloten controleren systematisch de papieren, zei hij. Binnenlandse Zaken in Londen verweerde zich en zei dat alle terreurverdachten van Interpol op een rode lijst stonden en dat 'inspanningen aan de gang' waren om te komen tot een efficiënte gegevensuitwisseling.

Eens temeer was intussen gebleken dat het beeld van de terrorist als haveloze of kansloze uit een gebroken gezin volstrekt geen steek hield. De Amerikaanse terreurexpert en oud-CIA agent Marc Sageman, die van tientallen terroristen profielen had gemaakt, had die mythe al lang ontkracht. 'Men beschouwt terroristen nogal dikwijls als arm, onwetend en onvolwassen. Men denkt dat ze geen opleiding hebben en geen familie. Weinig daarvan klopt wanneer het om al-Qaeda gaat', zei hij.

Kort na de aanslag in Glasgow werden door de rechtbank van Woolwich drie Arabieren veroordeeld tot celstraffen van zes en een half tot tien jaar wegens opruiing via het internet en aanzetten tot terrorisme. De zwaarste straf was voor een 23-jarige man, afkomstig uit Marokko, die beschouwd werd als dé computerdeskundige van al-Qaeda in Irak: Younis Tsouli, die onder de schuilnaam Irhabi007 (het Arabisch voor 'terrorist' en de codenaam van James Bond) boodschappen verspreidde van de leiding van al-Qaeda en video's van onthoofdingen (onder meer die van Nicholas Berg door Zarqawi in mei 2004) en aanslagen van al-Qaeda in Irak. Hij werd door onderzoekers beschouwd als de peetvader van het cyberterrorisme ten behoeve van al-Qaeda in Irak. Tsouli was actief van begin 2004 tot zijn arrestatie in oktober 2005. Zijn bende liet zich ook in met bankfraude en fraude met betaalkaarten. Op zijn internetsite traceerde de politie 45 artsen in de Verenigde Staten die bereid waren om daar aanslagen te plegen met autobommen.

Het proces van Woolwich was het eerste proces tegen cyberterroristen in Groot-Brittannië. De drie woonden in Engeland. De politie kwam hen op het spoor na de arrestatie van twee terreurverdachten in Bosnië. Hun gsm's en computers leidden tot de aanhouding van dertig mensen in Europa en de Verenigde Staten.

Rond dezelfde tijd kreeg het proces zijn beslag tegen zes verdachten van de mislukte aanslagen van 21 juli 2005 op het openbaar vervoer in Londen. De rechter oordeelde dat er een verband was met de zware aanslagen van 7 juli, precies twee weken tevoren, waarbij 56 doden vielen en 700 gewonden. Op 21 juli hadden vrijwel gelijktijdige bomexplosies in drie metrostations en op een bus als bij wonder maar één persoon gewond. Net als in Glasgow waren de ontstekers voor de zware bommen niet krachtig genoeg. 'Ik had ze onschadelijk gemaakt', zei Muktar Said Ibrahim, de leider van de groep tijdens het proces, 'omdat ik enkel schrik wilde aanjagen.'

Maar voor de rechter was er geen twijfel. De aanslagen van 21 en 7 juli 2007 waren 'geïnspireerd en geleid door al-Qaeda'. De daders behoorden tot dezelfde leeftijdscategorie als de dokters van Glasgow, maar daar hield de gelijkenis op. De bendeleider was 27 op het moment van de aanslag, maar hij was de zoon van vluchtelingen uit Eritrea en was als tiener veroordeeld wegens verkrachting en diefstal met geweld. Toch had hij na zijn straf de Britse nationaliteit gekregen. Intussen was hij al een volgeling van de extremistische predikant Abu Hamza van de moskee van Finsbury Park in Londen. In 2003 was hij in Sudan klaargestoomd voor de jihad. Het jaar daarop was hij naar Pakistan gereisd voor een terroristenopleiding. Ook de leider van de aanslagen van 7 juli was daar toen. Na vier maanden was hij terug zonder door de Britse overheid te worden verontrust.[4]

Een verband tussen de aanslagen van 21 en 7 juli bleek ook uit de werkwijze: vrijwel gelijktijdige zelfmoordaanslagen met springstof op basis van waterstofperoxide, dat nooit eerder was gebruikt op Brits grondgebied. Onduidelijk bleef of beide bendeleiders elkaar in Pakistan hadden ontmoet en of ze dezelfde leermeester hadden. Het bleef ook een mysterie waar Ibrahim had geleerd om een bom te bouwen die bijna zo krachtig was als dynamiet. Op zijn proces hield hij vol dat hij alles had geleerd van het internet, maar experts achtten dat uitgesloten. De politie vond in Ibrahims archief van executievideo's en theologische geschriften geen spoor van instructies voor bommenfabricage. Ibrahim was herhaaldelijk op de radar verschenen van de inlichtingendiensten. Hij werd niet verontrust omdat er geen vermoeden was van onmiddellijk gevaar. De Britse veiligheid werkt met een schema waarin de biografie van een terrorist drie stadia omvat: eerst komt empathie, een gevoeligheid voor de strijdthema's van al-Qaeda, dan sympathie en ten slotte wordt de rekruut 'o', operationeel. Uit onderzoek bleek dat de overgang van de tweede naar de derde fase steeds korter werd. De Canadese veiligheid had ooit een tijdspanne van anderhalve week vastgesteld.

Op 11 juli werden Ibrahim en drie andere bendeleden veroordeeld tot levenslang. Allen waren ze afkomstig uit de straatarme Hoorn van Afrika.

De samenzweerders van Glasgow kwamen uit een totaal ander milieu: de beschermde bourgeoisie van Palestina, Irak en India.

Op 10 juli, tien dagen na de aanslag in Glasgow, gaf al-Zawahiri, de nummer twee van al-Qaeda, tekst en uitleg in een geluidsboodschap. Hij bedreigde Groot-Brittannië en koningin Elisabeth wegens de toekenning, veertien dagen voor de aanslag, van een adellijke titel aan Salman Rushdie, de gehate auteur van de 'blasfemische' *Duivelsverzen* tegen wie ayatollah Khomeiny in 1989 een doodvonnis had uitgesproken. 'We bereiden u een nauwgezet antwoord voor', zei Zawahiri, die Gordon Brown er opnieuw toe uitnodigde het roer om te gooien. 'De politiek van uw voorganger heeft tragedie gebracht en nederlaag. Niet alleen in Afghanistan en Irak, maar ook in het hart van Londen. Als u deze les niet begrijpt zijn we klaar om ze te herhalen.'

Al-Qaeda in de Maghreb en een dode neoconservatief

ALGIERS (ALGERIJE) - *Als om duidelijk te maken dat al-Qaeda*

een heuse buitenlandse politiek voert was er op de dag van Zawahiri's tirade op een

andere site een boodschap aan het adres van Frankrijk. Die kwam van Abdelmalek

Droukdel, de leider van al-Qaeda in de Maghreb, een jonge loot aan de Qaeda-stam.

De groep had van zich doen spreken door twee autobommen op 11 april vlakbij het

regeringspaleis en het hoofdkwartier van de politie in Algiers. Er vielen 33 doden. Op

de vooravond van die dubbele aanslag waren vier kamikazes gedood bij een razzia van

de politie in Casablanca, in het buurland Marokko. Enkele weken tevoren had

al-Qaeda de oprichting aangekondigd van een filiaal in de Maghreb. Het ging om de

Groupe Salafiste pour la Prédication et le Combat (GSPC), een gewelddadige splin-

*tergroep van het Algerijnse FIS, het Islamitisch Heilsfront.*5

De boodschap van Droukdel viel samen met het blitzbezoek van de nieuwe Franse president Sarkozy aan Algerije en Tunesië. Droukdel eiste een 'erkenning van de Franse misdaden tegen Algerijnse moslims, op dezelfde wijze als de Duitsers dat hadden gedaan tegenover de Joden'. Het antwoord liet niet op zich wachten. 'Ik ben niet gekomen om te kwetsen en ook niet om mij te verontschuldigen', zei Sarkozy.

's Anderendaags, om zeven uur 's morgens, ontplofte een koelwagen met meer dan een ton springstof op de binnenkoer van de kazerne van Lakhdaria, honderd kilometer ten zuidoosten van Algiers, tijdens de groet aan de vlag. De aanslag werd opgeëist door Droukdels al-Qaeda in de Maghreb. De kamikaze was een jongen van achttien uit een buiten-wijk van Lakhdaria die pas tien dagen tevoren door de terreurorganisatie was ingelijfd. De koelwagen kwam de kazerne dagelijks bevoorraden. De eigenaar was de avond tevoren gekidnapt. De explosie kostte tien mensenlevens; er waren 35 gewonden.

Allicht was de autobom een gelegenheidsaanslag, maar hij verstoorde wel de reis van Sarkozy en hij herinnerde aan de macht van de extremisten.

Op de dag van de explosie in de kazerne werden in Parijs onder luidkeelse protesten celstraffen tot tien jaar uitgesproken tegen acht militanten van de GICM, de Groupement Islamique Combattant Marocain. De rechter achtte ze medeplichtig aan de aanslagen van 12 mei 2003 in Casablanca. De zwaarste straf was voor een 32-jarige Marokkaan. In de rechtbank noemde hij zichzelf een 'heilige strijder met pensioen' die 'dagelijkse streefde naar de oorlog en een strijd op het pad van God met het doel als martelaar te sterven'.

Naast zakelijke kwesties kwam het Franse staatshoofd zijn Tunesische en Algerijnse ambtgenoten warm maken voor zijn project voor een Unie van de Middellandse Zee. Dat was een curieus idee. Sarkozy had het al vermeld als een prioriteit in zijn overwinningstoespraak op de avond van zijn verkiezing maar het was zo bizar dat het nauwelijks de aandacht trok. De nieuwe president wist dat hij tijdens zijn wittebroodsweken bakens kon verzetten en was als een kleine Napoleon aan de slag gegaan op vele fronten tegelijk. De Unie van de Middellandse Zee? Een goed begin, werd gezegd in de omgeving van de zieke Algerijnse president Abdelaziz Bouteflika, maar er was nog werk aan de winkel. Zelf bombardeerde Sarkozy Bouteflika en zijn Tunesische ambtgenoot Zine El Abidine Ben Ali tot 'vurige ambassadeurs' van zijn Unie. Libië heeft ook belangstelling, zei hij, en begin augustus zou hij erover praten met de Egyptische president Hosni Moebarak. Minister van Buitenlandse Zaken Bernard Kouchner zou de andere Middellandse Zeelanden bewerken. De Unie mocht geen Frans project zijn. Het was duidelijk dat de nieuwe president de Unie zag als een van de grote dromen van zijn mandaat. Maar wat hij precies bedoelde bleef vaag. 'Ik wil de president zijn die de Middellandse Zee na twaalf eeuwen verdeeldheid weer verenigt', had hij tijdens zijn verkiezingscampagne gezegd. In gedachten zag hij een economische en politieke unie naar het model van de EU.

Het was niet voor het eerst dat de grootse utopie circuleerde in de hoogste kringen van Parijs. In augustus 1945, onmiddellijk na de Tweede Wereldoorlog, had Alexandre Kojève, een topambtenaar en filosoof van Russische afkomst,[6] aan generaal de Gaulle voorgesteld zo'n Unie onder Franse leiding te vormen. Een 'Latijns Rijk' noemde hij het.[7] Kojève, die de neef was van de schilder Wassili Kandinski, had Hegel geïntroduceerd in het Parijs van de jaren dertig, waar de Duitse filosoof nog grotendeels onbekend was. Zijn gehoor aan de Ecole Pratique des Hautes Etudes was confidentieel, maar vertegenwoordigde de fine fleur van het Franse geestesleven. André Breton, de theoreticus van het surrealisme, de schrijvers en filosofen Raymond Queneau, Georges Bataille, Maurice Merleau-Ponty, Jacques Lacan, Pierre Klossowski en Raymond Aron woonden zijn colleges bij. Anderen, zoals Michel Foucault en Jacques Derrida, verklaarden zich aan hem schatplichtig. Met Leo Strauss, de politieke filosoof, goeroe en geestelijke vader van de neoconservatieven in de Verenigde Staten, onderhield hij een levenslange correspondentie en vriendschap.[8] Strauss, hoogleraar aan de universiteit van Chicago, stuurde zijn beste studenten naar Kojève, die op dat ogenblik een geheel nieuwe functie vervulde als de Franse toponderhandelaar op internationale handelsconferenties. Dat rijmde met zijn overtuiging dat het 'einde van de geschiedenis' zou gepaard gaan met een spreiding van de welvaart onder het bestuur van vrij anonieme multinationale instellingen. Bij zijn Amerikaanse pupillen was Allan Bloom, die als de opvolger van Strauss werd beschouwd en in 1988 de ophefmakende bestseller *The Closing of the American Mind* schreef, een genadeloze analyse van de intellectuele teloorgang van Amerika die een neoconservatieve bijbel werd. In dat boek is Kojève slechts een voetnoot, maar Bloom noemt hem de intelligentste marxist van de twintigste eeuw en de 'ernstige filosoof' van het 'tegenwoordig populaire mengsel' van Marx, Hegel, Nietzsche en Heidegger.

Kojève was gefascineerd door de opmerking van Hegel dat de rede aan zijn universele triomftocht was begonnen en het einde van de geschiedenis was ingeluid, toen hij zijn held Napoleon onder zijn raam zag passeren aan de universiteit van Jena. Hegel bewonderde de Franse keizer omdat hij vrijheid en gelijkheid, de idealen van de Franse Revolutie, had verankerd in het Burgerlijk Wetboek. Hij zag daarin het begin van de menselijke ontvoogding en het einde van het conflict tussen 'meester' en 'slaaf'.

Een van Blooms leerlingen, Francis Fukuyama, ontleende via Kojève aan Hegel zijn geruchtmakende theorie over het einde van de geschiedenis en de universele triomf van de westerse liberale democratie.[9] Fukuyama verwijst voortdurend naar Alexandre Kojève en in navolging van Kojève meende hij dat de Europese Unie dichter stond bij de ultieme wereldordening dan de Verenigde Staten.

Hoe kon het dat een Russische dandy, die op 25-jarige leeftijd een tiental talen sprak waarbij Sanskriet, Tibetaans en Chinees, de geniale neef van een geniaal schilder, een briljante, provocerende en non-conformistische geest, die op zijn 31ste een seminarie leidde over het religieuze denken van Hegel aan het vermaarde Parijse instituut, vrijwel onopgemerkt bleef? Dat raadsel werd enkel groter na de Tweede Wereldoorlog toen Kojève op voorspraak van een oud-student[10] opdrachthouder werd bij het Franse ministerie van Handel en naar de Conferentie van Havana werd gestuurd die in 1948 de grondslagen legde voor wat in 1995 de Wereldhandelsorganisatie (WTO) werd. Hij lag ook mee aan de basis van de EGKS, de verre voorloper van de Europese Unie. De excentrieke filosoof bleek ook een expert in handelstarieven en een geducht onderhandelaar. 'De waarheid is het resultaat', zei deze architect van de naoorlogse wereldorde.

In navolging van Hegel was Kojève francofiel. Zijn 'zondag van de geschiedenis', waarin geen oorlog meer zou zijn en geen noodzaak om de basisprincipes van de kennis te veranderen, zou een tijdperk zijn van kunst, liefde, spel en ironie. Het nieuwe Europa moest stabiel zijn, vreedzaam en materialistisch. In 1945 was dat nog een verre droom. Voor Kojève begon toen het 'tijdperk van de Rijken', waarmee hij politieke verenigingen van lidstaten bedoelde. Zijn Latijnse Rijk moest Spanje, Italië en Frankrijk omvatten en hun kolonies. Na de Tweede Wereldoorlog zag Kojève de opkomst van twee grote blokken: een Angelsaksisch en een Slavisch Sovjetblok. Ooit moest Duitsland kiezen. Waarschijnlijk zou die keuze vallen op het Angelsaksisch model. Voor Kojève was dat een bedreiging voor de 'Latijns-katholieke' beschaving waarmee hij Frankrijk identificeerde. Die beschaving moest een politieke basis krijgen 'in het belang van de hele mensheid'. Mocht het ooit tot een confrontatie komen tussen de twee andere blokken, kon het Latijnse Rijk voorkomen dat de oorlog in Europa werd uitgevochten.

De basis voor zijn Latijnse Rijk zag Kojève in een gemeenschappelijke mentaliteit, een *dolce far niente*, dat niet te verwarren was met luiheid. Dat was geen frivoliteit want de mensheid zou zich steeds meer moeten toeleggen op de humanisering van de vrije tijd. De filosoof stond afwijzend tegenover het Angelsaksisch liberalisme, dat hij asociaal vond en tegenover het 'soms barbaarse' etatisme van de Sovjet-Unie. Hij pleitte voor een derde weg. Een voorwaarde voor zijn Rijk was echte economische integratie. Hij zag de koloniale banden voortbestaan en achtte een grote verzoening mogelijk tussen katholicisme en islam die de twee andere blokken zou verbannen uit het Middellandse Zeegebied. De brief van Kojève aan de Gaulle bevatte de krachtlijnen van een buitenlandse politiek waaraan Frankrijk ook lang na de generaal trouw zou blijven.

De mysterieuze filosoof stierf op 4 juni 1968 in Brussel, kort na een toespraak voor de Europese Economische Gemeenschap. Doordat hij nooit had gepubliceerd bleef zijn dood vrijwel onopgemerkt.[11] Hij werd in Elsene begraven. Zijn faam was een zaak van insiders. In 1967 gaven hij en Herbert Marcuse een lezing aan de rebelse Freie Universität van Berlijn over het einde van de geschiedenis. Marcuse weigerde de studenten adviezen te verstrekken, maar Kojève had er één voor studentenleider Rudi Dutschke: Grieks leren. De zelfverklaarde 'enige Stalinist', voor wie Henry Ford de 'enige authentieke of orthodoxe marxist van betekenis' was in de twintigste eeuw, en de Chinese culturele revolutie gelijk stond met 'de invoering van de Code Napoléon in China', verliet dit tranendal in de wetenschap dat zijn invloed blijvend was.[12]

De brief van Kojève aan de Gaulle leidde tot de oprichting van een organisatie van de Middellandse Zeestaten. Het was een doodgeboren kind. Succesvoller was Kojève als een van de grondleggers van de Europese Unie die dankzij de as Bonn-Parijs de Franse invloed veiligstelde. Het Latijnse Rijk werd vergeten. Dat zijn idee door Sarkozy werd afgestoft wekte de indruk dat de neocons via Parijs terugkwamen, nu ze in Washington op hun retour leken na het gedwongen ontslag van Paul Wolfowitz als voorzitter van de Wereldbank, de veroordeling van Dick Cheney's kabinetschef Lewis Libby, het verdwijnen van hun grote beschermer Donald Rumsfeld, en het wegdeemsteren van Richard Perle.

De Europese Unie sprak zijn steun uit voor het Sarkozy's Unie op 14 maart 2008. Het plan was intussen vertimmerd – volgens sommigen verwaterd – tot een Frans-Duits voorstel. Anderhalve maand later deed Sarkozy in Tunis een plechtige oproep om 'de trein van de geschiedenis' niet te missen. Hij zag het voor zich. De zetel van de Unie moest op de zuidelijke oever komen. Er zou een roterend covoorzitterschap zijn, afwisselend een land op de noordelijke en de zuidelijke oever, en de Unie zou moeten opkomen tegen de barbarij. Hij stelde Tunesië tot voorbeeld voor 'alle volkeren die worden bedreigd door fundamentalisme en obscurantisme'. Dat deed wenkbrauwen fronsen bij wie vertrouwd was met de mensenrechtensituatie in dat land. De Unie zou aan waterbeheersing doen en van de Middellandse Zee de zuiverste ter wereld maken. Er zou een onderzoekscentrum komen en een Erasmusproject voor uitwisseling van studenten. Dat alles moest de stabiliteit van Europa ten goede komen en een dam opwerpen tegen terrorisme en 'talibanregimes'. Turkije, dat van Sarkozy niet bij de Europese Unie mocht, dacht dat het plan een troostprijs was. Het was ook niet zeker dat alle Arabische oeverstaten een eventueel Israëlisch voorzitterschap zouden dulden. Toch stond de champagne koel voor de doop van de Unie op een top in Parijs op 13 juli 2008, de vooravond van de *fête nationale*. Het viel te vrezen dat de Unie weinig meer zou voorstellen dan een vast inkomen voor een nieuw contingent functionarissen, als niet enkele netelige kwesties werden opgelost.

Nicolas Sarkozy had zich niet rechtstreeks door Kojève laten inspireren maar via zijn 'speciaal adviseur' en ghostwriter Henri Guaino, die net als Kojève een hoge ambtenaar was met geopolitieke ambities en goede introducties in de wereld van de haute finance. Hij had de belangrijkste toespraken van Sarkozy geschreven tijdens de verkiezingscampagne en sprak niet tegen dat hij een aantal thema's zelf had bedacht zoals de 'liquidatie van mei '68'. Hij was ook de schatbewaarder van het gaullisme bij Sarkozy[13] en werd door Bernard-Henri Lévy beschouwd als een racist.

Ook Bernard Kouchner was een vurige pleitbezorger van de Unie. Hij zou het idee van Mitterand hebben geërfd. Europa, waarvan de meeste lidstaten geen oeverlanden waren van de Middellandse Zee, fronste de wenkbrauwen en vooral Duitsland maakte problemen. De 'volle steun' vanwege de Europese Unie was niet echt van harte.

Ruzie in het straatje

FATA (PAKISTAN) - *De zeven FATA, de Federally Administred*

Tribal Agencies in het grensgebied met Afghanistan, hebben sinds de Britse koloniale

tijd een verregaande autonomie. Het Pakistaanse leger en de regering hebben er

weinig te zeggen. De ontembare bevolking leeft er volgens een overgeleverde gedrags-

code, de Pashtunwali, het gewoonterecht van de Pathanen, die de zogenaamde

Durand-lijn die Pakistan sinds 1893 scheidt van Afghanistan, nooit hebben erkend.

Smokkel was altijd een belangrijke bron van inkomsten.

Na 2001 werden verschillende tribale gebieden[14] een schuiloord voor de Afghaanse taliban, al-Qaeda en andere extremistische en verboden groepen die de bescherming kochten, huurden of kregen van de plaatselijke stammen. Een autotocht in deze streken lijkt op een etappe in Paris-Dakar. Tegen begin 2006 waren zelfs Pakistaanse journalisten er niet meer veilig. In dat grensgebied, waar de heilige strijders nestelden, werd geruzied over de prioriteiten van de jihad.

De westerse troepen in Afghanistan moesten machteloos toezien want voor hen bestond de Durand-lijn als staatsgrens wél. Opereren op Pakistaans grondgebied kon voor ernstige wrijvingen zorgen met Islamabad. De Pakistaanse president Pervez Musharraf lag al genoeg onder vuur van de machtige islamistische oppositie wegens zijn steun aan de oorlog tegen het terrorisme, die een oorlog was tegen het 'ware geloof'. In de tribale gordel legde een nieuwe generatie felle en charismatische leiders hem het vuur aan de schenen.

Een van de eersten was Nek Mohammed, een telg uit een arm gezin in Zuid-Waziristan, dat in Neks kinderjaren een belangrijke uitvalsbasis was voor de strijders die de CIA en zijn Pakistaanse evenknie ISI[15] in de strijd wierpen tegen de Sovjets in Afghanistan. Nek werd zelf ook een krijger en sloot zich aan bij de taliban, midden jaren negentig. Binnen de kortste keren stonden drieduizend mannen onder zijn bevel. Velen van hen waren uit Waziristan afkomstig. Hij leerde bin Laden en Zawahiri kennen en raakte bevriend met Tahir Yuldashev, de leider van de Oez-beekse IMU (Islamic Movement of Uzbekistan).[16] Na de val van de taliban hielp hij hen en al-Qaeda vluchten. Dat bracht geld op. In Zuid-Waziri-stan richtte hij voor hen nieuwe opleidingskampen in, produceerde anti-westerse videos en geschriften en werd erg rijk. Eind 2003 bezat hij een vloot van 44 auto's, verschillende ervan gepantserd. Ze stonden ter beschikking van zijn extremistische vrienden. Zes militaire expedities waren nodig om de krijgsheer te temmen. Zijn huizen werden verwoest en er volgde een arrestatiebevel, maar in april 2004 zag het Pakistaanse leger zich gedwongen om met hem een akkoord af te sluiten. Hij werd publiek omhelsd door de bevelhebber van het plaatselijke legerkorps, maar het akkoord hield niet lang stand. In juni 2004 werd hij gedood bij een raketaanval die eerst werd opgeëist door Pakistan, maar uiteindelijk bleek te zijn uitgevoerd door een onbemande Amerikaanse Predator. Nek Mohammed was amper 29.

Zijn opvolger, Baitullah Mehsud, was even jong, onverschrokken en ongeschoold. Baitullah sloot op 7 februari 2005 op zijn beurt een ak-koord met de regering, die hem achternazat omdat hij terroristen be-schermde. Baitullah beloofde dat hij dat niet meer zou doen en dat hij het leger geen last zou bezorgen. Tegelijk beloofde de jonge krijgsheer trouw aan de Afghaanse talibanleider mullah Omar, die hem daarvoor beloonde met de leiding over de taliban van zijn Mehsud-stam. Het le-ger verdeelde meer dan een half miljoen dollar onder vier plaatselijke chefs om hun schulden af te lossen aan al-Qaeda. Het bleef een tijdje rustig in Zuid-Waziristan. De mannen van Baitullah dicteerden de (har-de) wet. Traditionele stamhoofden waren uit de weg geruimd of gevlucht. De tribale structuren waren vervangen door een paramilitaire, rigoureus religieuze orde.

Begin 2006 hadden zich in beide Waziristans, Noord en Zuid, veertig-duizend geharde strijders verzameld: Oezbeken, Tsjetsjenen en Arabie-ren, een legertje plaatselijke taliban en militanten uit de Pakistaanse ste-den. Ze stelden zich tot doel het Pakistaanse leger te verdrijven. Dat werd bekrachtigd met een fatwa van de fanatieke Oezbeek Yuldashev, een nauwe bondgenoot van bin Laden. De Afghaanse taliban, die in Waziristan reserves zagen voor hun strijd tegen de bezetter, waren niet gelukkig. Voor hen had het bondgenootschap met al-Qaeda in de voor-bije vijf jaar amper iets opgeleverd. Weliswaar leden de buitenlandse troepen steeds grotere verliezen maar geen van de strategische doelstel-lingen was gehaald. Kandahar was niet veroverd, Kabul nog lang niet omsingeld. De taliban waren sterk en brachten rake klappen toe, ze controleerden grote delen van het zuiden en het oosten, maar kregen geen greep op de zenuwbanen van het land en konden hun gewicht onvoldoende verzilveren. Daarom kozen de taliban in het conflict tussen al-Qaeda en Islamabad de zijde van hun schepper: Pakistan.

Wat Baitullah was in Zuid-Waziristan, was Jalaluddin Haqqani nog veel meer in Noord-Waziristan. Haqqani was een legende die zijn carrière was begonnen in de Hezb-i Islami van Gulbuddin Hekmatyar, de machtigste van de mujahedinleiders in de oorlog tegen de Sovjetbezetting van Afghanistan. Toen de taliban aan de macht kwamen, sloot hij zich bij hen aan en werd hun commandant voor het gebied ten noorden van Kabul en vervolgens minister van Grens- en Stammenzaken van de taliban en toen Afghanistan geviseerd werd door de Amerikanen benoemde mullah Omar hem tot opperbevelhebber. Haqqani was beurtelings een beschermeling van de CIA, de ISI, de taliban en bin Laden, voor wie hij verschillende opleidingskampen opzette in zijn Afghaanse wingewest Khost dat aan Waziristan grenst. Daar was Haqqani net zo thuis als aan de Pakistaanse kant waar hij zich eind 2001 ging vestigen na verschillende Amerikaanse pogingen om hem uit te schakelen. Jalaluddin naderde de zestig en liet de dagelijkse militaire leiding over aan zijn zoon Sirajuddin. Hij hield zich bezig met de grote lijnen. In juni 2006, enkele maanden na de fatwa van Yuldashev, vaardigde hij een decreet uit tégen de strijd met het Pakistaanse leger wegens onverenigbaar met het beleid van de taliban. Een aantal groepen in Zuid-Waziristan sloot zich daarbij aan. Om de nieuwe koers af te dwingen was mullah Omar zelf in het geheim naar Waziristan gereisd en ofschoon hij Baitullah bevestigde als leider van de taliban van de Mehsud-stam, moest hij de macht in Zuid-Waziristan voortaan delen.

Op 5 september 2006 leidde het initiatief van de tandem Haqqani-Omar tot een vredesakkoord met de Pakistaanse regering. Dat akkoord werd overschaduwd door de dood van de legendarische Akhbar Bugti, de nationalistische rebellenleider van Baluchistan. Bugti, een zwaargewicht in de Pakistaanse politiek, was in een grot, in de woestijn waar hij zich schuilhield, belegerd en gedood door het leger nadat hij zelf Musharraf had proberen te vermoorden. Het hele land was geschokt door de manier waarop Musharraf een respectabel tegenstander had uitgeschakeld en dat verdrong het nieuws over de overeenkomst met de taliban.

Het akkoord maakte een einde aan een aanslepend conflict dat al aan zevenhonderd Pakistaanse militairen het leven had gekost. Het voorzag in de verdrijving van de buitenlandse militanten, 'tenzij ze zich hielden aan de wet', de terugtrekking van het Pakistaanse leger in zijn kazernes en een einde van de militaire operaties. Alle controle- en grensposten werden overgedragen aan een stammenleger. Alle gevangen militanten kwamen vrij, buitgemaakte wapens werden teruggegeven en Islamabad betaalde ruime compensaties in geld en wapens voor schade en onschuldige slachtoffers.

Al-Qaeda probeerde het akkoord te torpederen door onenigheden uit te buiten tussen de ondertekenaars. Toen de Pakistaanse luchtmacht op 17 januari 2007 een opleidingskamp in Zuid-Waziristan bombardeerde, liep een van de talibanleiders over naar de terroristen. Yuldashev, die door het bombardement geviseerd was, reageerde met zelfmoordeskaders die terreur zaaiden in de Pakistaanse steden. Maar intussen bracht de Pakistaanse geheime dienst ISI een relatief onbekende talibancommandant, Hajji Nazir in stelling om de sterke man te worden van Zuid-Waziristan. Hij stelde de buitenlanders, met andere woorden al-Qaeda, voor de keuze: ontwapenen of naar Afghanistan vertrekken om deel te nemen aan het voorjaarsoffensief van de taliban. Toen de terroristen dat weigerden kwam het in maart 2007 tot een dagenlange veldslag. In Noord-Waziristan waren er vergelijkbare incidenten.

Uiteindelijk braken de taliban op bevel van de leiding in Afghanistan hun beleg op en gaven de buitenlanders de kans om te vertrekken. De meerderheid koos voor Irak.

De voortvluchtigen

TORA BORA (AFGHANISTAN) - *Voor de tweede keer die zo-*

mer meldde de Amerikaanse pers een mislukte poging om bin Laden uit te schakelen.

Deze keer onthulde Newsweek *begin september op zijn website dat een Amerikaanse*

militaire patrouille in het Pakistaans-Afghaans grensgebied eind 2004 de terroristen-

leider ei zo na toevallig had ingerekend.

Bin Laden zat met veertig lijfwachten verscholen in de bergen en ze stonden op het punt om het codewoord te gebruiken dat moest leiden tot
collectieve zelfmoord, toen de patrouille domweg van richting veranderde. Bij de Amerikaanse inlichtingendiensten vernam *Newsweek* dat ze
nooit meer dan vijftig procent zekerheid hadden over waar bin Laden
zich bevond sinds hij was kunnen ontsnappen uit de bergen van Tora
Bora in december 2001. Volgens Indiase bronnen werd een gewonde bin
Laden begin 2002 opgevangen in de Binori-moskee van de Pakistaanse
havenstad Karachi. Hij zou er verbleven hebben tot augustus van dat
jaar. 'Het is schieten in het donker, zonder een kans om iets te treffen',
zei een pas gepensioneerde expert van de CIA.

Op 15 december 2001 was bin Laden gelokaliseerd in Tora Bora maar
de vraag naar achthonderd elitesoldaten om de terrorist de pas af te snijden was op verzet gestuit van Tommy Franks, de bevelhebber van
CENTCOM, het Amerikaans militair commando in de regio. Franks zei
dat het weken zou duren om de manschappen te mobiliseren, dat de
kans om bin Laden te vangen het risico niet waard was, en dat de besneeuwde bergen te moeilijk terrein waren. In zijn memoires staat dat hij
een herhaling vreesde van het noodlottig avontuur van de Sovjets in Afghanistan. In plaats van eigen soldaten te sturen werd gerekend op drie
plaatselijke stamhoofden van wie er twee[17] tegen *Newsweek* vertelden dat
de derde, Hazrat Ali, van al-Qaeda zes miljoen dollar had gekregen om
bin Laden te laten ontglippen. De jacht op de superterrorist werd ook
gehinderd door het oude wantrouwen tussen de 'slangeneters' van de
CIA en het leger dat een ordelijk slagveld verkoos.

Weldra werden de meest geschikte troepen uit Afghanistan teruggetrokken om zich voor te bereiden op Irak waar het makkelijker rijden is met tanks. De bekwame CIA-chef in Kabul werd vervangen door een bureaucraat zonder kennis van het land. Agenten te velde moesten toestemming vragen voor elke missie verder dan vijf kilometer buiten hun standplaats. Het antwoord kwam pas na uren en dikwijls was het een verbod. Voor een vuurgevecht was groen licht nodig van een generaal en dat kon dagen op zich laten wachten.

De Pakistaanse president Musharraf was al die tijd meegaand geweest. Hij stond aanvallen toe met onbemande Predator-vliegtuigen en gedoogde dat de Amerikanen vluchtende militanten achtervolgden tot in Pakistan. Als dat uitlekte was er pro forma wat protest, maar zijn enige voorwaarde was dat bin Laden niet in Pakistan voor de rechter werd gebracht. Musharrafs enige echte zorg was dat Washington hem zou laten vallen, zoals dat eerder was gebeurd met leiders in Vietnam, Libanon en Somalië.

Op de zesde verjaardag van de aanslagen van 11 september 2001 schreef *The News*, een gezaghebbende Pakistaanse krant, dat bin Laden het liefst in Afghanistan vertoefde.[18] Daar voelt hij zich veiliger, schreef de krant die vier gelegenheden citeerde waarbij bin Laden op het nippertje ontsnapt was aan dood of gevangenschap, telkens in Afghanistan. Een eerste keer was dat op 7 oktober 2001 in Kabul, toen de top van al-Qaeda de laatste eer wilde bewijzen aan Jummah Khan Namangani, de leider van de Islamitische Beweging van Oezbekistan (IMU) die was gedood in de buurt van Mazar-i-Sharif. Een bedelende vrouw werd betrapt bij het gebruik van een satelliettelefoon en onmiddellijk werd alarm geslagen. Even later, toen iedereen al in veiligheid was, werd de vergaderplaats gebombardeerd.

De tweede keer ontsnapte bin Laden uit Tora Bora, in de derde week van december 2001, geholpen door Hazrat Ali die er veel geld voor had gekregen en intussen parlementslid was geworden. In 2002 hield bin Laden zich gedeisd maar het jaar daarop was hij erg actief in de oostelijke Afghaanse provincies Kunar en Paktia. Toen de Amerikanen lucht kregen van de dood van zijn schoondochter, bombardeerden ze een rouwbijeenkomst, maar bin Laden was er niet. Een laatste keer, schreef *The News*, was eind 2004. Bin Laden was door Britse troepen omsingeld in de opiumprovincie Helmand. Met een tactisch manoeuvre wist hij toen de omsingeling te doorbreken.

Na dit incident hield de Saudische terrorist zich aan nog strengere veiligheidsmaatregelen. Hij beperkte zijn verplaatsingen, concentreerde zich meer op plannen dan op vechten en sprak alleen tot de buitenwereld op zeer belangrijke momenten. Volgens *The News* was er niet zoiets als een collectieve zelfmoordafspraak. 'Al-Qaedabronnen zeggen dat hij niet gelooft in zelfmoord en dat hij verkiest om zijn leven vechtend te offeren tot de laatste kogel en de laatste druppel bloed.'

De nummer twee van al-Qaeda, Ayman al-Zawahiri, stond volgens de krant voortdurend in contact met Osama, maar ze leefden apart en Zawahiri bracht meer tijd door in de tribale gebieden van Pakistan.

De Afghaanse minister van Buitenlandse Zaken Rangeen Dadfar Spanta reageerde meteen op het verhaal van *The News* en zei dat bin Laden niet in Afghanistan was en dat hij niet wist waar de terrorist wel verbleef. 'Aangezien hij de aanstichter is van een dictatoriaal terreurbewind tegen de bevolking van Afghanistan, is het onmogelijk dat hij hier steun krijgt', zei hij tegen het persbureau Reuters. De minister negeerde dat de taliban op dat ogenblik opnieuw grote delen van het Afghaanse platteland controleerden.

Toen het Pakistaanse leger de strijd aanbond met de extremisten na twee mislukte pogingen, eind 2003, om Musharraf te vermoorden, was dat geen groot succes. Het leger was getraind op een oorlog tegen India in de vlakte van de Indus, niet op een conflict in onherbergzaam hoogland. De traditionele Pakistaanse grenstroepen, de eigenlijke ordehandhavers in de FATA, knepen als steeds een oogje dicht bij illegaal grensverkeer. Het was nooit anders geweest.

Eind 2005 kregen de Amerikanen lucht van een al-Qaedabijeenkomst in die tribale gebieden. Er was 'tachtig procent kans' dat de nummer twee, Ayman al-Zawahiri, er zou zijn of een andere topfiguur. Dertig elite-soldaten van de marine zouden worden gedropt. Minister Rumsfeld en zijn adjunct Steve Cambone eisten niet tachtig maar honderd procent zekerheid vooraleer de betrekkingen met Pakistan op het spel werden gezet. De legerleiding wilde bovendien op alles voorzien zijn. Daardoor groeide de interventie-eenheid van 30 tot 150 manschappen en moest Musharraf op de hoogte worden gebracht, met het risico dat de Pakistaanse inlichtingendienst ISI al-Qaeda zou tippen. De mariniers waren al in de lucht en klaar om te springen toen Rumsfeld de operatie afbrak.

Een keerpunt kwam er in 2006 toen Musharraf genoeg verliezen had geleden in de tribale gebieden en akkoorden afsloot met Zuid- en Noord-Waziristan, die de extremisten vrij spel gaven. Vicepresident Cheney en minister Gates van Defensie reisden naar Islamabad om hem tot een hervatting van de strijd aan te sporen. De generaal bezweek en stuurde twintigduizend soldaten extra naar de FATA.

Binnen de CIA begon men bin Laden 'Elvis' te noemen omdat hij overal scheen te zijn en nergens.

De enige bekende 'medeplichtige' bij de ontsnapping uit Tora Bora was Hazrat Ali, een stamhoofd van de Pashai uit het oosten van Afghanistan, een eeuwenoud restvolk van honderdduizend mensen met een eigen taal in de ontoegankelijke bergjungle aan de Pakistaanse grens. De Pashai zijn traditioneel opiumboeren en messenvechters die mannelijkheid en eer hoog in het vaandel voeren. Hun vrouwen zijn vrijgevochten. Hazrat Ali was nog jong toen hij tijdens de Sovjetbezetting commandant werd in de militie van Yunus Khalis, de kweekvijver van de latere taliban, die zich net voor de Sovjetbezetting had afgescheurd van de favoriet van CIA en ISI, Hekmatyar. In de nadagen van de taliban vocht Hazrat aan de zijde van Ahmad Shah Massoud en de Noordelijke Alliantie. Hij was waanzinnig populair in Jalalabad, onmiddellijk na de val van de taliban. Niet de foto van Massoud, maar de zijne domineerde het straatbeeld van de provinciehoofdstad; zijn naam lag op ieders lippen. Met twee andere lokale bonzen, oud-provinciegouverneur Haji Abdul Qadir en Mohammad Zaman, een Pathaans stamhoofd, vormde hij een voorlopige regering, de Oostelijke Shura. Ik logeerde in het koude gastenhuis van een van hen, Haji Qadir, een drugsbaron en voormalig provinciegouverneur die onder president Hamid Karzai minister van Openbare Werken werd. Op 6 juli 2002 werd hij door schutters om onduidelijke redenen vermoord. Op hem en de twee andere leden van de Shura deden de Amerikanen eind 2001 beroep om bin Laden te vangen in de bergen vlakbij Jalalabad.

Op een heuvel aan de rand van de provinciehoofdstad bezocht ik vlak na de val van de taliban een verlaten en verwoest kamp van al-Qaeda. Het was bezaaid met kleine kleurrijke boobytraps en werd bewaakt door mannen van Hazrat Ali. Hier hadden ze honderden Arabische al-Qaedamilitanten over de kling gejaagd onder het goedkeurend oog van de Amerikaanse Special Forces. In mijn kamer, in het imposant guesthouse van de Qadirs, was een tamelijk proper bed het enige meubel. Op de binnenplaats, onder het raam, speelden wachters, sommigen met, anderen zonder uniform, achteloos met hun kalasjnikovs. Veel vertier was er niet in Jalalabad. 's Nachts was het stikdonker in deze opiumhoofdstad en de bochtige straten waren dan het rijk van gewapende schimmen in dekens. Overdag, op de markt, volstonden enkele welgemikte en vrolijk afgevuurde kogels net achter de hielen om de buitenlander tot spoed aan te manen. Mijn gastheer, Haji Qadir, stond bekend als medestander van de voormalige koning Zahir Shah en beschermer van de papaverteelt, de grote broodwinning in zijn provincie. Zijn collega, Hazrat Ali, had van de verwarring bij de val van de taliban gebruikgemaakt om de aanpalende provincie Kunar te veroveren en daarmee de bergjungle die Noord met Zuid-Afghanistan verbindt. Hij had zich aangesloten bij Haji Qadir en was bij de verdeling van de koek provinciaal politiechef van Nangarhar geworden en commandant van het Afghaanse leger in vier oostelijke provincies.[19] In september 2005 haalde hij moeiteloos een zetel in de parlementsverkiezingen dankzij zijn bescherming van de opiumteelt.

Een rapport van de Verenigde Naties (20.8.2007) bevestigde de vrees dat Afghanistan voor het tweede opeenvolgende jaar een recordoogst van opium kon noteren. In de provincie Helmand, wellicht de belangrijkste basis van de taliban, was er zelfs een stijging met 45 procent. Het aantal laboratoria waar de opium tot heroïne werd geraffineerd was er met twintig gestegen tot ongeveer vijftig.

Opium, heroïne en de taliban

AFGHANISTAN - *Al anderhalf jaar viel het niet meer te ontkennen dat de Afghaanse taliban in opmars waren. Nieuwe tactieken waren ingevoerd uit Irak. Zelfmoordaanslagen, tot voor 2006 uiterst zeldzaam, waren er nu met de regelmaat van een klok en zaaiden tot in de hoofdstad Kabul dood en vernieling.*

Bermbommen, eveneens import uit Irak, maakten de wegen steeds onveiliger voor de buitenlandse troepen en het Afghaanse leger. De NAVO-troepenmacht, verenigd in de International Security Assistance Force (ISAF) moest dringend worden versterkt, maar de aarzeling om nog meer troepen te sturen naar Afghanistan groeide met het geweld.

Het geld voor de wederopbouw kwam niet terecht bij wie het nodig had, maar verdween in de zakken van corrupte functionarissen of ging naar de beveiliging van dure hulpverleners, hun terreinwagens en hun nederzettingen met schotelantennes. Afghanistan noteerde in 2006 een recordoogst van opium en 2007 was nog beter. Het land leverde ruim negentig procent van de totale wereldproductie en de opbrengst was goed voor ruim de helft van het bruto binnenlands product. Grote delen van de traditionele opiumgebieden in het zuiden en het oosten waren onder controle van de taliban. Ze beschikten over bekwame, stoutmoedige en ervaren commandanten.

Er was de eenbenige mullah Dadullah in Kandahar. Hij werd gedood in een gevecht op 13 mei 2007 en als een trofee door de regering-Karzai aan de internationale pers getoond. Mullah Dadullah had ooit opgeschept over de honderden kamikazes in zijn rangen. Hij werd opgevolgd door zijn broer, Mansur Dadullah, die kort tevoren samen met vier andere taliban was vrijgelaten in ruil voor de ontvoerde Italiaanse journalist Daniele Mastrogiacomo. De al even legendarische Jalaluddin Haqqani, een held uit de oorlog tegen de Sovjets, en zijn zoon heersten over Khost en Paktika én in Noord-Waziristan, aan de Pakistaanse kant van de grens. In de jungle van Nuristan (de provincies Kunar, Laghman en Nuristan) in het noordoosten, was er een al-Qaedaconcentratie met rugdekking vanuit Bajaur in Pakistan. Andere commandanten waren Anwar ul-Haq, zoon van Yunus Khalis, de geestelijke vader van de taliban, en Dost

Mohammed, ex-gouverneur van de provincie Ghazni, in het oosten. In het centrum opereerde Noor ul-Haq, voormalige politiechef van de opiumprovincie Nangarhar.

Vijf jaar na de val van het Emiraat had mullah Omar opnieuw de helft van het land in zijn greep. Hij werd geholpen door de militie van oud-premier Gulbuddin Hekmatyar, een van de beruchtste en machtigste mujahedinchefs uit de Sovjettijd. Hekmatyar was eind 2001 uit balling-schap in Iran naar Afghanistan teruggekeerd en zorgde voor problemen ten oosten van Kabul en in zijn oude stamgebied rond Kunduz en Mazar-i-Sharif, dat jarenlang relatief rustig was geweest.

De ISAF-troepen, die gekomen waren om het land te stabiliseren en bin Laden te vangen, werden in een uitzichtloze guerrilla gelokt. Het ongeduldige gebruik van luchtbombardementen maakte onnodig veel slachtoffers onder de burgerbevolking die het vertrouwen verloor in de vreemdelingen. Tegelijk steeg het prestige van de weerbarstige krijgs-heren die, de jaren tachtig indachtig, hardnekkig weigerden te ontwape-nen en trots het hoofd boden aan de supermacht.

De taliban controleerden vier vijfde van de bergprovincie Uruzgan in Centraal-Afghanistan, waar mullah Omar vandaan kwam. Het gebied was door de Verenigde Naties tot een 'extreem risicovolle en gevaarlijke omgeving' verklaard. De provinciegouverneur was een voormalige onder-minister van de taliban van wie werd vermoed dat hij zijn oude contacten onderhield. Door het raam van zijn residentie kon hij de opiumvelden aanschouwen.

Uruzgan was toevertrouwd aan de Nederlandse NAVO-troepen. In augustus 2006 waren er zeventienhonderd neergestreken in de provincie-hoofdstad Tarin Kot, waar mullah Omar zijn loopbaan begon. Ze sloe-gen hun kamp op achter veilige muren ten zuidwesten van de stad. Ook kleinere contingenten Australiërs, Amerikaanse elitetroepen en een een-heid van het Afghaans leger hadden er een kampement. Bevelhebber Hans van Griensven oordeelde dat zijn manschappen er niet waren om de taliban te bevechten, maar om ze irrelevant te maken door aan ont-wikkelingswerk te doen.

Van drugsbestrijding kwam weinig of niets in huis, ondanks de ban-den van de taliban met de opiumteelt en -trafiek. Het dreigement van president Karzai om de gouverneurs te ontslaan die betrokken waren bij de opiumteelt, was dode letter. De boeren waren min of meer tevreden. Ze kregen bijna twintig keer zoveel voor opium als voor graan. Werd er al eens een oogst vernield, dan kon dat leiden tot geweld. Boeren die smeergeld betaalden werden ontzien. Waar de taliban de lakens uitdeel-den, werden de papavervelden ongemoeid gelaten. Op het eind van zijn regering dwong mullah Omar een volledig verbod af op de papaver-teelt, maar nu was opium een wapen in de strijd tegen de regering en een bron van inkomsten. Een Britse drugsbestrijder in Lashkar Gah, de hoofdstad van de opiumprovincie Helmand, zei dat het zeker drie tot vijf jaar zou duren voor er een betekenisvolle daling kon komen in de opium-teelt, op voorwaarde dat er ontwikkelingsprojecten waren die de boeren een alternatieve bron van inkomsten zouden geven en de veiligheidssitua-tie zou verbeteren. Zonder veiligheid moest geen beterschap worden verwacht. Verdelgingsmiddelen waren geen optie omdat ze mens en vee vergiftigden, vond ook president Karzai in januari 2007, ondanks zware Amerikaanse druk om de velden te besproeien met glyfosaat, een orga-nische fosforverbinding en niet-selectief totaalherbicide.

De uitroeiing van de teelt kon enkel met geweld, zuchtte de narcotica-beambte. In 2002 was het met geld geprobeerd. 'Het verdween in de zakken en er werd opium verbouwd als vanouds.' Er waren 150 heroïne-laboratoria waar de opium werd geraffineerd. Er was vijftig kilo opium nodig voor 5 kilo heroïne die in Lashkar Gah 90 dollar kostte en op straat in Londen 120 tot 160 dollar per gram. Bij de lucratieve drugshan-del waren niet alleen de taliban betrokken maar ook de plaatselijke admi-nistraties, de Afghaanse politie en het leger, de transportsector, koeriers en drugsbaronnen aan de grens die hun waar verscheepten richting Dubai, Europa en elders bij verlaten aanlegplaatsen aan de Indische Oceaan. In het district Sangeen, waar zich de meeste drugslabs bevonden, was begin 2007 een bestand van kracht tussen de taliban en ISAF, waardoor ieder-een ongemoeid werd gelaten.

President Karzai voelde niets voor een confrontatie met de taliban. Hij ergerde zich steeds meer aan de bombardementen op vermeende stellingen van de taliban die onveranderlijk leidden tot hoge aantallen burgerslachtoffers en zijn populariteit ondermijnden. Hij voelde ook de druk van het parlement. Het Hogerhuis had in mei 2007 een stopzetting geëist van de militaire acties door buitenlandse troepen en gepleit voor onderhandelingen met de taliban. De president zelf probeerde al veel langer door overleg en de belofte van geld en veiligheid een einde te maken aan de opstand.

Op 19 juli werden in de buurt van Ghazni, halfweg tussen Kabul en Kandahar, 23 protestantse zendelingen uit Zuid-Korea ontvoerd. Het was het grootste aantal gijzelaars van de afgelopen zes jaar. De taliban eisten van de regering eerst de vrijlating van acht, later van 23 medestan-ders in ruil voor de gijzelaars. Op 25 juli werd het met kogels doorzeefde lijk teruggevonden van de leider van de zendelingen. 'We hebben hem gedood omdat de regering oneerlijk onderhandelt', zei de woordvoerder

van de taliban die dreigde nog meer gijzelaars te doden. Het ene ultimatum verstreek na het andere. Het lot van de gijzelaars was onzeker. Vermoed werd dat ze waren opgesplitst in kleinere groepjes om de aandacht
niet te trekken. De onderhandelingen sleepten aan, al had Karzai na de
vrijlating van de Italiaanse journalist Daniele Mastrogiacomo gezworen
dat hij geen gevangenen meer zou ruilen. Twee Franse gijzelaars, die na
de Italiaan waren gekidnapt, waren voor forse sommen vrijgekocht. Ook
Zuid-Korea wilde betalen.

Op 30 juli werd een tweede Koreaanse gijzelaar gedood. Zijn lijk
werd de volgende dag aangetroffen op tien kilometer van Ghazni-stad.
De taliban dreigden nog meer gijzelaars te vermoorden als de regering
bleef weigeren in te gaan op de eis tot vrijlating van 23 gevangenen. De
Franse regering raadde ten stelligste af om nog naar Afghanistan te reizen omdat de veiligheidssituatie in korte tijd was verslecht, 'inclusief in
Kabul en omgeving'.

Mansur Dadullah, die zijn gedode broer mullah Dadullah had opgevolgd als commandant van de taliban in het zuiden, herhaalde het bevel
van zijn voorganger om zoveel mogelijk vreemdelingen te ontvoeren.
Hij vond dat de beste manier om gevangen taliban vrij te krijgen. Zo was
hij immers ook zelf bevrijd. Voor het Britse Channel 4 had hij nog een
ijzingwekkende primeur. 'We gaan een militaire opleiding geven aan de
kinderen', zei hij. 'We willen hen klaarstomen voor de strijd tegen de
wrede en ongelovige veroveraars en we willen kinderen gebruiken om de
ongelovigen en de spionnen te onthoofden, zodat ze dapper worden'.

In Pakistan dook eind augustus 2007 een video op uit Zuid-Waziristan waarin een tiener een soldaat onthoofdt. Vlak voor zijn executie
zegt de soldaat dat de oorlog met de taliban fout is.

De zuchten van de martelaar

In een gelekte nota van de Franse inlichtingendienst DGSE[20] stond dat bin Laden volgens de Saudische collega's al maanden dood was ten gevolge van zijn nierziekte. Om de paar maanden was het van dattum. In augustus 2006 waren er bijvoorbeeld berichten dat bin Laden was omgekomen bij een bombardement op een ziekenhuis in Chitral in het Pakistaanse hooggebergte. Sindsdien had de Egyptische kinderarts Ayman al-Zawahiri de ene boodschap na de andere de wereld ingestuurd. Ze waren zo talrijk dat er amper nog acht werd op geslagen en ze deden vermoeden dat hij nu de baas was. Uit de boodschappen van Zawahiri bleek alvast dat as-Sahab, het productiehuis van al-Qaeda, perfect in staat was om soepel op de actualiteit in te spelen en met de buitenwereld te communiceren.

Al-Qaeda leed onder het verlies van topfiguren. De topcommandant Mohammed Atef, de voormalige nummer drie van al-Qaeda, was gedood bij een Amerikaans bombardement in november 2001. Khalid Sheikh Mohammed, de chef operaties en organisator van 11 september, Ramzi Ben al-Shib, chef logistiek, en Zin Abidine Abu al-Zubeida, chef rekrutering, waren in 2002 en 2003 in Pakistan aangehouden en zaten in geheime Amerikaanse gevangenissen. Regionale leiders als Zarqawi in Mesopotamië en al-Muqrin, de leider van 'al-Qaeda in het land van de heilige plaatsen', Saudi-Arabië, waren gedood.

De leider van al-Qaeda in Shams, Groot-Syrië, bleef onbekend. Recent was een nieuw filiaal geopend, al-Qaeda in de Maghreb. De Maleisiër Nurredin Top, leider van de Indonesische of beter Zuidoost-Aziatische tak, was voortvluchtig na de aanslagen van oktober 2002 in Bali, maar hield zijn Jemaah Islamiya strijdvaardig.

Tahir Yuldashev, de Oezbeek die voor al-Qaeda de hoofdrol speelde in Waziristan en Pakistan, was een van de schaarser wordende veteranen en hij zat ver van de Ferghana-vallei van waaruit hij Centraal-Azië wilde veroveren.

Ofschoon sommigen legendarische commandanten waren uit de oorlog met de Sovjets, had geen van hen zo'n uitstraling en charisma als bin Laden, de witte ridder, die vanuit zijn paleis in Saudi-Arabië was gekomen om de haveloze Afghanen bij te staan.

Le Figaro citeerde in zijn weekendmagazine van 13 juli 2007 indiscreties van inlichtingendiensten en geruchten in het Afghaans-Pakistaanse grensgebied over de dood van bin Laden. Maar in de maandageditie na dat weekend stond de foto van de Saudische terrorist op de voorpagina onder de titel: '*La troublante réapparition de Ben Laden.*' Als om de berichten over zijn vermoedelijke dood tegen te spreken, was hij gedurende vijftig seconden voor het eerst in tweeënhalf jaar weer in een video.[21]

De video van veertig minuten, getiteld 'De zuchten van de martelaar', toonde bin Laden in een camouflage-uniform met op het hoofd een bruine *pakul*, de platte Afghaanse muts. Met een lieflijk landschap op de achtergrond lichtte hij het onderwerp toe: 'Gelukkig wie door Allah is uitverkoren voor het martelaarschap. Mohammed, de laatste profeet van de islam, zou hebben gewenst als martelaar te sterven. Het is in die woorden dat de glorierijke Profeet, geïnspireerd door God, zijn leven heeft samengevat.'

Het onverwachte optreden van bin Laden in de martelaarsvideo overschaduwde de boodschap zelf die de aanhangers opriep om de rangen te versterken in Afghanistan. En niet naar Irak of enig ander Arabisch of Afrikaans land, Europa of Amerika. De video leek de verzoening te bezegelen tussen de terroristen en hun gastheren, de taliban.

Het was een terugkeer naar de roots: de legendarische oorlog waarin een verzameling primitieve legertjes een grootmacht brak.[22] Bin Laden sprak daar altijd met vertedering over. Hij noemde zijn adoptieland liefkozend Khorasan, naar het bloeiend middeleeuws emiraat dat Afghanistan en het oosten van Iran omvatte.

De Pakistaanse taliban hadden zich tegen president Musharraf gekeerd na de harde aanpak van de militanten in de Rode Moskee van Islamabad. De alliantie van al-Qaeda met de taliban tegen Musharraf redde het globaal project van de terreurorganisatie. Uit dank kregen de Afghanen kamikazes. Die werden gevist in de rijke kweekvijvers van migrantengemeenschappen in het Westen, nieuwe afdelingen in veelbelovende gebieden zoals de Maghreb, en een waaier van gezelschappen en vage groepen die zich door al-Qaeda lieten inspireren. De organisatiestructuur was informeel gebleven en al-Qaeda verleende zijn label als was het een benijdenswaardig keurmerk.

Het offensief tegen de Rode Moskee

ISLAMABAD (PAKISTAN) - *Terwijl Sarkozy op zijn eerste niet-Europees bezoek als president in Algiers en Tunis de Unie van de Middellandse Zee propageerde,[23] werd in de Pakistaanse hoofdstad Islamabad slag geleverd tussen het leger en de bezetters van Lal Majid, de Rode Moskee, die al maanden in handen was van de taliban en aanhangers van al-Qaeda.*

Musharraf had die confrontatie liefst vermeden, beducht als hij was voor de coalitie die mogelijk in actie kon komen: de islamistische partijen, radicale milities, delen van het leger en de machtige inlichtingendienst ISI die de taliban op de rails hadden gezet midden jaren negentig, zoals ze ook al-Qaeda en de milities met raad en daad hadden bijgestaan, eerst in Afghanistan en later in Kasjmir.

Last but not least behoorden tot die coalitie ook de onrustige Pathaanse stammen in het grensgebied met Afghanistan. Het waren vijanden waaraan Musharraf had herinnerd telkens wanneer Washington hem aanspoorde tot meer daadkracht. Hij had, ondanks Amerikaanse druk, de extremisten in zijn land – de wieg van het terrorisme – altijd ontzien. Pas toen de bezetters van de moskee mensen begonnen te ontvoeren, de invoering eisten van de sharia en het recht in eigen handen namen met deugdzaamheidsmilities die in de straten van de hoofdstad de naleving van onder meer een muziekverbod afdwongen, kon hij niet langer toezien. Bedreigingen aan zijn adres waren de druppel die de emmer deden overlopen. Tenslotte stond de Rode Moskee in het parkachtige Islamabad, de nog geen vijftig jaar oude hoofdstad met zijn kaarsrechte lanen en riante villa's in westerse stijl, op de stoep van ambassades en ministeries, het parlement en het presidentieel paleis. Islamabad is het internationale uithangbord, en het moderne gezicht van het land is de minst Pakistaanse van alle Pakistaanse steden.

Het leger was niet enthousiast maar Musharraf was uitgedaagd. Ook de extremisten waren geprikkeld. Kort na het begin van het beleg werd het presidentieel vliegtuig onder vuur genomen, vlakbij de militaire luchthaven van Rawalpindi. Rond dezelfde tijd ontvluchtte een van de broers die de leiding hadden van de Rode Moskee, Abdul Aziz, het gebouw in vrouwenkleren maar hij werd meteen ingerekend. Met de belofte van onderhandelingen buiten gelokt, zeiden de bezetters.

Op 9 juli kwam het sein voor de aanval. De leiders van de twaalfhonderd belegerde militanten hadden gedreigd met zelfmoordacties en er werd gevreesd voor een bloedbad. Volgens de regering werden in de Rode Moskee drie- tot vierhonderd gijzelaars vastgehouden als menselijk schild. Er werd gezegd dat de overblijvende broer, Abdul Rashid Ghazi, niet echt meer de leiding had maar zelf de gijzelaar was van terroristen die van geen overgave wilden weten en kozen voor het martelaarschap. Hij werd gedood op de tweede dag van het offensief, toen hij met schietende militanten uit de kelder kwam waarin hij zich had verschanst. Het verzet was heviger dan verwacht. Dat was voor de minister van Informatie een bewijs van de aanwezigheid van 'geharde en goed geoefende militanten'.

Het beleg van de Rode Moskee was een nieuw keerpunt voor Musharraf wiens positie al maanden was verzwakt door het omstreden ontslag, op 9 maart 2007, van de voorzitter van het Hoog Gerechtshof, Iftikar Chaudhry. De opperrechter had zich daar niet bij neergelegd en zijn ontslag had tot felle betogingen geleid in de grote steden. In Karachi had Musharraf zijn eigen aanhang gemobiliseerd, de muhajir, 'de emigranten', moslims die zoals hij zelf uit India afkomstig zijn. Op 12 en 13 mei was het in de havenstad tot bloedige straatgevechten gekomen met 41 doden.

De supporters van Chaudhry, die stonden op respect voor de grondwet, juichten toen Lal Majid werd bestormd maar protesteerden algauw tegen onschuldig bloedvergieten en een zoveelste bewijs van dictatoriaal optreden. Het kamp van de islamisten, dat de dood van Musharraf had gezworen, werd door de bestorming van de Rode Moskee alleen maar sterker. Al maanden circuleerden geruchten dat Musharraf aan een dozijn aanslagen was ontsnapt. De presidentiële autokaravaan was sindsdien legendarisch om zijn extreme beveiliging. Wanneer hij passeerde werd alle verkeer op de drukke aders tussen Rawalpindi en Islamabad stilgelegd. Musharraf wist zijn leven in gevaar en zijn auto was uitgerust met raketafwerende apparatuur. Nu kwam hij tussen hamer en aambeeld, afgewezen door zowel de liberaaldemocraten als de extremisten.

De bestorming kreeg zijn beslag op 11 juli, na drie dagen van felle strijd die volgens het leger aan 82 mensen het leven kostte, onder wie 9 soldaten. De Pakistaanse pers sprak van 200 doden en meer.

De reactie van al-Qaeda liet niet op zich wachten. Een dag na afloop verscheen op het internet een geluidsboodschap van Ayman al-Zawahiri, die de Pakistaanse geestelijkheid aanspoorde tot een opstand. 'Musharraf en zijn honden hebben u onteerd in dienst van de kruisvaarders en de Joden. Als u zich niet verzet zal Musharraf u vernietigen en hij zal niet stoppen tot hij de islam in Pakistan heeft uitgeroeid. Moslims van Pakistan, steun vandaag de mujahedin in Afghanistan. Er is voor u geen heil tenzij de jihad. Gemanipuleerde verkiezingen en politici zullen u niet redden.' Wie dacht dat de leiding van al-Qaeda het te druk had met zijn veiligheid om operationeel te kunnen zijn, kreeg andermaal een bewijs van het tegendeel.

Tot voor kort was het geen slechte referentie om in de Rode Moskee te worden gezien. Ze ligt vlakbij het hoofdkwartier van de almachtige inlichtingendienst ISI en op vrijdag ontmoetten gelijkgestemde veiligheidsagenten, mandarijnen uit de administratie en legerofficieren er de predikanten van de jihad. De moskee genoot in de jaren tachtig de bescherming van dictator Zia ul-Haq, en Maulana Muhammad Abdullah, de vader van de twee broers, was ondanks zijn fanatisme een societyfiguur. Hij werd in 1998 in zijn moskee vermoord, maar het radicalisme was intussen familiebusiness. Dat gebeurde wel meer. Kort voor de crisis rond de Rode Moskee waren in Indonesië twee kopstukken aangehouden van Jemaah Islamiya. Ook zij waren broers en hadden het extremisme geërfd van hun vader. De Jemaah Islamiya is een gesloten gemeenschap met sterke familiebanden, die zijn leden begeleidt van de wieg tot het graf. Bij de gelijknamige Pakistaanse partij was dat net zo. De ideologie diende maatschappelijke en economische belangen en werd doorgegeven van vader op zoon. Met de leiders van de Rode Moskee die dicht stonden bij de Pakistaanse Jamaat Islamiya, een partij die eveneens een semigeheim genootschap is, was dat niet anders.

Musharraf verklaart de oorlog aan het terrorisme

ISLAMABAD (PAKISTAN) - *De dag dat de opstand in de Rode*

Moskee was bedwongen, zei Musharraf in een toespraak tot de natie dat hij zich had

voorgenomen om 'met een totale vastberadenheid het terrorisme en het extremisme uit

te roeien'. Meteen riepen verschillende geestelijken op tot de heilige oorlog.

Vanuit de tribale gebieden vroeg Maulana Fazlullah, alias mullak Radio, de kamikazes om 'hun werk te doen'. In het weekend van 14-15 juli vielen meer dan zeventig doden, vooral bij de ordediensten in Waziristan en de naburige tribale gebieden. Telkens ging het om zelfmoordaanslagen.

Musharraf kreeg voor zijn oorlogsverklaring applaus van Amerika. Washington was ook opgelucht dat het vreselijke akkoord met Haqqani in Noord-Waziristan was opgeblazen. 'Het akkoord heeft nooit gewerkt en president Musharraf begrijpt dat nu', zei Stephen Hadley, de Nationale Veiligheidsadviseur. 'We moedigen hem aan om verder te gaan op de ingeslagen weg. We zeggen hem al onze steun toe.'

Een week na de bloedige afloop in de Rode Moskee publiceerden de Amerikaanse geheime diensten, in totaal zestien, hun geheime synthese over de terreurdreiging. Het jaar tevoren nog luidde de conclusie dat al-Qaeda verzwakt was. Nu was het besluit dat de terreurorganisatie 'essentiële elementen van zijn slagkracht tegen het Amerikaans grondgebied had behouden of heropgebouwd: een basis in de Pakistaanse tribale gebieden, operationele luitenanten en leiding.'

Musharraf moest zijn strijd voeren zonder veel steun van de bevolking. Die was de extremisten liever kwijt dan rijk, maar door het rechtersprotest had de stemming zich tegen het regime gekeerd. Musharraf werd zowel verweten de uiteindelijke balans van de operatie te verzwijgen als een half jaar te hebben gewacht vooraleer in te grijpen. Nog anderen spraken van een georkestreerde crisis en zegden dat Musharraf de aandacht wilde afwenden van de constitutionele impresse die was ontstaan door het ontslag van opperrechter Chaudhry.

In de steden hield de golf van zelfmoordaanslagen onverminderd aan. Noord-Waziristan was in opstand. Controleposten van het leger werden aangevallen. Het onthoofde lichaam van een stamhoofd dat

Musharraf trouw was gebleven, werd aangetroffen. Er werd gevreesd dat de ruim twintig miljoen krijgszuchtige Pakistaanse Pathanen zich tegen het regime keerden.

Zoals gewoonlijk wanneer veel op het spel stond, verzamelde Musharraf de directeurs van de Pakistaanse media. Hij verwierp de Amerikaanse beschuldiging dat hij besluiteloos was. Natuurlijk zitten er militanten van al-Qaeda in de tribale gebieden, gaf hij toe, maar door ons zijn ze op de vlucht. En we houden ons ook bezig met de taliban in Waziristan en elders. De grootste bedreiging vond hij de manier waarop de extremisten hun invloed uitbreidden buiten de FATA. Opzienbarend was dat niet.

Al bij mijn bezoek tien maanden tevoren waren Baluchistan en de Noordwestelijke Grensprovincie (NWFP, de North-West Frontier Province) verboden gebied voor buitenlandse journalisten. De hele grenszone met Afghanistan dus, een veel ruimer gebied dan de tribale FATA.[24] Van de zeven Federally Administred Tribal Areas is het rebellerende Noord-Waziristan met zijn 375.000 inwoners het vijfde, kleiner dan het aangrenzende Zuid-Waziristan. Maar het grenst aan Khost en Paktika, twee opstandige Afghaanse provincies waar bin Laden tijdens de Afghaanse oorlog tegen de Sovjets opereerde, werken uitvoerde en kampen had voor zijn vreemdelingenlegioen. Jalaluddin Haqqani, talibancommandant en onbetwist heerser over Noord-Waziristan, is ook thuis in Khost, aan de Afghaanse kant. Waziristan is ook het geografisch midden van de zone waar de Afghaanse taliban het actiefst zijn.[25] De tribale gebieden, en vooral dan beide Waziristans en Bajaur, waren samen met een groot stuk van de provincie Baluchistan voor al-Qaeda en de taliban al jaren een veilige terugvalbasis.

Toen de taliban, na de aanslagen van 11 september, de uitlevering van bin Laden hadden geweigerd aan de Verenigde Staten begon een oorlog die op 7 december 2001 leidde tot de val van Kandahar, de belangrijkste stad van het zuiden en feitelijke hoofdstad van het Emiraat. De emir, mullah Omar, dook onder, volgens de Afghaanse regering in Quetta, de hoofdstad van Pakistaans Baluchistan. Zijn getrouwen waren voortvluchtig of dood. Maar tijdens en na de belegering van de Rode Moskee was voor de wereld duidelijk dat het extremisme niet was verslagen maar bolwerken had tot in het lommerrijke Islamabad.

Over minderheden, en Pakistaans bier

RAWALPINDI (PAKISTAN) - *Het was vijf jaar na de aanslagen in New York en ik was naar Pakistan gereisd om de temperatuur te meten in de oorlog tegen het terrorisme. Officieel werd die oorlog gevoerd in Afghanistan, maar net zo goed was Pakistan de baarmoeder van het terrorisme. Het was een curieus bezoek, waarbij ik wegens strenge reisbeperkingen, opgelegd door de regering, niet naar het onrustige grensgebied kon. Er zat weinig anders op dan een bivak in het armoedige Rawalpindi, verhitte zusterstad van Islamabad.*

Bij het ontbijt hoorde een rijk aanbod Engelstalige kranten en zo stuitte ik op een opiniestuk in de eerbiedwaardige *Dawn*. Daarin omschreef de auteur de taliban als Afghaanse nationalisten met wie kon worden gepraat. De schrijver bleek een parlementslid te zijn. Hij was bereid tot een interview. Ik noteerde fonetisch de plaatsnaam van ons rendez-vous en wenkte twee dagen later 's morgens in alle vroegte een gammele taxi.

'*Moeriboeri*', zei ik, want dat had ik aan de telefoon begrepen. Tot mijn vreugde bleek de chauffeur precies te weten wat ik bedoelde. Dubbel geplooid, met een bandopnemer en een notitieboekje op de schoot, de slaap nog in de haren, vertrokken we in de amechtige blikken Suzuki. Het was niet ver, was me aan de telefoon verzekerd. Na een kwartiertje was er een controlepost van het leger. Die zijn in de 'rustige provincies' zeldzaam. Weldra was er een tweede post en een derde. Telkens werden we na paspoortcontrole en het uitspreken van het magische '*moeriboeri*' vriendelijk doorgewuifd. Tot de reutelende speelgoedauto halthield voor iets wat leek op een onderkomen industrieel pand uit mijn kinderjaren. Kromme bakstenen muren met een fabrieksschouw. '*Moeriboeri*', zei de chauffeur, liet mij uit en maakte rechtsomkeert.

Niets wat op een residentie, een villa of ook maar een woning geleek. Er was ook geen beweging, tenzij bij een kantoortje in de buurt van de schouwpijp. Ik liep erheen en was opgelucht dat ik werd verwacht. Mijnheer Bhandara was nog niet klaar, misschien wilde ik wel even wachten in zijn kantoor. Alweer kreeg ik het gevoel een halve eeuw terug te reizen in de tijd toen de deur openzwaaide en ik werd binnengeleid in een ruime gelambriseerde kamer met een imposant oud bureau in het midden. Terwijl ik wachtte op thee en op mijn gastheer, gaf ik mijn ogen de kost. Wat ik zag sloeg me met stomme verbazing. In een robuust vitrinemeubel prijkte een colonne ongeopende drankflessen. Verschillende biersoorten naast flessen whisky en wodka. 'Murree Brewery' las ik op het etiket. Murree Brewery, '*Moeriboeri*', de brouwerij van Murree, genoemd naar een stad op enkele tientallen kilometers. Ik wist van de brouwerij maar had verondersteld dat ze in Murree stond. Dit relict uit de koloniale periode was een opzienbarend erfstuk omdat in het streng islamitische Pakistan, het land van de zuiveren, officieel geen alcohol bestond. Het raadsel van de brouwerij, annex stokerij, was haast even fascinerend als het opiniestuk waarover ik uitleg kwam vragen.

Mijnheer Bhandara had zijn ochtendronde gedaan in de werkplaatsen en kwam binnen als een opgewekte, dynamische ceo. Of ik een biertje lustte? Niet op dit uur van de dag, antwoordde ik. Hij was in zijn sas met de belangstelling uit België, land van brouwerijen, en praatte honderduit. Bhandara was parlementslid van de regeringspartij en Parsi, een volgeling dus van de oud-Perzische profeet Zarathustra. De Parsi, de 'Perziërs', zijn in Pakistan, net als in hun land van herkomst Iran en in India, een minuscule minderheid. Als niet-moslim kon hij een brouwer zijn. Dat Bhandara in alles een kosmopoliet was met een perfecte beheersing van het Engels, maakte zijn opvattingen over de taliban des te interessanter. Hij bleek weleens meer in de krant te schrijven en gaf me het ontwerp van een stuk over de kwestie Kasjmir en de voorwaarden voor duurzame betrekkingen met India.

Hij kopieerde nog een derde opstel, met de intrigerende titel *How I knew Zia ul-Haq*, over de beruchte dictator, die in samenwerking met de extremisten van de Jamaat-e-Islami, de stevige grondslagen had gelegd voor de macht van het religieus extremisme in het leger, de geheime dienst en de samenleving in het algemeen.[26] In vergelijking met Zia ul-Haq was Musharraf een modeldemocraat. Toch wist Bhandara geen kwaad woord over hem. Zia was een gentleman, zei hij, een zeer nederig en bescheiden man. Mijn gastheer kon het weten want de grootste verrassing kwam nog. Het stond met zoveel woorden in zijn tekst: hij was de huisbaas van Musharraf! De officiële residentie van het staatshoofd lag aan de overkant van de straat op een terrein van de familie Bhandara. Ik had het bord met 'Presidential Camp Office' wel gezien, maar had er niet bij stilgestaan. Het was duidelijk dat de brouwer het ook met zijn huidige huurder en buurman uitstekend kon vinden. Het leek er zelfs op dat hij meer was dan een goede huisbaas en een partijgenoot. Mijnheer Bhandara gaf de indruk een vertolker te zijn van meningen die het staatshoofd zelf (nog) niet hardop kon formuleren.

Het bezoek leerde mij een hoop, onder meer over de positie van de religieuze minderheden in de islamitische republiek. Vele scholen met kinderen in uniform dragen de namen van christelijke heiligen. Christelijke scholen staan in de hele moslimwereld hoog aangeschreven.

Van de Parsi wist ik dat ze een van de kleinste en oudste godsdiensten ter wereld vormen en in Iran, hun land van oorsprong, enkel nog een gemeenschap van enige betekenis hadden in Yazd en in Teheran. Ik had de tempel bezocht, de Atashkadeh, in een prachtig park in Yazd, met het aloude embleem van de god Ahura Mazda, de 'Grote Heer', hoog op de gevel. Binnen werd achter glas, in een grote kelk, het eeuwenoude heilige vuur[27] brandend gehouden met hout van de bomen in het omheinde park door een priester in witte gewaden; dat vuur zou volgens de overlevering onafgebroken branden sinds 470 na Christus. De Parsi zijn net als de Joden en de Armeniërs vertegenwoordigd in het Iraanse parlement, de Majlis, al zijn er amper nog enkele tienduizenden. Iets buiten Yazd staan op heuveltoppen twee 'torens van de stilte' waar geen eeuw geleden nog de doden werden geofferd als aas voor de roofvogels, maar de toegangen van deze koeltorenachtige bouwwerken waren dichtgemetseld en aan de voet was nu een begraafplaats. Het was er nog steeds adembenemend stil.

Jaarlijks, in het midden van juni, trekken duizenden naar het woestijndorp Chak Chak in de provincie Yazd, om op een kale berg hun belangrijkste heiligdom te bezoeken. Daar was het dat Nikbanu, de tweede dochter van de laatste Sassanidische keizer, Yazdegerd III, haar toevlucht zocht voor de oprukkende islamitische legers. De berg had zich geopend en haar beschermd. De grot waar Nikbanu een schuilplaats vond is nu een tempel achter grote bronzen deuren. Binnenin brandt het eeuwig vuur. Een altijd druppende bron stort volgens de overlevering tranen ter herinnering aan Nikbanu. Chak Chak, de kleine oase in een dor en okerkleurig landschap, betekent 'drup drup'. Een grote, eeuwenoude boom vlakbij de bron wordt vereerd als Nikbanu's wandelstok.

Nog steeds kwamen jaarlijks veel pelgrims, maar na de Islamitische Revolutie droogde het aantal gelovigen in Iran op van zo'n driehonderdduizend tot om en bij vijftigduizend. De meesten waren naar de Verenigde Staten uitgeweken. Ze vertrokken niet wegens discriminatie of om hun culturele eigenheid te behouden, al kregen ze, net als andere niet-moslims, geen toegang tot bepaalde ambten. Het algemeen klimaat was hen te verstikkend. Vele Iraniërs zijn fier op hun pre-islamitisch verleden dat diepe sporen heeft in het dagelijks leven. Zoals de Zoroasters de zonnewende vierden in Chak Chak, zo vieren alle Iraniërs Nieuwjaar volgens de pre-islamitische kalender in maart, bij het begin van de lente. Dan springen ze door brandende takkenbossen in een eeuwoud zuiveringsritueel. De Arabische veroveraars tolereerden de oude godsdienst, al waren er massale gedwongen bekeringen. Tegen de tiende eeuw begon een exodus richting Gujarat in India. Na 1100 brachten discriminatie en vervolging een versnelde uitwijking op gang.

Onder het Brits bestuur werkten de Zoroasters zich op van meestal arme boeren tot succesvolle handelaars en industriëlen.[28] Ze werden de rijkste en modernste gemeenschap van India. Bombay was hun centrum. Ze hielden zowel de christenen als de hindoes en de moslims te vriend. Ze waren de oudste Zuid-Aziatische gemeenschap in het Verenigd Koninkrijk. Karachi was de vierde grootste Parsistad in Brits India.

Maar het voortbestaan was bedreigd. In India daalde het aantal Parsi in zestig jaar met veertig procent van bijna 115.000 in 1941 tot nog geen 70.000 in 2001. Hun sterftecijfer was drie keer hoger dan het aantal geboorten. Dat ze hoog opgeleid en economisch machtig waren speelde hen parten. Ze trouwden laat of helemaal niet en kregen weinig kinderen. De Indiase industriereus Tata was gesticht door een Parsi, Jamsetjee Tata, en ook de nationale luchtvaartmaatschappij Air India was opgericht door een Parsi. En ook dus Murree Brewery.

Omstreeks de tijd dat ik praatte met Bhandara werd in Oxford een belangrijke studie over hen gepubliceerd. Het was de vrucht van twintig jaar arbeid.[29] Het aantal volgelingen van Zarathustra werd daarin op honderd tot honderdtwintigduizend geraamd. Tegen dit tempo zouden ze spoedig uitsterven.

Hetzelfde gebeurde met een nog kleinere godsdienst, de Mandaeërs, de laatste gnostische geloofsgemeenschap in het Midden-Oosten.[30] Zij werden sinds de invasie van Irak vervolgd door de moslims. Ze verloren hun goudwinkels in de steden en werden straffeloos vermoord. Ze verborgen hun identiteit. De Mandese gemeenschap in Irak telde misschien nog twintigduizend mensen. Ik ontmoette ooit een van hen in een hotel in Basra.[31] Wat de man op fluistertoon zei, tijdens een lange nacht met hevige beschietingen vlakbij, lag in de lijn van het onderzoeksresultaat over de Zoroasters: ze stierven uit omdat ze enkel trouwden binnen de groep. Maar ook de politieke omstandigheden waren catastrofaal. Saddam Hoessein had de Mandaeërs, net als andere niet-islamitische geloofsgemeenschappen, aanvankelijk beschermd maar toen de invasie onafwendbaar naderde, had hij een heilige oorlog ontketend tegen de 'kafir', de ongelovigen. De kleine Mandese gemeenschap was het eerste slachtoffer.

De val van Bagdad ging gepaard met verkrachting en moord en voor de bezetting drie maanden oud was, waren er in de hoofdstad tientallen Mandaeërs gedood. Vanzelfsprekend hadden ze het in Iran, hun tweede land van oorsprong, ook niet getroffen. In 1980 was hen de status van 'beschermde godsdienst' ontnomen. Al hebben ze hun heilige schrift, de Ginza, toch behoren ze voor veel moslims niet tot de 'volkeren van het boek', zoals de christenen, de Joden of de Parsi.

Godsdiensten met wortels in de Oudheid, allebei ouder dan de islam of het christendom, zouden weldra voorgoed verdwijnen, door endogamie, vervolging, isolement in de diaspora en... de weigering om bekeerlingen op te nemen. Bij de Parsi woedde een felle discussie over hoe de ondergang kon worden afgewend. Vijfendertig procent van hen trouwde buiten de gemeenschap. Voor de vrouwen betekende dat uitsluiting. Een man die buiten de gemeenschap trouwde kon zijn vrouw niet 'binnen' brengen. Er klonken steeds luider pleidooien om in die kwesties soepeler te worden.

De eenzame president

WASHINGTON (VS) - *George W. Bush begon tekenen te verto-*

nen van vermoeidheid, ontgoocheling en vooral ook isolement. Hij had zijn tweede

ambtstermijn in het teken gesteld van de eindstrijd tegen de tirannie in de wereld. Een

essay van Natan Sharansky, een Israëlisch politicus en voormalig Sovjetdissident,

had hem daartoe geïnspireerd.[32]

Bush foeterde op de bureaucratie in Washington, maar zelfs in zijn eigen partij moest hij niet langer rekenen op veel sympathie voor zijn groot project. Het verspreiden van de democratie was het handelsmerk van een president die amper nog door een derde van de bevolking werd gesteund. De oorlog tegen de tirannie verloor zijn geloofwaardigheid.

De oorspronkelijke architecten van die oorlog waren een na een van het toneel verdwenen. Michael Gerson, Dan Bartlett, Peter Wehner, Harriet Miers, Alberto Gonzales, Tony Snow, Sara Taylor, Rob Portman, Peter Feaver, Scott Jennings, William Inboden en *last but not least* Karl Rove, een voor een waren de pleitbezorgers, planners en strategen van het groot idealistisch offensief vertrokken. Het was zelden een afscheid in schoonheid. Vrijwel iedereen die vertrok is kwaad, zei een voormalig medewerker van Bush, kwaad op de president wegens zijn foute beslissingen, kwaad op zijn staf die hem had misleid of kwaad op de oncontroleerbare gebeurtenissen. Het tempo van de uittocht lag hoog. Op een vrijdag in de late zomer van 2007 waren er vier afscheidsparty's. De vertrekkende medewerkers stonden in de rij voor de afscheidsfoto met de president in het Oval Office. Het Witte Huis wees erop dat velen er van in het begin bij waren en veel langer waren gebleven dan gebruikelijk. Maar ze vertrokken met gemengde gevoelens. De ongelukkige afloop van de interventie in Irak maakte hen onzeker over het oordeel van de geschiedenis. De idealen van het begin waren in diskrediet gebracht. Sommigen keerden zich verbitterd tegen de president of tegen elkaar.

Bush, die sinds 11 september vond dat hij zijn stempel moest drukken op de geschiedenis, was in toenemende mate eenzaam. Hij inviteerde historici en filosofen in de hoop een antwoord te krijgen op grote vragen.

Wat is goed en kwaad in de wereld na 11 september? Welke lessen heeft de geschiedenis voor een president die wordt geconfronteerd met een wereld in beroering? Hoe zal de geschiedenis mij beoordelen? Waarom haat de wereld Amerika? Of haten ze enkel mij?

Bush was geobsedeerd door Irak. Telkens gingen zijn gesprekken uiteindelijk over de vraag of het daar nog goed kon komen, al toonde hij zijn twijfels niet. Hij bleef geloven dat de geschiedenis hem gelijk zou geven, al was zijn populariteit na zijn herverkiezing naar een dieptepunt gezonken. Bush was door dik en dun trouw aan zijn vrienden en verwachtte hetzelfde van hen maar had ook een probleem met het aanvaarden van de feiten. Hij vond bijsturen zwakheid. Misschien was het ergste nog dat niemand in zijn omgeving hem tegensprak.

Op 26 september 2007 publiceerde *El Pais* het verslag van een ontmoeting met de toenmalige Spaanse premier José Maria Aznar. Tijdens het gesprek op de ranch in Crawford op 22 februari 2003, geen maand voor de invasie van Irak, hield Aznar, die nog premier was en een naaste bondgenoot van Bush, een wanhopig pleidooi voor een tweede VN-resolutie om de aanval te legitimeren. Uit peilingen bleek dat negen op de tien Spanjaarden geen oorlog wilde. 'We hebben uw hulp nodig voor de publieke opinie', smeekte Aznar, 'heb wat geduld.' Maar Bush zei dat zijn geduld op was, dat hij over veertien dagen militair klaar zou zijn en dat Bagdad zou vallen voor het eind van maart. Hij zou zich niets gelegen laten aan een mogelijk veto in de Veiligheidsraad.

Aznar argumenteerde dat het pas een succes zou zijn om te winnen zonder een schot te lossen, maar Bush voelde er niets voor om Saddam in ballingschap te laten gaan, waartoe de dictator 'volgens de Egyptenaren' bereid was. 'Hij is een dief, een terrorist, een oorlogsmisdadiger. Vergeleken met Saddam is Milosevic Moeder Theresa', fulmineerde Bush. Hij sprak van een historische verantwoordelijkheid. 'De mensen willen vrijheid', zei hij, en 'de onweerstaanbare macht van de vrijheid.' Toen Aznar opperde dat het optimisme van de president het enige was dat hem zorgen baarde, antwoordde Bush: 'Ik ben een optimist omdat ik geloof in mijn gelijk.'

Dat geloof was er bij het einde van zijn tweede en laatste ambtstermijn nog steeds maar het lag overhoop met de feiten. Het had een tijdlang aanstekelijk gewerkt. Het had de illusie gewekt van een nieuwe wereldvisie en die was een tijdlang zo overtuigend dat de grote Amerikaanse media, inclusief de boegbeelden van de kwaliteitspers, kritiekloos mee marcheerden. Sommige media brachten zich daarmee zo'n schade toe dat ze verplicht waren om zich bij hun lezers te verontschuldigen voor de kritiekloze wijze waarop ze maandenlang de argumentatie van de regering vertolkten om tegen Saddam op te treden en daarmee hielpen de weg te plaveien voor een catastrofe. *The New York Times* en *The Washington Post* sloegen een publiek mea culpa.

Bush had zoveel historisch aandoende woorden gesproken maar naar zijn bevelen en instructies werd niet geluisterd. Toen zijn biograaf Robert Draper hem vroeg waarom zijn verbod was overtreden om het Iraakse leger te ontbinden, kon hij zich dat niet meer herinneren. Toch ging het om een van de meest fatale beslissingen van de hele oorlog.

Bush was alleen met zijn Mesopotamische demonen in het stille grote Witte Huis. Aan het hoofd van zijn indrukwekkende staatsmachine voerde hij zijn steeds eenzamer strijd tegen het Kwaad. Winston Churchill was zijn grote voorbeeld. In de weekends fietste hij nog een uurtje of twee. Hij speelde amper nog golf.

HET VERTREK VAN DE HERSENEN

Op 15 augustus meldden de Amerikaanse media dat de regering de Iraanse Revolutionaire Garde had toegevoegd aan de lijst van terreurorganisaties wegens de 'toenemende betrokkenheid' van het korps bij de opstanden in Irak en Afghanistan en zijn steun voor extremisten in het hele Midden-Oosten.[33] De Iraanse president Ahmadinejad was een veteraan van de Revolutionaire Garde en voor het eerst werd een staatsorganisatie op de lijst gezet.

Dat was ongewoon maar het meest ongewone nieuws was het ontslag van de presidentiële topadviseur Karl Rove, ook wel 'de hersenen van het staatshoofd' genoemd, een van de meest invloedrijke, misschien wel de invloedrijkste figuur uit de omgeving van Bush. Op 13 augustus kondigde hij zijn vertrek aan. Met de president aan zijn zijde zei hij dat het tijd was 'om te beginnen nadenken over het volgende hoofdstuk van ons gezinsleven'.

Rove was de man aan wie de president zijn verkiezingsoverwinningen te danken had. Hij gold als een politiek genie en een buitengewoon strateeg, verantwoordelijk voor de triomfen van Bush maar ook voor een steeds langere lijst van mislukkingen. Hij inspireerde de onverzettelijkheid van Bush en zijn onverwoestbaar optimisme dat voor buitenstaanders zo moeilijk te vatten was. Rove was de voorzitter van de White House Iraq Group (WHIG), een geheime cel die vanaf augustus 2002 het publiek moest voorlichten over 'de bedreiging die Saddam was voor de Verenigde Staten'.[34] De groep adviseerde in september 2002 om Irak voor te stellen als een gevaarlijke kernmogendheid. Rove lag hoogst waarschijnlijk ook aan de basis van het lekken van de naam van CIA-agente Valerie Plame, de vrouw van ambassadeur Joseph Wilson die in de zomer van 2003 vernietigend had uitgehaald naar de foute informatie over Saddams massavernietigingswapens. Maar Roves prestige was vooral aangetast door zijn foute voorspelling van een republikeinse overwinning in de parlementsverkiezingen van november 2006. Hij werd verslagen op het terrein waarop hij onklopbaar scheen: verkiezingsoverwinningen, beginnend met de gouverneursverkiezingen van 1994, die de jonge Bush hadden gelanceerd in de politiek.

Rove, de campagneleider, die niet wars was van slagen onder de gordel, vertrok met het voornemen een boek te schrijven. Maar eerst zou hij nog het beste van zichzelf geven om Hillary Clinton onderuit te halen, de democratische topfavoriete voor de presidentsverkiezingen. Rove vertrok even uitdagend als hij was gekomen. 'Ik ben een mythe', stelde hij niet zonder tevredenheid vast. 'Ik ben Moby Dick, de witte walvis, die wordt opgejaagd door de kapitein Ahabs van de democratische partij.' En wat zijn belagers ook over hem mochten zeggen, Rove had nergens spijt van.

Het werd nu erg stil rond de president. Met Rove vertrok immers een van de laatste Texanen die met Bush in 2001 Washington hadden veroverd. Enkele dagen later kondigde Tony Snow, de perschef van het Witte Huis, zijn vertrek aan om financiële redenen. Snow verdiende aanzienlijk meer toen hij nog een talkshow had bij Fox News Radio.

Voor de maand om was, op 27 augustus 2007, nam nog een zwaargewicht ontslag, de omstreden minister van Justitie Alberto Gonzales. Dat was een verrassing. Bush aanvaardde het ontslag van 'een integer, fatsoenlijk en principieel man' met tegenzin. 'Het is jammer dat we in een tijd leven waarin een begaafd en eerbaar man als Alberto Gonzales verhinderd wordt om belangrijk werk te verrichten omdat zijn naam door het slijk is gehaald', zei hij. Al maanden lag Gonzales onder vuur omdat hij had gelogen over zijn rol bij het ontslag van negen procureurs in 2006 en omdat hij het Congres had misleid over zijn rol bij het opzetten van afluisterprogramma's. Als juridisch adviseur van de president steunde hij na 11 september een reeks omstreden maatregelen, zoals de harde aanpak van terreurverdachten en de forse uitbreiding van de presidentiële macht. Hij was de zoon van een Mexicaanse bouwvakker en had onder de vleugels van Bush de Amerikaanse droom waargemaakt.

Met Rove en Gonzales verdwenen de belangrijkste symbolen van de excessen en mislukkingen van de regering, schreef *The New York Times*. De krant noemde de minister van Justitie een overtreder van de wet. Gonzales was in de eerste plaats de ultieme 'loyal Bushie' geweest. Hij ging de geschiedenis in als een van de belangrijkste architecten van de controversiële antiterreurpolitiek van zijn president.

Op 19 augustus 2007 was het vier jaar geleden dat een autobom het VN-hoofdkwartier in Bagdad verwoestte. Dat was, samen met een iets eerdere aanslag op de Jordaanse ambassade, het sein voor een eindeloze reeks waarvan het voorlopige orgelpunt amper een week geleden was genoteerd met vier vrijwel gelijktijdige explosies van bomauto's in afgelegen dorpen in de buurt van Mosul en met de dood van vierhonderd yezidi's, alweer een restvolk uit de oudheid dat verkeerdelijk van duivelsverering werd beticht. Twintig keer het aantal doden van de aanslag op de VN, een nieuw record.

Op de vierde verjaardag verscheen een onverwachte gast in Bagdad: de Franse minister van Buitenlandse Zaken Bernard Kouchner. Hij kwam zijn omgekomen vriend Vieira de Mello, VN-vertegenwoordiger in Bagdad, eren met een bloemenkrans 'voor de soldaten van de vrede'. Het was de eerste keer in bijna twintig jaar dat een Franse minister van Buitenlandse Zaken in Irak was. Toch wilde Kouchner de indruk vermijden dat Parijs een bocht nam. Hij praatte niet met Amerikaanse verantwoordelijken want hij was 'gekomen om het Iraakse volk hoop te geven en te luisteren naar de Koerden, de soennieten en de sjiieten'. Hij pleitte bovendien voor een grotere rol voor de VN. 'Hoe meer Irak zich wendt tot de VN, hoe groter de steun van Frankrijk voor Irak zal zijn. Maar de Iraakse houding blijft dubbelzinnig en ik verwacht opheldering.' Kouchner was als leider van Artsen Zonder Grenzen voorstander van militaire interventies om humanitaire redenen, maar doelend op de Amerikaanse invasie, zei hij: 'Ik heb me nooit kunnen voorstellen dat dit idee op zo'n manier zou worden gebruikt. De Amerikanen hebben de fouten opgestapeld. Het is onmogelijk om de geschiedenis te herschrijven. Het is nu zaak om de bladzijde om te draaien.'

In de omgeving van Kouchners Iraakse ambtgenoot Hoshyar Zebari werd het bezoek 'een grote overwinning van de Iraakse diplomatie' genoemd. Kouchner praatte met premier Nouri Maliki, die sinds enkele dagen de leider was van een kabinet dat uitsluitend nog uit Koerden en sjiieten bestond. Hij drong aan op een terugkeer van de soennieten in de regering. Maliki die de volgende dag zou vertrekken naar Damascus kreeg van Kouchner een boodschap mee voor de Syrische president. 'Ik vraag je om hem namens mij te zeggen dat hij een grote openheid van Frankrijk mag verwachten als hij kiest voor de vrede in Libanon, maar mocht hij proberen de presidentsverkiezingen in dat land te beletten, dan zou de Franse politiek tegenover Syrië grondig kunnen veranderen.'

Maliki had er duidelijk geen zin in om boodschappenjongen te spelen. 'Ik verkies dat je hem dat zelf zegt', antwoordde hij.

Voor Maliki was het een eerste bezoek aan het buurland, waar hij jarenlang als balling had verbleven, sinds hij een jaar tevoren premier was geworden. Terwijl hij onderweg was, werd de gouverneur van de zuidelijke provincie Muthanna vermoord bij een bomaanslag. Muthanna was tot lang na de invasie een van de rustigste provincies van Irak. Geen tien dagen tevoren was zijn collega van Qadissiya, eveneens in het zuiden, op een vergelijkbare manier gedood. Beide gouverneurs waren lid van de Hoge Islamitische Iraakse Raad, zoals de pro-Iraanse partij van Abdul-Aziz al-Hakim zich tegenwoordig noemde.[35] Al snel werden Moqtada al-Sadr en zijn Leger van de Mahdi verdacht van de moorden.

Tegen eind augustus was het aantal gevangenen van de Amerikanen in Irak tot bijna 25.000 gestegen. Een groei met 50 procent sinds het begin van de troepenversterkingen, een half jaar tevoren; 85 procent van de gevangenen was soenniet; 1800 gevangenen zeiden te behoren tot al-Qaeda in Irak en 6000 anderen beschouwden zichzelf als takfiri's, en beschouwden dus wereldse moslims en sjiieten als ketters. Maar de meeste gevangenen hadden misdrijven gepleegd voor het geld, zei een militair woordvoerder, ze hebben geen werk en worden betaald door rebellenleiders. Er zaten ook 280 buitenlanders vast, 55 Egyptenaren, 53 Syriërs, 37 Saudi's, 28 Jordaniërs en 24 Sudanezen. En dan waren er nog 800 kindgevangenen. Ze hadden bommen gelegd of de wacht opgetrokken. Gemiddeld zaten de gevangenen een jaar achter de tralies. De Amerikanen maakten niet langer gebruik van de Abu Ghraib-gevangenis, die een smet had geworpen op het militair blazoen.

Het laboratorium van het Midden-Oosten

BEIROET (LIBANON) – *In Libanon kan je 's morgens zwemmen in zee en 's middags skiën in de bergen. Dat maakte het land in een idyllischer verleden tot het rendez-vous van de internationale jetset.*

Vanuit de Middellandse zee rijst een indrukwekkend bergmassief op dat in de oostelijke buitenwijken van Beiroet klimt naar een uiteindelijke hoogte van 3086 meter, de hoogste bergketen van het Midden-Oosten en al eeuwen een natuurlijk bastion van historische restvolkeren als de maronitische christenen en de druzen, die sterk vertegenwoordigd zijn in de Chouf, een van de vijf districten van de Libanonberg.

Wie herinnert zich nog dat Brigitte Bardot, Frank Sinatra en Marlon Brando zaten te eten in de Byblos Fishing Club? Vijftien jaar burgeroorlog (1975-1990) had de sterren doen kiezen voor rustiger paradijzen. De verwoesting van het land en vooral van de hoofdstad tartte de verbeelding.

Tijdens de lange oorlogsjaren werd niemand ontzien. Religies waren legers en politici militieleiders en omgekeerd. Ze bekampten elkaar op leven en dood en waren vandaag de bondgenoot van wie gisteren de vijand was. Buitenlandse mogendheden bemoeiden zich ermee, maar dat liep meestal slecht af. Alleen Syrië wist zich te handhaven. Al snel was de burgeroorlog een onontwarbaar kluwen. In de laatste fase steunde Saddam Hoessein de christelijke groepen tegen de sjiieten van Hezbollah en Amal, de partijen van zijn erfvijand Iran.

Het einde van de burgeroorlog viel samen met de Golfoorlog van 1991. Terwijl de Libanese parlementsleden in het Saudische Taif onderhandelden en uiteindelijk een akkoord bereikten, voerde generaal Michel Aoun, voormalig bevelhebber van het leger en in de laatste momenten van zijn ambtstermijn door president Amin Gemayel benoemd tot eerste minister, een bevrijdingsoorlog tegen Syrië. Aoun aanvaardde het akkoord van Taif niet en bleef vechten voor een zaak die verloren was, zeker toen de Forces Libanaises afhaakten. Na zijn gedwongen vertrek in Franse ballingschap kreeg Syrië de vrije hand in Libanon. Dat leidde tot een periode van rust en wederopbouw onder de selfmade bouwmagnaat en miljardair Rafik Hariri, die Beiroet uit zijn as deed herrijzen.

De immense oorlogsruïne is nu omgetoverd tot een Manhattan met cafés, kantoren, modieuze winkels, nieuwe kerken en moskeeën rond een ruim aangelegde Place des Martyrs. De wederopstanding van het mondaine Beiroet was een zegen voor het handelsestablishment dat droomde om van Libanon opnieuw het Zwitserland van het Midden-Oosten te maken. De meeste sjiieten leefden als tevoren in de armoedige, kinderrijke en overbevolkte westelijke buitenwijken van de hoofdstad, in het zuiden en in de Bekaa-vallei vlakbij de Syrische grens. Daar bevestigde de oogverblindende wederopstanding het oude gevoel van achteruitstelling, waaraan ooit om demografische redenen een einde moest komen. Daar wapperde de gele vlag met de groene kalasjnikov van Hezbollah. De Partij van God werd respectvol 'nationaal verzet' genoemd, al was niet de hele natie er blij mee. Ze werd de hand boven het hoofd gehouden door president Lahoud en door Syrië, dat in de vijftien jaar die volgden op de burgeroorlog de lakens uitdeelde in Libanon.

* * *

'Lahoud, dat ben ik', zei de Syrische president Bashar al-Assad tegen premier Rafik Hariri in de zomer van 2004. Hij had er onheilspellend aan toegevoegd: 'Als jij en Chirac me buiten willen uit Libanon, dan zal ik dat land breken.' Dat had indruk gemaakt. Toen Hariri geen jaar later werd vermoord, en bij alle politieke moorden die erop volgden, werd aan die woorden teruggedacht.

De aanleiding voor Assads waarschuwing was Hariri's verzet tegen de verlenging van Lahouds ambtstermijn. Die liep weldra ten einde en hij kon niet langer aanblijven tenzij de grondwet werd gewijzigd. Syrië en de pro-Syrische partijen drongen daarop aan. Hariri, het soennitisch establishment, de druzen van Jumblatt en een meerderheid van de christenen wilden het Syrische juk afschudden. Zoals Assad opmerkte werd de toestand aandachtig gevolgd door de Franse president Chirac, een persoonlijke vriend van de Libanese premier. Parijs probeerde het Syrische manoeuvre te dwarsbomen via de VN-Veiligheidsraad. Resolutie 1559 van 2 september 2004 eiste de terugtrekking van de vreemde – lees: Syrische – troepen die sedert 1976 in Libanon waren, en de ontwapening van de milities, met andere woorden Hezbollah.[36] Buitenlandse Zaken in Beiroet had geprobeerd een stemming in de Veiligheidsraad te verijdelen met het argument dat 'het bevriende Syrië Libanon had geholpen bij de handhaving van de stabiliteit en de veiligheid', dat er geen milities waren in Libanon, maar enkel een 'nationaal verzet' tegen de Israëlische bezetting, en dat Syrië het nationaal verzet steunde en bescherming bood tegen extremisme. De resolutie werd afgewezen als een inmenging in de binnenlandse aangelegenheden. Het parlement kwam bijeen en de grond-wetswijziging werd goedgekeurd. Premier Hariri nam uit protest ontslag op 20 oktober 2004. Geen vier maanden later werd hij vermoord en brak de Cederrevolutie uit.

Dankzij de Frans-Amerikaanse tandem in de VN-Veiligheidsraad kreeg de Libanese revolutie de steun van de 'internationale gemeenschap', al was de stem van de moslims daarin allerminst doorslaggevend en bleven Rusland en China aan de zijlijn. In feite was een 'westerse' resolutie goedgekeurd. Of het nu Kosovo betrof, het Iraanse atoomprogramma of andere kwesties met de moslimwereld, telkens hadden Moskou en Peking het lastig met de Amerikaanse voortvarendheid. Niet dat ze zich geen zorgen maakten over het fanatisme. Ze hadden er allebei mee af te rekenen binnen de eigen grenzen. De Russen in Tsjetsjenië, China in Xinjiang met de Oeigoeren, de Turkstalige moslims uit het grensgebied met Kirgizië, Afghanistan, Kazachstan en Mongolië. China en Rusland hebben hun eigen alliantie, de Sjanghai-groep, tegen het oprukkend moslim-extremisme en het separatisme van Tsjetsjenen en Oeigoeren.[37]

Dat separatisme is voor China en Rusland een potentieel stabiliteits-probleem waarvan de Verenigde Staten bespaard bleef. Het noopte tot pragmatisme en tactische compromissen. China had een verstandhou-ding met het Afghaanse talibanbewind en is een stevige bondgenoot van Pakistan. Het beschermt Iran in het dispuut over zijn nucleair program-ma om zijn oliebevoorrading veilig te stellen. Ook de Russen, leveran-ciers van de kerncentrale van Bushehr,[38] zetten Iran uit de wind.

De meest opvallende verschuiving op het wereldschaakbord was dat Frankrijk en de Verenigde Staten elkaar terugvonden, anderhalf jaar na-dat ze de degens hadden gekruist over de invasie van Irak. Dat kwam door de persoonlijke band van president Chirac met de miljardair-pre-mier Rafik Hariri. Washington bleef in de coulissen en gunde Parijs de eerste viool in de Libanese partituur. Sommige analisten zagen dat als een teken dat Frankrijk zijn betrekkingen met Amerika wilde regularise-ren en ook de banden wilde aanhalen met Libanon dat altijd een bevoor-rechte partner en beschermeling van Parijs was geweest. In ruil zou Frankrijk een nog nadrukkelijker aanwezigheid dulden van de Verenigde Staten in Irak.[39]

Hariri werd enkele maanden na zijn ontslag en de dubieuze herverkiezing van president Lahoud, op 14 februari 2005, vermoord met een spring-lading van duizend kilo TNT toen zijn autokaravaan passeerde voor het vermaarde Saint-George Hotel in Beiroet. Weinigen twijfelden eraan dat dit het werk was van de Syriërs.

De Valentijnsmoord ontketende een anti-Syrische golf die uitmondde in de nationalistische Cederrevolutie, een verwijzing naar het nationale embleem en de Libanese vlag. Een coalitie van soennieten, christenen en druzen, aangemoedigd door de Amerikaanse en de Franse oproepen voor het herstel van de Libanese onafhankelijkheid, verkreeg uiteindelijk het vertrek van de Syrische geheime dienst en het bezettingsleger.

De revolutie was geweldloos en verliep als een bijna gelijkopgaande tweestrijd tussen grote aantallen. Hezbollah probeerde op 8 maart 2005 het anti-Syrische tij te keren door een massademonstratie. Met bussen waren honderdduizenden betogers aangevoerd vanuit de verste hoeken van Libanon en vanuit Syrië om steun te betuigen aan Damascus en te manifesteren tegen de 'Amerikaanse interventie'. Maar de week daarop hield het anti-Syrische front van soennieten, druzen en christenen een nog grotere betoging.

De demonstraties weerspiegelden de demografische verhoudingen: de sjiieten maken een derde tot veertig procent van de bevolking uit. Ze lieten ook een politiek probleem zien want ofschoon de christenen kleiner in aantal waren, bezetten ze in het parlement de helft van de zetels.[40]

De massabetogingen toonden het wederzijds wantrouwen van de christenen, de druzen en de soennitische moslims tegenover de sjiieten. Hezbollah, dat in 2000 een terugtrekking van de Israël uit Zuid-Libanon had afgedwongen, was voor de enen het onaantastbaar symbool van de Libanese onafhankelijkheid en het 'verzet' tegen de zionistische veroveraar, maar voor veel soennieten, druzen en christenen was het een geduchte militie, de enige die na de burgeroorlog nog militaire slagkracht had.

EEN STAAT BINNEN DE STAAT

Hezbollah is een staat binnen de staat, met een eigen leger, een netwerk van sociale voorzieningen en eigen media, inclusief de televisiezender al-Manar, de populairste zender onder de Palestijnen van de Westelijke Jordaanoever en Gaza. Hezbollah is een creatie van de Pasdaran, de Iraanse Revolutionaire Garde, die de partij had opgericht na de Israëlische invasie van Libanon in 1982. Wapens, geld, religieuze en politieke oriëntatie komen via Syrië uit Iran, al beschikte de partij van bij haar ontstaan over sterke en efficiënte eigen leiders. De groep was een laatkomer in de burgeroorlog maar werd snel berucht door ontvoeringen en door als eerste zelfmoordaanslagen te plegen.

De spreekbuis van Hezbollah is haar televisiezender. Die begon met weinig middelen uit te zenden op 3 juni 1991, kort na het einde van de burgeroorlog. Bij de verdeling van licenties door de Libanese regering in

1996 stond al-Manar aanvankelijk op een lijst van vijftig omroepen die moesten sluiten. Dankzij de vorige Syrische president Hafez al-Assad kreeg al-Manar zijn vergunning toch. De lancering van een satellietzender werd vervroegd om samen te vallen met het einde van de Israëlische bezetting op 25 mei 2000. Voor dat jaar om was waren er uitzendingen de klok rond. Al-Manar verspreidde als eerste na de aanslagen van 11 september het valse gerucht dat die dag vierduizend Joodse werknemers niet in het World Trade Center waren opgedaagd en dat de aanslagen het werk waren van de Israëlische inlichtingendienst. De zender werd op 13 en 16 juli 2006 gebombardeerd door de Israëlische luchtmacht maar bleef in de ether. De meest bekende talkshow is 'Het Spinnenweb', zoals Hezbollah-leider Nasrallah Israël graag noemt. In het programma worden 'zionistische intriges' ontrafeld en suggesties gedaan om met Israël af te rekenen. De gasten variëren van respectabel tot terroristisch. In 2001 zond al-Manar een populaire vierdelige dramaserie uit over het leven van de religieus geïnspireerde antizionist en moslimbroeder Izz al-Din al-Qassam,[41] naar wie de raketten van Hamas zijn genoemd.

Bij Hezbollah zijn godsdienst, nationalisme en maatschappelijke frustratie verweven met de militante ideologie van ayatollah Khomeiny en de Iraanse Revolutie. Het grote verschil met Iran is dat de sjiieten in Libanon (vooralsnog) een minderheid vormen en een theocratie er bijgevolg weinig kans maakt. Maar Hezbollah is een kostbaar instrument voor het belangrijkste doel, de droom van Khomeiny: de bevrijding van Jeruzalem. Vanuit die stad, in het Arabisch 'Qods', is de Profeet ten hemel gevaren. Daarom is ze is na Mekka en Medina de heiligste van de islam.

Onder meer wegens Hezbollah is Syrië voor Iran een waardevolle en belangrijke vriend. In oorsprong was die vriendschap gericht tegen een gemeenschappelijke vijand, de über-Arabier Saddam Hoessein die de 'Perzen' zo mogelijk nog meer haatte dan de Joden. Saddam en de Syrische president Hafez al-Assad, de vader van Bashar, betwistten elkaar het Arabisch leiderschap en konden elkaars bloed drinken. Op de achtergrond speelt ook de historische rivaliteit tussen Bagdad en Damascus. In de Syrisch-Iraanse vriendschap is ook van belang dat de Assads en de regerende clans in Syrië alawieten zijn en dus behoren tot een oude sjiitische afscheuring die in Syrië tien procent vertegenwoordigt van de bevolking. Vader Assad had de macht veroverd in 1970 en handhaafde zich dertig jaar achter het schild van het Arabisch nationalisme van de Baath. Dat leidde de aandacht af van de religieuze verdeeldheid. Het antiklerikalisme van Baath was een probate bescherming voor de religieuze minderheden.[42]

Syrië vertaalde de idealen van Baath in radicaal antizionistische standpunten. Het rivaliseerde eerst met Egypte, en dan met Irak in de kwestie Palestina, het Arabisch strijdros bij uitnemendheid. Het was een voordeel dat het probleem zich buiten de grenzen situeerde en de gevolgen ervan beperkt bleven tot een aanvoer van emigranten, die niet altijd even liefdevol werden verwelkomd. Niet in Syrië en ook niet in de rest van de Arabische wereld. Het best aardden de Palestijnen in Jordanië, al werd het hoofdkwartier van de inlichtingendienst in Amman het Palestine Hotel genoemd.

GEWAPENDE VREDE

In november 2003 was er een Oranje Revolutie in Oekraïne, die een einde maakte aan de Russische greep op dat land, een jaar later was er de Rozenrevolutie met vergelijkbaar resultaat in Georgië. Het anti-Syrische protest na de moord op Hariri, viel samen met de Tulpenrevolutie, een volksopstand in Kirgizië na grootschalig geknoei bij de parlementsverkiezingen.

De lieflijke namen van deze omwentelingen werden in Washington bedacht. De term 'Cederrevolutie' werd gelanceerd door onderstaatssecretaris Paula Dobriansky, bevoegd voor Globale Zaken en Democratie, een van de schaarse neoconservatieve kabinetsleden die was gebleven na de herverkiezing van Bush. De revolutie voltrok zich twee weken na de Valentijnsmoord, toen een vreedzame belegering van het parlement in Beiroet de regering-Karami ten val bracht. De 25.000 betogers zwaaiden met Libanese vlaggen, riepen 'Syrië Buiten', 'Lahoud Ontslag' en 'Vrijheid, Onafhankelijkheid en Soevereiniteit'. Onder druk van de wereld en van de straat in Beiroet trok Syrië zijn 14.000 resterende soldaten en geheime agenten terug. Dat gebeurde verrassend snel. Tegen 27 april, anderhalve maand na de moord, was de laatste weg. Naast het vertrek van de Syriërs eiste de revolutie de terugkeer van de ex-premier Aoun, het symbool van het anti-Syrisch Libanees nationalisme; sinds het einde van de burgeroorlog in 1989 leefde hij in ballingschap in Parijs. Er werd ook de vrijlating geëist van Samir Geagea, de leider van de christelijke Forces Libanaises. Aoun keerde terug en Geagea kwam vrij. Er daalde een gespannen rust, een soort gewapende vrede over Libanon.

EEN NIEUWE OORLOG

De nederlaag van Syrië tijdens de Cederrevolutie was een opdoffer, ook voor Teheran en Hezbollah. Toch was enkel maar een gevecht verloren, niet dé oorlog. Eén jaar na de revolutie zorgde Israël voor een nieuw slagveld waarop de Partij van God haar onmisbaarheid kon bewijzen.

Allicht op instructie van Teheran,[43] werden op 12 juli 2006 twee Israëlische soldaten ontvoerd. Dat lokte de kersverse regering-Olmert in een val waar zijn veel ervarener voorganger Ariël Sharon een kwarteeuw tevoren niet zonder kleerscheuren was uitgeraakt. Olmert stuurde met veel vertoon zijn leger naar Libanon en piekte in de Israëlische peilingen maar dat duurde niet lang. Hij bombardeerde Hezbollah en de sjiieten tot nieuwe assertiviteit en Syrië en Iran tot iets meer legitimiteit.

Het resultaat van deze voor Israël, de Verenigde Staten en Frankrijk desastreuze campagne was dat Hezbollah zich zoals zes jaar tevoren uitriep tot overwinnaar, een opeising die vrij algemeen werd erkend, al was het maar omdat de zegepalm beslist niet toekwam aan de Israëli's.

De televisieverslagen van de nachtelijke bombardementen, de verwoestingen in Zuid-Beiroet, het hardnekkig verzet van Hezbollah en de clusterbommen die Israël massaal had uitgestrooid boven de sjiitische gebieden, bezorgden Hezbollah een internationale golf van sympathie. In Libanon zelf durfde niemand nog vragen stellen over het bestaansrecht van de partij die als enige het vaderland had verdedigd. Na de mislukte poging om bin Laden te pakken in Afghanistan en het jammerlijk avontuur in Irak, ondermijnde de zomeroorlog nog verder het geloof van de westerse publieke opinie in zijn superieure wapens.

Op 11 augustus 2006 maakte resolutie 1701 een einde aan het Israëlisch-Libanees conflict. De Libanese regering, met twee Hezbollah-ministers, keurde de resolutie de volgende dag goed.

Het avontuur zadelde Israël op met een vreselijke kater. Er werd een onderzoekscommissie ingesteld die moest nagaan wat er was misgelopen. De commissie-Winograd zou anderhalf jaar later, op 30 januari 2008, met een vijfhonderd pagina's tellend rapport komen dat sprak van 'ernstige tekortkomingen'. Premier Olmert had gehandeld in het belang van het land, zei de commissie, maar het politiek en militair leiderschap had gefaald en Israël had de oorlog niet gewonnen. 'Een quasi-militaire organisatie had het sterkste leger van het Midden-Oosten wekenlang kunnen weerstaan', zei voorzitter Eliyahu Winograd, een voormalig rechter. De hele oorlog lang had het raketten geregend op Israël en het slotoffensief, waarin tientallen Israëlische soldaten sneuvelden, had niets opgeleverd. De gevolgen waren volgens de commissie verstrekkend voor Israël zelf en voor zijn vijanden.

Hezbollah was niet vernietigd, zoals Olmert had gehoopt, maar kwam integendeel springlevend uit de strijd. Gesterkt door de 'overwinning' eiste de partij vetorecht voor de sjiitische ministers in een nieuw te vormen kabinet van nationale eenheid. Syrië steunde die eis om te beletten dat een internationaal tribunaal werd opgericht voor de moord op Hariri. Toen de andere partijen dat vetorecht niet wilden geven, namen de sjiitische ministers en die van Aouns partij op 12 november 2006 ontslag. Wat restte van het kabinet waren de partijen van de Cederrevolutie, ook wel '14 maart' of 'de meerderheid' genoemd of gewoon: de regering-Siniora, die voortaan door het leven ging als was ze een minderheidskabinet. Ze gaf meteen groen licht voor het internationaal gerechtshof, wat leidde tot meer tumult. Hezbollah-leider Nasrallah dreigde met een nieuwe Cederrevolutie om het kabinet op straat ten val te brengen. De pro-Syrische president Emile Lahoud noemde de regeringsbeslissing ongeldig zolang hij ze niet had ondertekend. Rusland greep dat aan om bij monde van zijn VN-ambassadeur te vragen of de goedkeuring door de regering-Siniora 'wel grondwettelijk' was.

Nogmaals bleek dat de oude vrienden van het Sovjetrijk, zoals Syrië, nog altijd kind aan huis waren in Moskou. Het was ook een nieuw teken van het einde van de unipolaire, door Amerika gedomineerde wereld. De historische kans die was ontstaan na 11 september om de naties te verenigen tegen het terrorisme was verkeken door de eenzijdige oorlogsverklaring aan Irak.

Rusland en China zagen hoe Irak ontaardde in een inferno dat Amerika verzwakte en hen de kans gaf op een onverhoopte comeback. Rusland heroverde dankzij de dure olie een stuk van zijn oude status. In China explodeerde de economie en de vraag naar energie. Dat joeg de prijs nog verder op en bevestigde Rusland met zijn grote voorraden in de rol van wereldspeler. De oorlog in het olierijke Irak veroorzaakte krapte in plaats van overvloed op de oliemarkt en versterkte tegelijk het terrorisme. Osama was nog steeds op vrije voeten, net als duizenden van zijn volgelingen die nieuwe schuilplaatsen vonden in Waziristan, dat enkele maanden tevoren door Musharraf was afgestaan aan de 'Pakistaanse taliban'. De idealistische gekleurde revoluties in de Russische voortuin en de strijd om de controle over de olie- en gasreserves in Centraal-Azië hadden van Moskou, een noodzakelijke bondgenoot, opnieuw een rivaal gemaakt. Libanon dreigde als westerse voorpost te ontglippen.

Lahoud had de Cederrevolutie overleefd en was nog altijd president van Libanon, waar de strijd om zijn opvolging was losgebarsten. De christelijke ex-generaal Michel Aoun, in 2005 na vijftien jaar ballingschap teruggekeerd, zag zich geroepen. De voormalige kampioen van het Libanees nationalisme en erfvijand van Syrië ging daarvoor een onheilspellende alliantie aan met Hezbollah. Zelden was er zo'n verdeeldheid in het kibbelende Libanon.

EEN NIEUWE STRATEGIE

Gewapend met die wetenschap vertrok Sir Nigel Sheinwald op geheime missie naar Damascus. Sir Nigel, topadviseur van de Britse premier Tony Blair, kwam polsen of Syrië bereid kon worden gevonden om te breken met radicale groepen die elders in het Midden-Oosten voor onrust zorgden. Op 31 oktober 2006 praatte hij daarover met president Assad. Het was het hoogste Brits bezoek in bijna vier jaar en het sloeg een bres in het diplomatiek beleg van Washington rond Damascus. Downing Street haastte zich om te benadrukken dat er geen verandering was in het Brits beleid. Blair, schreef *The Financial Times*, wou op het einde van zijn ambtstermijn alleen maar zien of Syrië kon worden losgeweekt van Iran.

Blair had een verborgen zwak voor Bashar al-Assad, die in Londen oogartsenij had gestudeerd en er zijn vrouw, een soennitische, had leren kennen. Blair wist ook dat de herbewapening van Hezbollah door Iran via Syrië weer op volle toren draaide.

Een dag voor Sheinwald discreet landde in Damascus had de Noor Terje Roed-Larsen, de VN-gezant voor Syrië en Libanon, gezegd dat leden van de Libanese regering in het openbaar en in privégesprekken de wapensmokkel hadden bevestigd. Premier Siniora en minister van Defensie Murr ontkenden heftig.

De reis van Blairs gezant viel ook samen met het gerucht dat de Amerikaanse Iraq Study Group, onder leiding van oud-minister van Buitenlandse Zaken James Baker, de regering-Bush zou aanraden om te gaan praten met Syrië en Iran. Dat lag misschien voor de hand maar was niet vanzelfsprekend. In zijn State of the Union van januari 2002, de eerste na de aanslagen van 11 september, had president Bush de As van het Kwaad uitgeroepen bestaande uit Iran, Irak en Noord-Korea. De begeesterende en grensverleggende toespraak stond helemaal in het teken van de strijd tegen het Kwaad. Het woord *'evil'* kwam er vijf keer in voor, een laatste keer toen de president zei: 'We kennen nu waarheden die we nooit nog zullen betwisten: het Kwaad bestaat en het moet worden bestreden',[44] een hoogtepunt waarop een luid applaus was uitgebarsten. Niets wees erop dat Bush daar nu anders over dacht, al woekerde twijfel, zelfs in Washington.

EERSTE OMWENTELING IN DE AMERICAN EMPIRE

Een week na het bezoek van Sir Nigel aan Damascus leed de republikeinse partij van Bush een zware nederlaag. Ze verloor de meerderheid in de Senaat en het Huis van Afgevaardigden. De laatste twee jaar van zijn ambtstermijn zou de autoritaire Bush gedwongen worden tot een *cohabitation*. Daags na de verkiezingen volgde het ontslag van minister van Defensie Donald Rumsfeld, boegbeeld van de 'mislukking' in Irak en, met Bush zelf, de belichaming van de assertieve American Empire.

Rumsfeld werd opgevolgd door de bedaagde oud-CIA-baas Bob Gates, lid van de Iraq Study Group van James Baker. Dat was een vernedering voor Rumsfeld én voor de president, die voortaan, indirect misschien, zou moeten luisteren naar de vaderlijke raad die hij altijd in de wind had geslagen. Bush sr. en zijn getrouwen hadden gewaarschuwd tegen de invasie van Irak. De benoeming van Gates, die in Irak was geweest en met verbijstering had gekeken naar de aanpak van Rumsfeld, maakte een oedipale cirkel rond. De jonge Bush had geprobeerd zijn vader te over-treffen door de wereld te veranderen, hem te wreken voor een door Bag-dad beraamd moordcomplot kort na de oorlog van 1991, en zijn fouten te herstellen door Saddam te verdrijven. Nu werd hij voor die overmoed gestraft door het volk, de moeder aller politici.

DE BRITSE OPLOSSING: EEN TOCHT NAAR CANOSSA

Tijdens diezelfde bewogen week, op 11 november, kopte *The Guardian* dat Tony Blair Washington zou aanraden om te praten met zowel Syrië als Iran. Twee dagen later deed hij zo'n oproep op het jaarlijkse banket van de burgemeester van Londen. Syrië en Iran misdroegen zich maar ze stonden nu voor de keuze, zei hij, partners worden of verder isolement. Dat laatste kwam neer op *more of the same* en het dreigement maakte weinig indruk. Iran was er bovendien, dankzij galopperende olieprijzen en de exuberante energiedorst van de wereldmarkt, in geslaagd het isolement poreus te houden.

Er was een ondertoon van wanhoop in de speech van Blair. Hij no-digde zijn vriend Bush uit voor een tocht naar Canossa. Of een bekering op de weg naar Damascus. Toch kon men zich amper indenken dat hij over zijn initiatief niet vooraf had overlegd met zijn vriend in het Witte Huis.

Het Israëlisch-Palestijns conflict is de kern van alle conflicten in het Midden-Oosten, hamerde Blair, en als Syrië kon worden losgeweekt van Iran, zou Teheran zijn steunpunt in de Arabische wereld verliezen.

Ahmadinejad en Khamenei doorzagen de list. Ze maakten elk ge-sprek afhankelijk van een Amerikaanse terugtrekking uit de regio, het verzaken aan de hegemonie en het staken van de Amerikaanse steun aan 'terroristische groepen', inclusief het Israëlisch 'staatsterrorisme'.

Blair herinnerde zich dat een akkoord tussen Syrië en Israël binnen handbereik was geweest in de tijd van vader Assad. Als Syrië zou breken met Iran en met de radicale Palestijnse groepen die geleid werden van-uit Damascus, dan zou de aanvoer van wapens, ook naar Hezbollah, opdrogen. Toch ontkwam men niet aan de indruk dat Blair vragende partij was.

Iedereen in het Midden-Oosten wist dat Washington, na de parlementsverkiezingen, koortsachtig zou zoeken naar de uitgang in Irak. De oude vijanden zaten niet te wachten om daarbij te helpen. Zelfs de trouwste Amerikaanse bondgenoten hadden over het Irak-avontuur gemengde gevoelens.

Assad besefte hoe belangrijk hij was. Hij overschouwde zijn troeven en besliste dat hij Libanon niet zou opgeven, nu niet, gisteren niet en vermoedelijk nooit. Een breuk met Hezbollah was *wishful thinking*.

Blairs strategie onderschatte ook Iran. Is de Syrische agenda regionaal en bepaald door het behoud van de Assad-dynastie, een vinger in de Libanese pap en de Golan in ruil voor vrede met Israël, dan cultiveert Iran een diplomatie die alleen al wegens het nucleair dispuut globaal is, voor zover het land als oliereus al niet automatisch een 'wereldpolitiek' voert. In de regio werden de Iraanse ambities met bezorgdheid gevolgd. De soennitische landen Turkije, Saudi-Arabië, de Golfstaten, Jordanië en Egypte zagen met lede ogen hoe Teheran zienderogen machtiger werd. Rijker dankzij de dure olie. Invloedrijker door zijn steun aan de triomferende sjiieten in Irak en Libanon en glorierijker door een succesvolle krachtmeting over zijn atoomprogramma. President Ahmadinejad zette de Grote Satan keer op keer in zijn hemd en deed dat straffeloos.

In Irak en Libanon broedde een confrontatie die kon leiden tot een regionaal conflict tussen soennieten en sjiieten. De democratisering van Irak had het regionaal machtsevenwicht veranderd en was een geschenk uit de hemel voor Teheran. Het numerieke overwicht van de sjiieten was in politieke macht omgezet en al liepen niet alle sjiitische groepen in het Iraanse gareel, op termijn had Teheran het tij mee. Voor de soennitische wereld daarentegen sloeg de val van Saddam Hoessein een grote bres in de dam tegen het Perzisch, sjiitisch gevaar. De soennitische positie was verder verzwakt door de prestatie van Hezbollah tegen Israël.

In korte tijd was een sjiitische invloedszone uitgedeind van Afghanistan in het oosten tot de Middellandse Zee in het westen. Dat moest op termijn tot problemen leiden. Op anderhalf miljard moslims in de wereld zijn er maar vijftien procent sjiieten.[45] De uitkomst van de militaire avonturen in Irak en omgeving kon een grote oorlog worden, niet tussen het Westen en de islam, maar een broederstrijd tussen soennieten en sjiieten.

EEN NIEUWE MOORD

In Washington was de oproep van Blair om te praten met de vijand op beleefd gemompel ontvangen. In het Midden-Oosten kwam het antwoord in de gebruikelijke vorm van een moordaanslag. Plaats, timing en slachtoffer hadden een hoge symboolwaarde.

Op 21 november, een week na de oproep van Blair, werd de auto van de Libanese minister van industrie Pierre Gemayel op klaarlichte dag aangereden in Jdeide, een christelijke wijk van Beiroet. Enkele mannen stapten uit, schoten met geluidsdempers op de pistolen door het raampje en verdwenen. Een professionele moord op een kopstuk van het anti-Syrisch front. Was dit het antwoord van Assad aan de Britten of was dit een waarschuwing aan het adres van de Syrische president?

Met zijn 34 was Gemayel de jongste minister van het kabinet-Siniora maar zijn familienaam en zijn partij zijn intiem verweven met de geschiedenis van Libanon. De Gemayels zijn sinds 1540 al een prominente maronitische clan in Bikfaya op de Libanonberg, bekend om zijn prachtige oude kerkjes, gezond klimaat, geneeskrachtige en andere bronnen, kersen en perziken en zijn bloemenfestival in augustus. De vermoorde minister was de leider van de Kataëb, officieel de sociaaldemocratische partij, beter, maar enigszins misleidend, bekend als de Falanx of de falangisten. Kataëb, Arabisch voor falanx, werd gesticht in 1936 als een jeugdbeweging door Pierre Gemayel sr. (†1984), de grootvader en naamgenoot van het slachtoffer, bij zijn terugkeer van de Olympische Spelen in Berlijn. Hij schoeide zijn beweging op fascistische leest en vocht onder het motto 'God, Natie en Familie' tegen het Franse mandaat tot de onafhankelijkheid van 1943.

De militie van Kataëb, het legertje van de Gemayel-clan, was bij het begin van de burgeroorlog de ruggengraat van een christelijke coalitie, de 'Forces Libanaises', een gedisciplineerde anti-Syrische strijdmacht onder aanvoering van Bashir Gemayel, zoon van Pierre sr. Ze kreeg wapens en vermoedelijk ook opleiding van Israël. Een van de eerste wapenfeiten was een aanval op de Marada-brigade, de militie van de eveneens christelijke Franjie-clan in 1978. Tony Franjie, zoon van de voormalige president Suleiman Franjie en leider van Marada, werd vermoord samen met zijn vrouw en zijn dochtertje van vier. Twee jaar later, op 7 juli 1980, vernietigden de Forces Libanaises hun voormalige bondgenoot, de Noumour, de Brigade van de Libanese Tijgers. Daarmee werden ze heer en meester in het christelijke kamp, al bleef de militie ten prooi aan familieruzies, bloedwraak en andere vetes.

Bashir werd op 23 augustus 1982 door het parlement tot president verkozen, maar drie weken later vermoord bij een bomaanslag op zijn partijhoofdkwartier in Beiroet. De dader was een Libanese maroniet die vrijwel zeker handelde in opdracht van Damascus. Bashir werd als presi-

dent opgevolgd door zijn oudere broer Amin, de vader van de vermoorde Pierre jr.

In september 1982, pal na de moord op Bashir Gemayel, ontketende
de FL onder het oog van de Israëlische bezettingstroepen een bloedige
wraakactie, de slachting in de Palestijnse kampen van Sabra en Shatila,
vlakbij Beiroet, onder leiding van de dubbelhartige en klunzige wreed-
aard Elie Hobeika, een van de meest sinistere figuren uit de burgeroorlog.

DE BEGRAFENIS VAN EEN HELD
De leider van de Forces Libanaises, Samir Geagea, die jarenlang op twij-
felachtige beschuldigingen had vastgezeten en bij de Cederrevolutie was
bevrijd, was een van de sprekers voor de honderdduizenden die eind
november 2006 voor de begrafenis van Pierre Gemayel waren verzameld
op het Martelarenplein in Beiroet. Hij stond op het podium naast de
vader van het slachtoffer, de oud-president, die hij twintig jaar tevoren
gebrek aan daadkracht had verweten. De oude twisten waren begraven.
Alleen bloedwraak werd nooit vergeten. Daarom was de christelijke familie Franjie afwezig wegens de moord op Tony Franjie dertig jaar tevoren.
De Franjies zaten in het kamp van de teruggekeerde banneling Aoun die
destijds door Amin Gemayel tot premier was benoemd, dan de oorlog
had verklaard aan de Syriërs maar bij zijn terugkeer uit ballingschap met
de rug was aangekeken door het christelijke establishment.

Ook Aoun was niet op de begrafenis. Bij de massa op het Martelarenplein was hij, naast de Syrische president Assad en diens Libanese collega
Lahoud, de kop van Jut. In de kerk werden Aoun en Franjie de levieten
gelezen door de maronitische patriarch Sfeir, die hoogst uitzonderlijk
vanuit zijn residentie in Bkerke naar Beiroet was gekomen. Zijn preek
was een krachtig pleidooi voor de oprichting van het internationaal tribunaal voor de moord op Hariri dat Aoun, de Franjies, Hezbollah en
Syrië wilden verhinderen.

Tijdens de begrafenisplechtigheid weigerde vader Amin de hand te
drukken van parlementsvoorzitter Nabih Berri. Berri reed voor de Syri-
ers en gebruikte zijn positie als parlementsvoorzitter om de oprichting
van het tribunaal te saboteren.

Het heeft er de schijn van dat Hezbollah verrast was door de aanslag
op Pierre Gemayel. De partij had betogingen aangekondigd om de regering-Siniora ten val te brengen en een kabinet van nationale eenheid af te
dwingen met vetorecht voor de sjiieten. Maar door de aanslag en de begrafenis moesten die plannen worden uitgesteld. Er waren drie dagen
van nationale rouw. Zodra de patriottische storm ging liggen, lanceerde

Hezbollah zijn campagne met een grote betoging in Beiroet. Ze deed denken aan de begrafenis van tien dagen tevoren want ook de sjiitische organisatoren en hun christelijke partner Aoun trokken de kaart van de ware vaderlandsliefde. De gele Hezbollah-vlaggen en -hoofdbanden verdronken in een zee van Libanese vaandels.

AL-QAEDA IN DE LIBANESE KRABBENMAND

Op zondag 20 mei 2007 braken in de noordelijke havenstad Tripoli de zwaarste gevechten uit sinds het einde van de burgeroorlog. Een schimmige groep, Fatah al-Islam, met hoofdkwartier in het Palestijnse kamp Nahr al-Bared, was er slaags met het Libanees leger.[46] De hevigheid van de gevechten verraadde krijgservaring. Fatah al-Islam was een internationaal gezelschap veteranen van al-Qaeda in Mesopotamië onder leiding van een Palestijn, Shakir al-Abssi, die zich had voorgenomen om in de twaalf Palestijnse kampen van Libanon de sharia af te kondigen. Daar was hij alvast mee begonnen in Nahr al-Bared.

Was Fatah al-Islam met zijn islamistisch programma een instrument van het regime in Damascus, zoals de regering-Siniora beweerde? Volgens Abu Mohammed, de veiligheidschef van Fatah al-Intifada in het Palestijnse kamp Shatila, waren de Syriërs verbolgen over de oprichting van de groep.[47] Maar voor nogal wat waarnemers had Syrië er wel iets mee te maken. Shakir al-Abssi moest de zegen hebben gehad van Damascus om met zijn commando's vanuit Irak naar Libanon te trekken en vervolgens de macht over te nemen van een pro-Syrische militie in een belangrijk Palestijns kamp als Nahr el-Bared. Wat er ook van zij, Hezbollah-leider Nasrallah waarschuwde dat gebruik van geweld tegen de militie, het land in een oncontroleerbare spiraal zou storten.[48] Fatah al-Islam zelf dreigde met een golf van aanslagen tegen christelijke doelwitten als Nahr el-Bared werd bestormd.

Geheel onverwacht had de confrontatie in de buurt van Tripoli de Palestijnen opnieuw op de voorgrond gebracht in het complexe Libanese schaakspel. Met bezorgdheid werd de vraag gesteld of het voorbeeld van Fatah al-Islam zou worden nagevolgd door nog veel machtiger islamistische groepen in het kamp van Ain al-Hilweh in het zuiden van Libanon. Ook daar zaten tientallen veteranen uit de Iraakse guerrilla. In dat geval zou het kleine Libanese leger,[49] dat nu al moeite had om de toestand het hoofd te bieden, vrijwel machteloos zijn.

De confrontatie nabij Tripoli stelde de krachtmeting tussen de pro-Syrische oppositie en de regering-Siniora in de schaduw. Er was een uitzaaiing aan de gang van al-Qaedaveteranen, waarschuwden westerse en Arabische regeringsfunctionarissen. Volgens de Libanese veiligheidschef, generaal-majoor Achraf Rifi, telde het legertje van Fatah al-Islam minstens vijftig Irakveteranen en was geen land veilig voor de metastase. Een Saudische dissident die vanuit Groot-Brittannië op het internet een jihadforum leidt, beweerde dat vijfduizend of meer oud-strijders klaarstonden om toe te slaan tot in de Verenigde Staten. In Saudi-Arabië waren in april 172 terroristen aangehouden die van plan waren om aanslagen te plegen op olie-installaties en andere doelwitten. Verschillende van hen hadden in Irak gevochten. Europese veiligheidsdiensten hielden kleine groepen moslims in de gaten die in Irak hadden gestreden. Irak was een laboratorium voor de stadsguerrilla en daarom waren de veteranen een grotere bedreiging dan hun voorgangers die uit de bergen van Afghanistan kwamen. Op het internet verspreidden ze handleidingen om boodschappen te coderen en bommen en wapens te maken.

Op 27 mei 2007, een week na het begin van de onlusten in Nahr el-Bared, lekte uit dat al-Qaeda's nummer twee, Ayman al-Zawahiri, zijn aanhang in Irak had opgeroepen om de heilige oorlog tot het hele Midden-Oosten uit te breiden. Zawahiri had twee jaar eerder al de stichting in uitzicht gesteld van een Levantijns kalifaat dat Syrië, Libanon en Palestina moest omvatten. Nu ging hij ervan uit dat Amerika in Irak verslagen was en de tijd rijp was voor de volgende stap. De instructie stond in een onderschepte brief van Zawahiri aan Abu Hamza al-Muhajer, de opvolger van Zarqawi in Irak.

Er werd ook een verband gelegd met de ontvoering van Alan Johnston, de BBC-journalist die was gekidnapt door de schimmige Jaish al-Islam, de nog jonge Palestijnse al-Qaeda in Gaza, waar steeds meer ontgoochelde Hamas-militanten bij aansloten.[50]

In Syrië was de plaatselijke al-Qaedaleider Abu Musab al-Suri vermoedelijk aangehouden, maar zijn organisatie had de wind in de zeilen in de Palestijnse kampen vlakbij Damascus. Op al-Qaedawebsites werd met de regelmaat van een klok de verdrijving van Bashar al-Assad beloofd. Er kwamen meer aanwijzingen van een band tussen Fatah al-Islam en al-Qaeda. Het Global Islamic Media Front, een spreekbuis van al-Qaeda, vroeg hulp voor de belegerde militanten. Aangezien de groep oorlog wilde met Israël was elke moslim daartoe verplicht. Een vergelijkbare boodschap was er van al-Qaeda in de Levant die de regering-Siniora beschuldigde van een 'kruistocht'.

Een jaar tevoren, kort na de dood van Zarqawi, in juni 2006, waren de eerste Irakveteranen neergestreken in de Palestijnse kampen. Ze hadden lange baarden en sommigen droegen de Afghaans-Pakistaanse *shalwar kameez*, het 'pak van de Profeet'. Toen in de zomer de oorlog uitbrak tussen Hezbollah en Israël wilde al-Qaeda niet ontbreken. Zawahiri wilde een gemeenschappelijk front met Hezbollah en de vrijwilligers stroomden toe in de kampen. Ze gaven zich uit voor leden van Fatah al-Intifada, dat onder Syrische controle stond. Maar de leiders van die groep begrepen niets van de nieuwelingen, die vreemdelingen waren die niet rookten en vijf keer per dag baden. Sommigen hadden tatoeages, wat erop wees dat ze aan een tweede leven bezig waren. Abssi was intussen opgeklommen tot de derde man van Fatah al-Intifada. Toen na de oorlog met de Israëli's, in november, een nieuw peloton van veertien oud-strijders neerstreek in het kamp van Badawi waren dat Saudi's, Jemenieten, Algerijnen, Irakezen, Libanezen en één Omani. Een van hen gooide een granaat toen ze werden afgevoerd door de veiligheid van het kamp. In de verwarring probeerden ze te vluchten naar Nahr el-Bared, maar enkelen werden ingerekend en bekenden dat ze behoorden tot al-Qaeda in Mesopotamië. Ze hadden documenten bij zich die waren ondertekend door Abssi. Ze huurden appartementen van een man die voor Saad Hariri, de zoon en politieke erfgenaam van de vermoorde premier en leider van de Libanese soennieten, contacten onderhield met de jihadi's.[51] Mannen die gezocht werden hadden probleemloos kunnen reizen van Ail al-Hilweh en Taamir in het zuiden, naar Nahr el-Bared in het noorden, ondanks de vele controleposten. Dat veronderstelde machtige bescherming.

Veel Palestijnse leiders wezen in de richting van de jonge Hariri. De Amerikaanse onderzoeksjournalist Seymour Hersh ging nog een stap verder door te zeggen dat Amerika en Saudi-Arabië Fatah al-Islam en andere extremistische organisaties gebruikten als soennitisch antwoord op de groeiende macht van Hezbollah en de sjieten. In de politieke krachtmeting met de regering-Siniora was Hezbollah op dat ogenblik aan zet, maar geen van de andere partijen was van plan om de macht met de sjieten te delen door ze vetorecht te geven. In Washington gaf vicepresident Cheney groen licht voor hulp aan het Moslimbroederschap in Syrië, waar de doodstraf stond op lidmaatschap.

Abssi kon rekenen op een machtige plaatselijke wapenhandelaar en een commandant van Jund el Sham, al-Qaeda in de Levant, die zijn mannen had meegebracht uit Ain al-Hilweh. Die krijgsheer[52] was nog radicaler dan Abssi zelf en dreef de beweging in een steeds extremer richting. Een Saudische mullah had de sharia afgekondigd in Nahr al-Bared en bracht ook zijn strijders mee. De oprichting werd besproken van een islamitische staat in Noord-Libanon. Nahr al-Bared werd een soort Münster, waar heilige wederdopers zich met de hulp van God opmaakten voor het gevecht met de satanische wereld. Er waren spanningen. De schoonzoon van Abssi keerde de onderneming de rug toe en vertrok naar Irak. Onderweg werd hij door de Syrische veiligheid gedood. Sommigen weigerden om te vechten tegen het Libanees leger omdat Israël de vijand was. Zodra Fatah al-Islam heer en meester was geworden in het kamp werd de Palestijnse vlag vervangen door de groene banier van het geloof.

Abssi was geen takfiri, die al wie niet de sharia volgt een heiden noemt. En anders dan voor Zarqawi waren de sjiieten voor hem geen ongelovigen. Zarqawi's opvolger in Irak had aan zijn manschappen opgelegd om niets tegen de Libanese sjiieten te ondernemen. De belangrijkste kritiek van Fatah al-Islam op Hezbollah was dat de sjiitische militie de strijd tegen Israël wilde monopoliseren. Tegen het eind van 2006 telde Fatah al-Islam vierhonderd goed bewapende strijders. In december eisten de andere Palestijnse organisaties dat de groep zou worden ontbonden en alle gebouwen in het kamp zouden worden teruggegeven aan hun rechtmatige eigenaars. Abssi reageerde niet. Toen de Libanese regering in maart 2007 voor het eerst zei dat Syrië achter Fatah al-Islam stak, antwoordde Damascus dat de groep een tak was van al-Qaeda die ook Syrië bedreigde. Drie maanden later brak de confrontatie uit.

Robert Fisk[53] was niet de enige die zich afvroeg waarom Fatah al-Islam uitgerekend nu op het toneel verscheen. De vraag stellen was ze beantwoorden en dat deed Fisk. Natuurlijk hing op dat moment de beslissing in de lucht van de VN-Veiligheidsraad om de politieke impasse in Libanon te doorbreken door de oprichting van het internationaal Hariri-tribunaal. Het geweld in Tripoli kon een Syrische poging zijn om dat op de valreep te verijdelen.

Maar voor Fisk was die uitleg te simpel. Hij zag een verband met Jund al-Sham uit het kamp van Ain al-Hilweh, vlakbij Sidon. De leider van die groep had in 1997 in Nahr al-Bared gewoond, voor zijn komst naar Ain al-Hilweh, waar meteen verschillende extremistische cellen en organisaties waren ontstaan, inclusief al-Qaeda. Vanuit het kamp vertrokken 'minstens' twintig Palestijnse kamikazes naar Irak. Syrië kon belang hebben bij de krachtmeting in Tripoli, maar, schreef Fisk, even goed was mogelijk dat Fatah al-Islam, al-Qaeda, de taliban, Iraakse veteranen en cellen in de Bezette Gebieden de handen in elkaar hadden geslagen. Maar wat te doen met de claim van Fatah al-Islam dat de groep volstrekt onafhankelijk was van welk regime of welke organisatie ook?

Fisk kwam er niet uit, al was het voor hem duidelijk dat Amerika de prijs betaalde voor zijn verwijt dat Damascus niet genoeg deed om de stroom vrijwilligers voor de oorlog in Irak te stelpen. Als reactie had Syrië de samenwerking met het Pentagon en de Amerikaanse inlichtingendiensten stopgezet. Dat liet zich nu gevoelen.

Fatah al-Islam, voor de officiële Fatah 'een bende criminelen', behoorde inderdaad tot een breder fenomeen. Een jaar voor de veldslag in Nahr al-Bared was al gewaarschuwd voor de aanwezigheid in Tripoli van Irakveteranen die zich voorbereidden op een 'open oorlog'. De stad, althans het soennitische deel ervan, ademde toen al een oorlogsstemming. Een verslaggever van de *Washington Post* tekende uitspraken op als 'Tripoli lijkt in alles op Falluja' en 'de wolken van het vuur in Irak trekken samen boven Libanon'.

Ook de Arabische media stelden vragen over wie aan de touwtjes trok bij Fatah al-Islam. Op de website van al-Arabiya beweerde een Libanees kenner van het extremisme dat Shakir al-Abssi niet de echte leider was maar een veldcommandant.[54] De top bestond volgens hem uit een Syrische voorzitter met Libanees paspoort die had gevochten in Tsjetsjenië en Afghanistan, een Palestijnse schatbewaarder uit Ain al-Hilweh, die regelmatig pendelde naar Bagdad, en een tweede Syriër die de verbindingsman was tussen de top en de commandanten.[55] Het was een 'groep van het al-Qaedatype', zei hij, en helemaal bovenaan stond de werkgever van een van de drie leiders, een man die regelmatig naar Peshawar reisde.[56]

Enkele dagen na het uitbreken van de gevechten in Nahr al-Bared werd in Washington zonder fanfare en tussen neus en lippen gezegd[57] dat de Iran Syria Policy and Operations Group was opgedoekt. Een jaar lang had het comité wekelijks in het geheim vergaderd over middelen om Syrië en Iran onder druk te zetten. De ontbinding van de groep was een kwestie van 'administratieve reorganisatie'. Maar waarnemers zagen er een teken in van een versoepeling van de Amerikaanse politiek tegenover beide landen. Het comité was al ruim twee maanden ontbonden. Daarom was het twijfelachtig dat Damascus de prille dooi met Amerika door Fatah al-Islam in gevaar liet brengen.

HET TRIBUNAAL, DE POLITIEKE CRISIS EN DE ISLAMISTEN

Op 30 mei 2007 keurde de VN-Veiligheidsraad op voorstel van de westerse landen de oprichting goed van het internationaal tribunaal voor de moord op Hariri. Tien van de vijftien leden stemden voor. Rusland en China onthielden zich en dat voorbeeld werd gevolgd door Zuid-Afrika, het islamitische Indonesië en Qatar, het enige Arabische land in de raad. De regering-Siniora had twee weken tevoren geklaagd dat het dossier in Libanon zelf geblokkeerd werd door parlementsvoorzitter Nabih Berri, die al maanden weigerde om het tot een stemming te laten komen over het gerechtshof. Fouad Siniora had aan de Veiligheidsraad een *bindende* resolutie gevraagd, wat enkel kon onder verwijzing naar artikel 7 van het VN-Handvest, dat sancties voorziet bij een bedreiging van de internationale vrede. De vijf landen die zich onthielden hadden daartegen bezwaar en spraken van inmenging in de binnenlandse aangelegenheden van Libanon. Syrië dat zich geviseerd voelde, zei dat het niet zou meewerken met de rechtbank. De resolutie gaf aan het Libanees parlement tien dagen om de oprichting van het tribunaal goed te keuren, zoniet zou het er automatisch komen, buiten Libanon, met een meerderheid van internationale rechters en een internationaal openbaar ministerie.

VN-resolutie 1757 werd in Libanon op gemengde gevoelens onthaald. Saad Hariri, de zoon en opvolger van Rafik, sprak op televisie van een overwinning van het recht en van 'heel Libanon'. Premier Siniora zei dat de rechtbank de volledige waarheid aan het licht zou brengen en dat niemand werd geviseerd, 'vooral niet zuster Syrië'. De oppositie onder leiding van Hezbollah bleef erbij dat de rechtbank een project was van de vijanden van Syrië.

Op de vooravond van de stemming in New York bezocht president Lahoud de maronitische patriarch Sfeir met het voorstel om een noodregering te vormen van nationale eenheid met zes ministers die de belangrijkste religieuze gemeenschappen zouden vertegenwoordigen. 'De oppositie vraagt nu al een half jaar zo'n kabinet', zei Lahoud. 'De tijd dringt want in het najaar zijn er presidentsverkiezingen.' Voor de foto schudde de president breed lachend de hand van de grijze prelaat die eerder op de dag had gezegd dat Lahoud de verlenging van zijn ambtstermijn 'zoals iedereen weet' te danken had aan de Syriërs. Amper was de audiëntie voorbij of Lahouds voorstel werd afgeschoten door Saad Hariri. 'Zo'n regering is zonder politieke koers, het is als schieten in het donker.' Saads reactie was te verwachten. De verlenging van Lahouds mandaat met drie jaar, in september 2004 en de wijziging van de grondwet die daarvoor nodig was, waren de prelude tot de moord op zijn vader. Toen Hariri weigerde de grondwetsherziening te steunen, had de Syrische president Assad Lahoud zijn 'persoonlijke vertegenwoordiger' in Libanon genoemd en ermee gedreigd Libanon te vernietigen. Voor Saad was Lahoud de vijand.

Daags na de stemming in de Veiligheidsraad hield Assad krijgsraad met de Iraanse minister van Buitenlandse Zaken Mottaki, die onaangekondigd in Damascus was. 'Ik ben hier om de banden aan te halen en om het te hebben over alle regionale kwesties', zei Manouchehr Mottaki. Het officiële Syrische persbureau bevestigde dat was gepraat over Irak, Libanon en Palestina maar zei dat de meeste aandacht ging naar VN-resolutie 1757.

Vervolgens haastten Lahoud en de sjiitische leiders Nabih Berri en

Hassan Nasrallah zich om de resolutie te veroordelen als strijdig met de Libanese grondwet. Ze worden door Damascus afgedreigd, zei Hariri. Meteen na zijn bezoek aan Assad ontving Mottaki op de Iraanse ambassade de sjiitische bondgenoten in Libanon. Hij drukte hen op het hart dat alleen 'Libanese groepen' de crisis in hun land konden bezweren. Iran zou nog meer doen om hen daarbij te helpen. Op hetzelfde moment viel bij Hezbollah een uitnodiging in de bus van de 14-maart-partijen om te praten over een historisch akkoord voor een multiconfessioneel Libanon, vrij van alle buitenlandse inmenging. De 14-maart-beweging is de officieuze naam van de anti-Syrische coalitie, bestaande uit de soennitische en christelijke partijen, en de druzen.

Al dan niet toevallig werd de dag na VN-resolutie 1757 in Beiroet de boulevard heropend waar Hariri ruim twee jaar tevoren was vermoord. Het legendarische luxehotel Saint George kon beginnen met de reparatie van de schade die het bij de aanslag had opgelopen. Ook in Damascus was het feest. Daar weerklonk vuurwerk voor de overwinning van de 41-jarige Bashar al-Assad die de presidentsverkiezingen had gewonnen met 97 procent van de stemmen.

De dagen verstreken en de vraag of Syrië iets te maken had met de extremisten in Tripoli bleef onopgelost. Anti-Syrische stemmen merkten op dat de onrust samenviel met de stemming over resolutie 1757. Pierre Gemayel was tenslotte ook vermoord op de dag dat de Veiligheidsraad groen licht gaf voor een Hariri-proces in Libanon. En op 13 februari, toen bekend werd dat Iran en Saudi-Arabië aan een geheim plan werkten om de problemen in Libanon te regelen buiten Syrië om, waren er aanslagen op twee bussen in een christelijk dorp vlakbij Beiroet. De Libanezen voelden dat het land afstevende op een donkere periode.

Abssi is het soort terrorist dat in Syrië zou zijn veroordeeld tot de dood, zei een gepensioneerd Libanees generaal, hoe komt het dat zo'n kerel vanuit dat land naar hier kon komen?

Het geweld bij Tripoli was geen donderslag bij heldere hemel. Al maanden waren met de regelmaat van een klok kleinere bommen ontploft of ontdekt. Op de nacht van de clash in Tripoli was er een bomaanslag op het grootste winkelcentrum van het land, in de chique christelijke Ashrafiyeh-wijk van Oost-Beiroet. Geen 24 uur later was de soennitische wijk Verdun aan de beurt, voor het eerst in twintig jaar. Vervolgens was er een aanslag in het centrum van Aley, een druzisch bolwerk in de bergen. Sommige Libanezen pikten de oude gewoonte weer op om nooit het woord 'Syrië' in de mond te nemen in het openbaar. Het geweld was afkomstig van je-weet-wel.

'Net nu de stranden er weer vlekkeloos bijliggen, de cafés en hotels weer klanten zagen en het wereldvermaarde nachtleven van Beiroet begon te herpakken, werden de Libanezen getroffen in wat hen het dierbaarst is: levenslust. De terroristen willen de heerlijke Libanese zomer nog erger maken dan de onvergetelijke oorlog tussen Hezbollah en Israël, vorig jaar', lamenteerde een Libanees journalist.

Was Fatah al-Islam Syrië of al-Qaeda? Of beide? Veertien dagen na het openingssalvo in Tripoli waarschuwde 'al-Qaeda in de Levant' de maronitische patriarch Sfeir. In een video op een website die ook wordt gebruikt door al-Qaeda in Irak, eiste de militaire leider van de groep, een gemaskerde man met een kogelgordel, dat de prelaat de omsingeling van het kamp door het 'christelijk Libanees leger' zou afblazen. Zo niet, donderde hij, zullen we je hart uitrukken met bommen... haal je honden weg van onze soortgenoten, stop het kanonnenvuur, anders zal na vandaag geen kruisvaarder nog veilig zijn in Libanon'. Vervolgens dreigde hij ermee de 'rotte' Libanese economie te vernietigen. Dit was een 'laatste waarschuwing' vooraleer er 'stromen bloed' zouden vloeien.

Was het denkbaar dat Fatah al-Islam tegelijk door Syrië en al-Qaeda werd gemanipuleerd? Walid Phares, defensiespecialist en terreur-expert van de Foundation for the Defense of Democracies, wees op het belang van 'khid'a', misleiding.[58] Verwacht niet dat de Syriërs zullen zeggen dat zij Fatah al-Islam steunen of dat de groep zal toegeven dat er coördinatie is met Damascus. De Assad-dynastie beoefent khid'a al 37 jaar met brio. Het seculiere Baathregime is de enige bondgenoot van de Iraanse theocratie en het beschermt sinds begin de jaren negentig de extremistische soennieten van Hamas en de Islamitische Jihad, later Tawhid en de Jama'a al-Islamiya in de Libanese steden Sidon en Tripoli. Met die alliantie voeren de Assads hun confrontatie met Israël en met hun vijanden in Libanon, en stellen ze hun eigen alawitisch minderheidsbewind veilig. Toen Bashar al-Assad in april 2005 onder internationale druk zijn 'eerste leger' terugtrok uit Libanon, gaf hij zijn 'tweede leger' (Hezbollah, de pro-Syrische milities en de terroristen in de Palestijnse kampen) bevel tot de aanval. Er volgde een golf van politieke moorden op leiders van de Cederrevolutie, Hezbollah werd bewapend en tegen de zomer van het volgende jaar was het oorlog, eerst met Israël en daarna met de regering-Siniora. In januari 2007 zette Assad volgens Phares het soennitisch terrorisme in met groepen als Fatah al-Islam, die al-Qaeda volgen maar afhankelijk zijn van Syrische steun. Phares noemde ze 'opportunistische hybride jihadi's'.

Op 3 juni, twee weken na het begin van de vijandelijkheden in Tripoli, braken gevechten uit tussen de 'officiële' Fatah en al-Qaedastrijders van

Jund al-Sham[59] in het kamp van Ain al-Hilweh. Een granaat die door de extremisten werd afgevuurd op een vlakbij gelegen post van het Libanees leger, betrok de militairen bij de confrontatie. Jund al-Sham kreeg hulp van Usbat al-Ansar. Het was niet voor het eerst dat de militanten oog in oog stonden met Fatah,[60] dat bij deze gelegenheid kon rekenen op Hamas. Het gezag van de grote Palestijnse organisaties stond op het spel en PLO-ambassadeur in Libanon, Abbas Zaki, beloofde dat de extremisten 'binnen het half jaar' zouden uitgeschakeld zijn. De bevolking van Nahr al-Bared wordt gegijzeld door bandieten, zei hij.

Op zondagmiddag 3 juni drongen tanks en commando's diep door in het kamp dat in drie stukken uiteenviel. Een ervan was onder controle van het Libanees leger, een tweede was het bolwerk van de terroristen. Verslaggevers signaleerden hevige huis-aan-gevechten in de derde zone. Minstens twintig militanten van Fatah al-Islam waren gearresteerd, zei het Libanees televisiestation LBC. Uit hun ondervraging bleek volgens de regeringsgezinde krant *an-Nahar* dat de groep een reeks aanslagen plande. Met vier vrachtwagens vol springstof wilden ze een groot hotel in Beiroet opblazen. Gelijktijdig zouden er zelfmoordaanslagen zijn op ambassades. Aanslagen op de tunnels die Beiroet met het noorden verbinden moesten de stichting vergemakkelijken van een kalifaat. De springstoffen die het leger in Nahr al-Bared had aangetroffen waren volgens de krant uit Syrië afkomstig. Geen compromissen, herhaalde Siniora, Fatah al-Islam heeft de keuze tussen capitulatie of de dood. De belegerde groep koos voor de strijd.

Terwijl het beleg in Tripoli aansleepte, werden dagelijks een half dozijn Amerikaanse soldaten gedood in Irak. Mei 2007 was de derde dodelijkste maand in ruim vier jaar. In die maand werd een complot verijdeld om de luchthaven van JFK in New York op te blazen en bestookten Amerikaanse oorlogsbodems islamisten in Somalië. Libanon kreeg wapens van Amerika, Frankrijk en Arabische bondgenoten. De mediaoorlog draaide op volle toeren. Toen de derde week inging van de krachtmeting in Tripoli telde het Libanees leger 44 gesneuvelde soldaten. Er was sprake van 20 burgerdoden en 60 gedode terroristen, maar precieze cijfers waren er niet omdat de Libanese overheid drie dagen lang de toegang tot het kamp weigerde aan hulporganisaties om de aanval mogelijk te maken die het voorlopige hoogtepunt was van het geweld. Het leger ontkende dat het steun kreeg van de VN-vredesmacht. Maar dat klonk niet overtuigend, onder meer omdat de artillerie kort voor het offensief van tactiek veranderde en niet langer de rand bestookte van Nahr al-Bared, maar drie bastions van de militie diep in het kamp.

De dag na de inval vergaderde de Libanese regering met de veiligheidschefs. Die zeiden dat vanuit Syrië steeds meer manschappen en materieel werden aangevoerd voor de terroristen. De regering liet opnieuw doorschemeren dat Fatah al-Islam opereerde in opdracht van het Syrische regime.

VERKIEZINGSKOORTS

Op zondag 5 augustus 2007 waren er tussentijdse verkiezingen in het christelijke district Metn, al eeuwen een wingewest van de Gemayel-familie. De verkiezingen waren nodig omdat de parlementszetel vacant was van de vermoorde minister van Industrie Pierre Gemayel jr. Vader, Amin, was kandidaat. De verkiezingsstrijd was hard en tot de verrassing van velen kwam niet Gemayel, maar Camille Mansour al-Khoury, een partijgenoot van generaal Aoun, als overwinnaar uit de stembus. Het nettoresultaat was dat de regeringscoalitie van 14 maart een zetel verloor aan de oppositie. Dat was van belang voor de nakende verkiezing van een opvolger voor president Lahoud door het parlement. Condoleezza Rice ontving op 9 augustus de nieuwe Libanese ambassadeur in Washington en herhaalde de Amerikaanse eis dat die presidentsverkiezing zou plaatsvinden binnen de grondwettelijke termijn. Evident was dat niet. De sjiitische partijen voerden al maanden een politieke boycot om een blokkeringsminderheid af te dwingen in de regering.

De verkiezingskoorts laaide hoog op. De verwijten vlogen heen en weer. Michel Aoun beschuldigde de geestelijkheid, inclusief de patriarch, van 'vreselijk stilzwijgen' en wilde van Hariri weten of die misschien net als Jumblatt en Geagea voor de splitsing van Libanon was. Het was voor het eerst dat Aoun Geagea verweet een separatist te zijn. Hariri liet weten dat hij dat alvast niet was.

Enkele dagen tevoren deed Jumblatt zijn reputatie eer aan door tegen een krant te zeggen dat Nabih Berri 'niet bestaat', tenzij als 'de postbus van het Syrische regime en Hezbollah'. Berri antwoordde dat het niet de moeite was om te antwoorden en dat Jumblatt zijn inspanningen voor de eenheid van het land ondermijnde. 'Je bent altijd al een separatist geweest om er profijt uit te halen', sneerde de parlementsvoorzitter.

Vervolgens ging het over politieke moed en wie nu de echte patriotten waren. President Lahoud waarschuwde dat de verkiezing van zijn opvolger door een eenvoudige meerderheid een 'zeer groot probleem' zou zijn. Wie daar voor was stuurde volgens hem aan op de 'verwoesting van Libanon'.

Het zag er niet gemakkelijk uit voor de Franse gezant Jean-Claude Cousseran die op 23 augustus in Beiroet neerstreek voor een nieuwe verzoeningspoging. Cousseran was een van de vele Europese bemiddelaars. Hij kwam een nieuw bezoek voorbereiden van Bernard Kouchner en ging meteen praten met de kemphanen Berri en Jumblatt en met premier Siniora, aan wie hij de volledige Franse steun toezegde. Cousseran keerde met lege handen terug.

Geen vierentwintig uur later beloofde Bernard Kouchner aan Syrië een 'spectaculaire opening', als het de Libanese soevereiniteit zou respecteren en de presidentsverkiezingen niet belemmeren. Maar, zei hij tegen *Le Parisien*, een normalisering van de betrekkingen kreeg Damascus pas als het daarvoor garanties gaf. Kouchner stond op een toppunt. Hij was de populairste politicus van Frankrijk, zo bleek uit een peiling. Het is nodig, zei hij, dat Frankrijk erbij is waar er een crisis uitbreekt, want telkens gaat het een beetje over het lot van de wereld. Sarkozy verduidelijkte de volgende dag dat hij bereid was tot een dialoog als Damascus geen stokken in de wielen stak bij de Libanese presidentsverkiezing. Het was zijn eerste grote toespraak over het buitenlands beleid sedert zijn aantreden als president.

Sarkozy had ook beloftes voor Iran. Een kernbom is onaanvaardbaar, maar Teheran heeft veel te winnen als het zijn verplichtingen nakomt, zei hij. Hij noemde zich een vriend van Israël, maar ook van de Arabieren en kantte zich tegen de stichting van een Hamastan in Gaza. Hij verdedigde Kouchner die na zijn bezoek aan Bagdad het ontslag had gevraagd van premier Maliki. Aan Condoleezza Rice had Kouchner de raad gegeven om Maliki te vervangen door (vicepresident) Adel Abdul Mahdi. Daarop had Maliki excuses geëist en gekregen.

In Nahr al-Bared scheen er na ruim drie maanden schot te komen in de zaak. De belegerde terroristen vroegen de evacuatie van hun familie. Op 24 augustus werden 63 vrouwen en kinderen in veiligheid gebracht, bij hen de vrouw en kinderen van Shakir al-Abssi en de weduwe van Abu Hureira, de gedode nummer twee van de organisatie, en een van zijn kinderen. De dag daarop hervatten legerhelikopters de beschieting van een kleine zone die door Fatah al-Islam nog werd bezet. De geëvacueerde vrouwen en kinderen zegden dat de terroristen het nog maanden konden volhouden.

Op 31 augustus kondigde Nabih Berri zijn beloofde initiatief aan. Op een bijeenkomst ter nagedachtenis van de verdwijning, 29 jaar tevoren, van de stichter van Amal, imam Moussa Sadr in Libië, pleitte hij voor een 'consensuspresident'. Dat verwonderde niemand. Meer duidelijkheid kwam er op 2 september. De oppositie zag af van haar eis dat er een regering van nationale eenheid moest zijn vooraleer de nieuwe president werd verkozen. In ruil moest de meerderheid aanvaarden dat de president werd aangewezen met een tweederdemeerderheid, dus met stemmen van de oppositie, en afzien van de regel dat bij een tweede stemronde de helft plus één voldoende zou zijn.

President Lahoud sprak zich op 31 augustus uit voor een overgangskabinet, mocht het mislopen met de presidentsverkiezing. Hij zou 'te gepasten tijde maatregelen treffen om het land te redden' als de meerderheid zich daartegen zou verzetten. Oud-premier Selim Hoss, die zelf zo'n overgangsregering had geleid, waarschuwde dat dit de afdaling was naar de hel. In Syrië schreef de regeringsgezinde pers dat enkel het leger het land kon redden. Maar opperbevelhebber Suleiman zei dat hij niet wakker lag van de presidentsverkiezing. De laatste van mijn zorgen, zei de gedoodverfde redder van het vaderland.

HET DOEK VALT

In de ochtend van 2 september probeerden de zeventig resterende terroristen van Nahr el-Bared in drie verschillende groepen te vluchten. De confrontatie was 106 dagen oud. Twee groepen werden onderschept door het leger, een derde groep van tien man kon ontkomen.

Na afloop werden 5 gesneuvelde soldaten en 37 gedode terroristen geteld, bij wie Shakir al-Abssi, hun leider; 32 militanten werden gevangen genomen. Het land juichte. Premier Siniora vergeleek de val van het kamp met de 'zege' van Hezbollah op de Israëli's het jaar tevoren. Libanon scheen voor een keer weer eensgezind. Opperbevelhebber Michel Suleiman werd een nationale held. Dat vergrootte zijn kansen als kandidaat-consensuspresident aanzienlijk. Hij droeg de overwinning op aan het Libanese volk maar waarschuwde dat het land op de drempel stond van een 'grote confrontatie met het terrorisme'. President Lahoud zei dat hij Suleiman tot voorlopig regeringsleider zou aanwijzen, mochten de ruziënde partijen het niet eens worden.

Het Libanees leger kreeg ook felicitaties van de Syrische minister van Buitenlandse Zaken. Hij ontkende het hardnekkige gerucht dat Fatah al-Islam een instrument was van Syrië. 'Wij waren de eersten om hen terroristen te noemen en hun leiders worden door ons gezocht', zei hij. Het beleg had uiteindelijk aan 163 soldaten en aan 222 terroristen het leven gekost; 202 anderen waren gearresteerd.

Wat het hart is voor het lichaam

ISLAMABAD (PAKISTAN) - *Op 9 augustus belde Condoleezza*

Rice de Pakistaanse president Musharraf om halfdrie 's nachts uit zijn bed. Islama-

bad gonsde van het gerucht dat de president op het punt stond om zijn belofte te verbre-

ken en toch de noodtoestand uit te roepen. Rice raadde hem dat af en ook verschillende

andere landen deden dat. Allicht beloofde ze ook dat Amerika niet zou bezwijken onder

de druk om eigenmachtig op te treden in de tribale gebieden.

Het groeiend ongenoegen van Washington had op 1 augustus extra brandstof gekregen van toenmalig senator Barack Obama. De nationale veiligheid was er niet op verbeterd sinds 9/11, integendeel, zei Obama, de strijd was op het foute slagveld gevoerd. De terroristen moesten niet in Irak worden bekampt maar in Pakistan en Afghanistan. 'Ik begrijp dat Musharraf zorgen heeft. Maar laat mij duidelijk zijn. In die bergen zitten terroristen die drieduizend Amerikanen hebben vermoord. Ze zweren samen om opnieuw toe te slaan. Het was een verschrikkelijke vergissing om niet op te treden toen we de kans hadden het leiderschap van al-Qaeda uit te schakelen in 2005. Als we weet hebben van topdoelwitten en Musharraf doet niets, dan zullen wij optreden.' *We did not finish the job*, zo vatte Obama de stemming in Amerika samen.

De geruchten over de noodtoestand waren verspreid door de leider van regeringspartij PML-Q, Musharrafs versie van de historische Pakistan Muslim League. Maar na 24 uur heette het plots dat 'sommige elementen in het kamp van de president'[61] een slechte dienst hadden bewezen door aan te dringen op de noodtoestand. De commotie was koren op de molen van de gefrustreerde islamistische oppositiepartijen van MMA (Muttahida Majlis-e-Amal) en de twee grote formaties van de verbannen leiders Benazir Bhutto (PPP) en Nawaz Sharif (PML-N), die in de coulissen een comeback voorbereidden. Ze zegden dat Musharraf het Hooggerechtshof wilde muilkorven en dreigden met massaal protest.

Enkele uren na het eerste telefoontje van Rice volgde er een tweede waarin Musharraf zei dat hij van gedachten was veranderd over Afghanistan en dat hij de volgende dag toch de slotzitting van de Loya Jirga zou toespreken in Kabul. Kennelijk had Rice hem onder druk gezet. Er was Washington veel gelegen aan een goede samenwerking tussen Afghanen en Pakistanen. Maar beide partijen bleven elkaar verwijten toesturen.

Allicht wegens de plannen voor de noodtoestand had Musharraf te elfder ure een bezoek afgelast aan de Afghaanse hoofdstad, waar de grote stammenraad was bijeengeroepen. De laatste Loya Jirga dateerde van 2002 en de Pakistaanse president, die ook twintig miljoen Pathanen bestuurt, was op de opening verwacht. Hij liet zich vertegenwoordigen door premier Shaukat Aziz die zei dat hij de mening kwam vertolken van zijn baas. 'We moeten de handen in elkaar slaan om terrorisme en extremisme te bekampen zonder anderen de kans te geven om te profiteren van onze interne geschillen. De vluchtelingenkampen in het grensgebied met Afghanistan zijn schuilplaatsen voor de taliban, maar het is fout het voor te stellen alsof wij hen helpen of proberen in Afghanistan een regering te krijgen die ons zint. De taliban komen uit Afghanistan en zijn vanuit dat land binnengekomen. Er moet een onderscheid worden gemaakt tussen de taliban en een pure terreurorganisatie als al-Qaeda. De taliban bij ons krijgen steun van over de grens. Militaire actie alleen zal het probleem niet oplossen. Gelijktijdig moet er als eerste optie een politiek proces zijn.'

Dat leek op het pleidooi voor een 'etnische' benadering van de taliban dat ik had gehoord van de brouwer Bhandara, de huisbaas van de president.

De Pakistaanse premier bespeelde tot slot de gevoelige snaar met een oproep voor een Marshallplan voor Afghanistan en besloot met een vers van de Pakistaanse nationale dichter en filosoof Allama Iqbal: 'Afghanistan is voor Azië wat het hart is voor het lichaam. Voorspoed in Azië hangt af van vooruitgang in Afghanistan.'

De taliban waren op de Loya Jirga niet uitgenodigd, bijgevolg was er bij de zevenhonderd afgevaardigden geen enkel stamhoofd uit Waziristan. Musharraf beloofde in de slotvergadering van de Jirga samenwerking om het terrorisme te verslaan en hij gaf toe dat er in de tribale gebieden steun was voor de taliban. De lege banken van Waziristan spraken daarover trouwens boekdelen. De deur blijft open, zei hij, maar we zullen voorkomen dat ze voor herrie zorgen. Hij sprak in dat verband van een 'plechtige verantwoordelijkheid'.

Op de Jirga werd afgesproken om een delegatie te vormen met evenveel Afghanen als Pakistanen om met de taliban en andere militanten te gaan praten. Dat kon weleens nodig zijn nu bleek dat de Rode Moskee steun kreeg uit de FATA. Geen twee weken tevoren was in het tribaal gebied Mohmand een heiligdom bezet door een honderdtal taliban die dreigden met zelfmoordaanslagen mocht iets tegen worden ondernomen. Ze herdoopten de moskee tot Lal Majid. De leider van de groep zei over vierduizend man te beschikken die bereid waren tot de jihad tegen Amerika en zijn bondgenoten.

De dialoog met de taliban, een idee van Islamabad, werd gesteund door de twee belangrijkste Pathaanse chefs in Pakistan, Asfandyar Wali Khan, de leider van Awami, de partij van de Pathaanse nationalisten, en Mehmood Achakzai, de Awami-leider in Baluchistan. Allebei stonden ze ook achter de Afghaanse president Karzai. Het 'gesprek met de vijand' was nodig, maar was het mogelijk, na de verzoening tussen de taliban en al-Qaeda?

De 'vredesjirga' in Kabul eindigde met de belofte dat de schuilplaatsen van de terroristen in beide landen zouden worden opgeruimd en dat ze samen strijd zouden voeren tegen de opiumhandel 'die de militanten financiert'. In de gemeenschappelijke slotverklaring werd amnestie beloofd aan de taliban die bereid waren om recht en orde te aanvaarden.

Verschillende Pakistaanse deelnemers aan de Jirga wilden de westerse troepen in Afghanistan vervangen door islamitische. Dat was een idee van Musharraf die in april al had gepleit voor een terugtrekking van de westerse troepen. Ook de Sjanghai-groep met Rusland en China drong aan op een tijdschema voor de aftocht. De islamistische partijen in Pakistan zagen in de Loya Jirga een Amerikaans complot om de regio verder te destabiliseren.

Op het diplomatieke front neutraliseerde de Pakistaanse ambassadeur in Washington de aanzwellende roep voor een eenzijdige Amerikaanse interventie in de FATA. Hij beweerde dat er geen schuilplaatsen voor de terroristen waren in de tribale gebieden. Intussen was er dagelijks een half dozijn doden in Waziristan.

Musharraf had zich, net als zijn voorganger generaal Zia ul-Haq in de jaren zeventig en tachtig, jarenlang politiek proberen in te dekken met Amerikaanse dollars en een goede werkrelatie met de querulante islamisten van de MMA.

Op 11 augustus sprak Bhutto tegen het persbureau Reuters van een vertrouwelijk akkoord met Musharraf over haar terugkeer in het najaar. We praten enkel nog over de timing, zei ze. Tegen *The Wall Street Journal* voegde ze eraan toe dat zij de oplossing was voor Musharrafs probleem: 'Er zijn twee politieke breuklijnen in ons land: gematigden tegen extremisten en dictatuur tegen democratie.' Ze had naar eigen zeggen met

Musharraf in Abu Dhabi een plan besproken om het land te leiden naar geloofwaardige verkiezingen en een herstel van de democratie.

De generaal sprak Bhutto dezelfde dag nog tegen en verduidelijkte dat een terugkeer van Bhutto en Sharif, de andere verbannen oud-premier, de politieke sfeer zou vertroebelen voor de parlementsverkiezingen die over een klein half jaar moesten plaatsvinden en dat ze er goed aan deden niet aan te dringen. Bhutto stak een tandje bij en onthulde dat haar partij al een jaar onderhandelde over haar terugkeer in ruil voor steun aan Musharraf. 'We zetten door deze dialoog onze populariteit op het spel', zei ze in een toespraak voor de Amerikaanse Council on Foreign Relations.

Musharraf had in april de cel ontbonden die onderzocht of Bhutto schuldig was aan corruptie, maar de aanklacht was niet ingetrokken. Beide partijen hielden verschillende ijzers in het vuur. Benazir stelde Musharraf verantwoordelijk voor de groei van het extremisme en zei dat hij niet in staat was om de reorganisatie te beletten van de taliban en al-Qaeda.

Washington had na veel aarzeling op haar ingezet en deed nu zijn best om de generaal en de verbannen politica tot een alliantie te bewegen. Met Benazir als premier kon Musharraf in het zadel blijven en zijn machtsbasis verbreden, zo was de redenering. Maar Musharraf wilde geen machtsdeling. De oppositie had intussen een half dozijn bezwaren aanhangig gemaakt bij het Opperste Gerechtshof tegen de verlenging van zijn presidentieel mandaat. Het belangrijkste was de cumul van legerleider en staatshoofd. Zelfs binnen Musharrafs eigen 'koningspartij' werd getwijfeld aan zijn politieke overlevingskansen. 'Het minimum minimorum', zei een van zijn ministers,[62] 'is dat hij zijn uniform aan de haak hangt, een nieuwe stafchef benoemt en pas dan kandidaat wordt voor het presidentschap'. Voorlopig was dat voor Musharraf niet aan de orde, maar binnen zijn partij werd volop gedacht aan reservekandidaten. De generaal besefte dat verdere steun van Washington nu volledig afhankelijk was van de resultaten van zijn voorgenomen strijd tegen het terrorisme. Lal Majid, de Rode Moskee, was een goed begin. Maar het conflict met de rechters zorgde voor problemen. Op 10 augustus kwamen enkele voormalige koranstudentes, leden van de beruchte 'boerka-brigade' die gebaseerd was in het radicale meisjesseminarie naast de Rode Moskee, getuigen voor het Opperste Gerechtshof. Ze zegden dat ze waren bedreigd door de inlichtingendienst als ze een persconferentie zouden houden over het beleg van Lal Majid

Het Hof stelde de regering verantwoordelijk voor de veiligheid van de meisjes.

Er was bloed verzameld van verwanten om de lichamen te identificeren van 61 doden in de moskee; 26 stalen kwamen overeen met die van slachtoffers in Lal Majid. Wie waren de overige 35? De inderhaast opgeroepen politieverantwoordelijke verklaarde dat DNA-onderzoek tijd kost en dat het pas over een week klaar zou zijn. Het Hof vond dat 25 dagen genoeg waren geweest en eiste terstond een volledig verslag. Het Opperste Gerechtshof twijfelde ook aan de gronden waarop militanten van Lal Majid werden vastgehouden. Het gelastte een onderzoek dat schuldigen van onschuldigen moest scheiden.

Terreur op bestelling

De afgelopen jaren waren er in Europa om de haverklap arrestaties van terroristen die bezig waren aanslagen te beramen, maar begin september was er een stroomversnelling.

Op 4 september werden in Kopenhagen en omgeving acht samenzweerders aangehouden die volgens de Deense politie in rechtstreeks contact stonden met leiders van al-Qaeda. De verdachten werden al een tijd geschaduwd en de politie had daarbij samengewerkt met buitenlandse inlichtingendiensten. Het was de derde keer dat in Denemarken een complot werd verijdeld. Het nieuwe was, zei een voormalige chef van de Deense inlichtingendienst, dat 'al-Qaeda nu per telefoon een aanslag in Denemarken kon bestellen'.

De dag daarop werden in Duitsland drie terroristen gearresteerd op het moment dat ze de laatste hand legden aan bommen om aanslagen te plegen op onder meer de luchthaven van Frankfurt en de Amerikaanse legerbasis in Ramstein. Het ging om hetzelfde soort bommen dat was gebruikt bij de aanslagen op de metro van Londen in 2005. Ook dit drietal, twee Duitsers die zich hadden bekeerd tot de islam en een Turk, was lange tijd geschaduwd. Het trio was opgeleid in Pakistan en had 700 kilo waterstofperoxide ingeslagen, goed voor bommen met een kracht van 550 kilo TNT, zwaarder dan wat was gebruikt in Londen of bij de aanslag op het station van Madrid.

De samenzweerders behoorden tot de onbekende Islamitische Jihad Unie die een dochter bleek te zijn van de Islamitische Beweging van Oezbekistan (IMU). Volgens de Franse inlichtingendienst bestond de Unie uit radicalen die zich begin 2002 hadden afgescheurd van de IMU omdat de leider, Tahir Yuldashev, in hun ogen niet ambitieus genoeg was. Ze wilden een wereldwijde jihad en hadden in 2005 contact gehad met de GSPC in Algerije, de latere al-Qaeda in de Maghreb. 'De groep vertegenwoordigt een algemene tendens in de internationale jihad. Strijders zonder nationaal perspectief transformeren zich in regionale hulptroepen van al-Qaeda, zoals in Indonesië en Algerije', zei de Franse terreurspecialist Olivier Roy. De zelfmoordaanslagen op de gezantschappen van Amerika en Israël in Tashkent op 30 juli 2004 zouden het werk zijn geweest van de Jihad Unie. Maar de byzantijnse ondoorzichtigheid en het stilzwijgen van het Oezbeekse regime sterkten het vermoeden dat de eigen geheime dienst iets met die aanslagen te maken had. Het Duitse ministerie van Binnenlandse Zaken zei nog dat de groep niet enkel Ramstein en Frankfurt viseerde maar ook plannen had om voor het eind van het jaar aanslagen te plegen op Amerikaanse en Oezbeekse consulaten in Duitsland.

Europees commissaris van Justitie Frattini waarschuwde voor de kans op aanslagen in een van de lidstaten. Er zijn meer veiligheidsmaatregelen nodig, zei hij en hij noemde Spanje, Italië, Duitsland, Engeland en België als mogelijke doelwitten.

De meester spreekt

WASHINGTON (VS) - *De Amerikaanse inlichtingendiensten hadden de video van bin Laden als een van de eersten. Nergens was hij vertoond toen de CIA tegen de televisiezender ABC vertelde dat hij vermoedelijk authentiek was.*

De video was door het SITE Institute,[63] dat terroristische boodschappen onderschept, van een website geplukt en doorgegeven aan Associated Press, maar de Amerikaanse regering had er een kopie van nog vóór de video op het net was verschenen. Vervolgens veroverde de video via al-Jazeera in een oogwenk de wereldmedia.

Rita Katz, de stichtster van SITE, was niet bepaald opgetogen. SITE had op 7 september om tien uur 's morgens de regering getipt. Twee hoge functionarissen mochten de video zien op voorwaarde dat ze er niets over zouden zeggen tot al-Qaeda zelf de boodschap uitbracht. Twintig minuten later werden de beelden gedownload door tientallen veiligheidsagenten. In de loop van de middag lekte iemand binnen de regering de video en een transcriptie van de tekst naar de bevriende zender Fox News. Daardoor wist al-Qaeda dat het een beveiligingsprobleem had op het internet en was SITE's werk van jaren tenietgedaan. De regering minimaliseerde de gevolgen. We hebben onze eigen zestien inlichtingendiensten, zei een woordvoerder, maar anonieme bronnen spraken van een groot verlies. SITE was bijzonder efficiënt in het onderscheppen van geheime boodschappen van al-Qaeda. Ook nu was het instituut al dagen tevoren in het bezit van de video.

Bin Laden sneerde tegen het kapitalisme, de multinationals en de globalisering. 'Bevrijd uzelf van de misleiding en de ketenen van het kapitalisme, zoals gij u eerder hebt bevrijd van monniken, koningen en feodale heersers.' Verschillende specialisten vermoedden dat het laatste stuk van de speech geschreven was door de 28-jarige Adam Gadahn, de Amerikaan die een belangrijke rol speelde bij al-Sahab, de mediaorganisatie van al-Qaeda.

Bin Laden ridiculiseerde Bush. 'Hij ploegt en zaait de zee en oogst niets dan mislukking.' Bush noemde de boodschap 'een herinnering aan de gevaarlijke wereld waarin we leven'. 'Het is belangrijk dat we vastberaden zijn om ons te beschermen, al-Qaeda schuilplaatsen ontzeggen en de jonge democratieën ondersteunen.' Andermaal versterkten bin Laden en Bush elkaars positie. Bush had de terrorist nodig om zijn militaire en politieke avonturen te rechtvaardigen. Bin Laden had Bush nodig om over te komen als een leider van wereldformaat. De terrorist zei dat er twee oplossingen waren voor de oorlog in Irak: 'Ofwel zullen wij de oorlog en het doden opdrijven. Dat is onze plicht en onze broeders voeren die uit. Ofwel, en dat is de oplossing waartoe ik u uitnodig, kan u zich bekeren tot de islam.' Bin Laden droeg zoals in zijn boodschap van bijna drie jaar tevoren, een witte *dishdasha* en een beige mantel. Hij zat achter een tafel en las de tekst van het papier.

Er waren referenties aan recente gebeurtenissen, zoals de zestigste verjaardag van de atoombom op Hiroshima, precies een maand tevoren, de overwinning van de Amerikaanse democraten bij de parlementsverkiezingen, de Britse premier Gordon Brown, die eerste minister werd op 27 juni, de verkiezing van Sarkozy en de crisis in de Amerikaanse vastgoedsector. Hij prees Noam Chomsky en de voormalige chef van de bin Laden-cel bij de CIA, Michael Scheuer die het gebrek aan Amerikaans leiderschap verantwoordelijk stelden voor het slechte verloop van de oorlog tegen het terrorisme. Hij refereerde aan interviews met Amerikaanse soldaten op ABC van 16 juli. En hij viel uit tegen Cheney, Rumsfeld en Richard Perle, die hij neoconservatieven noemde. Bij de Amerikaanse veiligheid werd bevestigd dat dit de stem was van Osama.

Het was niet langer te loochenen: al-Qaeda en bin Laden waren terug, voor zover ze ooit waren weggeweest. De terreurorganisatie had zich gehergroepeerd in een beveiligd gebied. De filosofie werd door de leider nog even opgefrist: 'Oog om oog, tand om tand, de doder wordt gedood.'

Uiteindelijk, zei bin Laden, was het Amerikaanse volk schuldig. 'De Amerikaanse bevolking heeft een van zijn grootste vergissingen begaan door niemand ter verantwoording te roepen voor deze oorlog, zelfs niet de meest gewelddadige van zijn moordenaars, Rumsfeld. Jullie hebben Bush zijn eerste ambtstermijn laten afmaken en hem, nog vreemder, voor een tweede termijn verkozen, waardoor hij met uw volle kennis en goedvinden ons volk verder kon uitmoorden in Irak en Afghanistan. En dan onschuldig pleiten? Uw onschuld is als de mijne voor het bloed van uw zonen op de 11[de]... De grote meerderheid van jullie wil nu dat er een eind aan komt. Daarom hebben jullie voor de democraten gekozen, maar die hebben nog niets gedaan wat het vermelden waard is. Integendeel, ze stemmen in met tientallen miljarden die nodig zijn om het doden en de oorlog voort te zetten.'

Atoombommen en hun geheimen

ISLAMABAD (PAKISTAN) - *Het was enigszins vervelend dat The Sunday Times*[64] *net nu de details publiceerde van een akkoord tussen president Musharraf en de Amerikanen. Ze stonden in een boek over de Pakistaanse atoombom en werden breed uitgesmeerd in de kranten.*[65]

In ruil voor een aanvaarding van zijn militair bewind had Musharraf in 2004 ingestemd met de arrestatie van Abdul Qadir Khan, de vader van Pakistans kernbom. Deze oud-student van de hogeschool van Delft en de universiteit van Leuven had in de jaren zeventig bij Urenco in Almelo geleerd hoe uranium met ultracentrifuges tot splijtstof voor kernwapens kon worden verrijkt. Hij bracht die kennis en de bijbehorende blauwdrukken naar Pakistan en werd in 1983 door de Amsterdamse rechtbank bij verstek veroordeeld voor spionage. Vijftien jaar later, op 28 mei 1998, kon Khan de eerste Pakistaanse kernbom tot ontploffing brengen. Vervolgens verkocht hij zijn kennis via een zwart internationaal circuit aan onder meer Iran, Libië en Noord-Korea. Onder zware Amerikaanse druk had Khan in februari 2004 publieke bekentenissen afgelegd en sindsdien stond hij onder huisarrest.

Musharraf had ook gedaan gekregen dat geen van zijn generaals, die bij de illegale nucleaire handel betrokken waren, zou worden verontrust. Het boek toonde aan hoe de Pakistaanse bom grotendeels was gefinancierd met humanitaire bijstand uit de Verenigde Staten, Saudi-Arabië en Libië en was gebouwd met Chinese hulp. De illegale transacties waren gebeurd met medeweten van de CIA, die Khan al volgde van in de jaren zeventig maar een oogje had dichtgeknepen omdat Pakistan een onmisbare partner was, eerst tegen de Sovjets en daarna in de oorlog tegen het terrorisme. Sinds Jimmy Carter was Amerika systematisch door zijn presidenten belogen en bedrogen over de nucleaire activiteiten van Pakistan.

Het boek betoogde dat Pakistan een schurkenstaat was en het epicentrum van de destabilisering van de wereld.

Musharraf had het 'meest gênante moment uit zijn loopbaan' meegemaakt in het najaar van 2003, toen George Tenet, directeur van de CIA, hem in een hotelsuite in New York had geconfronteerd met de details van Khans illegale handel.

Musharraf was daardoor totaal verrast, maar hij herstelde zich. Hij was een overlever. Elke aanwezige bij die ontmoeting wist dat hij perfect op de hoogte was en dat de Amerikanen tientallen jaren lang de andere kant hadden uitgekeken. Maar in 2003 waren er onweerlegbare bewijzen dat Noord-Korea, Iran, Libië, en vermoedelijk nog andere landen en individuen, klanten waren van Khan, al wist noch het Britse noch het Amerikaanse parlement daar iets van. Na de ontmoeting met Tenet kwam Richard Armitage[66] in Islamabad het verdere verloop bespreken. Khan zou zijn 'ongeoorloofde activiteiten' op televisie opbiechten en onder huisarrest worden geplaatst in ruil voor verdere Amerikaanse steun aan het militair bewind. In werkelijkheid was Khan al drie jaar op een zijspoor gezet en was de nucleaire zwarte markt overgenomen door militairen. Van de belofte om die markt te sluiten kwam niets in huis.

In 2006 was er nog een *early warning* van de Duitse inlichtingendienst BND die ook informatie bevatte van Britse, Franse en Belgische spionnen. Pakistan produceerde meer materiaal en componenten dan het nodig had en verkocht het surplus met valse douanepapieren via mantelbedrijven in Europa, de Golf en Zuidoost-Azië. Pakistan was ook tussenpersoon bij de Noord-Koreaanse nucleaire productie. Ronduit alarmerend was de 'verdwijning' van honderdduizenden componenten uit de ateliers van Khan. De Pakistaanse nucleaire wapentechnologie werd nog altijd verkocht, met of zonder de instemming van Musharraf.

De zestig tot honderd Pakistaanse kernbommen werden een toenemende kopzorg. Rolf Mowatt-Larssen, een voormalig CIA-specialist in deze aangelegenheid, vreesde, meer nog dan diefstal van nucleair materiaal, dat terroristen de bom zelf in handen zouden krijgen door een overval op een transport na een geregisseerd incident dat het leger zou verplichten om de wapens te verplaatsen.

Obama erfde van Bush een geheim hulpprogramma van honderd miljoen dollar om de Pakistaanse wapens te beveiligen, maar Washington kende de locatie niet van alle Pakistaanse kernwapeninstallaties.

Bush op bezoek. De Britten knijpen er tussenuit

AL-ASAD (IRAK) - *Terwijl in de dorpen rond Tripoli, in het noor-*

den van Libanon en in het kamp van Nahr al-Bared volop jacht werd gemaakt op

voortvluchtige terroristen, streek de Amerikaanse president Bush op 4 september on-

verwacht neer in Irak. Het was zijn derde bezoek sinds de val van Saddam Hoessein.

De president bleef zeven uur op de luchtmachtbasis al-Asad in de woestijn van Anbar. Hij praatte met de commandant van de Amerikaanse
troepen, generaal David Petraeus, ambassadeur Ryan Crocker, Iraakse
politici en met de stamhoofden uit Anbar die de zijde hadden gekozen
van de Amerikanen tegen al-Qaeda. 'We zijn gekomen om met eigen ogen
de vele veranderingen te zien die zich in Anbar voltrekken', zei Bush.

Het blitzbezoek viel samen met de aankondiging dat de Britse soldaten hun enige basis in de stad Basra ontruimden; 550 soldaten zaten er
in het voormalig presidentieel paleis op de oever van de Shatt el-Arab.
De bevoorrading vanuit de hoofdbasis, vlakbij de luchthaven, was steeds
hachelijker geworden. De konvooien werden met de regelmaat van een
klok aangevallen en in feite werd het garnizoen in het paleis belegerd.
Basra, poort op de Perzische Golf met zijn immense en rijke olievelden,
was strategisch van uitzonderlijk belang, maar de provincie en vooral
haar hoofdstad, waren niet meer de baken van rust die ze kort na de invasie een tijdlang waren. In de havenstad woedde een felle en bloedige
strijd van sjiitische milities en gangsterbendes. Het was er bijzonder onveilig. De Britten zegden dat de terugtrekking uit het stadscentrum ge-
pland was en dat ze over enkele weken zouden beslissen of ze de zorg
voor de veiligheid in de hele provincie aan de Iraakse autoriteiten zouden doorgeven.

Op het thuisfront vertelden Britse generaals onomwonden wat ze
ervan dachten. Generaal Mike Jackson, de bevelhebber van de Britse
troepen tijdens de invasie, haalde vernietigend uit naar de voormalige
Amerikaanse minister van Defensie Rumsfeld, die *nation building* totaal
onbelangrijk had gevonden. 'Hij weigerde gewoon om genoeg soldaten
ter beschikking te stellen voor de ordehandhaving', sneerde hij. Dan was
het de beurt aan generaal Tim Cross, de hoogste Britse militair die be-

trokken was bij de voorbereiding van het post-Saddam tijdperk. Cross had tegen Rumsfeld zijn bezorgdheid geventileerd, maar, zei hij tegen *The Sunday Mirror*, elke waarschuwing over wat er kon mislopen was door Rumsfeld weggewuifd of genegeerd.

Het rommelde al een tijdje bij de Britse generaals. In oktober 2006 had de bevelhebber van het leger, generaal Richard Dannatt, gezegd dat de Britse troepen best zo snel mogelijk vertrokken uit Irak. Nu zei hij dat Afghanistan alle aandacht verdiende en dat alles wat het Britse engagement in Irak kon beperken of beëindigen daarbij zou helpen. Tegelijk zei Dannatt dat het leger zich moest voorbereiden op 'een generatie van conflict' in Irak.

Washington was niet blij met de evacuatie van Basra. De ontwerper van de nieuwe Amerikaanse strategie, generaal Jack Keane, was 'gefrustreerd'. Premier Gordon Brown verdedigde zich. 'De terugtrekking uit de stad is geen nederlaag', zei hij en hij weigerde van een tijdschema te spreken voor de definitieve aftocht uit Irak. Het aantal Britse soldaten zou min of meer op hetzelfde niveau blijven en ze zouden tussenbeide komen indien nodig.

Gordon Brown speelde met de gedachte om van de opluchting over het vertrek van zijn voorganger te profiteren om vervroegde verkiezingen uit te schrijven. De peilingen waren veelbelovend. Maar toen bleek dat de Conservatieve Partij bezig was met een comeback, kondigde hij op 7 oktober aan dat er toch geen verkiezingen zouden komen. Er was meer tijd nodig om aan het volk te bewijzen dat hij 'een visie voor de toekomst' had. Niemand die dat geloofde. Een dag later zei Brown voor het Lagerhuis dat hij het contingent in Irak tegen het voorjaar zou halveren. Brown klungelde bij een nieuw bezoek aan Irak toen hij zei dat duizend soldaten het volgende jaar naar huis zouden mogen. De helft van hen wist al maanden dat ze zouden terugkeren en een kwart was al weer thuis.

Op 16 december 2007 zou de volgende stap gezet worden. Tijdens een ceremonie op de enige resterende Britse basis, vlakbij de luchthaven, werd de bevoegdheid voor de veiligheid in de provincie Basra overgedragen aan de Iraakse overheid. Minister David Miliband van Buitenlandse Zaken beloofde dat Londen een toegewijde vriend van Irak zou blijven. De Iraakse nationale veiligheidsadviseur Mowaffak Baqer al-Rubaie sprak van een overwinning voor Irak en een nederlaag voor zijn vijanden. Er bleven nog 4500 Britse soldaten in het zuiden. Hun aantal zou tot 2500 slinken in de komende drie maanden. Ze zouden niet meer vechten, tenzij uit zelfverdediging of als hun hulp werd ingeroepen door de Iraakse collega's, waarvoor de goedkeuring nodig was van de regering.

Nu ook de Britten niet langer zin hadden in Irak, lag de fameuze 'coalitie van de vrijwilligers' op apegapen. Of toch niet? Eén bondgenoot deed echt zijn best. Georgië deed wat niemand deed: het trok zijn troepenmacht in Irak op van 850 tot 2000 soldaten en aanvaardde dat het de Groene Zone in Bagdad zou inruilen voor een veel gevaarlijker opdracht in de provincie Wasit, bij de grens met Iran, waar Moqtada's militie vocht met de eveneens sjiitische Badr-militie. Georgië werd daarmee de derde buitenlandse troepenmacht in Irak na Amerika en de Britten. De Georgische soldaten knielden voor de priester en togen aan het werk. Het was niet louter idealisme, al zei president Mikhail Saakashvili dat zijn land 'niet wilde weglopen voor een moeilijke situatie'. Zijn soldaten wisten dat dit offer moest helpen om lid te worden van de NAVO, de ultieme bescherming tegen de dreigende Russen.

Tussentijds verslag uit Irak

BAGDAD (IRAK) - *Voor het Iraakse front in de oorlog tegen het terrorisme was 10 september een belangrijke dag. Generaal Petraeus, de commandant van de Amerikaanse troepen in Irak, zou zijn langverwachte inschatting van de militaire situatie geven aan het Congres. Revolutionair of sensationeel kondigde het zich niet aan. Petraeus wilde dat de beslissing over een troepenvermindering met een half jaar werd uitgesteld.*

Tegen president Bush had hij gezegd dat pas half december kon worden begonnen met de terugtrekking van een van de twintig gevechtsbrigades, zo'n vierduizend man. Tegen augustus zou het aantal brigades tot vijftien kunnen worden teruggebracht, het niveau van net voor de versterkingen die in het voorjaar naar Irak waren gestuurd. De timing van de aftocht wilde Petraeus laten afhangen van de situatie op het terrein. Net voor zijn afreis naar Washington had hij in een brief aan zijn manschappen zijn frustratie gelucht over het politieke immobilisme in Irak. 'We hadden gehoopt dat ze van onze sterkere aanwezigheid gebruik zouden maken om vooruitgang te boeken, maar dat is helaas anders uitgepakt.' Net voor de hoorzitting begon zei de Iraakse premier Maliki dat het geweld in Bagdad en omgeving met driekwart was afgenomen sinds er meer Amerikaanse troepen waren. Hij was tegen een snelle terugtrekking. Irak heeft meer tijd nodig om zelf te kunnen instaan voor zijn veiligheid, zei hij. Tussendoor beloofde hij de nationale verzoening waar Amerika al zo lang op aandrong.

Het Amerikaanse publiek verloor intussen het vertrouwen in de krijgskunst van zijn politieke leiders. Amper 5 procent geloofde nog dat de regering de oorlog tot een goed einde kon brengen; 21 procent zei dat het Congres het beter zou doen en 68 procent stelde zijn vertrouwen in de generaals. De cijfers spraken van ontnuchtering, diepe ontgoocheling en twijfel: 62 procent zei dat de oorlog een vergissing was en 59 procent vond dat hij niet het verlies waard was van zoveel jonge Amerikaanse levens. Ongeveer 53 procent geloofde niet dat Irak een stabiele democratie kon worden en bijna drie kwart vond dat Maliki niet deed wat hij kon. Twee derde wilde de troepen terugroepen en bijna evenveel wilde daarvoor een tijdschema; 6 op 10 Amerikanen was ervan overtuigd dat de regering hen had misleid over de redenen om Irak aan te vallen. Toch geloofde nog een derde dat Saddam Hoessein betrokken was bij de aanslagen van 11 september. Dat was vooral de verdienste van de media van Rupert Murdoch.

Ook de Iraakse bevolking werd naar haar gevoelens gevraagd. Daar bleek 70 procent te vinden dat de veiligheidssituatie slechter was sinds de komst van meer Amerikaanse troepen; 60 procent vond aanvallen op die troepen gerechtvaardigd, bij de soenni's was dat zelfs 93 procent.[67] Geen derde van de Irakezen geloofde dat het volgend jaar beter zou zijn. Twee jaar tevoren geloofde nog 64 procent dat.

Noch Crocker noch Petraeus leverde commentaar bij de officiële vaststelling[68] dat de Iraakse regering maar drie van de achttien doelstellingen had gehaald die Washington voorop had gesteld. Ambassadeur Crocker begreep het ongeduld over het gebrek aan politieke vooruitgang in Irak, maar, zei hij: 'De Iraakse leiders zijn ernstig en in staat om de problemen in overleg op te lossen.' Petraeus was minder diplomatisch. Hij zag een strijd om macht en geld: 'De fundamentele kern van het probleem is de wedijver tussen ethnische en geloofsgemeenschappen voor macht en grondstoffen.'

Crocker en Petraeus waren gematigd optimistisch, al waarschuwden ze allebei dat de vooruitgang broos was. 'Onze ervaring leert dat het moeilijk is om ver in de toekomst te kijken', zei Petraeus. Crocker riep het spookbeeld op van een overhaaste aftocht die zou leiden tot 'een gigantisch straatgevecht'. De hoorzitting duurde zes uur en kende hilarische hoogtepunten.

Een ervan was toen de republikeinse senator John Warner zijn leesbril afzette en met zijn ernstigste gezicht aan Petraeus vroeg: 'Als we doen wat je voorstelt, denk je dan dat Amerika veiliger wordt?' Waarop de generaal antwoordde: 'Sir, ik denk dat dit de best mogelijke strategie is om onze doelstellingen in Irak te bereiken.' Een antwoord naast de kwestie, vond Warner. 'Maakt dat Amerika veiliger?', drong hij aan. Waarop Petraeus: 'Sir, dat weet ik niet.'

Maandenlang was reikhalzend uitgekeken naar dit verslag. Het bevestigde dat de nieuwe strategie werkte en dat een snelle terugtrekking catastrofaal zou zijn. 'More of the same', vonden sommige commentatoren, en 'een strategie die op de maat is gesneden van de presidentsverkiezingen van november 2008'.

Iedereen wist nu wat president Bush later op de week zou vertellen op televisie. Petraeus was het gezicht geworden van de 'nieuwe strategie'. Bush sprak altijd van het 'plan Petraeus', ofschoon de generaal het niet had geschreven, alleen kwam hij veel geloofwaardiger over dan de president. Hij werd vergeleken met generaal Westmoreland die in 1967 tegen het Congres kwam zeggen dat de overwinning in Vietnam mogelijk was. Anderen noemden hem de Paris Hilton onder de generaals, 'een ijdel troetelkind van de media met nauwelijks enige geloofwaardigheid'. Ambassadeur Crocker kreeg lof omdat hij zei wat noch zijn publiek noch de regering wilde horen: een politieke oplossing zou aanzienlijk meer tijd vergen dan Washington dacht.

Een islamistische website liet weten dat een nieuwe videoboodschap op til was waarin Osama het testament zou presenteren van een van de negentien piraten van 9/11. Precies op 11 september werd die belofte ingelost. Bin Laden hield een veertien minuten durende inleiding op het 'testament' van Abu Musab al-Walid al-Shehri, een van de negentien 'kampioenen van 11 september'. Shehri zat in het eerste vliegtuig en hielp Mohammed Atta om de noordelijke toren te treffen van het WTC. Van de topterrorist was enkel een foto te zien, maar dezelfde dag nog werd bevestigd dat de stem die van bin Laden was.

Net als bij de video van enkele dagen tevoren was ook dit document in een vroeg stadium van distributie onderschept. Deze keer door Laura Mansfield, een vijftigjarige vrouw uit South Carolina die op haar website vertalingen en analyses brengt van jihad-documenten. Al-Qaeda was een gesofistikeerde speler geworden in de virtuele wereld. Van de vorige video had al-Sahab verschillende versies gemaakt, bestemd voor bijvoorbeeld gebruik op gsm's of met uitsluitend de klank. Het productiehuis wilde het document verspreiden via 650 gebruiksvriendelijke internetadressen en speelde in op de ongemeen grote populariteit van ringtones en filmpjes op mobieltjes in de Arabische wereld.

Dat was een eigentijdse versie van de mediastrategie die in de jaren zeventig was gevolgd door ayatollah Khomeiny, die nationale roem verwierf in Iran door vanuit ballingschap zijn revolutionaire boodschap te verspreiden via audiocassettes.

EEN BEHOEDZAME AFTOCHT

Het was uitkijken naar wat president Bush enkele uren later zou vertellen op televisie. En ook naar wat er verder zou gebeuren want 'Ramadan is jihad-time'. Het was geen sensationele toespraak. Bush straalde als gewoonlijk optimisme uit en kondigde zoals verwacht een terugtrekking aan van 30.000 soldaten tegen de zomer van volgend jaar. Voor Kerstmis zouden de eerste 5700 thuis zijn. Over een jaar zouden de troepen weer op het peil zijn van begin 2007, net voor de *surge*, zoals het laatste offensief onsmakelijk werd genoemd.

'Hoe succesvoller we zijn, hoe meer Amerikaanse soldaten terug kunnen', oreerde hij en 'de weg voorwaarts die ik vanavond heb beschreven, maakt het voor het eerst in jaren mogelijk dat mensen die tegenover elkaar stonden in dit moeilijk debat, elkaar nu kunnen vinden'. Het was niet zeker of de president zijn wensen voor werkelijkheid nam. *The New York Times* vatte in een hoofdartikel samen wat velen dachten. 'Al die mist kan niet verhullen dat Bush geen strategie heeft om een eind te maken aan deze rampzalige oorlog en evenmin voor de chaos die hij heeft ontketend... Was er een nieuwe strategie dan zou ze gemakkelijk te herkennen zijn. Dan zou Bush stoppen met zijn zinloos gepraat over de overwinning en zou hij ophouden om aan de Amerikanen de fictie te verkopen dat de oorlog hen vrijwaart tegen het terrorisme.'

Bushs prognose dat de Amerikanen ook na zijn ambtstermijn nog in Irak zouden zijn, klonk wel realistisch en confronteerde de democraten andermaal met het ontbreken van een ernstig alternatief. Toch deed Barack Obama een poging door voor te stellen dat Bush alle soldaten tegen eind 2008 zou terugtrekken en dat enkel een kleine troepenmacht zou achterblijven voor de jacht op de terroristen, de bescherming van de Amerikaanse belangen en de opleiding van Iraakse soldaten. 'De beste manier om de regering-Maliki onder druk te zetten is nu te beginnen met de aftocht', argumenteerde hij. Zo dacht volgens een peiling 56 procent van de Amerikanen erover. Heeft Obama toen de peilingen nagepraat?

Angelina Jolie en Daniel Pearl, de schone en de dode

In de bioscopen liep het intussen storm voor Angelina Jolie in de onge-

wone rol van echtgenote van Daniel Pearl, de vermoorde journalist van The Wall

Street Journal. *De film was niet alleen een succes wegens de mooie actrice, het was*

ook een bloedstollende horror story.

Pearl was in Karachi in een hinderlaag gelopen, gegijzeld en enkele da-gen later de keel overgesneden, toen hij met een onderzoek bezig was naar Richard Reid, de *shoebomber*, die lid was van een kleine sekte, al-Furqah. Hij probeerde na te gaan wat zijn relatie was tot de leider ervan, Sjeik Mubarak Gilani.

De avond van 23 januari 2002 was hij in Karachi in een auto gestapt met vier mannen die hem een ontmoeting beloofden met Gilani. Na een tocht van uren werd hij in een buitenwijk van de havenstad opgesloten in een hok op een omheind terrein van de liefdadigheidsorganisatie Al Rashid Trust, bekend om zijn banden met al-Qaeda. Tijdens de eerste week van zijn gevangenschap probeerde hij te vluchten door over een muur te klimmen. Op de zesde dag waren drie Arabieren gekomen met messen. Ze namen een videoboodschap op waarin de journalist zei: 'Mijn vader is Joods, mijn moeder is Joods en ik ben een Jood' en kritiek le-verde op Amerika. Vervolgens werd hij geblinddoekt en begon de execu-tie. Alles werd op video opgenomen. Bij hun vertrek vroegen de Arabie-ren aan de achterblijvende bewakers om het lijk in stukken te snijden. De wachters maakten een greppel waarin ze de tien stukken op hun oor-spronkelijke plaats legden met het gezicht naar beneden.

Veel details van de executie raakten bekend na de arrestatie van Fazl Karim, drie maanden na de misdaad. Karim werd gearresteerd bij een razzia na een moordende aanslag op een busje met Franse marine-inge-nieurs in Karachi op 11 mei 2002. Hij gidste de politie naar het graf van Pearl. Er werd gezegd dat hij aan de politie de video bezorgde van de moord. De kidnapping was het werk van drie teams van in totaal twaalf Pakistani's en drie Arabieren. De eerste ploeg lokte Pearl in de val, de tweede ontvoerde, bewaakte en begroef hem en de derde bestond uit de Arabieren die de leiding hadden van de operatie. 'Jemenieten die banden hadden met Ramzi Youssef', zei Karim, doelend op het brein achter de aanslag van 1993 op het WTC in New York.

Fazl Karim was lid van Lashkar-e-Jhangvi, een moordeskader dat opgeleid was door al-Qaeda en het vooral gemunt had op de sjiitische minderheid in Pakistan. Hij had Pearl vastgehouden terwijl zijn keel werd overgesneden. Fazl bleef maandenlang in een geheime gevangenis. Toen liet de politie hem gaan op bevel van de rechter. Tijdens zijn ondervraging had hij verteld dat verschillende sektarische en criminele Pakistaanse groepen met al-Qaeda waren gefuseerd. Dat verklaarde waarom drie verschillende organisaties betrokken waren bij de moord.

Min of meer toevallig arresteerde de Pakistaanse politie al vrij snel vier andere verdachten. Drie van hen werden in juli 2002 veroordeeld tot 25 jaar cel voor de uitlevering van Pearl aan de kidnappers. Een Britse Pakistaan, Ahmad Omar Saeed Sheikh, werd het brein achter de ontvoering en de moord genoemd. Hij kreeg de doodstraf. Umar Sheikh of Sheikh Omar, zoals hij zich ook liet noemen, was de 29-jarige zoon van een rijke textielhandelaar. Hij was in Engeland geboren en had gestudeerd aan de befaamde London School of Economics. Uitgerekend daar was hij in het vaarwater geraakt van het gewelddadig fundamentalisme. Hij was amper 21 toen hij drie Britse toeristen en een Amerikaan ontvoerde in India. Hij belandde in de gevangenis maar kwam met twee andere terroristische kopstukken vrij in ruil voor de passagiers van een gekaapt vliegtuig van Indian Airlines op kerstavond 1999. Hij was de ondertekenaar van de beruchte cheque van 100.000 dollar die Mohammed Atta in Amerika had ontvangen, kort voor de aanslagen van 11 september. Die cheque, een van de geheimzinnigste en meest cruciale bladzijden uit het dossier van 9/11, zou hij hebben uitgeschreven in opdracht van de toenmalige chef van de Pakistaanse inlichtingendienst ISI, generaal Mahmoud Ahmad die kort na de aanslagen de laan werd uitgestuurd.

Al voor de ontvoering van de vier toeristen werkte Umar Sheikh volgens ABC voor de ISI en noemde bin Laden hem zijn 'bijzondere zoon'. Volgens Fazl Karim, de eerste arrestant in de Pearl-zaak, speelde hij maar een ondergeschikte rol en waren de moordenaars voortvluchtig.

Op 1 maart 2003 werd Khalid Sheikh Mohammed, de nummer drie van al-Qaeda, gearresteerd in Rawalpindi bij een operatie van de ISI en Amerikaanse agenten. Hij bekende in de geheime gevangenissen van de CIA een waslijst van spectaculaire aanslagen, waarbij de eerste en de tweede aanslag op het WTC in New York en de aanslagen op de nachtclubs in Bali. Hij biechtte ook op dat hij de moord op Pearl persoonlijk had gepleegd. 'Je kan me herkennen op de video', zei hij.

Anarchie en chaos dreigen

BEIROET (LIBANON) - De paus ontving op 6 september de Libanese kardinaal Sfeir voor enkele dagen van intensief overleg. Meteen maakte Benedictus XVI duidelijk dat hij bad dat er een nieuwe president zou zijn op de datum die door de grondwet was voorgeschreven.

Sfeir zei dat de Franse gezant Jean-Claude Cousseran vond dat de spanning tussen de Libanese leiders enigszins was geluwd. Het was inderdaad opmerkelijk dat het 'initiatief Berri' goede punten kreeg van de meerderheid. Premier Siniora had het voorstel waardig bevonden om te worden onderzocht en 'een goede basis om verder op te bouwen'. Tot de dooi was ook bijgedragen door Syrië dat zijn Libanese bondgenoten had gevraagd af te stappen van de eis om nog voor de presidentsverkiezing een regering van nationale eenheid te vormen. Bleef de (pro-)Syrische eis van een consensuspresident. Damascus stond onder zware diplomatieke druk om ook die voorwaarde te laten varen.

Anarchie en chaos dreigden, niet alleen voor Libanon maar voor de hele regio als de presidentsverkiezing een fiasco werd. Volgens diplomaten onderhandelde het Syrische regime met verschillende internationale spelers, maar had het nog geen beslissing genomen. Voor Frankrijk en de Verenigde Staten hoefde de toekomstige president geen afkeer te hebben van Syrië, al moest hij vooral de Libanese soevereiniteit en onafhankelijkheid waarborgen.

Het Libanees leger bleef jagen op het dozijn voortvluchtige terroristen van Nahr-el-Bared. Er werden er gepakt in de velden en dorpen in de omgeving. Sommigen werden doodgeschoten. Na een kleine week waren er nog vier of vijf op de loop. In het kamp zelf werden mijnen en *boobytraps* opgeruimd en gespeurd naar mogelijke achterblijvers. Een DNA-onderzoek van het vermeende lijk van Abssi, de leider van de groep, was negatief, al had zijn 'weduwe' hem herkend. Er was geen overeenstemming met het DNA van zijn dochter en ook niet met dat van zijn broer.

Wegens hun betrokkenheid bij de terreurorganisatie werden 226 mensen aangeklaagd, bij hen een aantal voortvluchtigen. De 'overwinning' had het leger een ongekende populariteit bezorgd. De Amerikaanse ambassadeur inviteerde opperbevelhebber Suleiman. Premier Siniora, op bezoek in Berlijn, vroeg aan Duitsland om het leger op te leiden en te bewapenen zodat het een echte 'afschrikkingsmacht' kon worden voor 'elke groep die dacht te kunnen spelen met recht en orde'. Voor bondskanselier Angela Merkel was het bewijs geleverd van het gezag van de Libanese staat. Ze beloofde na te gaan hoe haar land kon helpen bij de heropbouw van Nahr el-Bared dat de voorbije drie maanden was herleid tot een reusachtige ruïne. Merkel vroeg 'andermaal' dat Syrië Libanon zou erkennen en een 'opbouwende rol' zou spelen. Dat was totnogtoe 'onvoldoende het geval'. Duitsland probeerde Syrië te betrekken bij een regeling en enkele dagen tevoren was de minister van Ontwikkelingssamenwerking in Damascus geweest. Zowel Merkel als de Italiaanse premier Prodi, die Siniora ook op bezoek kreeg, was opgetogen over de vernietiging van Fatah al-Islam.

In november 2008 bezocht ik Nahr al-Bared in het gevolg van toenmalig premier Leterme. Het kamp was een uitgestrekte grijze ruïne van stukgeschoten beton met uitzicht op de Middellandse Zee. Wat ooit de straten waren geweest was nu een modderspoor met platgetrapt speelgoed, lappen textiel, resten van wapens en munitie. Grote werken waren er niet aan de gang maar aan de rand was een noodkamp opgetrokken waarin vijfhonderd mopperende vluchtelingen woonden. Het puinruimen moest nog beginnen en de wederopbouw van Nahr al-Bared kondigde zich aan als een Herculeswerk, een Hariri waardig. Geen muur van het oorspronkelijke kamp stond nog overeind. Boven op de puinhopen waakten Libanese soldaten.

Operatie Boomgaard

en de kwadratuur van de wereldpolitieke cirkel

DAMASCUS (SYRIË) - *Op de achtergrond speelde een geheim-*

zinnig internationaal incident. De Israëlische luchtmacht was op 6 september 2007

het Syrische luchtruim binnengedrongen voor een bombardement. Over de operatie

Orchard, Boomgaard, werd door beide partijen heel geheimzinnig gedaan.

Syrië zei dat militaire vliegtuigen waren binnengedrongen maar door de luchtafweer waren verdreven. Ze hebben hun munitie en brandstoftanks afgeworpen om sneller te kunnen vluchten, zei Damascus. Israël zei niets over het incident ofschoon het voor het eerst was sinds 2003 dat zijn luchtmacht een bombardement op Syrië had uitgevoerd. Een anonieme functionaris van het Pentagon zei na een week dat het doelwit een depot was van Iraanse wapens die bestemd waren voor Hezbollah in Libanon. De Syrische ambassadeur bij de VN noemde dat onzin. Eerder had hij gezegd dat het bombardement enkel materiële schade had aangericht in onbewoond gebied.

Amerikaanse regeringskringen zegden dat Israël al enige tijd verkenningsvluchten uitvoerde boven Syrië om foto's te nemen van mogelijke nucleaire installaties, die volgens de Israëli's werden bevoorraad door Noord-Korea. Het was bekend dat Syrië een kleine Chinese onderzoeksreactor had in Dayr al-Hajar, maar vermoed werd dat het te slecht bij kas zat om zich veel meer te permitteren. Toch hadden de Israëlische lucht- en satellietfoto's sommige Amerikaanse functionarissen ervan overtuigd dat Syrië over een installatie beschikte die materiaal kon produceren voor kernwapens en dat Noord-Korea daarbij hielp. Noord-Korea had tenslotte genoeg plutonium voor tien bommen en het had er in het verleden mee gedreigd het door te geven aan andere landen.

Op 14 september zei Andrew Semmel, een Amerikaanse topfunctionaris in de strijd tegen de verspreiding van atoomwapens, dat zijn land zich zorgen maakte over de mogelijkheid dat Noord-Korea betrokken was bij een verboden programma in Syrië. Hij zei dat Noord-Koreaanse specialisten er openlijk werkten en achtte het mogelijk dat het Pakistaanse netwerk van A.Q. Khan betrokken was. Op 16 september ontkende Noord-Korea elke nucleaire samenwerking met Syrië.

Ruim tien dagen na de feiten reconstrueerde *The Sunday Times* het verhaal. Iets na middernacht had het 69ste eskader van F15's en F16's de Syrische kustlijn bereikt, in totaal acht toestellen van de Israëlische luchtmacht, inclusief een ELINT, een toestel voor het verzamelen van elektronische informatie. Op de grond werd de luchtafweer verlamd, een hele prestatie aangezien de Syrische luchtafweer nog geen maand tevoren was vernieuwd met tien batterijen Pantsyr-S1E raketten met geavanceerde radar die zelfs tegen Stealth-vliegtuigen zou beschermen, het neusje van de Russische zalm. Ten gevolge van het Israëlische antwoord daarop bleef het gsm-verkeer dagenlang gestoord, ook in Libanon. Moskou haastte zich om te zeggen dat het geen luchtafweer aan Syrië en Iran had verkocht maar voor Amerika en Israël was het goed nieuws dat de Russische raketten, die als de beste ter wereld golden, konden worden uitgeschakeld. Het doelwit lag op zeventig kilometer van de grens met Irak. Op een afgesproken plaats wachtte een commando-eenheid, die de dag tevoren was gearriveerd, om er zijn lasers te richten.

Het enige commentaar van de Israëlische premier Olmert, dagen na de feiten, was dat 'soldaten van de veiligheid en het leger blijk hadden gegeven van ongewone moed. We kunnen natuurlijk aan het publiek niet altijd onze kaarten laten zien'. Dat Syrië erg verveeld was met de zaak bleek niet alleen uit het erg slap protest tegen de 'agressie' maar ook uit het uitblijven van een geloofwaardige versie van het incident.

In de lente al had Meir Dagan, de chef van de Israëlische geheime dienst Mossad, aan Olmert bewijzen voorgelegd dat Syrië probeerde een atoomwapen te kopen van Noord-Korea. Een kernkop, dacht hij, die kon worden geïnstalleerd op een Scud-C raket van Noord-Koreaanse makelij. De inlichtingendienst wist al lang dat Syrië raketten had met chemische ladingen, maar een kernkop was voor Israël onaanvaardbaar. *The Washington Post* citeerde een Amerikaanse Midden-Oostenexpert die met een deelnemer aan de raid had gepraat. Hij zei dat de aanval te maken had met de aankomst, drie dagen tevoren, van een schip met een lading 'cement' uit Noord-Korea. Israël was ervan overtuigd dat het niet om cement ging maar om nucleair materieel.

Israël hield het doelwit van het bombardement al geruime tijd in de gaten omdat het vermoedde dat er uranium werd gewonnen uit fosfaten. Even verder, op de andere oever van de Eufraat, had ook Saddam dat geprobeerd. De Israëlische spionagesatelliet Ofek 7, die pas in juni was gelanceerd, was weggehaald boven Iran en naar Syrië gestuurd. Ze straalde om de negentig minuten perfecte beelden door die een precieze lokalisering van het doelwit mogelijk maakten. De piloten kregen het doel van hun missie pas toen ze in de lucht waren.

The Sunday Times vernam bij de inlichtingendiensten dat het een bijzonder succesvolle operatie was geweest tegen een nucleaire levering uit Noord-Korea. De krant herinnerde zich dat de toenmalige Amerikaanse VN-ambassadeur John Bolton in 2004 had gezegd dat A.Q. Khan verschillende andere klanten had buiten Iran, Libië en Noord-Korea. Op 14 augustus had de Noord-Koreaanse minister van Buitenlandse Handel in Damascus een samenwerkingsprotocol ondertekend voor 'handel, wetenschap en technologie'. De reikwijdte van de zestig tot honderdtwintig Scud-C raketten die Syrië de afgelopen vijftien jaar had gekocht, werd door Noord-Koreaanse ingenieurs op bijna vierhonderd kilometer gebracht zodat ze vanuit de noordoostelijke woestijn Israël konden bereiken.

De Iraanse president Ahmadinejad stuurde op 15 september zijn neef naar Syrië om de schade op te meten. Een jaar tevoren, bij het begin van de oorlog tussen Israël en Hezbollah, had Ahmadinejad gezegd dat een Israëlische aanval op Syrië zou worden beschouwd als een aanval op de hele moslimwereld. Maar het viel op hoe weinig commotie de Israëlische raid in de Arabische wereld veroorzaakte. Dat zei iets over de populariteit van de Syrisch-Iraanse alliantie.

De impliciete boodschap van Israël luidde dat het de klus zelf zou klaren als niets werd ondernomen tegen Irans atoomprogramma. *Newsweek* vernam van Israëlische bronnen dat Olmert aan Bush had gevraagd om nog voor het einde van zijn ambtstermijn de Iraanse nucleaire installaties aan te vallen, als diplomatie, economische en politieke druk zouden falen. Voor de Israëli's was het beter om nu te handelen dan te wachten tot een andere, 'minder vriendelijke' president zijn intrek zou nemen in het Witte Huis.

Een columnist van de Israëlische krant *Haaretz* schreef dat Israël voor een beslissend jaar stond met maar één groot agendapunt: Iran. De kans op een aanval was groot, maar als Bush niets zou doen in zijn laatste regeringsjaar, dan zou Iran weldra de tiende kernmogendheid van de wereld zijn. En na Iran zouden Turkije, Egypte en Saudi-Arabië volgen. De ineenstorting van de non-proliferatie, uitgerekend in het Midden-Oosten, kon een nachtmerrie – kernwapens in de handen van terroristen – omzetten in werkelijkheid.

Op 20 september, twee weken na de raid, weigerde president Bush tot drie keer toe elk commentaar. Dat was ongewoon. 'We verwachten dat ze hun belofte nakomen om hun wapens en wapenprogramma's op te geven. Voor zover ze prolifereren, verwachten we dat ze daarmee stoppen', zei hij. Het klonk wat slapjes uit de mond van de strijdlustige president.

Enkele dagen later kwam *The Sunday Times* met nieuwe onthullingen. Operatie Boomgaard was de hele zomer voorbereid. Israël had lucht gekregen van de nucleaire samenwerking van Syrië met Noord-Korea en had de basis van Deir ez-Zohr maandenlang geobserveerd. Onder leiding van de nieuwe minister van Defensie Ehud Barak werd de elite-eenheid Sayeret Matkal, waarvan hij zelf ooit de legendarische commandant was, klaargestoomd voor zijn opdracht: het verzamelen van bewijsmateriaal op de geheime Syrische basis. Hoe de commando's de basis binnendrongen, is onduidelijk, maar ze kwamen terug met sporen van nucleair materieel die na laboratoriumonderzoek wezen in de richting van Noord-Korea. Dat bewijs was nodig om Washington te overtuigen. Het Witte Huis wilde de operatie alleen goedkeuren als er harde feiten waren.

De aarzeling van de regering-Bush hing samen met het vredesoverleg met Noord-Korea dat volgens toponderhandelaar Christopher Hill een verdrag kon opleveren dat een formeel einde zou maken aan de Koreaanse oorlog van 1950-53, een diplomatieke overwinning die president Bush best kon gebruiken. De grote vraag was nu of Noord-Korea door het lint was gegaan en de 55 kilo plutonium die het bezat geheel of gedeeltelijk aan Syrië of Iran had verkocht. *The New York Times* legde ruim een maand na de raid zijn oor te luisteren bij anonieme insiders. Wat de Israëli's hadden gebombardeerd was volgens hen een kernreactor in opbouw naar Noord-Koreaans model. Onduidelijk bleef hoe ver de werken aan de reactor waren gevorderd, in welke mate de Noord-Koreanen hielpen bij de bouw en waartoe de installatie moest dienen.

Pas op 2 oktober, bijna een maand na de feiten, werd het spreekverbod over operatie Boomgaard zeer gedeeltelijk opgeheven. De Israëlische legerradio bevestigde dat een bombardement had plaatsgevonden op een 'militair doelwit' diep in Syrië. Maar wat dat doelwit was bleef geheim. De dag tevoren zei de Syrische president Assad tegen de BBC dat de aanval was gericht tegen ongebruikte militaire gebouwen. Hij wuifde elke beschuldiging van nucleaire activiteit weg. 'Daar zijn we niet in geïnteresseerd', zei hij. De aanval was voor Assad een bewijs van 'Israëls viscerale afkeer van vrede'.

En dan was er nog iets vreemds. De Israëlische premier Olmert maakte een ongewone ouverture. Hij zei dat zijn land onvoorwaardelijk wilde praten over vrede en dat hij 'respect' had voor de Syrische president en zijn beleid. Damascus wist niet goed wat het daarvan moest denken en het regeringsblad *Tishreen* vroeg uitleg. Het regime stond niet afkerig tegenover een akkoord met de Israëli's. President Assad had er zelf de voorbije maanden geregeld op gezinspeeld. Maar Syrië wilde er liefst de Amerikanen bij, de enigen die greep hadden op Israël, en Europa in de rol van getuige. Bewoog er iets?

Op 24 oktober werden door twee verschillende maatschappijen satellietfoto's gemaakt van de gebombardeerde site. Het was een andere plek dan wat Damascus had laten zien aan de internationale pers. Van het groot kubusvormig gebouw met een breedte van zo'n vijftig meter was niets meer te zien. Dat elk spoor van het gebouw in zo korte tijd was gewist, deed vermoeden dat Syrië iets wilde verstoppen. De oorspronkelijke kubus was iets kleiner maar van hetzelfde type als een Noord-Koreaanse reactor. Maar in een interview met een Amerikaanse krant ontkende de Syrische ambassadeur in de Verenigde Staten dat zijn land een nucleair programma had. 'Een grove leugen', zei hij. 'We weten dat de poorten van de hel zouden opengaan mochten we nog maar denken aan nucleaire technologie.' De gebombardeerde site was van 'ondergeschikt tactisch belang'.

De dag nadat de nieuwe satellietfoto's waren genomen, ontkende de Syrische premier Mohammed Naji al-Otri op zijn beurt dat zijn land met de Noord-Koreanen samenwerkte. 'Israël heeft het gerucht opzettelijk de wereld ingestuurd', zei hij.

Noch Israël noch de Verenigde Staten had de voorbije zes weken bewijsmateriaal aangedragen bij het Internationaal Atoomagentschap (IAEA). Het Agentschap beschikte volgens diplomaten over geen enkel betrouwbaar detail over de raid van 6 september. Een mogelijke verklaring was dat de regering-Bush een akkoord over nucleaire ontwapening met Noord-Korea niet in gevaar wou brengen.

Israël was het minder om Syrië te doen dan om Iran. Ingewijden vertelden tegen *The Washington Post* dat de raid een krachtige boodschap moest zijn voor Teheran over de prijs van een geheim nucleair programma. Tegelijk was het een teken van de Israëlische frustratie over het internationaal onvermogen om het Iraans verrijkingsprogramma te stoppen. De raid op Syrië kon een generale repetitie zijn.

Alle partijen bleven stug zwijgen over operatie Boomgaard, maar op 23 oktober meldde de Koeweitse krant *Al Seyassah* op gezag van westerse bronnen dat spionagesatellieten minstens twee andere nucleaire installaties hadden gelokaliseerd die Syrië had gebouwd in samenwerking met Noord-Korea, Iran en Iraakse specialisten die na de Amerikaanse invasie de grens waren overgestoken.

Weer werd het stil, tot er begin 2008 nieuwe satellietfoto's opdoken van de gebombardeerde site. Er was opnieuw gebouwd en het leek sprekend op wat door de Israëli's was platgegooid. De foto toonde een groot vierkant gebouw in de steigers. Het verschil was dat het dak niet plat was maar koepelvormig. Specialisten vermoedden dat het om een lege doos ging. Het Internationaal Atoomagentschap was op de hoogte en hield een oogje in 't zeil. Directeur el-Baradei had pas nog tegen een Arabische krant gezegd dat hij aan Damascus tevergeefs toestemming had gevraagd om de site te inspecteren.

Maanden later, op 24 april 2008, schreef *The Washington Post* dat een video de doorslag had gegeven voor de Israëlische luchtaanval. De opname bestond naast satellietbeelden uit opnames binnen in de verdachte installatie. Er was onder meer een Koreaan te zien die werd voorgesteld als de chef van het atoomprogramma van Yongbyon en zijn Syrische evenknie. De video benadrukte de gelijkenis met Yongbyon. Een Amerikaans regeringswoordvoerder bevestigde nu dat het doelwit van operatie Boomgaard een reactor was van Noord-Koreaanse makelij, bestemd voor de productie van plutonium voor militair gebruik. De Syrische ambassadeur sprak van neoconservatieve pogingen om zijn land te betichten, zoals dat ook met Irak was gebeurd vóór de invasie. In Amerikaanse regeringskringen werd nog gezegd dat Israël geen groen licht had gevraagd en alléén had beslist om de reactor te vernietigen. Er waren geen sporen van kernbrandstof aangetroffen maar voor de Amerikanen was er een overtuigend bewijs dat de installatie over enkele maanden of weken had kunnen functioneren.

Over het geheimzinnige bombardement werden nu ongebreideld verklaringen afgelegd. Directeur Michael Hayden van de CIA en andere topfiguren van de inlichtingendiensten presenteerden de video aan het Congres en briefen de pers. De video werd ook getoond in de Europese hoofdsteden en aan het Internationaal Atoomagentschap in Wenen. Washington vroeg opheldering aan Damascus en in een adem ook over zijn bemoeienis met Libanon en de transit van terroristen voor Irak.

Er werden vragen gesteld over de timing van al die openheid. De spanning tussen Israël en Syrië was in het voorjaar 2008 wat geluwd en met Noord-Korea had Christopher Hill een vergelijk bereikt over het atoomprogramma. Sommige Amerikaanse parlementsleden voelden zich gemanipuleerd. Enkele waarnemers vermoedden een poging van vicepresident Cheney en de haviken om het akkoord met Noord-Korea te saboteren omdat het te toegeeflijk was. Anderen zegden dat een aantal parlementsleden had gedreigd met obstructie als geen openheid van zaken werd gegeven over operatie Boomgaard.

De regering-Bush zei dat ze zo lang had gewacht om Syrië geen voorwendsel te geven voor represailles. De tijd was aangebroken om de

Noord-Koreanen duidelijk te maken dat Washington wist van hun clandestiene activiteiten. Damascus bleef halsstarrig ontkennen en vond dat er een einde moest komen aan de 'valse beschuldigingen'. Het riep Washington op om zich 'verantwoordelijk' te gedragen en te stoppen met het uitlokken van 'nieuwe crisissen' in het Midden-Oosten.

De vraag was wie precies onder druk werd gezet. Christopher Hill, de onderminister die drie jaar had onderhandeld met Noord-Korea, gaf op de dag van de video niet thuis. Hij genoot weinig steun van zijn baas, Condoleezza Rice, en nog minder van de president. Volgens Hills ontwerpakkoord volstond het dat Noord-Korea zou zeggen hoeveel plutonium het had geproduceerd om te worden afgevoerd van de lijst van sponsors van het terrorisme, een lijst van economische paria's. Voor Bush was Noord-Korea een sideshow die hem op het einde van zijn ambtstermijn snel wat punten kon opleveren maar met het risico dat hij zwak zou schijnen en dat wilde hij kost wat kost vermijden. Hij was niet gefocust op het Verre maar op het Nabije Oosten. Veel verdienstelijker dan een ontwapeningsakkoord met de operettedictator uit Noord-Korea zou een vredesverdrag zijn tussen Joden en Palestijnen. Dat zou zijn presidentschap pas historisch maken. Daar droomde Bush van in zijn laatste regeringsjaar, de kwadratuur van de wereldpolitieke cirkel. Het was een droom die enkel werkelijkheid kon worden met de hulp van Syrië. De Syriërs, die misschien dachten dat de zaak eindelijk een stille dood zou sterven, stonden door de video in hun blootje en reageerden door aan Washington verantwoordelijkheidszin te vragen. Dat kon worden begrepen als een versluierde belofte van medewerking.

Oliegeld en wapens

RIYAD (SAUDI-ARABIË) - *Op 17 september ondertekende*

Saudi-Arabië een contract met Groot-Brittannië voor de levering van 72 gesofistikeer-

de Eurofighter Typhoon gevechtsvliegtuigen.

De factuur beliep 8,8 miljard dollar, wapens en onderhoud inbegrepen. Het was het tweede monstercontract van de Saudi's in korte tijd en meer dan een gewone transactie. Het voorzag in een assemblagelijn voor de Typhoon in Saudi-Arabië en een overdracht van defensietechnologie 'zonder voorgaande' naar een land in het Midden-Oosten, zegden defensiespecialisten. Het zou 15.000 nieuwe banen scheppen in Saudi-Arabië en uiteindelijk was de overeenkomst in de loop van de komende vijf jaar minstens 30 miljard dollar waard. De partijen bereidden zich voor: de Saudi's, Jordanië, de Emiraten, de Palestijnse Fatah, Egypte en Israël met de Amerikanen, tegen Iran, Syrië, Hezbollah en Hamastan met misschien de Russen.

Een oude jazzsaxofonist en de oliemarkt

WASHINGTON (VS) - *En toen was er Alan Greenspan. Hij was*

81, maar was tot een jaar tevoren gouverneur van de Amerikaanse Centrale Bank en

in die hoedanigheid de machtigste man van de wereldeconomie. Wegens zijn sibillijnse

uitspraken werd hij 'het orakel van Wallstreet' genoemd.

Hij bracht voor zijn gezondheid veel tijd door in de badkuip waar hij nadacht over zijn memoires die nu het daglicht zagen. De herinneringen van de schuchtere zoon van een beursmakelaar met een zwak voor cijfers die zijn loopbaan was begonnen als klarinettist en saxofonist naast Stan Getz, kondigden zich aan als de sensatie van de literaire herfst. De kranten vochten om uittreksels of een eerste exemplaar van *The Age of Turbulence: Adventures in a New World*, dat op 17 september werd uitgebracht. De bejaarde goeroe, de meester van de ontwijkende antwoorden en de indirecte uitspraken, van wie één woord de beurzen in beweging bracht, was in zijn boek ongewoon openhartig behalve over zichzelf.

In 1987 had Ronald Reagan hem baas gemaakt van de Federal Reserve en dat was hij bijna twintig jaar gebleven. Hij had ze zien komen en gaan, Nixon, Ford, Reagan, vader Bush, Clinton en Bush jr. Hij had hen regelmatig ontmoet. Hij was een blijver met een zwakke gezondheid, een schuwe sfinx aan de top, een bevoorrechte getuige sinds het moment dat hij in 1968 deelnam aan de campagne voor de herverkiezing van Richard Nixon. De schlemazzel Gerald Ford was voor hem de beste president. 'Hij wist altijd wat hij wél en niet wist', schreef Greenspan. Nummer twee was Clinton, die gefocust was op economische groei op lange termijn en Greenspan ervan overtuigde dat de technologie de economie transformeert. Nixon, Reagan en vader Bush kregen een mengsel van kritiek en lof. Alleen voor Bush jr. kon er geen goed woord af. Greenspans oude vrienden, Cheney en Rumsfeld, waren veranderd, 'niet in hun persoonlijkheid of karakter, maar in hun opvattingen over hoe de wereld in mekaar steekt, en dus, wat belangrijk is'.

Al leverde hij geen zelfkritiek, toch was Greenspan mee verantwoordelijk voor ontwikkelingen die hij nu allerminst rooskleurig inzag. Hij vreesde dat de reactie op de globalisering kon leiden tot een 'echt ernstige economische crisis' en een pijnlijke inflatie zou zich weldra laten voelen met de pensionering van de babyboomgeneratie. 'De achillespees van het marktkapitalisme is de groeiende perceptie dat de vruchten ervan ongelijk verdeeld worden omdat ze worden geplukt door wie geschoold is', was een andere opmerkelijke uitspraak van de wat verfrommelde man die het gezicht was geweest van het kapitalisme in zijn jaren van triomf. 'Een disfunctioneel lagere- en middelbareschoolsysteem is er niet in geslaagd onze studenten snel genoeg voor te bereiden om een tekort te voorkomen aan geschoolde arbeidskrachten en een teveel aan minder geschoolden en dat doet de inkomenskloof tussen beide groepen groeien. Tenzij het Amerikaans onderwijssysteem zijn niveau kan optrekken tot de snelheid die de technologie eist, zullen geschoolde arbeidskrachten grotere loonsverhogingen blijven krijgen, wat tot nog verontrustender extremen van inkomensconcentratie zal leiden.'

Het was een somber maar verfrissend want eerlijk portret van hoe Amerika er economisch en dus ook maatschappelijk en politiek voor stond. Het kwam erop aan om de sociale kloof niet te vergroten door twijfel te laten groeien over de baten van het kapitalistisch systeem. Dat was alleen te voorkomen door een beter onderwijssysteem. Amerika was niet op de goede weg.

Ik dacht aan de piccolo van mijn hotel in Rawalpindi die na twaalf uur vernederend en hard werk zijn *shalwar kameez* aantrok en achter op de brommer sprong van een vriend om avondlessen te volgen in een 'universiteit', ondergebracht boven een kruidenierszaak. Hij verdiende niet genoeg om de rit naar de school zelf te bekostigen en logeerde met vrienden op één kamer. Hij was voorkomend en trouw en niets was hem te veel om het mij naar de zin te maken. Op een avond trakteerde ik hem op een taxi naar zijn school en bezocht er de volle klassen in het uitgewoonde labyrint boven de winkel. Ik sprak over politiek met de studenten die er weliswaar uiteenlopende meningen op nahielden maar eensgezind waren in hun wantrouwen tegenover Amerika. Ik was onder de indruk van hun leergierigheid en kreeg andermaal het bewijs dat talent gelijk verdeeld is over volkeren, rassen en standen. Ik dacht aan de jongeren in het Westen, hun materialisme en de vanzelfsprekendheid waarmee ze in luxe baden.

De uitdaging voor het Westen komt minder van bin Laden dan van de jonge naties van deze planeet die in korte tijd onoverbrugbare achterstanden konden inlopen. Ondanks een dramatisch probleem van overbevolking zijn China en India erin geslaagd om in een kwarteeuw tijd economische en industriële reuzen te worden en hoofdrolspelers af te leveren aan de wereldeconomie. De vader van de Pakistaanse bom, A.Q. Khan, was dan wel een spion en een dief van militaire geheimen, maar hij wist wat hij stal. Mijn ervaring in het krakkemikkig schooltje op de rand van Rawalpindi overtuigde mij van het enorme potentieel van een jeugd die erg competitief in het leven staat. Om te ontsnappen aan armoede en ontmenselijking was onderwijs voor velen een weg. Anderen kozen voor godsdienst, misdaad of terrorisme.

Het bezoek aan de universiteit boven de kruidenierswinkel drukte mij ook met de neus op de erbarmelijke onderwijssituatie in Pakistan. In sommige streken zijn de armen aangewezen op koranscholen, madrasses, die veelal met Saudisch geld voorzien in basisbehoeften als voedsel en onderdak voor de kinderen. Officieel zijn er twaalfduizend zulke schooltjes maar hun aantal ligt aanzienlijk hoger. De dorpsmullahs, die veelal uiterst behoudsgezind zijn en amper geschoold, beloven een beter leven in het hiernamaals. Het onderwijs beperkt zich vaak tot het memoriseren van de koran. De madrassas zijn een gedroomd rekruteringsveld voor religieuze heethoofden. Vrijwel nergens gaan minder meisjes naar school dan in Pakistan en een kind op drie leert nooit lezen of schrijven.

Was Alan Greenspan een sombere oude man geworden? Was hij een prelaat die niet meer in God gelooft? De gevaarlijke inkomenskloof kon enkel worden verholpen door een broodnodige onderwijshervorming die jaren in beslag zou nemen én door tegelijk de grenzen te openen voor hooggeschoolde buitenlanders, wat de toplonen zou doen dalen. Nee, zei hij, ik ben geen pessimist. 'Het is niet toevallig dat de mens volhardt en vooruitgaat bij tegenspoed. Aanpassing is onze natuur, iets wat me diep optimistisch maakt over onze toekomst.'

Het aantrekkelijke was dat Greenspan sprak na een lang leven, met de afstand van een topwetenschapper die vertrouwd is met de hoogste kringen van de macht. De voorbije twintig jaar van ongeremde economische groei schreef hij niet toe aan zichzelf maar aan het einde van de Koude Oorlog. De impact van de economische ruïne achter het IJzeren Gordijn op de rest van de wereld was verpletterend geweest. Daarom had China voor een 'sluipend kapitalisme' gekozen.

Toen *Newsweek* hem vroeg wie hij het liefst president zag worden, was zijn antwoord: 'Is "geen" ook een keuze?'

De publiciteit rond Greenspan bracht in herinnering dat hij na de aanslagen van 11 september een beleid had gevoerd van erg lage rentevoeten dat uiteindelijk leidde tot de vastgoedcrisis die was uitgebarsten en weldra een financiële en economische wereldcrisis zou uitlokken.

In zijn 'economische Baedeker' was Greenspan niet wijdlopig over

Irak. Maar wat hij erover schreef maakte ophef. Het zinnetje: 'Het spijt me dat het politiek niet passend is om toe te geven wat iedereen weet: de oorlog in Irak gaat grotendeels om olie' ontketende een mediastorm en Greenspan haastte zich te verduidelijken dat hijzelf voor de invasie tegen het Witte Huis had gezegd dat het verdrijven van Saddam essentieel was voor de beveiliging van de olieroutes. Het is onzeker of het tamelijk ter-loopse advies van Greenspan groot gewicht in de schaal wierp van het oorlogskabinet dat al meteen na 11 september Irak viseerde. Maar als ze het hem vroegen, dacht hij dat Saddam uit was op de controle over de belangrijkste zeeëngte ter wereld, de Straat van Hormuz, aan de mon-ding van de Perzische Golf. 'Ik zeg niet dat dit het motief was van de regering, ik zeg enkel dat als iemand me vroeg: "Is het goed om Saddam uit te schakelen?", ik zou antwoorden dat dit essentieel was. Ik heb hen (Bush en Cheney) nooit echt horen zeggen "we moeten de olievoorraden beschermen" maar dat zou wel mijn motief zijn geweest...'.

Zijn mening was ondergeschikt maar ze vond wel een plaatsje in een geheim presidentieel directief. In een richtlijn van augustus 2002 stond op een lijst van doelstellingen in verband met Irak het 'minimaliseren van de verstoring van de wereldoliemarkt'. Aan het publiek was de oor-log onder meer verkocht met het argument dat de olie weldra rijkelijk zou vloeien, rechtstreeks van de bron naar de benzinetank.

De wereld mocht dan al verrast zijn over Greenspans uitspraken, 'de president en de vicepresident kennen mijn kritiek', zei hij. Hij had be-denkingen bij het gebrek aan fiscale discipline van de 'disfunctionele' regering-Bush. Zijn ontgoocheling was diep. 'Mijn grootste frustratie bleef de onwil van de president om zijn veto te stellen tegen ongecontro-leerde uitgaven. Dat niet gebruiken van zijn vetorecht werd het handels-merk van de regering-Bush. De politiek van samenwerken-niet-confron-teren was een grote fout.' De president gaf zomaar geld uit zonder zich zorgen te maken over de gevolgen. De oorlog ontsloeg hem van toezicht op de uitgaven. Die waren de pan uitgerezen. Voor de invasie was een goedkope cakewalk voorgespiegeld die zo'n zeventig miljard dollar mocht kosten en was een economisch adviseur ontslagen die de kosten drie keer zo hoog had ingeschat. Drie jaar later werden ze door de Nobelprijswin-naar Joseph Stiglitz van Columbia University geraamd op één tot twee biljoen dollar. Begin 2008 liep zijn raming op tot 3 biljoen.[69] 'Bush zegt dat we overdrijven, in werkelijkheid is onze schatting nog conservatief', zei Stiglitz. Hij had 'weinig vertrouwen' in de rekenkunde van de presi-dent, die het intussen hield op zeshonderd miljard. 'De operatie zelf kost twaalf miljard per maand en stijgt jaar na jaar. Daarmee alleen al kom je uit op ruim het dubbele van het officiële cijfer. Daarnaast is er de zorg voor de veteranen en het herstel van het leger op zijn sterkte van voor de oorlog en tenslotte de interesten op het geleende geld waarmee de oorlog is gevoerd.'

De drie biljoen van Stiglitz hielden geen rekening met de olieprijs die volgens alle economen die hij erover aansprak onder meer door de oorlog zo sterk was gestegen. De olieprijs is niet toevallig begonnen aan zijn steile klim toen Amerika Irak binnenviel, zei Stieglitz. Hij verwees naar de strijd die voor de aanslagen van 11 september binnen de Amerikaanse regering woedde tussen de olielobby en de neoconservatieven. Al kort na het aantreden van Bush begonnen de olie-industrie en Buitenlandse Zaken plannen te maken om Saddam Hoessein te vervangen. Net voor de invasie werd het plan van de oliesector terzijde geschoven en koos de regering voor een geheime blauwdruk van de neoconservatieven die in de Iraakse olie een middel zagen voor de vernietiging van de OPEC, de organisatie van olie-uitvoerende landen. Er moest massaal boven de afgesproken quota worden geproduceerd, dat was de afspraak op het moment dat Bagdad viel.

Zoals de meeste neoconservatieve prognoses was ook deze fout. Toen de Amerikaanse onderkoning Paul Bremer tot de privatisering overging en de veiling aankondigde van de Iraakse olie-industrie, twijfelde geen enkele Irakees nog over de ware intenties van de invasie. Het verzet kreeg wind in de zeilen en stortte zich in die eerste maanden van de bezetting bij voorkeur op de olie-installaties en kwetsbare pijplijnen. Daardoor gutste de olie niet in beken, zoals verhoopt, maar bleef de productie jarenlang onder het peil van voor de invasie. De veiligheidssituatie bekoelde de geestdrift van de oliegiganten en de uitverkoop van de Iraakse industrie werd uitgesteld. De Iraakse oliesector kwam onder de leiding van Philipp Carroll, de voormalige ceo van Shell Oil USA, die weigerde mee te werken aan het privatiseringsplan. Op het kantoor van oud-minister James Baker, vriend van vader Bush en advocaat van Exxon-Mobil en de Saudische regering, werden tegen januari 2004 plannen uitgewerkt voor de oprichting van een nieuwe Iraakse staatsoliemaatschappij. De Amerikaanse oliemaatschappijen wilden geen herhaling van de privatisering van de Russische sector toen ze geen kans kregen om te bieden op de voorraden. Ze voelden ook niets voor een ondermijning van de OPEC en waren best tevreden met de hoge olieprijs. Ze noemden de neoconservatieven schamper 'theologen'. Wij zijn pragmatische commerciële organisaties, zei Carroll.

De schadelijke economische gevolgen van een bodemloze oorlogsput werden niet gedragen door de bevolking. Integendeel, de bevolking werd aangemoedigd om het officiële voorbeeld te volgen en te consumeren op krediet. 'Vlieg naar de grote Amerikaanse bestemmingen. Ga naar Disney-land, in Florida, neem je gezin mee en geniet van het leven op de manier waarop wij willen dat je ervan geniet', zei Bush tegen de Amerikanen twee weken na 9/11. De consumptieboom eindigde in een diepe econo-mische crisis. Dat verhoogde de uiteindelijke kost dramatisch. Veertig procent van het exorbitante deficit dat onder Bush werd opgebouwd en bij zijn afscheid was opgelopen tot bijna 500 miljard dollar, was geleend in het buitenland. De aflossing moest leiden tot een daling van de levens-standaard. De oorlog werd gevoerd op andermans kosten en met een beroepsleger dat in zijn voegen kraakte en soldaten leverde die drie tot vier keer terug moesten naar het vreselijke Irak. Zo'n 52.000 soldaten hadden een blijvend geestelijk letsel opgelopen en Stiglitz raamde dat 40 procent van de soldaten die in Irak waren geweest een uitkering zouden krijgen. De enige winnaars in dit verhaal waren de oliemaatschappijen en de defensie-industrie. De grote kampioen was Halliburton, de maat-schappij waarvan Cheney tot zijn aantreden als vicepresident ceo was. Het grootste slachtoffer was Irak, dat intussen van de helft van zijn artsen was beroofd, kampte met een werkloosheid van 25 procent, in de hoofd-stad vrede moest nemen met enkele uren elektriciteit per dag en miljoe-nen ontheemden telde. De wereld en Amerika zouden voor dit onzalig avontuur nog tientallen jaren betalen, voorspelde de Nobelprijswinnaar.

De bitterheid was ook groot bij sommige voormalige medestanders van de president. De neoconservatieve filosoof Francis Fukuyama sneer-de 'als Bush aan het Amerikaanse volk honderden miljarden dollar en duizenden mensenlevens had gevraagd om de democratie te gaan instal-leren in Irak, dan zou hij voor de rechtbank zijn uitgelachen'. De rege-ring had de kosten van de oorlog met een factor 28,57 onderschat. In het bedrijfsleven wordt wie een onderschatting maakt van maar 2,857 op staande voet ontslagen, zei een economist.

Op 20 september verschenen in Boston, San Francisco, Philadelphia, Chicago en andere Amerikaanse steden spandoeken waarop stond dat de oorlog in Irak 720 miljoen dollar per dag kostte, 500.000 dollar per mi-nuut. Dat was genoeg om dagelijks een huis te kopen voor 6500 Ameri-kaanse gezinnen, of voor gezondheidszorg voor 423.529 kinderen of om 1,27 miljoen huizen te voorzien van hernieuwbare elektriciteit. Bij het kostenplaatje was geen rekening gehouden met gevolgen op langere ter-mijn, zoals de hoge olieprijs of het verlies van afzetmarkten wegens toe-nemende anti-Amerikaanse sentimenten. Volgens experts had het con-flict al 2.200.000.000.000 dollar gekost, intresten niet meegerekend.

Greenspan was niet de man van de publiciteit of de controverse. Al snel verdween hij weer naar de achtergrond. Maar op 23 oktober 2008, toen de beurzen waren losgeslagen door de kredietcrisis, verscheen hij voor het Huis van Afgevaardigden om tekst en uitleg te geven bij het tumult. Het inmiddels 82-jarige voormalige orakel van Wallstreet, de architect van de economische boom, bekende ootmoedig. Hij had zich veertig jaar lang vergist, zei hij. Hij had geloofd dat de vrije markt zelfcorrigerend was. Ik verkeer in een staat van geschokt ongeloof, gaf hij toe. Greenspan werd met de vinger gewezen voor de financiële en economische ellende omdat hij te lang de intrestvoet uiterst laag had gehouden en de frauduleuze vastgoedkredieten niet had ingetoomd. Ik heb een fout ontdekt, zei Greenspan, een crisis van deze omvang had ik niet verwacht Hij zag een 'krediet-tsunami, zoals maar een keer in een eeuw voorkomt'.

Een voormalig voorzitter van de Securities and Exchange Commission zei dat Greenspans verzet tegen regulering alles te maken had met zijn diepe minachting voor de regering. Nooit was er iemand die vroeg wat hij precies bedoelde, al begreep men meestal geen snars van wat hij zei. Greenspan wees naar de inhalige bankiers die steeds grotere risico's hadden genomen. Dat had ogenschijnlijk weinig te maken met de politieke en militaire catastrofe die zich in het Bushtijdperk had voltrokken, maar dezelfde mentaliteit lag eraan ten grondslag. De oude Grieken zouden hebben gesproken van hybris, Vlamingen van hoogmoed voor de val, en ook de Amerikanen hebben er een woord voor: *what goes up must come down.* 'Niet alleen zijn individuele financiële instellingen minder kwetsbaar geworden voor schokken, ook het hele financiële systeem heeft meer weerstand gekregen', zei Greenspan in 2004. Die uitspraak spreekt van dezelfde overmoed waarmee Bush ten strijde was getrokken.

Osama bin Laden had gespeculeerd op het economisch effect van 11 september. Greenspan bewees hem een perfecte dienst. De Dow Jones noteerde op 17 september, toen Wall Street heropende na de aanslagen, een verlies van 7,1 procent, de grootste val ooit op dat moment. Het antwoord van Greenspan was een dramatische verlaging van de rente van 3,5 tot 1 procent in een jaar tijd, waarmee hij een kredietbonanza ontketende. Daar werden eind 2008 de bittere vruchten van geplukt.

Islamistische websites verheugden zich in dit nieuwe bewijs van de naderende val van de satan. IslamOnline wees op het groeiend aantal Amerikaanse daklozen en mensen die leefden van voedselbonnen. Een diep zwart gat van wanhoop opent zich, zei de populaire Jazeera-imam Qaradawi, dit is een 'economische 11 september'. De crisis had de Amerikaanse psyche opnieuw in de greep gebracht van de angst, op een manier zoals na 11 september.

Blackwater out

BAGDAD (IRAK) - *Veel tijd had Bush niet om stil te staan bij wat Greenspan over hem zei of schreef. Immers, de dag na het verschijnen van zijn memoires, was er weer herrie in Bagdad. Blackwater, het grootste van de privélegertjes in Irak, werd door de regering-Maliki uit het land gezet.*

Op 16 september waren agenten van de privébewakingsmaatschappij betrokken geraakt bij een schietpartij met acht Iraakse doden. De bewakingsfirma was een eerste keer in het nieuws gekomen in 2004, toen vier van zijn agenten werden vermoord in Falluja en hun lijken aan een brug werden opgehangen. De beelden van de bengelende kadavers en de dansende Irakezen waren de wereld rondgegaan.

Irak wilde de mannen van Blackwater vervolgen maar ze genoten immuniteit dankzij verordening nr. 17 die Bremer op 27 juni 2004 had uitgevaardigd. Daarin stond in kapitaaltjes: 'NIETS IN DEZE VERORDENING BEPERKT UW INHERENT RECHT OM DE NODIGE ACTIE TE ONDERNEMEN OM UZELF TE BESCHERMEN.' Dezelfde verordening gaf aan de beveiligingsbedrijven onschendbaarheid voor de Iraakse wet. Bedrijven die werkten voor Defensie hadden het voorbije jaar die straffeloosheid wel beperkt, maar Blackwater werkte voor Buitenlandse Zaken. Daar had het bedrijf sinds de invasie 678 miljoen dollar van gekregen. Het had in Irak al 25 mannen verloren op een totaal van duizend. Niemand wist hoeveel 'huurlingen' er in Irak waren. Volgens *The New York Times* waren het er dertigduizend. Dat was een voorzichtige schatting. De ramingen varieerden van twintig tot vijftigduizend en meer.

De schietpartij had zich voorgedaan tijdens een beschermingsopdracht voor een Amerikaans diplomatiek konvooi., een routineopdracht voor Blackwater dat pas nog lof had gekregen van ambassadeur Crocker. Het bedrijf had 845 agenten die instonden voor de veiligheid van de Amerikaanse diplomaten in Irak. De stichter van Blackwater, Erik Prince, had bij de Navy Seals gediend en zijn rijke, conservatieve en diep religieuze familie onderhield allang uitstekende betrekkingen met de republikeinse partij.[70]

Blackwater zei dat zijn agenten onder vuur waren gekomen en dat er bomauto's waren ontploft toen het konvooi passeerde aan het Nissour-plein in West Bagdad.[71]

De reputatie van hun agenten was niet onverdeeld gunstig. Veel Irakezen vonden ze schietgraag. Maar ook het Amerikaans leger was niet blij met de cowboys. Begin 2007 had het nog geweigerd om bijna twintig miljoen dollar te storten op rekening van Cheney's Halliburton, toen aan het licht kwam dat het bedrijf Blackwater had ingehuurd.

Een voorlopig Iraaks onderzoek wees uit dat de agenten niet in een hinderlaag waren gevallen zoals het bedrijf zei, maar dat ze het vuur hadden geopend op een auto die niet was ingegaan op het bevel om te stoppen toen de diplomatieke karavaan van vier auto's het plein opreed. De inzittenden, een echtpaar en hun kind, werden gedood. Er was ook geschoten vanuit helikopters van Blackwater. In totaal waren er volgens het rapport twintig doden. De Amerikaanse ambassade in Bagdad zag zich gedwongen om alle diplomatieke uitstappen buiten de Groene Zone en in heel Irak op te schorten.

De mannen van Blackwater huisden in de Groene Zone in een afgeba-kend lichtgrijs containerdorp achter metershoge betonnen muren, staal- en prikkeldraad. De grijze zone binnen de Groene Zone telde twee zwaar-bewaakte ingangen. De ingezetenen hadden contractuele zwijgplicht.

Blackwater was niet onderworpen aan de legervoorschriften over het gebruik van aanvalswapens of de rapportage van incidenten. De firma behoefde geen licentie van het Iraaks ministerie van Binnenlandse Za-ken, zoals andere beveiligingsfirma's en had geen systeem waarmee de agenten konden worden getraceerd. Blackwater was *untouchable* en stond boven de wet. Binnenlandse Zaken in Bagdad zei dat er sinds het begin van het jaar minstens zes incidenten waren geweest waarbij Blackwater het vuur had geopend en zeker tien mensen had gedood.

Drie dagen na het uitwijzingsbevel was Blackwater 'na ruggespraak met de Iraakse regering' opnieuw in het straatbeeld als 'beschermer' van de Amerikaanse diplomaten.

Eind september zei Buitenlandse Zaken in Washington dat Blackwater in de loop van het jaar betrokken was bij 56 schietpartijen. Het was voor het eerst dat de regering dergelijke informatie vrijgaf. De mannen van Blackwater grepen twee keer sneller naar hun wapen dan collega's die dezelfde of vergelijkbare opdrachten uitvoerden. Enkele dagen later volg-de een rapport van het Congres dat niet mals was voor Blackwater en evenmin voor Buitenlandse Zaken dat geen behoorlijk toezicht hield op de firma. Bijna anderhalve keer per week waren de agenten betrokken bij een of andere schietpartij. Soms deden ze ook mee aan offensieve opera-ties van het Amerikaans leger, wat ze eigenlijk niet mochten en bij incidenten schoot Blackwater meestal als eerste. De werknemers waren geen doetjes. In drie jaar tijd waren 122 agenten ontslagen wegens gewelddadig gedrag, misbruik van hun wapens en alcohol- of drugsmisbruik.

Op 7 oktober deelde Maliki de conclusies mee van het Iraaks regeringsonderzoek. 'Opzettelijke moord', luidde het, er was 'geen aanleiding' voor de schietpartij. Het rapport sprak van 17 doden en 27 gewonden, zei dat de schuldigen moesten worden berecht en dat de slachtoffers schadevergoeding moesten krijgen.

Op 24 oktober nam de directeur van het diplomatiek veiligheidsbureau in Washington onverwacht ontslag. Hij moest toezicht houden op Blackwater en het Congres was er achter gekomen dat dit te wensen overliet. Het diplomatiek veiligheidsbureau had 1450 eigen lijfwachten, maar die konden het werk niet meer aan sinds de oorlogen in Afghanistan en Irak. Daarom was het uitbesteed aan veiligheidsfirma's. Het ging om miljardencontracten waarop het bureau niet was voorbereid. Het FBI begon een onderzoek in de hoog beveiligde basis van Blackwater in de Groene Zone van Bagdad.

Blackwater zette alle zeilen bij en huurde de beste advocaten, lobbyisten en persadviseurs van Washington, nu de grote baas Erik Prince moest getuigen voor het Congres. Hun boodschap kwam erop neer dat alleen werd uitgevoerd wat Buitenlandse Zaken opdroeg, dat geen enkele diplomaat onder de bescherming van zijn agenten het leven had verloren maar dat wel dertig agenten waren gedood en dat er genoeg ander werk was indien het contract van 1,2 miljard dollar met Buitenlandse Zaken zou worden geannuleerd. Prince, die de media altijd had geschuwd, verscheen in alle talkshows om te bewijzen dat hij geen zeerover was met papegaai op zijn schouder, een ooglap en een houten been. Maar er zaten wel een paar cowboys in de top van het bedrijf, zei een voormalige werknemer.

De omerta werd geschonden aan de basis. Verschillende agenten van het grijze kamp in de Groene Zone praatten met *The New York Times*. Het was waarschijnlijk geen goed schot, zeiden sommigen. Moet je zeventien mensen doden wegens een mogelijke dreiging, vroegen anderen.

Het kamp wemelde intussen van de rechercheurs. Er was een nieuw contingent veiligheidsagenten naar Bagdad gestuurd om toe te zien op het werk van Blackwater. Met het FBI was ook een zwerm advocaten neergestreken in het containerkamp waar de agenten huisden in kleine celletjes met gemeenschappelijk sanitair. Ontspanning was er weinig en eten moest binnen de omheining. Het grootste genot was zonnebaden bovenop de containers. Voor sommigen liefst naakt. Daar was een einde aan gekomen toen vrouwelijk helikopterpersoneel zich daarover had beklaagd. Die mooie tijd was voorbij. De agenten mochten de Groene Zone enkel verlaten tijdens het werk en meestal zonder tolken. Dan moesten ze voortdurend oordelen of een gebaar, een kreet of een blik volstonden om te reageren met geweld. Er waren spanningen tussen Blackwater en de Iraakse politie op het moment van het incident. De gangbare mening was dat op de collega's was geschoten met kalasjnikovs door daders die konden vluchten toen Blackwater antwoordde met de grote middelen. Hoelang duurt het voor een dode terrorist een dode burger is, vroeg iemand. Zoveel tijd als je nodig hebt om een kalasjnikov weg te nemen van een lijk.

Op 8 december werden vijf agenten van Blackwater voor de rechter gedaagd voor het incident van 16 september. De aanklacht omvatte veertien gevallen van vrijwillige doodslag en twintig pogingen daartoe. De advocaten voerden wettige zelfverdediging aan maar het FBI veegde dat argument van tafel. De recherche had een van de moeilijkste onderzoeken gevoerd uit zijn geschiedenis en kwam tot conclusies die in de lijn lagen van wat de Iraakse regering en het Amerikaanse leger hadden gezegd. Geen van de slachtoffers was gewapend en geen van hen was een opstandeling. Het vuur was geopend op burgervoertuigen die geen bedreiging vormden en de vijf beklaagden hadden geen greintje respect getoond voor het menselijk leven en de waarden van de Amerikaanse grondwet. De aanklacht was mogelijk dankzij een van de agenten die schuldig had gepleit. Hij had gezegd dat zonder waarschuwing automatische geweren en granaatwerpers waren gebruikt. De aanklacht was een eerste test voor de regering om de veiligheidsbedrijven verantwoordelijk te stellen voor misdaden die in een ander land waren begaan, al bleef Blackwater zelf buiten schot.

Kort na het aantreden van president Obama in januari 2009 vernam Washington dat Irak de licentie voor Blackwater niet zou verlengen.

Blackwater en de 180 andere huurlingenlegertjes die in Irak opereerden, goed voor een vijfde van de buitenlandse troepenmacht, waren binnengehaald toen Irak veel gevaarlijker bleek dan was gedacht. Ze bleven in de westerse media onderbelicht. Het onderwerp vertegenwoordigde geen kwart procent van het totale nieuwsaanbod over Irak, ondanks hun unieke rol in de militaire geschiedenis en de banden van Blackwater met de republikeinse partij en Halliburton. In ruim vier jaar hadden 90 van 440 onderzochte Amerikaanse media er alles samen geen 250 verhalen over gebracht, ruim 200 ervan in de schrijvende pers,[72] overnames van kopij en herhalingen inbegrepen. Amper 7 procent waren achtergrondstukken. Twee lokale kranten uit Virginia, waar Blackwater gevestigd was, brachten het gros van de berichtgeving over het onderwerp, samen 158 stukken. Er waren twee pieken: de gruwelijke moord op enkele agenten van Blackwater in Falluja, op 31 maart 2004, goed voor ruim een kwart van de totale verslaggeving, en iets minder toen drie jaar later over Blackwater, 'het machtigste huurlingenleger ter wereld' een boek verscheen van Jeremy Scahill (*Blackwater: The Rise of the World's Most Powerful Mercenary Army*, Nation Books, NY, 2007).

De duivel verklaart de oorlog

ISLAMABAD (PAKISTAN) - *'Het is de plicht van de Pakis-*

taanse moslims om een heilige oorlog te voeren en Pervez (Musharraf) te verdrijven,

zijn regering en zijn handlangers.' Osama bin Laden verklaarde Musharraf op

20 september 2007 de oorlog. Dat deed hij in alweer een nieuwe boodschap, onder

de titel 'Sluit aan bij de heilige oorlog', gemonteerd op recente beelden van zichzelf.

Het was de derde boodschap van de terroristenleider in die maand en de
eerste met een expliciet dreigement. Bin Laden verklaarde Musharraf de
oorlog in het land waar zijn populariteit die van zijn tegenstander ruim-
schoots overtrof. De reden was de manier waarop de generaal twee maanden tevoren een einde had gemaakt aan de bezetting van de Rode Moskee. Dat had zijn contactlijnen met al-Qaeda en de taliban doorgesneden.
Bomaanslagen, moorden en ontvoeringen van soms grote legercontin-
genten waren sindsdien schering en inslag tot ver buiten de provincies die
grenzen aan Afghanistan.

'De bestorming van de Rode Moskee in Islamabad toont aan dat
Musharraf trouw, onderworpen en hulpvaardig wil blijven aan de Amerikanen tegen de moslims. Daarom is een gewapende opstand om hem
ten val brengen een plicht', zei bin Laden. De video werd ernstiger genomen dan beide voorgaande, al waren ook die uitzonderlijk omdat het
drie jaar geleden was dat er nog video's van bin Laden waren. Zelden
was hij zo concreet als in zijn oorlogsverklaring aan Musharraf.

Tegelijk was er een video van de nummer twee van al-Qaeda, al-Za-
wahri. Ook die riep op tot wraak voor wat hij noemde 'de moord op
Abdul Rashid Ghazi', de leider van de Rode Moskee, en zijn medestan-
ders. Het Pakistaanse leger brandmerkte hij als 'een meute jachthonden
onder het kruisbeeld van Bush'. De legerleiding zei dat ze zich niet liet
beïnvloeden. 'We vechten nu al tegen extremisten en terroristen en daar
komt geen verandering in', zei generaal-majoor Waheed Arshad, de legerwoordvoerder.

De olieprijs,

de raids op de London Stock Exchange en Carlyle

DOHA (QATAR) EN DUBAI (VAE) - *Op 20 september, de dag*

dat bin Laden de gewapende opstand predikte, kondigde de investeringsautoriteit van

Qatar (QIA) aan dat ze twintig procent had verworven van de Londense beurs. Daar

was 1,3 miljard euro voor betaald aan Nasdaq, dat zijn aandeel op 20 augustus te

koop had gesteld. De komst van Qatar werd niet als zorgwekkend beschouwd. Men zag

het emiraat als 'een investeerder op lange termijn en in de lijn van de beursstrategie'.

Dezelfde dag zei de beurs van Dubai dat ze een partnerschap had genomen met Nasdaq. Dat leverde Dubai 28 procent op van de beurs van Londen. Nasdaq kreeg in ruil de controle over de Noorse operator OMX, de bestuurder van de Oostzee-beurzen van Kopenhagen, Stockholm, Helsinki, Reykjavik, Riga, Tallinn en Vilnius. Nasdaq en de beurs van Dubai hadden aanvankelijk gestreden om OMX. Maar nu was overeengekomen dat Nasdaq een strategische partner zou worden op de wisselmarkt van Dubai.

Daarmee kwam bijna de helft van de London Stock Exchange in handen van twee emiraten in de Perzische Golf. Niet iedereen dronk champagne. Qatar had erop gerekend om alléén het leeuwendeel van de Stock Exchange in de wacht te slepen. Het kocht ook tien procent van OMX, wat wees op een nakende oorlog tussen de twee rivalen in de Golf over de Noorse reus. De beurs van Londen, 206 jaar oud, is de derde van Europa. 'Voorlopig' was Qatar niet van plan te bieden op de volledige beurs.

In tegenstelling tot de pogingen van Dubai in 2006 om een aantal Amerikaanse havens te kopen, riep deze transactie weinig vragen op. 'Dit was een andere kwestie', zei Nancy Pelosi, voorzitter van het Huis van Afgevaardigden, 'toen was er een veiligheidsprobleem. Dit is een zaak van de markt.'

Haar partijgenoot Charles Schumer, voorzitter van de Amerikaanse

Senaatscommissie Economie, dacht daar anders over. 'Kunnen we accepteren dat buitenlandse regeringen onze beurzen overnemen en hoeveel controle en invloed van die regeringen kunnen we toestaan?', vroeg hij. Het was volgens hem zonneklaar dat de deal een grote invloed gaf aan een buitenlandse regering over een kritiek deel van de Amerikaanse economische infrastructuur.

De financiële pagina leverde nog meer nieuws op. Op de dag van de raid op de Stock Exchange, stemde de Carlyle groep in met de verkoop van een minderheidsaandeel aan de Verenigde Arabische Emiraten, waar Dubai een van is. Mubadala Development Company, dat eigenaar werd van de aandelen, was het jachtdomein van kroonprins Mohammed Bin Rayed al-Nahayan, de jongere broer van de president

Carlyle is een machtige, relatief jonge investeringsmaatschappij die nummer twee in de wereld werd onder de leiding van voormalige topfiguren van de republikeinse partij, en gelijkgestemde ex-toppolitici uit de rest van de wereld. De bedrijven van de groep boden werk aan 286.000 mensen en waren goed voor 87 miljard aan inkomsten. Eigenlijk had Carlyle maar twee rivalen: de Blackstone Group en Kohlberg Kravis Roberts. Naast de Britse oud-premier John Major en de Filippijnse ex-president Fidel Ramos, ex-minister van Buitenlandse Zaken James Baker en oud-defensieminister Frank Carlucci[73] (voorzitter en later, tot 2005, voorzitter-emeritus) was tot voor kort ook de familie bin Laden erin vertegenwoordigd. Bush sr. was er adviseur van voor Saudi-Arabië, waar hij soms de gast was van de bin Ladens. De ex-politici hadden zich na 11 september meestal geruisloos teruggetrokken. Zo ook de bin Ladengroep, die in oktober 2001 zijn aandeel van 2,02 miljoen dollar verkocht aan de groep. Toch hing over Carlyle nog een geur van belangenvermenging.

De VAE kregen een aandeel van 7,5 procent voor een som van 1,35 miljard dollar. Een korting van 10 procent op de officiële prijs. De aankondiging was een pint vers bloed voor een markt die verwelkte.

De uiteindelijke vraag was hoe gezond de greep was die de oliestaatjes aan de Golf dankzij de exorbitante olie-inkomsten aan het verwerven waren op de westerse economie. Dat was ook een vraag naar hun stabiliteit.

De tsaar en de olie

TEHERAN (IRAN) - Het gezaghebbende Russische persbureau

Interfax vertelde het: volgens de inlichtingendienst was een aanslag, mogelijk een ont-

voering, beraamd tegen president Putin tijdens zijn bezoek aan Teheran voor de top

van de vijf oeverstaten van de Kaspische Zee. Een zelfmoordcommando, zei Interfax.

Het bericht werd meteen tegengesproken door Iran. Toch was er een aarzeling en was het even onzeker of Putin wel zou afreizen, maar de president nam uiteindelijk de spanning zelf weg door te zeggen dat hij het huis niet meer uit zou kunnen, mocht hij met alle waarschuwingen rekening houden. Wie stond Putin naar het leven? De enigen die daar echt voor in aanmerking kwamen, waren de Tsjetsjenen. Die hadden ook de schuld gekregen van twee eerdere complotten, een in Oekraïne in 2000 en een tweede in Azerbeidzjan het jaar daarop.

Putin arriveerde in Teheran in de vroege ochtend van 16 oktober. Kort tevoren had hij gezegd dat er geen bewijzen waren dat Iran werkte aan een kernwapen en dat Moskou onder geen beding gewonnen was voor geweld om de ayatollahs in het gareel te krijgen. Enkele uren na zijn aankomst was er een verklaring van de vijf Kaspische landen (Rusland, Iran, Azerbeidzjan, Kazachstan en Turkmenistan) dat geen van hen zou helpen bij een aanval tegen een van hen door een derde land. Die afspraak moest de geruchten ontzenuwen dat de Amerikanen de beschikking zouden krijgen over de militaire bases in Azerbeidzjan bij een militair conflict met Iran.

Over een ander heikel punt was er minder eensgezindheid. De vijf bleven verdeeld over wie de olierijke bodem van de Kaspische Zee toekwam. Iran wilde vijf gelijke delen, maar Rusland, Kazachstan en Azerbeidzjan wilden de kustlengte van de oeverstaten als uitgangspunt nemen. Ook bleef de wrevel over het Russische getreuzel bij de afwerking van de kerncentrale in de Zuid-Iraanse havenstad Bushehr. Putin zei dat de oorspronkelijke installatie die nog dateerde uit de tijd van de Sjah, verouderd was en liet zich niet vastpinnen op een opleveringsdatum.

Het was de eerste reis naar Teheran van een Russisch staatshoofd sinds Stalin er in 1943 confereerde met Churchill en Roosevelt. Zonder

zich te storen aan de bedenkingen van het Westen nodigde Putin Ahmadinejad uit voor een tegenbezoek. De top was een succes voor Teheran,
dat zijn isolement doorbroken zag, en ook voor Moskou, dat duidelijk
kon maken dat het weerstond aan de Amerikaanse druk. Voor Teheran
wenkte nu het perspectief van een volledig lidmaatschap van de Sjanghai-
groep die een tegengewicht wilde zijn voor de Amerikaanse hegemonie.

De dood dwaalt nooit in een ruïne

BATNA (ALGERIJE) - *Op de dag dat bin Ladens boodschap*

werd uitgebracht probeerden zijn volgelingen de Algerijnse president Bouteflika te ver-

moorden. Bouteflika was op bezoek in Batna, vierhonderd kilometer ten oosten van de

hoofdstad Algiers, op een tournee die de geruchten moest ontkrachten over zijn zwakke

gezondheid.

Batna was een plaats met geschiedenis voor de jihadi's. In de vlakbijgelegen bergen van Oustili was in 1996 de GSPC ontstaan, de Groupe
Salafiste pour la Prédication et le Combat, de moederschoot van al-Qaeda
in de Maghreb.

Vlakbij de al-Atikmoskee was een grote menigte verzameld om de
president te zien. Midden in de massa stond de dader, volgens ooggetuigen een man van 30-35 jaar, die zijn bom tot ontploffing bracht. De aanslag mislukte door zijn nerveuze gedrag. Er waren minstens 22 doden.
Dezelfde dag nog zei Bouteflika op een bijeenkomst van oud-strijders
dat 'de terroristen werken voor rekening van buitenlandse hoofdsteden
en buitenlandse leiders'. Wat bedoelde Bouteflika?

Twee dagen later pleegde al-Qaeda een tweede zelfmoordaanslag in
de marinekazerne van Dellys, een havenstadje in Kabylië, zeventig kilometer ten oosten van Algiers. Er waren dertig doden en nog veel meer
gewonden van wie velen er ernstig aan toe waren. De aanslag was een
kopie van die op de kazerne van Lakhdaria twee maanden tevoren. Ook
nu explodeerde de bomauto tijdens de groet aan de vlag en ook hier
bleek een leverancier van levensmiddelen te zijn ontvoerd en vervangen
door een kamikaze. Het was een krachtige explosie die de ruiten aan diggelen sloeg in de wijde omgeving.

Op de vraag of ook de oude kashba van Dellys veel schade had opgelopen, zei een bewoner: 'De dood dwaalt nooit in een stad die al een
ruïne is.' Hij zei ook dat de ontwikkeling van het land abrupt was stilgevallen sinds de opkomst van het terrorisme vijftien jaar geleden. Wie in-
vesteert er wanneer hij voortdurend wordt lastiggevallen door islamisten
die losgeld eisen en belastingen heffen? Vanwaar deze laksheid van de

burgermaatschappij?, vroeg de plaatselijke *La Dépeche de Kabylie* zich af. Stel je eens voor, schreef de krant, wat er zou zijn gebeurd als Bouteflika was gedood in Batna. 'De kleine "verbetering" die het land heeft gekend sinds 1999 en de nationale verzoening zouden op de helling komen. Het land zou economisch en diplomatiek geïsoleerd worden en op nationaal vlak in de grootste politieke onzekerheid belanden! Dat alles omdat de islamisten erin zouden geslaagd zijn het staatshoofd te vermoorden.'

De krant vond het hoog tijd dat de ideologen en predikanten werden aangepakt en sprak van een cultuurconflict. 'Hebben diegenen die erin zijn geslaagd om van onze jongeren wandelende bommen te maken, Rousseau gelezen of Montesquieu of Diderot? Natuurlijk niet, ze zijn de volgelingen van bin Laden en Zawahiri, twee goeroes van wie de discipelen bij ons een vruchtbare bodem aantreffen voor hun macabere projecten.' Volgens de krant perverteerden conservatieve, islamiserende krachten het charter voor de nationale verzoening door elke modernisering van het onderwijs te weigeren.

De dader van de aanslag in Dellys, Nabil Belkacem, was een schuchtere jongen van vijftien en een voorbeeldige scholier. Begin 2007 hadden zijn vrienden hem zien veranderen. Hij had het dikwijls over Irak en de Amerikaanse misdaden en vond het de plicht van elke rechtgeaarde moslim om het geloof te verdedigen. In april was hij plots verdwenen. Een tijdje later liet hij zijn moeder weten dat hij alles wilde doen om 'deze hel' te ontvluchten. 'Dat bevestigt de nieuwe rekruteringsmethode van de GSPC: jongeren doen geloven dat ze gaan vechten in Irak, maar ze uiteindelijk verplichten om aanslagen te plegen in Algerije onder bedreiging van represailles tegen hun familie', schreef de Algerijnse krant *Liberté*.

De jihad was voor zijn leiders een winstgevende business. Er werden fortuinen vergaard met ordinaire roofovervallen op onder meer postkantoren en banken en het belasten van de middenstand en het bedrijfsleven. Velen maakten van de amnestie gebruik om geld wit te wassen en zich comfortabel te nestelen in de reguliere handel. Amar Mohamed, directeur-generaal bij het ministerie van Justitie, zei dat het geen twijfel leed dat het terrorisme in Algerije werd gefinancierd door de drugshandel.

Zelfmoordaanslagen waren in Algerije relatief nieuw. De eerste was pas gepleegd op 31 oktober van het jaar tevoren. Was dat het entreekaartje voor al-Qaeda van de Groupe Salafiste pour la Prédication et le Combat?

Algerije was in shock na de twee moorddadige aanslagen en vroeg zich af waarom het geweld na een relatief rustige periode weer was opgelaaid. Bouteflika's politiek van nationale verzoening kwam onder druk.

Een slag in het gezicht van de politiek

RABAT (MAROKKO) - *De Maghreb was echter nog niet ver-*

loren. Bij de verkiezingen in Marokko was de islamistische Partij voor Rechtvaardig-

heid en Ontwikkeling (PJD) niet geslaagd in de verwachte doorbraak. Ze had op

80 parlementszetels gerekend maar moest vrede nemen met 46. De PJD was sterk in

de steden maar vrijwel onbestaand op het platteland.

De grote overwinnaar was de nationalistische Istiqlal met 52 zetels, een vooruitgang met 4. 'Het geld heeft gevloeid in beken doorheen het verkiezingssysteem', zei de nummer twee van de PJD. 'We hebben er de bewijzen van en we betwisten de uitslag. Dat is niet alleen triestig voor ons maar ook voor de Marokkaanse democratie.' De socialisten, die samen met Istiqlal hadden geregeerd, kregen een enorme klap. Van de eerste partij, met 50 zetels, zakten ze naar de vijfde plaats. Ze hielden nog 38 zitjes over.

Washington had groot belang gehecht aan de stembusgang, die het bewijs kon leveren dat democratie in de moslimlanden het extremisme indijkt. Twijfel over de transparantie van de stembusgang en de betrouwbaarheid van de resultaten was voedsel voor de verdenking van manipulatie in opdracht van Amerika. Zo'n samenzweringstheorie paste bij een interpretatie van de aanslagen in het buurland Algerije als een door de CIA geënsceneerde waarschuwing aan het adres van de Marokkaanse kiezers. Dit soort theorieën is populair waar de macht in het duister opereert.

Onder leiding van de voormalige Boliviaanse presidentskandidaat Jorge Ramirez[74] hadden 52 internationale waarnemers uit 19 landen voor het eerst op de Marokkaanse verkiezingen toegezien. Ze vonden het verloop ervan 'transparant'. Van corruptie kon zijn commissie niet getuigen, zei Ramirez. Toen de Marokkanen die avond van 7 september hun minister van Binnenlandse Zaken op televisie hoorden zeggen hoe laag de opkomst was, troostten ze elkaar. 'Tenminste één die ons de waarheid vertelt.'

De lage opkomst was een slag in het gezicht van de politiek. Twee

dagen voor de verkiezingen hadden de drie grootste coalitiepartijen gezegd dat ze elkaars lot verder zouden delen[75] – in de regering of in de
oppositie. Daarmee stond de Marokkaanse kiezer voor het dilemma: de
populistische, gematigde islamisten of de regering, de bekende keuze
tussen 'wij of de chaos'. Het kabinet had weinig in huis gebracht van zijn
programma van armoedebestrijding, betere gezondheidszorg en onderwijs. Dus bleef de kiezer thuis.

De politiek maagdelijke PJD had gehoopt dat een massale opkomst
zou leiden tot een politieke omwenteling. Dat was niet gelukt omdat de
PJD zijn aanhang in dit land, waar ruim de helft van de bevolking anal-
fabeet is, had overschat en omdat te weinig kiezers de PJD een kans wilden geven, al speelde de teleurstellende opkomst ook tegen de andere
partijen.

Naast de aanslag in Algerije, de dag vóór de verkiezingen, was ook de
herinnering vers aan de mislukte 'aanslag van Meknès'. Op 13 augustus
had een man van dertig zich daar opgeblazen vlakbij een toeristenbus.
Het enige slachtoffer was de dader zelf die een arm verloor toen hij zijn
gasfles deed ontploffen. Het zou niet zijn opgevallen, was het niet dat de
would-be kamikaze geen jongen uit de achterbuurt was maar een ingenieur die werkte bij de belastingdienst. Hij was pas getrouwd en had
geen kinderen. Hij had zich net een auto aangeschaft. Een elegante, goed
geschoren man, geurend naar aftershave. Zijn vrouw droeg een hoofddoek, maar niets méér. Niets van te zeggen dus, tenzij dat hij de voorbije
jaren tegen vrienden fulmineerde over het land dat in handen was gevallen van de ongelovigen. Drie dagen na de aanslag zei de politie dat de
dader lid was van de antimonarchistische Al-Adl Wal Ihssane, 'Recht en
Liefdadigheid', de grootste islamistische organisatie in Marokko, waarvan het bestaan oogluikend werd getolereerd. De PJD-burgemeester van
Meknès ontkende dat, al gunden Al-Adl en de PJD elkaar het licht niet
in de ogen. De eerste groep had opgeroepen tot een boycot van de verkiezingen die de tweede zo vurig hoopte te winnen.

De aanbidders van het kruis en van de koe

BAGDAD (IRAK) - *Hoe verging het al-Qaeda in Irak? De dood*

van Zarqawi, in juni 2006, zaaide verwarring over zijn opvolging. Algauw dook de

naam op van Abdullah al-Rashid al-Baghdadi als nieuwe leider van al-Qaeda in

Mesopotamië.

Maar over Baghdadi was volstrekt niets bekend, tenzij dat zijn naam en zijn stem suggereerden dat hij een volbloed Iraki was. De Amerikaanse legerleiding beweerde dat hij een fictie was en dat zijn boodschappen werden ingelezen door een acteur.[76] Daar waren de Amerikanen achter gekomen na de arrestatie van Khaled al-Mashadani. Mashadani biechtte op dat al-Baghdadi bedacht was door Abu Ayyub al-Masri,[77] een lid van de Egyptische Islamitische Jihad, de échte opvolger van Zarqawi. De list moest een Iraaks gezicht geven aan al-Qaeda dat een zaak was van buitenlanders, inclusief zijn nieuwe chef al-Masri.

Al-Masri was in de jaren tachtig lid van de Islamitische Jihad en beschermeling van Zawahiri. In 1999 dook hij op in Afghanistan waar hij bommenmaker werd in een kamp van bin Laden. Vrachtwagenbommen en bermbommen waren zijn specialiteit. Na de val van de taliban was hij naar Irak uitgeweken om er al-Qaeda te leiden in het zuiden en omstreeks de tijd van de Amerikaanse invasie een cel te stichten in Bagdad. Al-Masri, die vermoedelijk Yusuf al-Dardiri heette, organiseerde ook de instroom van kandidaat-kamikazes vanuit Syrië. Vóór de dood van Zarqawi stond al tweehonderdduizend dollar op zijn hoofd. Dat bedrag was intussen opgetrokken tot vijf miljoen.

Mashadani, die het hele verhaal tegen zijn ondervragers vertelde, werd door de Amerikanen voorgesteld als de hoogste Irakees in de rangen van al-Qaeda. Hij was de mediachef van de groep. Volgens de Amerikanen was hij de tussenpersoon tussen de leiding van al-Qaeda in Mesopotamië en de top van de organisatie, bin Laden en Zawahiri.

Op 14 september, twee maanden na de onthullingen over Baghdadi, raakte van hem een nieuwe audioboodschap bekend.[78] Het was een bittere klacht over het verraad van 'Anbar Ontwaakt' dat de oorlog had verklaard aan de jihad en intussen 'een vergelijkbare groep had opgericht in Diyala, de zogenaamde Ondersteuningsraad van Diyala. In een adem kregen ook Hamas in Irak en het Islamitisch Verzetsfront ervan langs omdat ze collaboreerden met de vijand en met de Revolutionaire Garde van Saddam Hussein. De lijst van klachten telde tien concrete punten die een beeld gaven van de verwarring bij het verzet. De verraders hadden valse berichten verspreid, een alliantie gesmeed met sommige stamhoofden en goddeloze raden gesticht. Ze hadden de nieuwe instellingen gelegitimeerd door eraan deel te nemen en de bezetter en zijn regering gesteund door aan te dringen op de opening van Arabische ambassades en bij te dragen tot het vredesproces. Ze hadden de aanwezigheid van de bezetter verlengd, alle offers genegeerd van de soennitische martelaren, vooral de mujahedin, en uitgebazuind dat een islamitische staat gevaarlijker was dan de bezetting. Ten slotte hadden ze 'in Baquba en Anbar' de wapens opgenomen tegen de mujahedin. De verraders voerden een oorlog op verschillende fronten. Ze hadden deelgenomen aan een 'gevaarlijke bijeenkomst' in 'een Arabisch land onder Amerikaanse supervisie en met sterke betrekkingen met Israël'. Bedoelde Baghdadi Jordanië, zoals elke Irakees bij deze omschrijving dacht? Op de bijeenkomst was gezworen om de islamitische staat te verijdelen. In ruil hadden de Amerikanen beloofd om Moqtada's sjiitische leger van de Mahdi aan te pakken en aan de deelnemers 'politieke controle' toegezegd.

Baghdadi maakte de yazidi's, de 'satanaanbidders', een klein restvolk uit de buurt van Mosul, tot zijn doelwit. Het was een staaltje van traditionele, tribale bloedvete. Als dit de eer was die te oogsten viel op het slagveld van het geloof, dan had de onsterfelijkheid enige glans verloren. Daarbij kwam het bericht van de Amerikaanse legerleiding, enkele dagen voor Baghdadi's boodschap, dat het brein achter de slachtpartij tegen de yazidi's op 3 september was gedood in de buurt van Mosul. De oproep druiste in tegen het nationaal gevoel in een land dat in zijn aloude geschiedenis meer dan welk ander een verzamelplaats was van godsdiensten. De yazidi's waren er vermoedelijk langer dan de christenen, laat staan de moslims.

Er was ook een globale visie in Baghdadi's boodschap. Hij lijfde het zogenaamd neutrale Zweden in bij de kruisvaarders wegens de spotprenten van de Profeet (maar hij sprak niet van Denemarken, waar ze het eerst waren gepubliceerd en dat soldaten had in Irak). Iedereen valt ons aan, zei Baghdadi, van de aanbidders van het kruis tot de aanbidders van de koe. 'Wij zullen u dwingen om te knielen en u te verontschuldigen. Zo niet zullen we uw industriële reuzen aanpakken: Ericsson, Scania, Volvo, Ikea, Electrolux en andere.' Hij loofde 100.000 dollar uit voor wie de tekenaar van de spotprenten zou doden en 150.000 als dat een onthoofding zou zijn. Voor de hoofdredacteur van de krant werd maar 50.000 dollar uitgeloofd.

Vervolgens riep Baghdadi zijn geloofsgenoten op tot inkeer op dit kritieke moment in de wereldgeschiedenis, maar hij bedreigde ze ook met onthoofding. Ter gelegenheid van de ramadan proclameerde hij een 'expeditie van de martelaar Abu Musab al-Zarqawi', die moest eindigen op 19 oktober. 'Mis deze kans niet om met de jihad te beginnen in de beste maand van het jaar.' Het klonk als een reclameboodschap. Was dit echt al-Baghdadi? En leefde al-Masri eigenlijk nog wel? In oktober 2006 en mei 2007 waren er berichten geweest over zijn dood, die door jihadiwebsites werden tegengesproken.

In april 2007 had generaal Petraeus al-Qaeda 'vermoedelijk vijand nummer één' genoemd. In de eerste helft van het jaar had Bush de uitschakeling van al-Qaeda in Irak ruim veertig keer vermeld in toespraken. Hij deed dat, wetend dat de terreurorganisatie sinds het einde van 2006 op zijn retour was. De alliantie van soennitische stamhoofden verhaastte het desintegratieproces dat was ingezet met de dood van Zarqawi.

Op 22 oktober lamenteerde Osama bin Laden in een nieuwe geluidsboodschap over het gebrek aan eenheid bij het Iraakse verzet. Het was zijn eerste optreden sinds de oorlogsverklaring aan Musharraf. Hij hekelde het 'fanatisme' dat sommige opstandelingen deed kiezen voor hun stam of groep boven de strijd tegen de bezetter en hij waarschuwde tegen 'hypocrieten die tweedracht zaaien'. Hij zei dat fouten waren gemaakt en adviseerde de leiders niet blindelings te gehoorzamen. Voor het eerst in zijn krijgshaftige carrière had Osama bin Laden het over 'fouten'.

Bhutto's Blijde Intrede

KARACHI (PAKISTAN) - *Benazir Bhutto nam zich voor om te*

landen in Karachi, de grootste stad van Pakistan, de hoofdstad van 'haar' provincie

Sindh. Haar eerste daad zou een bezoek zijn aan Mazar-e-Quaid, het imposante

mausoleum van Jinnah, de stichter van de republiek, als om te zeggen dat ze Pakistan

terug zou voeren naar de idealen van zijn grondlegger.

'Ik hoop dat er een zee van volk komt, maar ik hoor dat het moeilijk wordt gemaakt om naar Karachi te reizen', zei Benazir Bhutto tegen Skynews twee dagen voor haar terugkeer op 18 oktober. Ze sprak van geweld 'vanwege het regime' tegen de ontvangstcomités en zei niet zeker te zijn van haar leven. Ze had doodsbedreigingen ontvangen van Baitullah Mehsud, de leider van de taliban in Zuid-Waziristan. De Pakistaanse regering probeerde Bhutto ertoe te bewegen haar terugkeer uit te stellen. Maar ze eiste de bescherming op tegen zelfmoordenaars of bermbommen, die een voormalig eerste minister toekwam.

Benazir weende bij haar aankomst. Honderdduizenden waren naar Karachi gekomen. Sommigen waren twaalf dagen onderweg geweest. Twintigduizend politiemannen moesten waken over haar veiligheid. Volgens de inlichtingendiensten waren er drie moordcomplotten tegen haar. Voor haar veiligheid was een vrachtwagen omgebouwd tot een pantserwagen die 'elke raketaanval' kon weerstaan. Bovenop was er een kooi van kogelvrij glas. De havenstad was versierd met grote portretten van Bhutto en een zee van partijvlaggen. Voor haar vertrek had Bhutto een brief geschreven naar Musharraf met de namen van regeringsleden die tegen haar complotteerden en haar mogelijk naar het leven stonden. 'Ik geloof dat sommigen die baat hebben bij de dictatuur, ook het terrorisme bevorderen en schuilplaatsen voor de taliban en andere militanten hebben ingericht in de stamgebieden. Zij vrezen mijn terugkeer... Het zou het beste zijn dat ze de komende drie maanden een stap opzijzetten.'

Het was omstreeks middernacht. De feestelijke karavaan kroop al tien uren met een snelheid van amper een halve kilometer per uur naar het mausoleum van Jinnah toen vlak voor de gepantserde vrachtwagen met Bhutto een granaat ontplofte, gevolgd door een krachtige explosie. Een zelfmoordaanslag, zei de politie. Bhutto zelf had een dozijn sms'jes gekregen van haar man die in Dubai de optocht volgde op televisie en zich zorgen maakte dat ze niet in haar kogelvrije glazen kooi bleef. Benazir sloeg geen acht op zijn waarschuwingen. Ze had net het dak van de vrachtwagen verlaten om even te verpozen en binnen de laatste hand te leggen aan haar toespraak. Daardoor bleef ze ongedeerd, maar het bloedbad onder het publiek was zelfs naar Pakistaanse normen ongehoord.

Honderden mensen werden zwaar gewond en het dodencijfer liep al snel op tot 138. Het was een van de zwaarste aanslagen in Pakistan sinds jaren. Musharraf sprak van een samenzwering tegen de democratie en zei dat de regering alles zou doen om de daders te vinden en voorbeeldig te straffen. Vanuit Dubai beschuldigde Bhutto's echtgenoot, Asif Ali Zardari, de regering en de inlichtingendienst. De Pakistaanse nieuwszender Geo zei dat het afgerukte hoofd was gevonden van de kamikaze, en dat werd onderzocht of de bom was verstopt in een politieauto. Bij de aanslag waren drie politiewagens volledig verwoest. Twintig van de doden waren agenten.

De veiligheidschef van de provincie Sindh, waarvan Karachi de hoofdstad is, zag de handtekening van Baitullah Mehsud en al-Qaeda. Benazir zelf zei tegen *Paris Match* dat ze precies wist wie haar wilde vermoorden, 'functionarissen van het vroegere regime van Zia ul-Haq die vandaag achter het extremisme en het fanatisme steken'. Ze schrapte haar programma en hield enkele uren later een persconferentie die veel weg had van een verkiezingstoespraak. 'De extremisten willen Pakistan kapot, het land kan alleen door de democratie worden gered. De aanslag was niet tegen mij gericht, maar tegen wat ik vertegenwoordig.'

Ze gaf een uitvoerig relaas van de gebeurtenissen. Voor haar vertrek uit Dubai was ze door een 'bevriend land' gewaarschuwd voor de aanwezigheid van vier kamikazes in Karachi. Daar had ze Musharraf van op de hoogte gebracht met de telefoonnummers van de opdrachtgevers. Bij de aanslag waren twee daders betrokken, zei ze. Opmerkelijk was dat kort voor de aanslag de straatverlichting was gedoofd zodat haar lijfwachten de terroristen niet konden onderscheppen; ze eiste daarover een onderzoek. Bhutto verwachtte nieuwe aanslagen op haar residentie in Karachi en haar huis in Larkana. 'Een minderheid wil de toekomst van het land kapen, we zullen ons niet laten intimideren.' Over haar brief van 16 oktober aan Musharraf bleef ze discreet. Ze zei dat ze minstens drie verdachten had genoemd. Wie bedoelde ze? Leiders van de Volkspartij wezen in de richting van Ejaz Shah, de chef van het Intelligence Bureau, de geheime politie. Bhutto had kort geleden nog haar afkeer voor hem uitgesproken. Haar echtgenoot zei dat Shah oude banden had met radicale moslims en een vijand was van de Pakistan Peoples Party.

De optocht van Benazir was beschermd door twee cordons. Het dichtste bestond uit de veiligheidsdienst van de PPP, veelal oud-militairen of politiemannen, de buitenste gordel werd gevormd door de politie van Sindh en agenten van Shahs Intelligence Bureau. De daders waren probleemloos door dat cordon gedrongen maar tegengehouden bij het dichtste.

In een vorig leven bij de inlichtingendienst ISI was Ejaz Shah belast met de dossiers van bin Laden en mullah Omar. Toen bin Laden nog in Kandahar woonde kreeg hij volgens sommige bronnen[79] regelmatig informatie en geld van Shah. Omar Sheikh, het brein achter de moord op Daniel Pearl, had zich aan hem overgegeven wetend dat hij niet zou worden gemarteld. Ejaz Shah was zelf in opspraak gekomen door de moord. Zowel Australië als Indonesië weigerde hem als ambassadeur. Hij werd dan maar baas van het Intelligence Bureau en zag erop toe dat het doodvonnis tegen Omar Sheikh niet werd voltrokken. Bhutto vroeg zijn ontslag maar Ejaz Shah bleef nog tot februari aan als chef van de geheime politie. De regering dacht er niet aan om hem de laan uit te sturen zolang er geen bewijzen waren.

Ejaz Shah was een vertrouweling van zowel bin Laden als Musharraf en de Chaudhry's, die de lakens uitdeelden in de regerende PML-Q en zich met hand en tand hadden verzet tegen de terugkeer van Benazir. Betrouwbare bronnen zegden dat Bhutto in haar brief aan de president Chaudhry Parvais Elahi had genoemd. Chaudhry Parvais was de regeringsleider van de provincie Punjab. Zijn neef en zwager Chaudhry Shujaat Hussain, die in 2004 enkele maanden premier was geweest, was fractieleider van de PML-Q in het parlement. De Chaudhry's van Gujrat, zoals ze werden genoemd, waren een politiek invloedrijk geslacht van textiel- en landbouwbaronnen.

Shujaats vader[80] had in de jaren zeventig een grote rol gespeeld als voorvechter van de democratie en de mensenrechten. Hij was door Amnesty International uitgeroepen tot gewetensgevangene na zijn illegale arrestatie door... Zulfikar Ali Bhutto, de vader van Benazir. Hij werd op 25 september 1981 vermoord. De familie hield daarvoor Al Zulfikar verantwoordelijk, een militie die Murtaza, de broer van Benazir na de executie van vader Bhutto had opgericht met de hulp van de Sovjets, die toen Afghanistan bezetten. Shujaat was nu de politieke leider van de familie, zoals Benazir dat was geworden na het bizarre vuurgevecht van september 1996 met de politie waarbij Murtaza was doodgeschoten vlakbij de Bhutto-villa aan de chique Clifton Road van Karachi.

Bhutto was vrij om te landen waar ze wou. Ze had voor Karachi gekozen, de lievelingsstad van haar vader, de stad waar haar broer was vermoord, de oude hoofdstad met het mausoleum van Jinnah. Vanzelfsprekend kende ze als voormalig premier haar vijanden beter dan wie ook. Als het klopte wat haar onmiddellijke omgeving zei dan was de aanslag een wraakactie van de Chaudhry's, een episode in een clanoorlog. Misschien verklaart dat haar triomfantelijke houding tijdens haar persconferentie enkele uren later, alsof ze wou zeggen dat de oude linkse Bhutto's, voormalige bondgenoten van de Sovjets, nu de bescherming hadden van het oppermachtige Amerika.

Het sijpelde door dat Bhutto het ontslag had geëist van Ejaz Shah, Chaudhry Pervais en Arbab Ghulam Rahim, de regeringsleider van de provincie Sindh, die tevergeefs had geprobeerd om alle straatversiering te verbieden. Tegen hem had de PPP enkele dagen tevoren klacht ingediend bij het Hooggerechtshof. Volgens andere bronnen stonden op Bhutto's zwarte lijst ook twee topfunctionarissen van het National Accountability Bureau, die een lijvig dossier had over Bhutto's corruptiepraktijken.[81]

Baitullah Mehsud, de talibanchef van Waziristan, sprak tegen dat hij iets met de aanslag te maken had. 'Het komt niet in ons op om onschuldigen te doden', zei zijn woordvoerder. Baitullah ontkende ook dat hij Benazir ooit had bedreigd, maar een van zijn adjuncten, Haji Omar, had kort geleden wel doodsbedreigingen geuit tegen Benazir en Musharraf wegens hun steun aan de Amerikanen.

Benazirs bedankjes voor het medeleven na de bloedige aanslag gingen naar Nawaz Sharif, president Musharraf en Altaf Hussain, stichter en leider van de MQM, de partij van de uit India ingeweken 'muhajirs', die in Karachi talrijk zijn en verantwoordelijk waren voor het geweld bij het mislukte bezoek een half jaar tevoren van de afgezette opperrechter Chaudhry waarbij 42 mensen omkwamen.

Benazir bedankte ook VN-secretaris-generaal Ban Ki-moon, de Afghaanse president Karzai en de Indiase oppositieleider Lal Krishna Advani van de hindoe-nationalistische BJP, die in Karachi was geboren en erg kritisch stond tegenover Pakistans rol bij het terrorisme maar bij een bezoek in 2005 onverwacht lovend had gesproken over Jinnah.

De Amerikanen vernoemde ze niet, al had president Bush zich gehaast om de aanslag te veroordelen en gezegd dat de opmars van het Pakistaanse volk naar de democratie niet zou worden gestuit. Washington, de vroedvrouw van het akkoord tussen Bhutto en Musharraf, vroeg zich na de aanslag af hoe het verder moest. Er was geen goed fundament voor een samenwerking, werd binnenskamers toegegeven.

Jarenlang kende Washington maar één nummer in Pakistan, dat van

Pervez Musharraf. Dat veranderde pas na zijn politieke blunders en de toenemende binnenlandse druk op zijn bewind. In de zomer was de regering-Bush tot het besluit gekomen dat enkel een machtsdeling met Bhutto hem nog kon redden. Het werd nooit grote liefde in de driehoeksverhouding van de oppositieleidster met Washington en Musharraf. Sommigen zeiden dat Bhutto en Musharraf elkaar haatten. Ook dit was een kwestie van onrecht, aangedaan aan de vaders.

Sommige Pakistaanse experts noemden de aanslag van Karachi het eerste schot in de oorlog van de islamisten tegen de Amerikaanse plannen in Pakistan. Er moest wel degelijk gezocht worden in de richting van Baitullah Mehsud. Die had al-Qaedacellen in Karachi gemobiliseerd omdat Benazir Bhutto als enige Musharraf had gesteund in de operatie tegen de Rode Moskee, omdat ze bereid was om de Amerikanen in Pakistan te laten jagen op bin Laden en omdat ze wilde toestaan dat het Internationaal Atoomagentschap de atoomgeleerde A.Q. Khan zou ondervragen. Kortom, de islamisten hadden gezworen dat ze een pro-westerse regering zouden beletten.

Musharraf maande Bhutto ertoe aan om niet meer publiek op te treden. Maar daar had ze geen oren naar en om haar wantrouwen tegenover het bewind te onderstrepen, vroeg ze op een persconferentie een internationaal onderzoek naar de aanslag. Ze zei dat ze daarover contact had opgenomen met Groot-Brittannië en de Verenigde Staten. De Pakistaanse recherche was volgens haar geïnfiltreerd door 'extremisten en al-Qaeda'. De regering wees het voorstel af en zei dat het onderzoek zeer onpartijdig werd gevoerd.

Op 27 oktober vloog Bhutto van Karachi naar Sukkur, vlakbij haar thuisbasis Larkana, om te bidden op het graf van haar vader en haar twee vermoorde broers. Ze zei dat ze lang had nagedacht over dat bezoek omdat er opnieuw doden konden vallen, maar 'toegeven aan de extremisten staat gelijk met het stoppen van het democratisch proces'. Ze wilde nog naar Lahore en Islamabad en zelfs naar Kasjmir en de onrustige FATA.

Op 2 november vuurde een onbemand Amerikaans vliegtuig een raket af op enkele huizen vlakbij een koranschool in de buurt van Miranshah, de hoofdstad van Noord-Waziristan. Er waren minstens vijf doden. De school was gesticht door de mujahedin-veteraan Jalaluddin Haqqani, goede vriend van bin Laden en topcommandant van de taliban. Het Pentagon ontkende dat het bij het incident betrokken was.

Intussen was er ver daarvandaan, in Rawalpindi, een zelfmoordaanslag op twee kilometer van het hoofdkwartier van het leger en het kantoor waar president Musharraf aan het werk was. Een man was te voet tot bij een controlepost gekomen en had zichzelf tot ontploffing gebracht. Er waren minstens zeven doden, bij wie twee politiemannen en twee soldaten. De explosie was zo krachtig dat ze hoor- en voelbaar was tot in de werkruimte van de president. Twee dagen later was er een zelfmoordaanslag op een bus van de luchtmacht vlakbij Sargodha, tweehonderd kilometer ten zuiden van Islamabad, waar de grootste luchtmachtbasis is van het land. Er waren acht doden en veertig gewonden. In december werd in Lahore het brein achter die aanslag gearresteerd. Het was een gepensioneerd majoor; hij biechtte de naam op van de kamikaze, een lid van een verboden jihadi-groep.

Op een parade van afgestudeerde cadetten van de Militaire Academie zei generaal Kayani dat de strijdkrachten geen moeite zouden sparen om de regering te helpen om extremisme en obscurantisme uit te roeien. Vanuit Larkana liet Benazir Bhutto, omringd door lijfwachten met machinegeweren, weten dat ze niet bang was van de extremisten. Dictatuur leidt tot terrorisme, zei ze. Premier Shaukat Aziz maakte zich sterk dat de regerende coalitie de parlementsverkiezingen zou winnen na een ontmoeting met de leider van PML-F, Pir Paraga, waarop ook de leider van de PML-Q, Chaudhry Shujaat Hussain, aanwezig was. Chaudhry zei dat hij Pir Paraga als de eigenlijke leider beschouwde van de Pakistaanse Pakistan Muslim League (PML), die intussen uit vijf partijen bestond, waaronder die van Musharraf, diens aartsvijand Nawaz Sharif (PML-N) en de PML-F van Pir Paraga zelf.[82]

In de nood kent men zijn vrienden

ANKARA (TURKIJE) - *Turkije zaaide onrust met de aankondi-*

ging dat de regering het leger groen licht wilde geven om de Koerdische afscheidings-

beweging PKK aan te pakken in Noord-Irak.

Volgens Ankara waren er 3500 PKK-strijders in Irak en die zorgden voor steeds meer last. Het Turkse voornemen alarmeerde zowel de Iraakse als de Amerikaanse regering. De Iraakse premier Maliki riep zijn ministers bijeen en er werd beslist om een hoge delegatie naar Ankara te sturen om de Turken te verzekeren dat Irak op zijn grondgebied geen terrorisme tegen een ander land zou dulden.

De Amerikanen maanden de Turkse regering aan tot voorzichtigheid, maar dat maakte geen indruk wegens de goedkeuring van een tekst over de genocide in 1915 van de Turken op de Armeniërs in de commissie Buitenlandse Zaken van het Huis van Afgevaardigden. Dat lokte heftige protesten uit in Turkije en minister van Defensie Gates was bang dat Ankara de basis van Incirlik zou sluiten voor de Amerikaanse luchtmacht. Zeventig procent van alle Amerikaanse militaire transporten richting Irak passeerden immers via Turkije. En dat de Turken, hondstrouwe bondgenoten, ook neen durfden zeggen wist Washington maar al te goed. Kort voor de invasie van Irak had Turkije immers alle medewerking aan het avontuur geweigerd waardoor de inval uitsluitend via het zuiden moest gebeuren.

Het Witte Huis vroeg het Huis van Afgevaardigden de genocideresolutie niet goed te keuren, maar voorzitster Nancy Pelosi bleef van plan om de tekst aan de voltallige vergadering voor te leggen. Hoe gevoelig de kwestie lag was op 19 januari 2007 gebleken met de moord op de Armeense journalist Hrant Dink door een jonge Turkse nationalist, en de veroordeling tot een jaar voorwaardelijk van zijn zoon Arat Dink wegens 'belediging van de Turkse identiteit'.

Vader Hrant Dink, uitgever van het Turks-Armeens blad *Agos*, was in 2006 vervolgd wegens 'belediging van de Turkse identiteit' omdat hij in een interview met Reuters had gewaagd van de 'genocide' op de Armeniërs. Hij kreeg zes maanden voorwaardelijk en werd korte tijd later vermoord voor het kantoor van zijn krant in Istanbul door de zeventienjarige nationalist Ogün Samast. Arat Dink, die zijn vader was opgevolgd als hoofdredacteur, kreeg negen maanden na de moord een jaar voorwaardelijk wegens de publicatie van het interview van zijn vader met Reuters. Dezelfde rechtbank schrapte een celstraf van twee jaar voor de negentienjarige Ridvan Dogan, die na de moord op Hrant Dink bedreigingen had verstuurd naar *Agos*. Reporters zonder Grenzen was woedend: 'Het is een volstrekte aberratie dat dit vonnis komt na de aankondiging van president Abdullah Gül dat hij een wijziging wil van artikel 301 dat het een misdrijf maakt om te refereren aan de Armeense genocide.'

Het proces tegen Ogün Samast, die de moord snel had bekend, en zeventien medeplichtigen begon op 2 juli achter gesloten deuren.

De Armeense resolutie bracht de regering-Bush nog meer in de problemen. Condoleezza Rice liet daar geen twijfel over. 'We erkennen de vreselijke tragedie die in 1915 is voorgevallen. De president heeft zich uitgesproken tegen massamoord. We hebben de Turken aangemoedigd om deze vreselijke historische omstandigheden te boven te komen en rechtstreeks met de Armeniërs samen te werken. We weten ook dat we nu, in 2007, rekenen op zeer goede betrekkingen met onze democratische Turkse bondgenoot. Ik denk dat het belangrijk is om op te merken dat dit niet het Ottomaanse Rijk is; dit is een democratische Turkse bondgenoot die bruggen slaat tussen de islam en de rest van de wereld, een lid van de NAVO, een land dat bij de Europese Unie wil, dat werkt aan betere mensenrechten en dat een cruciale bondgenoot is in de oorlog tegen het terrorisme.'

Intussen liet premier Recep Erdogan dreigende taal horen. 'Wat in Amerika gebeurt laat diepe sporen na in het geheugen van de natie. Dit zullen we niet vergeten', zei hij op een bijeenkomst van de AKP-fractie in het parlement. De adviseur van Erdogan voor buitenlands beleid zei op de Turkse CNN dat Turkije Pelosi en Armenië moest straffen, mocht de resolutie worden goedgekeurd. President Gül vergaderde over tegenmaatregelen met minister van Buitenlandse Zaken Ali Babacan en de Turkse ambassadeur in Washington, die na de goedkeuring van de resolutie door de commissie voor overleg was teruggeroepen.

De Europese Commissaris, Franco Frattini, stelde de Turken voor om het Duitse voorbeeld te volgen en de genocide te erkennen als een eerste stap naar verzoening, al had Commissievoorzitter José Manuel Barroso een week tevoren gezegd dat die erkenning geen voorwaarde was voor toetreding. De Europese rapporteur Ria Oomen-Ruijten[83] liet verstaan dat ze de betrekkingen met Turkije niet wilde vertroebelen en dat in haar rapport, dat op 24 oktober ter stemming zou worden voorgelegd aan het Europees Parlement, geen sprake zou zijn van 'genocide'.

Uitgerekend op dit moment bracht de Syrische president Bashar al-

Assad een vierdaags bezoek aan Turkije. Kort tevoren had hij tegen twee Tunesische kranten gezegd wat iedereen allang wist: Turkije bemiddelt tussen Syrië en Israël. Volgens het Syrische persbureau zou Assad gaan praten over 'regionale kwesties van gemeenschappelijk belang'. Daar hoorde zowel Israël bij – en de mysterieuze raid op Deir ez-Zohr vlakbij de grens met Turkije – als de Koerden en Irak.

Bashar verraste niemand met de erkenning van het Turkse recht om in het noorden van Irak te jagen op de PKK. 'We begrijpen dat zo'n operatie gericht zou zijn tegen een zekere groep die Turkse soldaten aanvalt. We steunen de beslissingen die Turkije op zijn agenda heeft. We zien dit als een legitiem recht', zei hij.

De steun voor de Amerikaanse genocideresolutie brokkelde snel af. In 24 uur tijd liep een dozijn afgevaardigden over en de goedkeuring van de resolutie was plots niet meer vanzelfsprekend. Dat was onder meer te danken aan het lobbywerk van de voormalige republikeinse afgevaardigde Robert Livingston uit Louisiana, wiens Livingston Group Turkije als belangrijkste klant had. Livingston voerde een campagne 'zonder voorgaande' en op 17 oktober zag Pelosi zich genoodzaakt te zeggen dat het onzeker was of er over de genocidetekst zou worden gestemd. Op hetzelfde moment keurde het parlement in Ankara met een overweldigende meerderheid van 507 stemmen tegen 19 het voorstel goed van de regering om Turkse troepen toe te staan om in te grijpen in Noord Irak. President Bush zei dat de Turken al een tijdje troepen hadden in Irak en dat hij probeerde Ankara te weerhouden van grootschalige operaties. Op 25 oktober zegden de indieners van de genocideresolutie tegen Pelosi dat ze bereid waren om tot het volgende jaar te wachten op een mogelijke stemming.

Sommigen vroegen zich af of het de dooi was in de Syrisch-Turkse betrekkingen die de Joodse leden van de Amerikaanse parlementscommissie ertoe had bewogen om de genocideresolutie te steunen.

DE PKK PROVOCEERT, DE OLIEPRIJS STIJGT

In de nacht van 20 op 21 oktober woedde in de bergen op vijf kilometer van de grens met Irak, een uren durend gevecht tussen een Turks infanteriebataljon en een eenheid van de PKK. Minstens twaalf Turkse soldaten sneuvelden. Het gevecht begon toen een brug werd opgeblazen op het ogenblik dat een dozijn militaire voertuigen er over reed. Bij een tweede incident ontplofte een bom in een huwelijkskaravaan. Er waren 17 gewonden. Het Turkse leger reageerde met artilleriebombardementen op een dozijn doelwitten in het noorden van Irak. Pas vier dagen tevoren had het parlement in Ankara groen licht gegeven voor dit soort operaties.

Met de snel stijgende temperatuur begon ook de olieprijs aan een steile klim op de internationale markt; het ene record sneuvelde na het andere en de prijs stond weldra op 90 dollar per vat. Door dit gebied passeerde de olie uit de rijke velden van Kirkuk.

Ankara stond onder sterke druk van de NAVO en van de Verenigde Staten. Premier Erdogan kreeg een telefoontje van Condoleezza Rice die hem vroeg niet onmiddellijk te reageren. Daar zag hij een teken in dat Amerika de Turkse bezorgdheid ernstig nam. Minister van Defensie Gonul beloofde aan zijn Amerikaanse collega Gates dat er voorlopig geen inval zou komen in Irak. De Turken steunden in Noord-Irak de aanspraken op Kirkuk van de Turkmeense minderheid tegen de Koerden en ze bleven erop hameren dat de Koerden contracten hadden afgesloten met internationale oliemaatschappijen voor ontginningen in de omgeving van Kirkuk, zonder de centrale regering van Bagdad daarin te kennen.

De onrust aan de grens was niet nieuw. In een maand tijd waren vijftig doden geteld bij verschillende incidenten. Voor de media was het *breaking news* met journalisten die onmiddellijk van ter plaatse hun steentje bijdroegen tot de spanning. President Bush belde op 22 oktober met de leiders van Irak en Turkije om een uitbarsting te voorkomen. Hij vroeg de Iraakse regering op te treden tegen de PKK. Aan zijn Turkse ambtgenoot Gul vroeg hij om geen geweld te gebruiken. Rice drong aan op 'enkele dagen respijt'. Erdogan nam haar op haar woord. 'Als er de komende paar dagen niets gebeurt, dan zullen we zelf zorgen voor de situatie', zei hij. Rice vroeg aan Irak en de Iraakse Koerden om de grens te beveiligen tegen infiltranten en de leiders van de PKK te arresteren.

De spanning week niet onmiddellijk. De Turken in de diaspora roerden zich. In Brussel waren er woelige betogingen waarbij Koerdische en Armeense winkels en restaurants werden aangevallen. In Bagdad vroeg ambassadeur Crocker aan de Iraakse leiders om de bevoorradingslijnen van de PKK af te snijden en lijsten aan te leggen van PKK-leiders die zich in het noorden schuilhielden en aanvallen pleegden in Turkije. De Iraakse minister van Buitenlandse Zaken Hoshyar Zebari, zelf een Koerd, beloofde dat Irak de aanvoerlijnen van de PKK zou blokkeren. Ankara wilde méér, maar dit was het best mogelijke aanbod, zei hij. Erdogan, op bezoek in Roemenië, vroeg Amerikaanse hulp in de strijd tegen de PKK. Een inval in het noorden bleef mogelijk en Turkije zou daar soeverein over beslissen. 'De bal is in ons kamp en we moeten doen wat nodig is als de verantwoordelijken niets ondernemen.' Met die 'verantwoordelijken' bedoelde hij Europa, dat volgens hem gezakt was in een eerlijkheidstest omdat veel Europese landen – hij bedoelde onder meer België en Nederland – de PKK gedoogden.

Op hetzelfde moment arriveerde de Iraakse minister van Defensie in Ankara. Zonder praktische voorstellen is dat bezoek zinloos, had minister Babacan gewaarschuwd. Ook Amerika nam deel aan het overleg. Ankara was na afloop niet gesust. 'De Iraakse voorstellen kosten tijd en tijd is nu juist een erg belangrijke factor', zei Babacan. Er moest volgens de Turken dringend worden opgetreden tegen de PKK. CNN-Türk zei dat de Iraki's een lijst hadden meegebracht met achttien namen van rebellenleiders. Dat vonden de Turken, die een eigen lijst hadden met honderdvijftig namen, schromelijk weinig. Bagdad had ook voorgesteld dat coalitietroepen de grens zouden bewaken en dat het overleg tussen de drie bondgenoten Irak, Amerika en Turkije zou worden hervat. Maar generaal Benjamin Mixon, de bevelhebber van de Amerikaanse troepen in Iraaks Koerdistan, zei dat het niet aan de Amerikanen was om op te treden.

Enkele uren later volgde een nieuwe uitval van Erdogan tegen de Europese Unie. Opnieuw stelde hij vragen bij de 'oprechtheid' van Europa. Geen enkel EU-land heeft militanten van de PKK uitgeleverd, hoewel de Unie de PKK een terreurorganisatie noemt, zei hij op de Turkse televisie. Erdogan probeerde de volkswoede tegen de PKK, Irak en de Amerikanen in Irak, af te leiden naar Europa en in te spelen op de frustraties over het trage toetredingsproces. Het was een bedekt dreigement aan het adres van de Unie die de Koerdische kwestie slecht scheen te begrijpen en dubbelhartig was wanneer het over de toetreding ging. De gematigde islamist Erdogan stond het petje van de Turkse nationalist goed. Voor een keer zat hij op dezelfde lijn als het gevreesde leger.

Intussen bestookten de Turken Koerdische posities in Irak. Honderdduizend soldaten stonden klaar om de PKK aan te pakken. Toch was dat niet voor onmiddellijk. Op 5 november ging Erdogan naar Washington voor overleg met president Bush. We wachten tot hij terugkeert, zei generaal Yasar Buyukanit, de legerchef. Erdogan maakte duidelijk dat een militaire operatie onderdeel was van een proces waartoe ook zijn visite behoorde, naast het bezoek van Ali Babacan aan Teheran op 27 oktober. Iran was tegen een Turkse interventie in Irak, maar bestookte al weken zelf Koerdische doelwitten in dat land. Een actie van Turkije en Iran samen kon Washington missen als kiespijn.

Over de beschietingen van Iran op de Partij voor het Vrije Leven (PJAK) werd amper bericht. Toch was de PJAK een dochter van de PKK, al stond ze in tegenstelling tot de moederorganisatie niet op de Amerikaanse lijst van terreurgroepen. De leider, Rahman Haji-Ahmadi, was zelfs in Washington geweest in de zomer van 2007, maar Amerikaanse diplomaten spraken Iran tegen dat beweerde dat er officiële contacten waren en dat Amerika de PJAK bevoorraadde. De moeder- en dochterorganisatie hadden dezelfde leiders, dezelfde marxistische wortels, dezelfde afwijzing van het fundamentalisme, dezelfde trouw aan de gevangen leider Abdullah Ocalan en dezelfde doelstelling: meer rechten en autonomie voor de Koerden. Toen de aanvallen van de PJAK in de loop van augustus in crescendo gingen, begon Iran Koerdische grensdorpen te beschieten. Volgens de PKK-leider Murat Karayilan had de PJAK sindsdien honderdvijftig Iraanse soldaten gedood. In september was een helikopter met zes inzittenden neergehaald. Een commandant van de PJAK beweerde dat tweeduizend strijders opereerden in Iran zelf en dat een groot deel van de grens onder hun controle was. De groep stond onder druk van de Koerdische Patriottische Unie van de Iraakse president Jalal Talabani, de sterke man in het oosten van Iraaks Koerdistan. Op een dag in augustus trotseerde hij de publieke opinie en liet zijn militie uitrukken tegen PJAK-militanten die vanuit Iran waren binnengekomen. Bij Talabani's partij werd gezegd dat het moest van Teheran. De president waarschuwde de PJAK de wapens neer te leggen of het grensgebied te verlaten, maar een gedwongen ontwapening kon hem de volksgunst kosten. De PJAK blaakte van zelfvertrouwen. We zijn meer gedisciplineerd en gehard dan de Iraanse soldaten, pochten de strijders van het Vrije Leven.

De kwestie koelde uiteindelijk zonder blazen en de internationale pers trok zich terug uit de Koerdische bergen. Op 1 december, anderhalve maand na het parlement, gaf ook de regering-Erdogan vrije baan aan het leger om op Iraaks grondgebied tegen de PKK te opereren. Dat zorgde niet voor vette koppen. Ook de volgende dag bleven die uit, ofschoon het Turkse leger meteen boter bij de vis gaf. Er was een groep van zo'n vijftig, zestig PKK-strijders gesignaleerd, waarop een honderdtal elitesoldaten de grens had overgestoken, 'zware verliezen' toebracht aan de rebellen en terugkeerde naar zijn basis. Het was niet meer dan de zoveelste schermutseling, zei een parlementslid van de regeringspartij. De PKK ontkende dat er een incident was geweest en ook de Iraaks-Koerdische overheid wist van niets. Een ding stond vast: dit was niet de gevreesde grootscheepse invasie.

Een half jaar later, op 5 juni, zei generaal Ilker, de tweede man van het Turkse leger, dat Ankara en Teheran samenwerkten tegen de PKK en haar dochter, de PJAK. Ze wisselden informatie uit en coördineerden hun aanvallen op de Koerdische groepen.

Larijani vertrekt, Bush wet de messen

TEHERAN (IRAN) - *In Iran nam Ali Larijani om 'persoonlijke*

redenen' ontslag als hoofdonderhandelaar van het atoomprogramma. Larijani

had die functie bekleed sinds augustus 2005, kort na het aantreden van president

Ahmadinejad.

Hij werd vervangen door Saeed Jalili, tot dan toe onderminister van Buitenlandse Zaken voor Europese en Amerikaanse Zaken, een intieme vriend van president Ahmadinejad. Teheran minimaliseerde de betekenis van de wissel. Ons beleid blijft onveranderd, zei een regeringswoordvoerder maar westerse waarnemers zagen een steviger greep van Ahmadinejad op het nucleair dossier. De Iraanse president zat niet op een lijn met Larijani. In maart 2006 was het zelfs tot een openlijke aanvaring gekomen toen Larijani zei dat zijn land klaar was voor een gesprek met de Verenigde Staten. Dat had de president onmiddellijk tegengesproken.

Het ontslag volgde op de 'historische' ontmoeting van Putin op 16 oktober met de Iraanse geestelijke leider Ali Khamenei. Larijani had de dag daarop gezegd dat Putin voorstellen had gedaan om het nucleair dispuut op te lossen maar ook dat ontkende Ahmadinejad meteen. Putin was alleen gekomen met een boodschap van vriendschap en samenwerking en er was niet gepraat over de nucleaire kwestie, beweerde hij. 'Ons atoomprogramma is onomkeerbaar en blijft vredelievend.' De Iraanse pers haastte zich om erop te wijzen dat Ahmadinejad aanwezig was op het onderhoud van Putin met Khamenei, en Larijani niet.

Wat Putin tegen Khamenei had gezegd en of hij iets had voorgesteld wisten weinigen. Maar volgens goede bronnen had hij verzekerd dat het de Amerikanen menens was met hun dreigement van een aanval en dat de Veiligheidsraad zeer strenge sancties zou opleggen als Teheran onwrikbaar bleef. 'Als Iran zich niet soepeler opstelt, kan Rusland weinig doen. Je hebt de keuze om je land en de hele Golf in een verwoestende oorlog te storten, of bij te dragen tot een duurzame vrede door een win-winvoorstel te aanvaarden.' Putin had ook benadrukt dat hij Washington had ingetoomd en de sancties van de Veiligheidsraad had getemperd. Zijn win-winvoorstel was misschien het oude plan van IAEA-topman el-Baradei dat een stopzetting van het verrijkingsprogramma koppelde aan een opschorting van de sancties en een hervatting van de onderhandelingen met de '5+1 groep',[84] via de Hoge Vertegenwoordiger van het Europees Buitenlands Beleid Javier Solana. Intussen zou el-Baradei een rapport schrijven over de bedoeling van Irans atoomprogramma.

Larijani had na Putins bezoek gezegd dat hij 'binnenkort' een nieuw en derde gesprek zou hebben met de ondervoorzitter van het Internationaal Atoomagentschap en dat de inspecteurs van het Agentschap naar Teheran zouden terugkeren.

Putin had ook beloofd dat de Russen de kerncentrale van Bushehr zouden voltooien. Ze treuzelden nu al zeven jaar en dat had veel te maken met de nucleaire kwestie. Voor Iran was het getalm een bewijs dat het geen buitenlandse leveranciers kon vertrouwen en dat het een eigen verrijkingsprogramma moest hebben, wilde het nog meer kerncentrales bouwen. Het Russische antwoord daarop was dat een internationaal consortium, gevestigd in Rusland, het nodige verrijkt uranium zou produceren voor Iran. De Europese trojka – Frankrijk, Duitsland en Groot-Brittannië – steunde dat voorstel. Maar die steun was weggevallen toen Ahmadinejad het opgeschorte verrijkingsprogramma hervatte. Het probleem was dat Ahmadinejad van het nucleair dossier een kwestie van nationale fierheid had gemaakt en bleef spreken van een onvervreemdbaar recht waarvoor de Iraniërs bereid waren elke prijs te betalen.

In weerwil van het gekibbel in Teheran vergezelde Larijani op 23 oktober zijn opvolger naar Rome voor de gesprekken met Javier Solana. Solana was eind september door de '5+1 groep' aangewezen om Iran nogmaals economische en politieke samenwerking aan te bieden in ruil voor een stopzetting van het verrijkingsprogramma. Maar Larijani en Jalili kwamen met lege handen naar Rome.

En om duidelijk te maken dat Teheran niet bang was, zei generaal Mahmoud Chaharbaghi, de nieuwe commandant van de Revolutionaire Garde, op 20 oktober dat zijn troepen binnen de minuut elfduizend raketten zouden afvuren tegen vijandelijke stellingen bij een mogelijke aanval. Een dag later waarschuwde Cheney voor de gevolgen, als Iran het been stijf hield. Hij noemde Iran een groeiend obstakel voor de vrede en zei dat Amerika zich schaarde bij hen die niet zouden dulden dat het over een kernwapen zou beschikken. Enkele dagen tevoren had Bush gezegd dat de kwestie een derde wereldoorlog kon uitlokken.[85] Dat had bij de democratische presidentskandidaat Barack Obama, die een dip meemaakte in de peilingen, aan het Congres doen vragen om te voorkomen dat Bush Iran zou aanvallen.

Op 17 oktober, vlak voor Larijani's ontslag, zei el-Baradei dat wel dertig landen in korte tijd een kernwapen konden ontwikkelen. Er zijn 'virtuele kernmogendheden' ontstaan. Iran had volgens hem drie tot acht jaar nodig om een atoombom te maken en dus was er een zee van tijd voor diplomatie, sancties en dialoog. Hij vond Iran een schoolvoorbeeld van hoe geweld een probleem erger maakt. Er was afgesproken dat in november zou worden gepraat over strengere sancties, maar el-Baradei vond het geen probleem dat die gesprekken tot in december zouden duren. De Egyptenaar wist dat marchanderen tijd kost.

Op de dag van de onderhandelingen met Solana zei Ahmadinejad dat zijn land over alles wilde praten, behalve over zijn recht op nucleaire technologie. Alleen wij mogen voorwaarden stellen, zei hij, niet de tegenpartij.

De vervanging van Larijani moest suggereren dat Ahmadinejads positie sterk was, maar bij de bevolking taande zijn ster wegens de economische puinhoop in het land. Over enkele maanden waren er parlementsverkiezingen en de harde lijn stevende af op een verpletterende nederlaag. Ahmadinejads ambtstermijn liep over anderhalf jaar ten einde en zijn herverkiezing was hoogst onzeker. Uit een recente peiling was gebleken dat een meerderheid van de Ahmadinejad-kiezers de volgende keer anders zou stemmen uit ontgoocheling over wat hij terecht had gebracht van zijn economische, sociale en politieke beloften. De kloof tussen de verpletterende meerderheid van armen en de kleine, beschermde kaste superrijken was nog groter geworden en de persoonlijke vrijheid nog verder beknot. Maar Ahmadinejad profiteerde van de binnenlandse reactie op de internationale afkeer van zijn persoon en speculeerde op de nationale trots in de nucleaire kwestie.

Hij had in augustus allerlei vrienden op sleutelposten benoemd om de aanzwellende golf van kritiek in te dijken. Zijn confronterende opstelling vond voedsel in zijn geloof in de terugkeer van de Twaalfde Imam, de Mahdi, die eind tiende eeuw in een grot in Samarra was verdwenen en van wie werd aangenomen dat hij zou terugkeren om een tijdperk van islamitische rechtvaardigheid te vestigen. De manier om dat te bewerkstelligen was een sterk en voorbeeldig Iran, had hij enkele maanden na zijn ambtsaanvaarding gezegd.

Er werd gefluisterd dat de president behoorde tot Hottajieh, een semigeheim genootschap dat door de sjah was gebruikt in zijn strijd met de Baha'i en in 1983 verboden werd door ayatollah Khomeiny. Zijn geestelijke raadsman, de conservatieve ayatollah Mesbah-Yazdi, ontkende lid te zijn maar had er nauwe banden mee. Leden van het genootschap zouden onder Ahmadinejad de ene sleutelpost na de andere hebben veroverd. Er was discussie over of Hottajieh de komst van de Mahdi wilde bevorderen door chaos te scheppen.

Op 25 oktober kondigden Condoleezza Rice en haar collega van Financiën Henry Paulson een waslijst strafmaatregelen aan. Rice beschuldigde de Iraanse Revolutionaire Garde van het verspreiden van massavernietigingswapens en het elitekorps Quds van steun aan het terrorisme in Irak, Afghanistan, Libanon en Palestina. In augustus had het Witte Huis ermee gedreigd om de Garde als een terreurorganisatie te brandmerken maar dat had gesputter veroorzaakt in Europa en op Buitenlandse Zaken in Washington. Uiteindelijk was beslist tot de omvangrijkste strafmaatregelen sinds de bezetting van de Amerikaanse ambassade in 1979. Voor het eerst werden dergelijke sancties getroffen tegen het leger van een soeverein land. 'Iran is misschien wel de grootste bedreiging van de Amerikaanse belangen in het Midden-Oosten en mogelijk in de hele wereld omdat de combinatie van terrorisme, binnenlandse onderdrukking en het nastreven van technologie die tot een kernwapen kan leiden, een gevaarlijk mengsel is', aldus Rice. De sancties beoogden het isolement van een groot deel van het Iraanse leger. Honderden buitenlandse bedrijven werden erdoor getroffen. Als ze zaken bleven doen met het enorme militair-economisch apparaat van de Revolutionaire Garde riskeerden ze Amerikaanse tegenmaatregelen. De Garde controleert bouwmaatschappijen, stukken van de olie-industrie, farmaceutische en telecommunicatiebedrijven en een flinke portie van de gewone handel. 'Zakendoen met Iran is zakendoen met de Revolutionaire Garde', zei Paulson. Volgens Washington diende die handelsactiviteit ook de nucleaire industrie.

De hele Revolutionaire Garde viel onder Uitvoeringsbesluit 13382 van juni 2005, waardoor Amerika de tegoeden kon bevriezen van verspreiders van massavernietigingswapens. De Garde dankte haar plaats op de zwarte lijst officieel aan haar ballistisch raketprogramma. Het elitekorps Quds viel samen met vier overheidsbanken en ruim een dozijn andere bedrijven onder Uitvoeringsbesluit 13224 tegen de financiering van terrorisme dat na 11 september was uitgevaardigd.

De Garde was met zijn 125.000 manschappen het sterkste Iraans leger. Zijn elite-eenheid Quds, zo'n 15.000 man, bezorgde geld, opleiding en wapens aan groepen in Irak en wellicht Afghanistan en Pakistan, en ook aan Hezbollah, Hamas en de Islamitische Jihad. Van Quds kwamen volgens de Amerikanen de vernuftige bermbommen die de grootste killers waren van Amerikaanse soldaten in Irak.

De Russische president Putin vroeg zich af waarom Washington olie op het vuur goot. Teheran zei dat de maatregelen gedoemd waren om te mislukken. Of ze doel zouden treffen was inderdaad twijfelachtig, aangezien de vrijhaven van Dubai in de Emiraten de belangrijkste haven van Iran werd genoemd. Nog twijfelachtiger was of Teheran soepeler zou worden.

De republikeinen steunden het sanctiepakket. De democraten waren verdeeld. Het was dezelfde discussie als in 2002, tijdens de aanloop naar de oorlog in Irak. Toen had Hillary Clinton ingestemd met een aanval. Nu had ze mee opgeroepen tot sancties.[86] Haar rivaal Obama was tegen maar was bij de stemming afwezig. Hij beroemde zich er nu op dat hij, in tegenstelling tot Clinton, ook tegen de oorlog in Irak had gestemd. Hillary kreeg ook zware tegenwind van haar partijgenoten Joseph Biden en Christopher Dodd. Ze verdedigde zich. 'Ik ben tegen een oorlog, maar niets doen is onaanvaardbaar. Diplomatie is het juiste spoor.' Clinton raakte geïsoleerd binnen de partij die de sancties zag als een vrijbrief voor de regering om opnieuw ten strijde te trekken.

Het belangrijkste signaal was dat het geduld van de president op was. Het volk, of liever, het leger mocht zich voorbereiden op een laatste oorlog. Maar daar was op het eind van het Bush-tijdperk nog maar weinig animo voor.

Stemmen uit de Groene Zone

BAGDAD (IRAK) - *De diplomatie is een mooi vak met feestjes en recepties en gevaarlijk voor het huwelijksleven. Een ambassade is het uithangbord van een land en dat mag wat kosten. In de Groene Zone van Bagdad bouwden de Amerikanen de duurste ambassade ter wereld. Ze bestreek de oppervlakte van Vaticaanstad, maar het liep niet storm om er te gaan werken.*

Het Amerikaanse ministerie van Buitenlandse Zaken had een lijst van driehonderd diplomaten die riskeerden om naar Bagdad te worden gestuurd. Alleen wie een zeer grondige reden had mocht hopen de dans te ontspringen. Totnogtoe waren diplomaten op vrijwillige basis naar de Iraakse hoofdstad gegaan. Ze werden er financieel zwaar voor vergoed maar het werd steeds moeilijker om vrijwilligers te vinden.

Al snel na de invasie was een kilometerslange hoge betonnen omheining opgetrokken rond de Groene Zone die het politieke en militaire hart was van het nieuwe Irak. Het legendarische Al-Rashid Hotel, waar enkel officials konden logeren, was er ondergronds mee verbonden. De toegang tot de zone werd een doelwit van kamikazes en niemand voelde zich er op zijn gemak. Zelfs binnen was het niet helemaal veilig en ontploften er geregeld bommen en granaten. Niet bepaald de biotoop van diplomatiek onschendbaren.

Weinig landen hadden het Amerikaanse voorbeeld gevolgd met een diplomatieke vertegenwoordiging en de Belgische diplomaten in Amman, die Irak tot hun jurisdictie rekenen, hadden zelfs verbod om het relatief veilige noorden van het land te bezoeken. De Amerikaanse ambassade was voorlopig ondergebracht in het voormalig Republikeins Paleis van Saddam Hoessein. De nieuwe, met 21 gebouwen de grootste ter wereld, die al in december 2006 had moeten opengaan, werd pas in januari 2009 in gebruik genomen. Ze viel veel duurder uit dan de 592 miljoen dollar die waren begroot. Er was slaande ruzie tussen ambassadeur Crocker en de contractuele ambtenaar in Washington die toezicht hield op de werf. Crocker had hem zelfs de toegang tot Irak ontzegd.[87] Er was geblunderd bij de beveiliging van de woonzone voor het veiligheidspersoneel. De beveiliging van de cafetaria moest worden overgedaan omdat er geen rekening mee was gehouden dat het personeel drie keer per dag zou komen aanschuiven. Het was immers het enige veilige restaurant van de hele stad. Meer in het algemeen bleek het opgeleverde werk ondermaats van kwaliteit.

In het Iraakse drijfzand herschreven generaal Petraeus en ambassadeur Crocker de geheime strategie voor de komende twee jaar. Het Amerikaanse leger zou zich concentreren op de sjiitische milities, waarvan een aantal werd gesteund door Iran. Petraeus wilde ook de geplande terugtrekking van vijf gevechtsbrigades tegen de zomer van 2008 kunnen ongedaan maken als de toestand dat vereiste. Hij verschilde daarin van mening met het Pentagon, de legerleiding en het regionaal commando CENTCOM, die het tempo van de terugtrekking juist wilden opdrijven. In dat geschil koos Bush de kant van Petraeus, de enige generaal die het verschil had gemaakt.[88]

De nieuwe strategie hamerde niet langer op nieuwe wetten en de verankering van de democratie maar op praktische akkoorden over concrete kwesties. Wel moest er tegen eind 2008 een verdrag voor de lange termijn worden gesloten tussen Irak en de Verenigde Staten. Op 25 oktober zei Crocker vanuit Bagdad dat de militie van Moqtada al-Sadr zich begon te gedragen zoals Hezbollah in Libanon. Ze verplaatsen hun activiteiten naar winstgevende sectoren, zei hij. Dat was een echo van wat Petraeus had verklaard voor het Congres. De ambassadeur herhaalde ook dat Iran gewapende groepen in Irak steunde.

Een nieuw front?

WASHINGTON (VS) - *VN-secretaris-generaal Ban Ki-moon zei op 25 oktober dat hij zich ernstige zorgen maakte over Irans nucleair programma. Hij hoopte dat de zaak kon worden opgelost met dialoog.*

De Amerikaanse journalist Seymour Hersh, specialist in dit soort van kwesties, wist dat de legerleiding onder druk van Cheney de oude plannen voor een aanval op Iran in de zomer van 2008 had bijgewerkt. De nadruk lag nu op precisiebombardementen met kruisraketten op bases van de Revolutionaire Garde en op luchtafweerinstallaties en minder op andere militaire, inclusief nucleaire, doelwitten. Israël vond het nieuwe krijgsplan maar slapjes omdat het niet de nucleaire capaciteit van Iran viseerde. Het Amerikaanse argument was dat het atoomprogramma onder de vleugels stond van de Revolutionaire Garde.

De regering besefte dat het Amerikaanse publiek onvoldoende overtuigd was van de Iraanse nucleaire dreiging, nu de inlichtingendiensten dachten dat Iran nog minstens vijf jaar verwijderd was van een kernbom. Washington was ook tot de conclusie gekomen dat Iran de geopolitieke winnaar was van de oorlog in Irak. Cheney wil zo snel mogelijk een militaire interventie, wat de rest van de republikeinse partij daar ook van mocht denken, schreef Hersch.

Ook Norman Podhoretz, auteur van *World War IV: The Long Struggle Against Islamofascism*, adviseur van Rudolph Giuliani en patriarch van de neoconservatieven, stuurde onomwonden aan op een aanval. Hij had Bush drie kwartier lang persoonlijk bewerkt en was ervan overtuigd dat de president Iran zou aanvallen voor het einde van zijn ambtstermijn.

Op de oliemarkt, waar de prijzen schrikbarend stegen, werd gewaarschuwd voor een pandemonium, indien het tot een nieuwe brandhaard in de Golf zou komen. Het kleine productieoverschot was een ontoereikende buffer, mocht de bevoorrading worden verstoord. De prijzen, die de kaap van 90 dollar overschreden op 25 oktober, zouden dan nog veel sneller omhoogschieten. Iran was de vierde producent ter wereld. Als zijn aanvoer van 2,5 miljoen vaten per dag wegviel zou er schaarste ontstaan. Iran kon bovendien ook de Iraakse aanvoer van 1,7 miljoen vaten afsnijden. In beide gevallen zou de oliemarkt compleet overstag gaan.

De Saudi's en wat ze wisten

LONDON (GROOT-BRITTANNIË) - Op 30 oktober ontving

koningin Elisabeth de Saudische koning Abdullah op Buckingham Palace. Voor het

eerst in twintig jaar was een Saudische vorst op bezoek in Londen. Net voor zijn ver-

trek had hij tegen de BBC gezegd dat de Britse regering onvoldoende rekening had

gehouden met de informatie die ze in 2005 van de Saudi's had gekregen over de ter-

roristische netwerken in Londen. Ze had misschien de aanslagen van 7 juli kunnen

verijdelen, zei de koning.

De Britse regering was verplicht te herhalen wat in een parlementair on-
derzoeksrapport stond en ze ontkende dat ze inlichtingen had gekregen
waardoor preventief kon worden ingegrepen. Toch stond de koning niet
uit zijn nek te kletsen. Een half jaar voor de aanslagen had de Saudische
geheime dienst de Britse collega's en de CIA op de hoogte gebracht van
gedetailleerde plannen voor een meervoudige operatie tegen de metro
van Londen.[89]

Het zou twintig tot dertig jaar duren om de terroristen eronder te krijgen, zei Abdullah.

Bij het staatsbezoek rezen nog meer vragen. Saudi-Arabië is geen
toonbeeld van eerbied voor de mensenrechten, laat staan van democratie, vonden sommigen. Anderen zeiden dat in het koninkrijk de haatge-
schriften werden gedrukt die werden aangetroffen in een kwart van de
Britse moskeeën. Teksten waarin werd opgeroepen tot afkeer van de ongelovigen en tot de heilige oorlog 'tegen tirannen en verdrukkers', de
moord op homo's en de steniging van overspeligen.

De centrumrechtse denktank Policy Exchange had de komst van
Abdullah uitgekozen om de resultaten te publiceren van een uitgebreid
onderzoek daarover. Een kwart van de moskeeën leek weinig maar het
waren vooral instellingen die goed bij kas zaten en algemeen werden
gerespecteerd. De denktank vroeg aan premier Gordon Brown om dat
ter sprake te brengen bij de Saudische koning. Dat deed de premier niet

en evenmin repte hij over de mensenrechten; het gesprek was integendeel toegespitst op de oorlog tegen het terrorisme, het vredesinitiatief
voor het Midden-Oosten en wat de Saudi's konden doen om Afrika uit
de armoede te halen. Op het banket met de koningin was Iran even aan-
geraakt, maar iedereen wist dat Abdullah tegen militaire actie was.

Na de koning was het de beurt aan prins Bandar, de voormalige
ambassadeur in de Verenigde Staten en tegenwoordig Nationaal Veiligheidsadviseur, om voor headlines te zorgen. 'We hadden Amerika kunnen helpen om de aanslagen van 11 september te voorkomen, had men
ons op een geloofwaardige manier advies gevraagd', zei hij op 1 november in een documentaire van al-Arabiya. 'We volgden de meeste samenzweerders' zei hij. 'Mocht het Amerikaans Veiligheidsapparaat met ons
hebben overlegd op een ernstige en geloofwaardige manier, dan zouden
we naar mijn mening hebben kunnen voorkomen wat er is gebeurd.'[90]

Olieschaarste en graancrisis

ISLAMABAD (PAKISTAN) - *Eind oktober 2007 zond het*

Pakistaanse ministerie van Olie de eerste alarmsignalen uit. Er was een olietekort.

Nooit waren de voorraden zo laag gedurende zo'n lange periode. Tegen Kerstmis bleek

dat vooral de North-West Frontier Province (NWFP) werd getroffen. De strategische

reserves waren er uitgeput en er was amper nog voorraad op de vrije markt.

De provinciale regering stuurde telegrammen naar de president, de interim-premier, het ministerie van Binnenlandse Zaken en de legerleiding. Het ernstig tekort in de hele provincie veroorzaakte 'toenemende problemen met recht en orde in sommige districten'. Het provinciebestuur waarschuwde voor een verdere verslechtering van de veiligheidssituatie en een verstoring van de verkiezingen als niet onmiddellijk werd ingegrepen.

Het olieministerie begreep niet dat de noodreserves uitgeput waren. De plotse schaarste was het gevolg van de vraag die de voorbije maanden met maar liefst 64 procent was toegenomen. Die exorbitante stijging was veroorzaakt door grootscheepse smokkel van diesel naar Afghanistan, waar de brandstof de helft duurder was. Er stapelden zich forse rekeningen op die de volgende regering zou moeten betalen. Het traditionele gebruik om de grens te negeren leende zich uitstekend tot het lessen van de grote Afghaanse oliedorst en de grensbewoners hadden niet nagelaten daar hun voordeel bij te doen. Vanzelfsprekend was de smokkel alleen mogelijk onder hoge bescherming.

De veiligheidssituatie in de NWFP was inderdaad zorgwekkend. Op 21 december waren in Charsadda, twintig kilometer ten noordoosten van de provinciehoofdstad Peshawar, zevenhonderd gelovigen verzameld ter gelegenheid van Eid, het Offerfeest. Bij hen voormalig minister van Binnenlandse Zaken Aftab Ahmad Khan Sherpao en zijn twee zonen. Sherpao, een voormalig beroepsmilitair, was als leider van zijn afgescheurde fractie van de Pakistan Peoples Party (PPP) minister geweest onder premier Shaukat Aziz. De moskee waar het feest plaatsvond was genoemd naar zijn oudere broer, de voormalige provinciegouverneur die in 1975 was omgekomen bij een bomexplosie op de universiteit van Peshawar. Plots weerklonk een luide knal. Een oogwenk later was de moskee herschapen in een slachthuis, bezaaid met verkoolde menselijke resten en bloedend vlees. Er waren 54 doden en om en bij de honderd gewonden, bij wie de jongste zoon van Sherpao.

De aanslag was een nieuwe waarschuwing aan het adres van de Sherpao-clan, die sinds de tijd van Zulfikar Ali Bhutto een stevig politiek gewicht in de schaal gooide. De Sherpao's waren trouwe aanhangers van de oude Bhutto. Ze hadden met hem aan de wieg gestaan van de PPP. In het begin hadden ze ook zijn dochter Benazir gesteund tegen dictator Zia ul-Haq. Maar onder haar bewind was het tot een conflict gekomen over de afbakening van politieke jachtgebieden. Na de machtsgreep van Musharraf vluchtte Aftab Ahmad Khan Sherpao, de latere minister, naar Londen, maar hij keerde terug voor de verkiezingen van 2002 en scoorde voortreffelijk, onder meer dank zij een bondgenootschap met de religieuze partijen die toen een doorbraak beleefden. Na 2002 steunde hij Musharraf en werd daarvoor beloond met een ministerpost. Op 28 april 2007, toen hij nog op Binnenlandse Zaken zat, werd in Charsadda een eerste zelfmoordaanslag op hem gepleegd. Sherpao werd toen gewond. Hij twijfelde aan Musharrafs aanpak van de extremisten en waarschuwde dat de islamisten zich vanuit de Tribale Gebieden verspreidden en dat dringende maatregelen nodig waren om te voorkomen dat ze het land zouden overspoelen. De Amerikaanse defensieminister Gates zag in de aanslagen het bewijs dat al-Qaeda zich in de vlakbijgelegen FATA had gereorganiseerd en mikte op de Pakistaanse regering. Het was de oorlog die bin Laden drie maanden tevoren had verklaard.

Pakistan sloot een erg bloedig half jaar af. Sinds de slag om de Rode Moskee waren er in de strijd met het extremisme zeshonderd doden gevallen, een derde van hen soldaten.

De olieschaarste liet zich intussen pijnlijk voelen. Op 4 januari 2008 werd beslist om alle hoogovens twee weken stil te leggen om brandstof te besparen. Op 8 januari moesten de markten twee uur per dag dicht. De elektriciteitsmaatschappij weigerde om 's avonds stroom te leveren aan de textielfabrieken. Alleen de gewone gebruikers, de cementindustrie en de meststofproducenten werden niet door de rantsoenering getroffen.

Alsof een energiecrisis niet volstond, tekende zich ook een graancrisis af. De prijzen stegen. Voorraden werden her en der geplunderd. De voorlopige regering gelastte de import van een half miljoen ton graan om de uitgeputte reserves aan te vullen en de periode te overbruggen tot de oogst, die ten vroegste anderhalve maand later zou beginnen.

De klok tikt

BEIROET (LIBANON) - *Op 15 november arriveerde na alle*

vorige gezanten zelfs VN-secretaris-generaal Ban Ki-moon in Beiroet om te helpen de

politieke knoop te ontwarren. Al twee maanden liet de verkiezing van een opvolger

voor president Lahoud op zich wachten.

Ban Ki-moon ging onmiddellijk praten met parlementsvoorzitter Nabih Berri, de leider van de sjiitische Amal, en er stond ook een ontmoeting op het programma met de maronitische patriarch Sfeir. Die had net gepraat met de Franse minister van Buitenlandse Zaken Bernard Kouchner, die eveneens in de Libanese hoofdstad was neergestreken. Kouchner had van Sfeir een lijstje gekregen met geschikte presidentskandidaten en had aan de patriarch beloofd het te zullen voorleggen aan de oppositie. Wie erop stond was een zorgvuldig bewaard geheim. Volgens sommigen stonden er zes kandidaten op, bij wie Michel Aoun. Volgens anderen ne-gen en nog andere berichten spraken van één enkele naam. Nog voor er iets van bekend was, lag het lijstje van Sfeir onder vuur. Kouchner bleef zoals steeds voorzichtig optimistisch, wat stilaan een eufemisme leek voor aanzwellende wanhoop.

Daar was reden voor. In een felle toespraak had Hezbollah-leider Nasrallah op 11 november aan president Lahoud een 'initiatief van natio-nale redding' gevraagd om te voorkomen dat het land in handen zou vallen van 'dieven en moordenaars die het Amerikaans-zionistisch plan steunen'. Als de nieuwe president geen consensuskandidaat was, zou zijn militie hem beschouwen als een usurpator. Hij daagde de regering uit vervroegde parlementsverkiezingen uit te schrijven en aan te tonen dat ze over een tweederdemeerderheid beschikte om een staatshoofd aan te wijzen. Hij kondigde nog net niet een jihad af tegen de regeringscoalitie.

De laatste tien dagen van Lahouds ambtstermijn waren aangebroken. Op 21 november moest het parlement de knoop doorhakken. Kouchner betreurde de uitspraken van Nasrallah. Zonder hem bij naam te noemen zei hij: 'Sommige stemmen willen geen verkiezingen maar ik ben ervan overtuigd dat we met de Franse inspanningen en de oprechte vastbera-denheid van 14 maart[91] een president kunnen verkiezen.'

Via de Franse zaakgelastigde André Parant belandde de lijst van Sfeir bij Berri en Hariri, die moesten proberen overeen te komen wie voor beide partijen aanvaardbaar was. Voor zijn vertrek uit Beiroet had Ban Ki-moon ook zijn voorwaarde gesteld: de nieuwe president moest de resoluties van de VN naleven. Dat betekende onder meer dat hij de oprichting moest aanvaarden van het Hariri-tribunaal.

Het rapport van el-Baradei

TEHERAN (IRAN) - *Op 16 november werd het langverwachte*

rapport gepubliceerd van el-Baradei over het Iraanse atoomprogramma. Iran maakt

nog altijd verrijkt uranium en heeft daarvoor drieduizend centrifuges in Natanz,

stond erin.

Iran was niet zelf met informatie voor de pinnen gekomen en het Agent-schap concludeerde dat zijn kennis van het nucleair programma afnam in plaats van groeide. Het Witte Huis gaf wegens die 'selectieve samen-werking' een onvoldoende. De nieuwe Iraanse onderhandelaar, Saeed Jalili, benadrukte dat zijn land meewerkte en dat er dus geen reden was voor nieuwe strafmaatregelen. Het rapport van het Agentschap was voor hem het bewijs dat Irans programma vredelievend was. Aan de samen-werking zou een einde komen, mocht de Veiligheidsraad beslissen tot nieuwe sancties, dreigde hij.

Voor Washington was duidelijk dat Teheran niet de intentie had om samen te werken met 'de rest van de wereld'. Het begon overleg met de andere vaste leden van de Veiligheidsraad en Duitsland over nieuwe sancties. Rusland probeerde de gemoederen te bedaren met de suggestie dat alsnog een akkoord mogelijk was tussen het Atoomagentschap en Iran. China verdedigde het recht van Iran op nucleaire energie maar zette achter de schermen druk op Teheran.

Ahmadinejad bleef zijn reputatie trouw en eiste excuses van de Ame-rikanen nu het rapport aantoonde dat alles wat ze hadden rondgeba-zuind fout was. Op 19 november zou in Brussel een vergadering plaats-vinden van de vijf permanente leden van de Veiligheidsraad en Duitsland, maar drie dagen daarvoor verontschuldigde China zich. Washington had Peking gewaarschuwd zich niet te verzetten tegen nieuwe sancties. De bijeenkomst in Brussel werd voor onbepaalde tijd uitgesteld. Washington kon rekenen op Frankrijk. Kouchner trok nu in de Europese Unie de kar pro sancties.

Ahmadinejad bleef ook thuis onder vuur liggen. Volgens burgemees-ter Qalibaf van Teheran, een pragmatisch conservatief en voormalig pre-sidentskandidaat, was er meer volwassenheid, verstand en behendigheid nodig nu de toestand ernstiger werd. Ook de voormalige bevelhebber van de Revolutionaire Garde, Mohsen Rezaie, waarschuwde dat de dreigementen tegen Iran geen grapjes waren. Ahmadinejad ging in de tegenaanval en dreigde ermee de 'verraders' te ontmaskeren die kritiek hadden op zijn beleid en volgens hem 'dommer waren dan geiten'. Hij voegde de daad bij het woord en op 14 november werd Hossein Mousavian beschuldigd van spionage voor de Britten. Mousavian, een voormalig nucleair onderhandelaar, stond dicht bij oud-president Rafsanjani.

Op 17 november arriveerde Ahmadinejad in Riyadh voor de top van de olie-uitvoerende landen, de OPEC. Hij vertelde tegen Dow Jones News dat hij met de Arabische landen een plan zou bespreken om uranium te verrijken in een neutraal land. Die suggestie kwam van de Gulf Cooperation Council (GCC), waarin zes landen uit de Golf samenwerken. Ze stelden de oprichting voor van een internationaal consortium om Iran en andere landen in de regio aan uranium te helpen verrijkt in een neutraal land als Zwitserland. Vrijwel gelijktijdig verscheen in de Zwitserse pers de bevestiging dat het land probeerde een rechtstreeks gesprek op gang te brengen tussen de Verenigde Staten en Iran. Presidente Micheline Calmy-Rey zei dat ze het recht erkende van Iran op kernenergie en dat ze betwijfelde dat Teheran onder druk door de knieën zou gaan. Buitenlandse Zaken bevestigde dat Bern voor een onderhandelde oplossing was en zich engageerde om Iran met de internationale gemeenschap te verzoenen. Zwitserland vertegenwoordigt de Amerikaanse belangen in Teheran sinds de verbreking van de betrekkingen in 1980.

EEN VENEZOLAANSE BONDGENOOT
De regeringsgezinde Libanese krant *L'Orient-Le Jour* voorspelde dat Hezbollah onverzettelijk zou blijven zolang Teheran dat vroeg en dat wilde zeggen: zolang het nucleair conflict niet was geregeld. Op de OPEC-conferentie, waar het Zwitserse ballonnetje was gelanceerd, werd de wereldmarkt verzekerd van een 'voldoende en betrouwbare' bevoorrading; de OPEC is goed voor veertig procent van de wereldproductie. Afspraken over mogelijke productieverhoging, waartoe eigenlijk alleen Saudi-Arabië in staat was, werden doorverwezen naar een volgende top, op 5 december.

Ahmadinejad zorgde op de bijeenkomst voor de valse noot door te hopen dat hij het oliewapen niet zou moeten gebruiken want, 'als Amerika iets tegen ons onderneemt, dan weten we hoe te antwoorden'. Hij kreeg weinig bijval, tenzij van zijn Venezolaanse vriend Hugo Chávez. Beiden waren voor een harde prijspolitiek en het afstappen van betaling in steeds zwakker wordende dollars, wat volgens hen alleen voordelig was voor een handvol kapitalisten. Iran verkocht zijn olie al grotendeels in euro. De Saudische minister van Buitenlandse Zaken zei dat zijn land niet gewonnen was voor de ineenstorting van de dollar. Maar de Saudi's stemden ermee in dat de dollarkwestie zou worden besproken door de ministers van Financiën van de OPEC.

Ahmadinejad moest in Chavez zijn meerdere erkennen. In de Saudische hoofdstad betoogde die dat de OPEC het voortouw moest nemen in de strijd tegen de armoede. Hij sloeg een kruis en zei dat de enige weg naar vrede rechtvaardigheid is – 'zoals Christus zei.' De oliesjeiks keken verbijsterd maar onbewogen toe. Dat deden ze ongetwijfeld ook toen Ahmadinejad zei er zeker van te zijn dat zijn 'vrienden en broeders' niet zouden helpen bij de Amerikaanse pogingen om zich meester te maken van Irans energiereserves.

In de regio werd het Iraans nucleair programma met zorg gevolgd. Op 2 november zei de kroonprins van Bahrein als eerste Arabische leider dat Iran aan een kernwapen werkte. Sjeik Salman bin Hamad al-Khalifa waarschuwde dat de hele regio werd bedreigd door een militair conflict. Hij zei dat Amerika niet met zijn land overlegde over Iran, hoewel er een basis was van de Amerikaanse marine.

Saudi-Arabië was niet tevreden met het stilzwijgen van Teheran over het Zwitserse voorstel. Het antwoord van Teheran liet op zich wachten en het Saudisch ongeduld maakte koppen. De oude wederzijdse argwaan tussen Arabische soennieten en de 'onbetrouwbare, sjiitische Perzen' was voelbaar.

Ahmadinejad dacht er niet aan om de verrijking van uranium uit handen te geven. Maar op 21 november kon hij in het conservatieve blad *Jomhuri-e-Eslami* een striemend commentaar lezen. Hij deed dit ongetwijfeld met aandacht omdat de krant erg dicht stond bij ayatollah Khamenei. Ahmadinejad was 'fout' toen hij de vroegere nucleaire onderhandelaar Hossein Mousavian een verrader noemde, zo stond er te lezen, het was enkel aan rechtbanken om dergelijke uitspraken te doen. De krant vond dat wie laster verkocht moest worden vervolgd. De manier waarop de president Mousavian had aangepakt was 'immoreel, onlogisch en illegaal'.

Het ultieme gesprek

LONDEN (GROOT-BRITTANNIË) - *De Verenigde Naties hadden opdracht gegeven voor twee rapporten over het kernprogramma van Iran: een technisch door Mohammed el-Baradei van het Internationaal Atoomagentschap en een politiek van de Europese topdiplomaat Javier Solana. El-Baradei had zijn bevindingen al eerder meegedeeld.*

Solana moest vertellen of Iran bereid was om zijn verrijkingsprogramma op te schorten. Teheran had gezegd dat onderhandelaar Jalili met nieuwe ideeën naar Solana was gereisd, maar president Ahmadinejad liet doorschemeren wat mocht worden verwacht nog voor de ontmoeting begon. 'Iran is een atoomnatie en niemand kan ons bedreigen want we waren eensgezind en ze hebben niets tegen ons ondernomen.' Na afloop van het overleg hield Jalili een uitvoerige persconferentie waarin hij het had over positieve discussies. Het was onaanvaardbaar dat Teheran zou moeten afzien van zijn rechten, nu het tegemoetkwam aan zijn verplichtingen, vond hij.

Op de persontmoeting van Solana was de stemming grondig anders. 'Ik had meer verwacht', zei Solana, 'en dus ben ik ontgoocheld.'

Iran bleef stoïcijns onder het vooruitzicht van nieuwe sancties. Minister van Buitenlandse Zaken Mottaki vond dat nu een einde moest komen aan de 'onwettige' behandeling van het nucleair dossier en schreef in een brief aan Ban Ki-moon dat de strafmaatregelen niets hadden uitgehaald. 'In werkelijkheid hebben we in die periode de grootste technologische doorbraken gerealiseerd', schreef hij. Teheran beschikte nu over drieduizend verrijkingsmachines, het tienvoud van toen de eerste maatregelen waren afgekondigd op 23 december 2006 – toen werd een verbod opgelegd om aan Iran materiaal en technologie te leveren die dienstbaar konden zijn voor het atoom- en raketprogramma.

De dag na zijn ontmoeting met Jalili bracht Solana verslag uit in Parijs bij de vaste leden van de Veiligheidsraad en Duitsland. Amerika, Groot-Brittannië en Frankrijk waren voor een snelle en harde reactie. China en Rusland stonden daar weigerachtig tegenover.

Hooggestemde ambities

ANNAPOLIS (MARYLAND, VS) - *Toen verschoven de schijn-*

werpers onverbiddelijk naar de United States Naval Academy van Annapolis, waar

Bush een grote conferentie had belegd om zijn Midden-Oostenpolitiek te redden. Bij de

opening ervan verklaarde hij dat Israëli's en Palestijnen vandaag begrepen dat ze

elkaar moesten helpen en dat beiden een onafhankelijke, democratische en leefbare

Palestijnse staat nodig hadden.

Daags tevoren had hij gepraat met de Israëlische premier Ehud Olmert en de Palestijnse president Mahmoud Abbas. Uiteindelijk waren er zestien Arabische landen naar Annapolis gekomen. Bush vroeg hen en de internationale gemeenschap om te helpen bij het moeilijke werk. Ons doel is niet een akkoord, zei hij, maar de lancering van onderhandelingen tussen Israëli's en Palestijnen.

Na twee dagen intensief overleg was Condoleezza Rice nog niet klaar met een onderhandelingsschema. Er waren drie knelpunten: de Palestijnen wilden niet horen van een 'Joodse staat' wegens de mogelijke gevolgen voor de Palestijnse eigendomsrechten; Israël en de Amerikanen wilden geen verwijzing naar het 'einde van de bezetting die begon in 1967', wat gevolgen had voor de nederzettingen en de Golan; en ten slotte was er onenigheid over de Palestijnse eis dat er een oplossing moest zijn binnen het jaar. Israël wilde daar niet van weten, Washington stond er voor open.

Bush gooide zich in het evenement, sprak met Olmert en Abbas twee dagen op rij, maar wilde niet zelf de onderhandelingen leiden. Hij wilde het anders aanpakken dan Clinton, zeven jaar voor hem in Camp David. Die had te zwaar gewogen op de gesprekken tussen de toenmalige Israëlische premier Barak en Yasser Arafat. Bush was minstens zo ambitieus maar veel voorzichtiger. Was Annapolis daardoor méér dan de moeder van alle fotomomenten?

De eerlijkheid gebiedt te erkennen dat Annapolis de eerste internationale Arabisch-Israëlische bijeenkomst was sinds de historische conferentie die James Baker in 1991 in Madrid had bijeengekregen. Niet zonder belang is ook dat Bush zich in 2002 als eerste Amerikaanse president had uitgesproken voor een Palestijnse staat, al weigerde hij op dat moment het gesprek met Arafat.

De betekenis van Annapolis zou duidelijk worden in wat zou volgen. Daar was vriend en vijand het over eens. De openingstoespraak van Bush in de Memorial Hall bood meer dan was verwacht. Geflankeerd door Olmert en Abbas zei hij dat beide leiders elkaar om de twee weken zouden zien en dat permanent zou worden onderhandeld met als doel vóór eind 2008 een akkoord te bereiken over de oprichting van een democratische Palestijnse staat.

Dat paste voor Bush in de veel ruimere strijd tegen het extremisme. 'Wanneer de vrijheid wortel zal schieten in de rotsachtige bodem van de Westelijke Jordaanoever en Gaza, zal dat een inspiratie zijn voor miljoenen in het Midden-Oosten die een samenleving willen die gefundeerd is op vrijheid, vrede en hoop.' Het waren vertrouwde woorden. Ooit was ook Irak als een baken van hoop voorgesteld. Tot op het allerlaatste ogenblik was gewerkt aan de formulering van de gemeenschappelijke verklaring die Bush voorlas en waarover twee maanden was gebakkeleid. Volgens het plan moest een einde komen aan de uitbreiding van de Joodse nederzettingen en zouden de Palestijnse veiligheidsdiensten optreden tegen extremistische groepen die Israël belaagden.

Abbas zei dat er een wereld *voor* en een *na* Annapolis zou zijn. Olmert betoogde dat de Arabische landen net als Israël wisten dat religieus fanatisme en nationalistisch extremisme een recept zijn voor geweld en instabiliteit. Er is geen enkele Arabische staat waarmee we geen vrede willen, zei hij. Toen hij klaar was, klapte de Saudische minister van Buitenlandse Zaken, prins Saud, beleefd. De dag tevoren had hij gezworen dat hij de Israëlische premier niet de hand zou schudden.

Er hing de sfeer van de grote dagen in Annapolis en ofschoon grote twijfels heersten over het welslagen van het hooggegrepen plan, hadden alle partijen veel geïnvesteerd en dus ook veel te verliezen.[92] Voor Bush hing er bovendien van af hoe de geschiedenis over hem zou oordelen. Hij wilde van het welslagen van de conferentie de hoofdschotel maken van zijn laatste jaar als president.

Ver weg, in Gaza en op de Westelijke Jordaanoever, waren er protesten tegen Annapolis ondanks het betogingsverbod van de Palestijnse Autoriteit.

Toen de conferentie ten einde liep, sprak premier Olmert tegen *Haaretz* van de risico's voor Israël mochten de onderhandelingen mislukken. 'Mocht er een beweging ontstaan voor gelijke rechten voor alle inwoners van het grotere Israël, dan zullen we uiteindelijk het onderspit delven en is het afgelopen met Israël. Kijk naar wat in Zuid-Afrika is gebeurd', zei hij. Olmert verwachtte dat een burgerrechtenbeweging de steun zou krijgen van de machtige Joodse organisaties in Amerika. Zijn commentaar verscheen op de zestigste verjaardag van het VN-plan voor de verdeling van Palestina in een Joodse en een Arabische staat.

In zijn openingsspeech had Bush het ook even over Libanon. Omdat we vrede willen, zullen we het Libanese volk blijven steunen, zei hij. 'We geloven dat democratie vrede brengt, en democratie in Libanon is ook vitaal voor de vrede in het Midden-Oosten', om vervolgens te benadrukken dat het aan het Libanese volk was om te beslissen wie de nieuwe president werd 'zonder inmenging of intimidatie'. Amerika keek uit naar de dag waarop het Libanese volk zou kunnen genieten van 'de zegeningen van de vrijheid zonder vrees voor geweld of dwang'.

EEN ONVERWACHTE GAST
EN EEN OPVALLENDE AFWEZIGE

Op het moment dat de Pakistaanse ex-premier Nawaz Sharif op zijn beurt in Lahore zou beginnen aan een triomfantelijke terugkeer na acht jaar ballingschap, werd vernomen dat Syrië een gezant zou sturen naar Annapolis.

Het was 25 november. Twee dagen tevoren had Syrische onwil geleid tot een constitutionele crisis in Libanon. Tegelijk was uit Washington het bericht gekomen dat de Golan in Annapolis op de agenda zou staan. Damascus kon niet anders dan op de conferentie verschijnen. Dat het niet van harte was bleek uit het niveau van de vertegenwoordiging onder leiding van onderminister van Buitenlandse Zaken Faysal Mekdad. Voor Bush was het een tweede succes, na de aankondiging dat ook Saudi's naar Annapolis kwamen. Bij de Israëlische delegatie, die een thuiswedstrijd tegemoet kon zien, werd vernomen dat de Golan niet op het hoofdmenu zou staan en alleen in de marge zou worden besproken. Maar een Amerikaans functionaris zei dat niemand de microfoon zou uitschakelen als de Syriërs over de Golan zouden beginnen. Het Israëlische standpunt was bekend: ze wilden de Golan afstaan op voorwaarde dat ze de controle behielden op de oostelijke, Syrische oever van het meer van Galilea.

Iemand had zijn slag thuisgehaald. Dat bleek uit het bittere commentaar van de Iraanse president Ahmadinejad die net nog had uitgehaald naar het gebrek aan intelligentie bij de 'zogenaamde politici' die zouden deelnemen aan een vergadering die de zionistische bezetters moest ondersteunen. Als puntje bij paaltje kwam koos Damascus voor eigenbelang en dat lag in de eerste plaats in de bezette Golanhoogvlakte van waarop Damascus onder schot kan gehouden worden.

Bush had uitnodigingen verstuurd naar ruim zestig landen en internationale organisaties. Er was kritiek van de neoconservatieven die Iran een belangrijker en dringender kwestie vonden. De poging van Clinton in 2000 had schipbreuk geleden en sindsdien was niets meer van die orde geprobeerd. Bush had na jaren geleerd dat dit conflict het meest centrale was en de bron en brandstof van vele andere conflicten.

De Syrische delegatieleider Faysal Mekdad had ervaring met de westerse media. In de zomer van 2006 had hij de pogingen weggelachen om een wig te drijven tussen Syrië en Iran. 'Een krankzinnig idee', had hij dat genoemd en 'wat we doen is in ons nationaal belang. Wij alleen beslissen over ons belang'. Diezelfde zomer had Mekdad gezegd dat zijn land Hezbollah begreep en kon 'helpen', maar de Partij van God niet kon dwingen. Hij had ontkend dat zijn land wapens leverde of liet passeren voor Hezbollah met de woorden: 'Ze hebben niet méér wapens nodig, ze hebben genoeg om zichzelf en Libanon te verdedigen.'

Het was dan wel niet de Syrische minister Mouallem zelf, maar Israël sprak toch van een hoge delegatie en juichte de aanwezigheid van Damascus toe.[93] De Israëlische minister van Buitenlandse Zaken, Tzipi Livni, schreef de Syrische instemming toe aan de Israëlische bereidheid om zich niet langer te verzetten tegen een gesprek over de Golan. De Turken vonden het goed dat zich geen front vormde tegen Annapolis. Turkije was een van de landen, samen met Saudi-Arabië, Egypte en Spanje, die druk hadden uitgeoefend op Damascus.

Een dozijn Arabische landen had intussen toegezegd om hun minister van Buitenlandse Zaken te sturen. De meerderheid ervan onderhield geen diplomatieke betrekkingen met Israël. Ahmadinejad had diezelfde zondag nog getelefoneerd met zijn Syrische collega Assad en ze waren overeengekomen dat 'alleen de echte vertegenwoordigers van het Palestijnse volk konden beslissen over hun toekomst en dat conferenties als die van Annapolis gedoemd waren om te mislukken'. Tot daags voor de aankondiging dat Syrië naar Annapolis zou komen, noemden de kranten in Damascus de conferentie 'verdacht'. Een Syrisch parlementslid had gesproken van een carnaval en gezegd dat als Syrië naar Annapolis zou gaan de alliantie met Iran op de helling zou komen te staan. 'Denk maar niet dat Syrië zal gaan voor een reep chocolade', zei hij. Hamas-leider Haniye had de conferentie 'doodgeboren' genoemd. Faysal Mekdad had enkele dagen voor hij delegatieleider werd tegen de BBC gezegd dat deelname aan Annapolis afhankelijk was van het soort invitatie en de agenda. Als de Golan niet aan de orde werd gesteld was er voor Syrië niets wat een deelname aan de conferentie kon verantwoorden, had hij gezegd.

Had de Russische onderminister Saltanov bemiddeld tijdens zijn recente bezoek aan Damascus?[94] Waren de Russen écht geïnteresseerd in Annapolis, zoals ze beweerden en de komst van minister Lavrov van Buitenlandse Zaken deed vermoeden.[95] De lijst van gasten werd alsmaar indrukwekkender: Solana en Ferrero-Waldner van de EU, Ban Ki-moon van de VN, Amr Moussa van de Arabische Liga, president Abbas van de Palestijnen en de Israëlische premier Olmert, Kouchner en zijn Britse, Duitse, Egyptische, Jordaanse, Saudische en Japanse ambtgenoten, oud-premier Tony Blair...

De vraag rees of Syrië in de val was gelopen zoals Ahmadinejad waarschijnlijk dacht. Of was het regime zwakker dan de gebeurtenissen in Libanon deden vermoeden en was Annapolis een andere naam voor Canossa? De Israëlische luchtaanval van een kleine drie maanden tevoren scheen vergeten en Damascus was er ook niet in geslaagd om Libanon naar zijn hand te zetten door zijn presidentskandidaat te doen verkiezen. Damascus wist dat het niet alleen over de Golan, maar onvermijdelijk ook over Hezbollah en Libanon zou gaan. Een concreet resultaat was dat de anti-Annapolisconferentie van radicale groepen in Damascus werd afgeblazen.

Het leek erop dat de zienswijze van Blair en de Baker-Hamiltongroep veld won in Washington, dat steeds meer positieve belangstelling toonde voor Syrië. Tegelijk groeide in de Israëlische regering het inzicht dat een deal met Syrië interessanter kon zijn dan met de Palestijnen. Het had zin om het land te proberen los te pulken uit de Iraanse invloedssfeer.

Op de dag dat de conferentie begon maakte de Iraanse minister van Defensie Najjar wereldkundig dat zijn land een nieuwe lange afstandsraket had gebouwd met een bereik van tweeduizend kilometer, genoeg om Israël te treffen. Dat was vergelijkbaar met de Shabab-3, de enige andere raket voor de lange afstand waarover Iran tot dan toe beschikte. Het was niet meteen duidelijk waarin de nieuwe raket van de Shabab verschilde. Gelijktijdig kreeg de Iraanse marine een nieuwe duikboot. Ook daar waren geen verdere details over bekend maar de levering was tijdig voor een oefening die in februari zou volgen in de Straat van Hormuz, de poort tot de olievelden van de Golf. Er is geen gevoeliger plek in de wereld dan de Straat van Hormuz die Iran bij een ernstig conflict zou proberen te sluiten. Bij een conventioneel conflict was Iran een makkie. Het probleem was dat het als geen ander was toegerust voor een asymmetrische oorlog, die over de hele regio kon uitdeinen. Dat was een gemeenschappelijke zorg van vele aanwezigen in Annapolis.

Iran was erg bedrijvig op de openingsdag van de conferentie. IRNA, het Iraanse persbureau, opende met een nieuwe uitval tegen Annapolis. De regeringswoordvoerder, Gholam Hossein Elham, sprak van Amerikaanse pogingen om 'het *fake* regime in Israël te stutten, verloren krediet te herstellen en het eigen isolement te doorbreken'. De conferentie zou geen gevolgen hebben voor de 'wettelijke en rechtmatige pogingen van het Palestijnse volk om naar zijn land terug te keren'. Amerika en zijn pleitbezorgers zouden in diskrediet worden gebracht. 'Gezien onze hartelijke betrekkingen met de moslimlanden, inclusief Saudi-Arabië, wil Iran niet dat ze aan hun (Amerikaanse) kant blijven. Natuurlijk, Saudi-Arabië heeft zijn standpunt kenbaar gemaakt door de erkenning uit te sluiten van het zionistisch regime en de plannen die tot die erkenning leiden.' Iran was ziedend. De regeringswoordvoerder kondigde verder nog een top aan van tien Palestijnse groepen die 'waarschijnlijk de komende dagen en de volgende week' naar Teheran kwamen. 'Dat betekent dat de Palestijnse groepen niet vertegenwoordigd zijn in Annapolis', benadrukte hij. Het was een verholen dreigement om die groepen te ontketenen. De uitkomst van de conferentie stond volgens hem vooraf vast omdat het Palestijns probleem niet kon worden opgelost zonder de Palestijnse natie.

De uitval tegen de Saudi's bracht het telefoongesprek in herinnering dat Ahmadinejad twee dagen tevoren had gevoerd met koning Abdullah. De Iraanse president had de koning onomwonden gezegd dat hij liever had gezien dat Saudi-Arabië uit Annapolis wegbleef en dat het zionistisch regime al zestig jaar Palestijnse vrouwen en kinderen vermoordde met de medeplichtigheid van de Amerikaanse regering. Daarop had Abdullah geantwoord dat hij Israël nooit zou erkennen en dat zijn land opkwam voor de rechten van de Palestijnen.

Terwijl in Annapolis een kosmopolitische receptie begon, was er vanuit Teheran, naast hoog bezoek uit Sri Lanka, alleen te melden dat Iran en Indonesië zich voornamen om samen te werken tegen de corruptie, dat de Duitsers nu een ander beeld kregen van Iran dankzij een fototentoonstelling, en dat Iraanse bedrijven vertegenwoordigd waren op de 14de Internationale Handelsbeurs van Tirana.

Iran was de meest opvallende afwezige in Annapolis. Maar er rezen ook vragen over de afwezigheid van Hamas dat tenslotte de verkiezingen in Palestina had gewonnen. Irak, Koeweit en Libië waren uitgenodigd, maar stuurden niemand.

Een doorbraak, geen doorbraak

BEIROET (LIBANON) - *Daags na de opening van de conferen-*

tie liet Saad Hariri zijn verzet varen tegen een wijziging van de grondwet die nodig

was om generaal Michel Suleiman president te laten worden. Een ambtenaar of een

militair in functie kon grondwettelijk geen kandidaat zijn en de wijziging was onont-

beerlijk voor de verkiezing van de legerchef. Een vergelijk over het toekomstig staats-

hoofd scheen plots dichtbij.

Suleiman was voor iedereen aanvaardbaar. Hij was negen jaar tevoren, toen Syrië nog de lakens uitdeelde, opperbevelhebber geworden en werd door iedereen gewaardeerd. De meerderheid apprecieerde dat hij tijdens de Cederrevolutie de anti-Syrische betogingen had beschermd, de oppositie was niet vergeten dat Suleiman goede contacten had in Damascus waar zijn broer woordvoerder was geweest van Hafez al-Assad, de vader en voorganger van de huidige president.

De enige onzekerheid was of Michel Aoun, zelf oud-opperbevelhebber, met de keuze van Suleiman kon instemmen. Nog voor daarover klaarheid kwam ontzegde Hezbollah aan de regering de bevoegdheid om een grondwetswijziging voor te stellen. De grondwet kon enkel worden gewijzigd na het vertrek van de 'onwettige' regering-Siniora. Vervolgens liet Aoun weten dat hij Suleiman zou steunen als hij president werd voor maar twee jaar, de oppositie vetorecht zou krijgen en er een neutrale premier zou worden benoemd.

Het gerucht circuleerde dat de parlementszitting die de nieuwe president moest aanwijzen voor een zesde keer zou worden uitgesteld. Een dag later kwam de bevestiging. De volgende vergadering moest plaatsvinden op 7 december. Volgens voorzitter Berri zou intussen worden gezocht naar een consensus.

Over de Golan was in Annapolis nauwelijks gepraat, maar toch waren de Syriërs tevreden teruggekeerd. Condoleezza Rice had de delegatie hartelijk de hand geschud, bedankt voor de komst en gevraagd haar groeten over te brengen aan haar ambtgenoot Mouallem. Een hoge Amerikaanse functionaris ontkende tegen het Koeweits persbureau dat in Annapolis met de Syriërs een overeenkomst was bereikt over Libanon. Daar was volgens hem niet over onderhandeld, 'zeker niet met Syrië'. 'De Verenigde Staten scheiden Libanon van de andere regionale problemen', zei hij. Maar een andere Amerikaanse functionaris zei tegen *The Wall Street Journal* dat Condoleezza Rice naar Annapolis was gegaan voor zowel de Palestijns-Israëlische onderhandelingen als om een vergelijk te vinden over de Libanese opvolging. Tot voor Annapolis predikte Washington het isolement van Syrië, maar nu was er 'beslist een andere dynamiek', zei de functionaris. Dat verklaarde waarom de Amerikaanse bondgenoten in Beiroet waren bijgedraaid en plots geen graten meer zagen in een 'consensuskandidaat'. Voor Washington kwam het er nu op aan Syrië los te weken uit het Iraanse kamp en de banden te doen verbreken met Hamas en Hezbollah. Pas in derde instantie was belangrijk dat de Syriërs méér zouden ondernemen tegen de vrijwilligers voor de jihad in Irak. Het akkoord over Suleiman, één dag na Annapolis, was een vroege vrucht die aantoonde dat de Oosterse molens traag en grondig malen maar soms ook bijzonder snel.

Alweer een hoge functionaris van de regering-Bush zei tegen *The New York Times* dat een handvol Arabische landen had laten weten dat ze alleen op het appel zouden zijn in Annapolis indien betere betrekkingen met Syrië op de agenda stonden. Het land dat tot voor kort onveranderlijk de 'staatssponsor van het terrorisme' was, werd nu geprezen. 'Het is positief dat ze zijn gekomen en over het algemeen waren hun commentaren opbouwend', zei Sean McCormack, de woordvoerder van Buitenlandse Zaken. Nationaal Veiligheidsadviseur Stephen Hadley vatte de inzet samen. 'Gaan ze een strategische beslissing nemen, de steun aan het terrorisme opzeggen, Libanon loslaten, de nieuwe regering in Irak steunen in plaats van ze te ondermijnen en kiezen voor vrede? Als ze dat doen, dan denk ik dat er mogelijkheden voor hen zijn in de Golan. De deur staat open.'

De impasse in de betrekkingen van Syrië met Amerika en die tussen de kibbelende partijen in Libanon scheen doorbroken. Het nieuwe uitstel van de verkiezing was niet langer het gevolg van onenigheid over een geschikte kandidaat maar omdat de grondwet moest worden gewijzigd om Suleiman te kunnen aanwijzen.

Er kwam ook een bevestiging van de rol die de Russen speelden. Onderminister Satanov, de speciale gezant van Putin voor het Midden-Oosten, had volgens de Israëlische krant *Maariv* boodschappen overgebracht van de Israëli's aan de Syriërs en omgekeerd en ook oud-minister van Buitenlandse Zaken Primakov, de eminence grise van de Russische Midden-Oostenpolitiek, had dat blijkbaar gedaan. Moskou had zijn bemiddelingsrol geheimgehouden om de Amerikanen niet te irriteren. Washington had ermee ingestemd dat drie maanden na Annapolis een vervolgconferentie zou worden gehouden in Moskou, waar Syrië hoog op de agenda zou staan. President Putin liet er zich op voorstaan dat enkel Rusland kon bemiddelen tussen Syrië en Israël. Assad wantrouwde de Amerikanen van wie hij vermoedde dat ze hem ten val wilden brengen, tegelijk had hij ze nodig als garant voor een mogelijk akkoord met Israël, maar hij vertrouwde alleen de Russen.

Osama, Europa en Afghanistan

'Tot de Europese volkeren', was de wat pontificale titel van bin Ladens

boodschap van 29 november, zijn vijfde in 2007. Ze kreeg weinig aandacht. Bin

Laden wilde een wig drijven tussen de Amerikanen en hun aarzelende bondgenoten in

Afghanistan en Irak.

Washington had Afghanistan mordicus willen aanvallen ofschoon de Afghaanse bevolking daar niet om vroeg en Europa was gewoon gevolgd. 'Het is beter om uw politici die zich verdringen op de trappen van het Witte Huis wat in te tomen', zei de miljardair-terrorist. Hij eiste andermaal de verantwoordelijkheid op voor de aanslagen van 11 september en zei dat die een vergelding waren voor de dood van de broeders in Palestina en Libanon door de 'Amerikaans-Israëlische alliantie'. De Afghanen en hun toenmalige regering wisten volstrekt niets van die aanslagen 'en Amerika weet dat'.

De regering-Karzai antwoordde dat bin Laden geen recht had om de Afghanen de les te spellen en dat de bevolking koos voor de aanwezigheid van de internationale gemeenschap. Het waren al-Qaeda en de taliban die zich volgens Kabul schuldig maakten aan moord op burgers en soldaten. Maar Ahmad Shah Ahmadzai, die eerste minister was geweest kort voor de verovering van Kabul door de taliban in september 1996, zei tegen al-Jazeera dat de westerse landen inderdaad beter vertrokken. 'Er is geen vooruitgang bij de wederopbouw. In plaats daarvan worden steeds meer burgers gedood en gaat de situatie achteruit. De aanwezigheid van de NAVO is niet meer in het belang van de mensen.'

Twee weken na Osama's oproep stelde de secretaris-generaal van de NAVO, Jaap de Hoop Scheffer, 'tekenen van vooruitgang' vast in Afghanistan. Maar hij vond het beslist te vroeg om te beginnen praten van terugtrekking. 'Ik verzeker u dat er een hoop gebeurt in de wederopbouw en de ontwikkeling. Laten we ons niet blind staren op de taliban en hun bermbommen', zei hij tegen *Time*. Het bondgenootschap was volgens hem gegroeid en veranderd, maar het zocht geen rol als internationale politiemacht. 'We moeten niet alles aanpakken, want de NAVO zou dan meer eten dan het kan verteren.'

De NAVO had nu anderhalf jaar de leiding van de oorlog in Afghanistan. Het had er 26.000 soldaten. De Britten vormden met 7800 militairen het grootste contingent. De Amerikanen hadden daarnaast ook nog 26.000 soldaten. Het was dus half om half maar volgens bin Laden wilden de Amerikanen zich terugtrekken en de klus steeds meer overlaten aan de NAVO. Hij baseerde zich op de vele berichten dat Washington het bondgenootschap aanporde om meer te doen in Afghanistan.

De veiligheidssituatie was er aanzienlijk verslecht. Met meer van 6200 doden was 2007 het dodelijkste jaar sinds de val van de taliban. Minister Gates bereidde een globale strategie voor die hij op de volgende NAVO-top in april wilde voorleggen. Hij vreesde dat Europa zou afhaken en wilde dat de NAVO een korte verklaring van twee à drie pagina's zou aanvaarden waarin duidelijk stond waarom de oorlog in Afghanistan belangrijk was, wat de Amerikanen en hun bondgenoten daar deden, en hoe ze de Afghaanse regering de komende drie tot vijf jaar zouden helpen. Hij zag drie grote taken: veiligheid, economische ontwikkeling en bestuur. Bovenal wilde hij van de Europeanen minstens drie bataljons infanteristen, drieduizend instructeurs voor de politie en twintig helikopters méér.

Het engagement in Afghanistan was onpopulair in Nederland, dat troepen had in het gevaarlijke Uruzgan, de provincie van mullah Omar. Ook Canada, met troepen in de al even gevaarlijke provincie Kandahar, liep er niet warm voor. Gates was geïrriteerd omdat de NAVO-landen hun beloften van de top van Riga in november 2006 niet nakwamen.

In de opiumprovincie Helmand werd intussen zwaar slag geleverd om Musa Qala, een stadje waaruit de belegerde Britten zich in oktober 2006 hadden teruggetrokken. Een half jaar later, in februari 2007, werd het stadje ingepalmd door de taliban. Op 11 december werd Musa Qala heroverd door een grote troepenmacht van duizenden Afghaanse en buitenlandse soldaten. Volgens de regering waren daarbij honderden opstandelingen, waarbij verschillende commandanten en tientallen 'buitenlanders' gedood, gewond of gevangengenomen. Kabul zei ook dat Musa Qala onder de taliban een hoofdkwartier en militair opleidingscentrum was voor Afghaanse en buitenlandse strijders en een draaischijf voor de verwerking en smokkel van opium. Amper patrouilleerden de regeringsgezinde troepen in de stad of honderden taliban lanceerden een tegenaanval waarbij de weg werd afgesneden tussen de waterkrachtcentrale van Kajaki en de provinciehoofdstad Lashkar Gah. In Kajaki werd gewacht op een grote turbine die de centrale in staat moest stellen elektriciteit te leveren voor twee miljoen mensen. De turbine kon pas arriveren zodra de weg weer berijdbaar was.

Musa Qala was een pijnlijk voorbeeld van hoe het er in Zuid-Afghanistan aan toeging. De taliban verdwenen als ze de overmacht zagen, maar hergroepeerden en lanceerden iets verderop een aanval op een vitaal project van de wederopbouw. President Karzai zei dat de herovering van het stadje mogelijk was doordat sommige talibancommandanten waren overgelopen. Afghaanser kan niet. Een plaatselijk stamhoofd zei tegen Radio Free Europa dat de taliban een forse klap was toegebracht, als het waar was dat de voormalige taliban-gouverneur van Helmand, Abdul Rahim Akhund, inderdaad was gearresteerd en mullah Abdul Salam Akhund was overgelopen. Zulke machtige mannen waren in Helmand moeilijk te vervangen, vond hij. Abdul Salam was inderdaad overgelopen en werd daarvoor beloond met een benoeming tot districtshoofd van Musa Qala.

Intussen kreeg het Pentagon de eerste signalen dat al-Qaeda actiever werd in Afghanistan. Functionarissen van het ministerie zeiden dat werd onderzocht om de stammen te bewapenen, naar het model van wat in Irak was gebeurd. Uit een peiling van ABC, de BBC en het Duitse televisiestation ARD moest blijken dat nog net de helft van de Afghanen geloofde dat de westerse troepen voor veiligheid konden zorgen. Een jaar tevoren was dat nog twee derde. In het zuidwesten van Afghanistan was de steun voor de buitenlandse troepen teruggevallen van 83 naar 45 procent. Dat was het gevolg van het snel stijgend aantal burgerdoden.

'We doen in Afghanistan wat we kunnen en in Irak wat we moeten', zei de Amerikaanse stafchef Mike Mullen voor de legercommissie van het Huis van Afgevaardigden. En als er moest gekozen worden, dan had voor Mullen Irak voorrang. Net als Gates beweerde hij dat er minder infiltraties waren van al-Qaeda en de taliban vanuit Pakistan. Gates schreef dat op het conto van de Pakistaanse regering. Hij sloot uit dat Amerika gewone troepen naar de FATA zou sturen maar gaf toe dat die zone de plaats kon zijn waar al-Qaeda hergroepeerde en opleidingen verschafte. Net als Gates bracht ook Gordon Brown begin december een bezoek aan Afghanistan. Hij kwam terug met het idee dat moest worden gepraat met de taliban.

Een schokkend rapport

WASHINGTON (VS) - *Op 3 december was Ahmadinejad te gast*

op een bijeenkomst van de Samenwerkingsraad van de Golf (GCC). De Iraanse presi-

dent had er amper gezegd dat het nucleair dispuut voor wat hem betrof was afgehan-

deld, toen vanuit Washington de conclusies binnenliepen van een nieuwe National

Intelligence Estimate (NIE).

Het betrof een inschatting van Irans nucleair programma en de vooruit-
zichten voor de komende tien jaar. De NIE ging er nadrukkelijk *niet* van
uit dat Iran kernwapens wilde. Het onderzocht enkel de informatie die
beschikbaar was tot 31 oktober 2007, over Irans 'mogelijkheid en bedoeling om kernwapens te verwerven, rekening houdend met nucleaire activiteiten die minstens gedeeltelijk civiel zijn'. Het document hield rekening met mogelijke veranderingen in de doelstellingen en de structuur
van de politieke top van Iran en deed geen voorspellingen over hoe
Teheran zich in de toekomst zou gedragen.

De besluiten waren sensationeel. De zestien Amerikaanse inlichtingendiensten die hadden meegewerkt, zegden met 'groot vertrouwen'[96] dat
Iran zijn nucleair wapenprogramma in de herfst van 2003 'onder internationale druk' had opgegeven, al bleef het nog uranium verrijken. De
zestien hadden een 'redelijk vertrouwen'[97] dat het programma niet was
hervat. Hetzelfde redelijk vertrouwen was er dat Iran nog voor ernstige
technische problemen stond bij het gebruik van zijn nucleaire installaties. Al was er in 2007 grote vooruitgang geboekt bij de installatie van
centrifuges om uranium te verrijken, toch twijfelden de inlichtingendiensten dat Teheran genoeg splijtstof kon maken vóór 2010-2015.

Nationaal Veiligheidsadviseur Hadley las in de Estimate een argument
om zich zorgen te maken over Irans nucleaire ambities én voor strengere
sancties. Maar weinig waarnemers vonden munitie om te pleiten voor
een onverwijld militair optreden.

Een National Intelligence Estimate is het belangrijkste document van
de Amerikaanse veiligheidsdiensten en het sloeg in als een bom. Het was
een klap in het gezicht van de neoconservatieven, hun bondgenoten in

Israël, en zelfs van de Amerikaanse regering en de president die kort geleden nog met het spook van een derde wereldoorlog had gezwaaid. Ze stortten zich op de minder spectaculaire bevinding van de Estimate dat Teheran kernwapens kon maken, als het daarvoor zou kiezen. Het rapport was 'positief' maar de dreiging van een nucleair Iran bleef 'ernstig', was het eerste commentaar van het Witte Huis.

Er was te weinig informatie om te besluiten dat Teheran zijn nucleair wapenprogramma voorgoed had stopgezet. Volgens de inlichtingendiensten deed de stopzetting in 2003 vermoeden dat het beleid in Iran werd bepaald door een kosten-batenbenadering, eerder dan een wedloop naar een wapen tegen elke politieke, economische en militaire prijs. Een combinatie van dreigen en belonen kon Teheran ertoe overhalen om het wapenprogramma niet te hervatten. Maar het kon moeilijk worden om Iran de ontwikkeling van een kernwapen te doen afzweren, gezien de inspanningen die het land daarvoor had geleverd tussen 1980 en 2003. Bovendien was elke beslissing in die zin vanzelfsprekend omkeerbaar. Er waren pogingen om in het geheim uranium te verrijken voor 2003, maar die waren stopgezet en midden 2007 nog niet hervat. Er was een 'sterk vertrouwen' dat Iran niet voor 2015 in staat zou zijn om genoeg plutonium te verwerken voor een kernwapen, maar er was ook eenzelfde graad van vertrouwen dat het land de wetenschappelijke, technische en industriële capaciteit heeft om atoombommen te maken, mocht het dat willen.

Minister van Buitenlandse Zaken Mottaki was verheugd dat de landen die in het verleden vragen hadden gesteld en dubbelzinnig waren 'realistischer' werden. De Iraanse staatstelevisie sprak van een overwinning. Het eerlijke Iran had gelijk gekregen. De Israëlische premier Olmert vond het 'van levensbelang' dat Amerika bleef opkomen tegen een Iraans kernwapen en Defensieminister Barak opperde het vermoeden dat Iran zijn programma had hervat.

In een klap was het onwaarschijnlijk geworden dat Bush nog voor het eind van zijn ambtstermijn een nieuwe oorlog zou beginnen. Daarvoor waren de argumenten hem uit de handen geslagen en zou hij geen steun meer vinden bij het publiek.

Wat ook bleek was dat de inlichtingendiensten hun les hadden geleerd. Eind 2002 hadden ze onder verpletterende politieke druk een dubieus rapport afgescheiden over de massavernietigingswapens van Saddam Hoessein. Het bleek grondig fout nadat het had gediend om de invasie van Irak te wettigen. De nieuwe NIE was een blijk van herwonnen onafhankelijkheid tegenover de politieke macht. De confrontatie met Iran zou voortduren maar op een lagere temperatuur.

In Teheran zei de regeringswoordvoerder dat de Amerikanen de prijs moesten betalen voor hun leugens. In Washington was vicepresident Cheney meer dan ooit geïsoleerd. Hij was, na het vertrek van Rumsfeld, de grootste voorstander van militaire actie. Maar Rumsfelds opvolger Gates, stafchef admiraal Mullen en admiraal Fallon, chef van CENTCOM, de Amerikaanse troepen in de regio, waren terughoudend. Ook Condoleezza Rice verkoos diplomatie boven de confrontatie. Twee weken voor het vrijgeven van de NIE was het document besproken met topfiguren uit de regering, bij wie Cheney, Rice en Gates. De schok was groot, al hadden de inlichtingendiensten al vanaf september laten weten wat er op komst was. Verschillende functionarissen, bij wie vermoedelijk de vicepresident, hadden de conclusies in twijfel getrokken, maar uiteindelijk bleven ze overeind. De 'vrijspraak' van Iran was het gevolg van informatie die de inlichtingendiensten in de loop van de zomer hadden verzameld. Het begin was een aantal blauwdrukken geweest, waarop de spionnen in 2004 de hand hadden gelegd, het einde een aantal onderschepte telefoongesprekken tussen Iraanse militaire commandanten. In totaal werden ruim duizend bewijsstukken geciteerd in het honderdvijftig pagina's tellend rapport.

The New York Times vertolkte het effect van de schok: 'Zelden heeft een enkel rapport van de inlichtingendiensten zo volledig en plots en zo verrassend het debat over het buitenlands beleid veranderd... Het hoofdargument voor een militair conflict met Iran ligt voor de afzienbare tijd niet meer op tafel.'

Op 4 december lag Bush op een persconferentie onder een spervuur van vragen. Hij pareerde ze op de wijze die we van hem intussen gewoon waren: hij ging in de tegenaanval en zette de feiten naar zijn hand. De NIE was geen afwijzing van zijn beleid, integendeel, het document bewees juist dat Iran een ernstige bedreiging was. 'Iran was gevaarlijk, Iran is gevaarlijk en Iran zal gevaarlijk zijn als het over de kennis beschikt om een atoombom te maken', was zo ongeveer zijn sterkste oneliner. Hij beschouwde het rapport als een waarschuwing. Iran had een verboden wapenprogramma, was daarmee gestopt, maar kon het zo weer opstarten. Er was geen reden om terug te krabbelen, maar integendeel om de druk op de Iraanse ketel te houden, vond Bush.

De Europese bondgenoten waren sprakeloos. Zodra ze van de verbazing waren bekomen, begonnen ze druk te telefoneren. Ze begrepen niet dat het rapport was vrijgegeven twee dagen na het overleg over strengere sancties. De kans dat die er nu nog zouden komen, werd erg klein. Ook China mengde zich in het debat. Minister Yang van Buitenlandse Zaken belde met Solana, die pas nog verslag had uitgebracht over zijn 'ontgoochelend' gesprek met Jalili. Daarna belde Yang met Condoleezza Rice.

De Chinese ambassadeur bij de VN zei dat de kaarten nu anders lagen en dat de vraag naar nieuwe sancties ter discussie kwam.

Voor Ahmadinejad was de NIE een cadeau van Allah. Hij kon beginnen hopen dat zijn aanhangers alsnog de parlementsverkiezingen zouden winnen en hijzelf misschien de tweede ambtstermijn die tot voor het rapport onhaalbaar scheen. De president kwam op televisie en kraaide victorie. Dit is een grote overwinning voor het Iraanse volk, zei hij, 'als je met ons wil onderhandelen als een vijand, dan zal het volk zich verzetten en u overwinnen. Maar als dat is op basis van vriendschap, dan zal het Iraanse volk een grote vriend zijn.'

De Russische minister van Buitenlandse Zaken Lavrov deed er een schepje bovenop door te zeggen dat er volgens zijn informatie geen bewijs was dat Iran ooit een kernwapenprogramma had gehad. Zijn Amerikaanse collega Rice vroeg Rusland en China om niet te versoepelen en de kleine lettertjes te lezen van het rapport. Volgens haar bleef Iran een bedreiging en een land met een 'problematisch en gevaarlijk regime'.

In Israël was de verslagenheid groot. Dit is een revolutie, schreef de *Jerusalem Post*. De Mossad was ervan overtuigd dat Iran tegen eind 2009 een bom kon maken en de Israëlische militaire inlichtingendienst waarschuwde dat over een half jaar al *the point of no return* zou worden bereikt.

De VRT en de derde wereldoorlog

BRUSSEL - *Rond 20 uur loopt druppelsgewijs en met veel belletjes*

op de redactie het bericht binnen over de National Intelligence Estimate. Een bom op

het ogenblik dat werd gepraat over harde sancties en al maanden door Bush en Cheney

werd gedreigd met een nieuwe oorlog.

Ik maak een stukje voor het laatavondjournaal. Ik verwacht de volgende ochtend Johan Depoortere te horen vanuit Washington. Zelf heb ik in het duidingsprogramma al een bijdrage met bijna even sensationeel nieuws: de bewering van oud-generaal Jack Keane, de vader van de Amerikaanse strategie in Irak, dat al-Qaeda in Mesopotamië is 'verslagen'. Dat was nog door niemand van zijn niveau gezegd en het was een antwoord op een vraag die ik had gesteld tijdens een teleconferentie op de Amerikaanse ambassade. 's Anderendaags wachtte ik tevergeefs op mijn eigen stukje. Ik had vroeger moeten opstaan. Het bleek te zijn uitgezonden om 6.20 uur.

Maar vooral het journaal verbaasde mij. Geen hoofdpunt voor het spectaculaire rapport van de geheime diensten en de daarmee afgewende oorlogsdreiging. De bijdrage die ik voor het avondnieuws had geleverd was verschrompeld tot een kort doorlezertje. De buitenlandse headline betrof vluchtelingen in Somalië, die overigens ook werden vereerd met een uitgebreid stuk in primetime, om 8.15 uur.

Naarmate de dag vorderde en ik thuis las wat over de NIE te lezen viel bij de Amerikanen, de Britten, de Israëli's, de Russen en de Iraniërs zelf, bleek dat een nieuwsstorm van belang was opgestoken. Ik bood mijn goede diensten aan bij *Vandaag*, waarvan de eindredacteur zich ook al had afgevraagd wat die belletjesstroom bij de internationale persbureaus betekende. Toevallig (gelukkig?) hield Bush om 16.30 uur een persconferentie onder een spervuur van vragen over de NIE. Ik kreeg een gesprekje om 17.20 uur. U hoort het eerst...

De derde wereldoorlog was misschien afgewend maar de vaststelling drong zich op dat hij kon zijn uitgebroken zonder dat de omroep de Vlaamse bevolking daarmee had verontrust. Het was in 1990 gebeurd toen Saddam Koeweit binnenviel. Maar in die gelukkige tijden was dat de exclusieve verantwoordelijkheid van de betrokken nachtredacteur die was ingelepeld dat hij en hij alleen soeverein diende te oordelen en nooit ofte nimmer mocht zwichten voor druk van autoriteiten, pressiegroepen of zelfs avontuurlijke berichten van de persbureaus. En dat hij moest checken en dubbel checken.

Diezelfde avond dat internationaal de pleuris uitbrak over de NIE belden de algemeen hoofdredacteur en de hoofdredacteur nieuws de avondredacteur op om hem op het hart te drukken zeker de ontvoering te melden die 45 minuten had geduurd, van een baby uit het Virga Jesse-ziekenhuis van Hasselt door een gestoorde vrouw. Waarom belden ze niet 's morgens? In hun journalistieke belang ging ik ervan uit dat ze zich hadden verslapen. Met sommige collega's hoopte ik, tegen beter weten in, op een spoedig ontwaken. Ik herinnerde mij belegen begrippen als beroepsfierheid en journalistieke onafhankelijkheid. Een journalist, zo dacht ik in al mijn naïviteit, laat zich niet manipuleren. En omgekeerd zet wie manipuleert zijn journalistieke geloofwaardigheid op het spel.

Ik begreep dat de vele contractuele collega's, een meerderheid intussen, vreesden voor hun baan als ze niet gehoorzaam de bevelen uitvoerden van chefs die het niet tot eer strekte dat ze zich omringden met weerlozen die moesten eten uit hun hand.

De journalistiek in Vlaanderen sterft een stille wurgdood. De hoofdredacteur van een kwaliteitskrant liet zich de onderscheiding 'marketeer van het jaar' aanmeten en vond dat geen diskwalificatie als journalist. Sommigen droomden ervan om in zijn voetsporen te treden.

Voor het overige was 4 december een dag als een ander.

Rusland en het Turkmeense gas

ASJCHABAD (TURKMENISTAN) - *Ik was onderweg naar de*

militaire luchthaven van Melsbroek, toen ik hoorde dat de partij van de Russische

president Putin vicepremier Dimitri Medvedev had aangewezen als presidentskandi-

daat. Medvedev, een jurist, was pas 44 en net als Putin zelf afkomstig uit Leningrad,

het huidige Sint-Petersburg.

De twee werkten al twintig jaar nauw samen. In 2000 had Medvedev de verkiezingscampagne van Putin geleid en datzelfde jaar werd hij eerst voorzitter van de raad van bestuur van Gazprom en daarna voorzitter van de toezichtsraad van de maatschappij. Drie jaar later was hij stafchef van de president, eind 2005 vicepremier belast met prioritaire nationale projecten, nu dus presidentskandidaat voor Verenigd Rusland. Een dag later zei Medvedev dat zijn 'vriend, beschermer en vader' Putin eerste minister zou worden, mocht hij tot staatshoofd worden verkozen – en daar twijfelde niemand aan. Medvedev zou een kleurloos, zwak en technisch president worden, voorspelden Kremlinwatchers. Putin bleef aan de touwtjes trekken.

Gazprom, het grootste bedrijf van Rusland, het grootste aardgasbedrijf te wereld, kon gerust zijn, nu de overheid ruim de helft van de aandelen had. Gazprom was méér dan een energiebedrijf. Het was een conglomeraat van ondernemingen met belangen in uiteenlopende sectoren, onder meer de media.

Het monopoliseerde ook de gasexport van Turkmenistan en dat zat Europa dwars, want dat is voor een kwart van zijn gasvoorziening afhankelijk van de Russen. In het recente verleden draaiden de Russen de kraan gewoon dicht als iets niet naar hun zin was, het mocht nog zo koud zijn. Oekraïne en Wit-Rusland wisten daarvan mee te spreken. Het was zaak om het Turkmeense gas in Europa te krijgen zonder via Rusland te passeren. De excentrieke dictator Saparmyrad Niyazov, die zich Turkmenbashy, de 'vader van alle Turkmenen', liet noemen, had belangstelling voor 'diversificatie van de export', want dat was kassa. Na zijn onverwachte dood in geheimzinnige omstandigheden, eind 2006, bleek ook zijn opvolger, Gurbanguly Berdimuhammedov daarvoor gewonnen. Overigens had niet alleen Europa een begerig oog op de rijke voorraden van Turkmenistan. Rusland had in mei een contract afgesloten voor de aanleg van een nieuwe pijplijn, de Prikaspiisky-route, die de afname van Turkmeens gas zou verdubbelen tot twintig miljard kubieke meter per jaar. De pijp moest in 2012 voltooid zijn. China sloot in juli een overeenkomst voor de levering van dertig miljard kubieke meter over een periode van dertig jaar via een pijp van zevenduizend kilometer waarvoor Turkmenistan geen cent hoefde te betalen. India had interesse voor een pijplijn die het gas via Afghanistan en Pakistan moest aanvoeren, maar dat was niet meteen een haalbaar project. De kortste weg voor de export van het Turkmeens gas was via Iran, wat voor het Westen onaanvaardbaar was. Europa droomde van een pijp onder de Kaspische Zee tussen de Turkmeense haven Turkmenbashy en Bakoe in Azerbeidzjan. Zo zou het gas via Georgië en Turkije West-Europa bereiken zonder te passeren via het onberekenbare Rusland.

Een pionier in de Turkmeense energiesector was het Belgisch bedrijf ENEX Process Engineering. Het is onduidelijk of het dat was wat minister van Buitenlandse Zaken Karel De Gucht inspireerde om op zijn beurt met een handelsmissie de bedevaart naar de Turkmeense hoofdstad Asjchabad te ondernemen. Zeker is dat ENEX daar invloedrijke contacten had. Ook bleek het bezoek even belangrijk om zakelijke als om politieke redenen. Het kwam tot een audiëntie van De Gucht bij de president, waarbij Koen Minne, de directeur-generaal van ENEX, aanwezig was.

In een recente analyse van News Central Asia is ENEX een voorbeeld van de nieuwe aanpak van buitenlandse bedrijven in Turkmenistan. 'ENEX maakte van Berdimuhammedovs bezoek aan Brussel een daverend succes. De bedrijfsleider was op de luchthaven om Berdimuhammedov te ontvangen. De onderneming belegde een aantal ontmoetingen en was medeorganisator van een banket waar de volledige who-is-who van het Europese bedrijfsleven aanwezig was om te luisteren naar een toespraak van Berdimuhammedov...'[98]

Er was ook een ontmoeting van de verschillende Belgische bedrijfsleiders met de Turkmeense minister van Energie. De Gucht, die anders een nuchtere en illusieloze kijk heeft, oordeelde mild over Niyazovs opvolger. Berdimuhammedov kende zijn dossiers en was 'open'. De Belgische minister zag vooruitgang in de situatie van de mensenrechten. De mensen konden vrijer reizen binnen de landsgrenzen en het internet had zijn intrede gedaan, maar er waren nog politieke gevangenen. De Gucht zag een 'trage en geleidelijke evolutie', al bleef het regime 'zeer centralistisch en byzantijns, met trekken van de oude Sovjet-Unie'. Uit de zakelijke contacten bleek dat er voor het bedrijfsleven amper meer actieruimte was dan onder Niyazov.

Van grote ondernemingen werden onder Niyazov ook diensten aan het regime verwacht. Een aantal ervan vertaalde bijvoorbeeld de *Ruhnama*, een pseudoreligieus geschrift, waar Turkmenbashy de auteur van was en dat in het land een hogere status genoot dan de bijbel en de koran. Elke nieuwe vertaling werd in de Turkmeense pers bejubeld als een zoveelste erkenning van de Openbaring. In het beste geval werden die vertalingen op een bescheiden oplage gedrukt en als relatiegeschenk verspreid. Een jaar na de dood van Turkmenbashy stond zijn *Ruhnama*, 'het Boek van de Ziel', in Turkmenistan nog altijd op één. In het hotel waar een VN-conferentie over preventieve diplomatie voor Centraal-Azië plaatsvond, moesten de deelnemende diplomaten langs een boekenstand waar de twee delen van de *Ruhnama* onder meer in het Nederlands te koop werden aangeboden.

De oprichting van het VN-centrum in Asjchabad was een redelijk belangrijke aangelegenheid. Het centrum moest de regeringen van de vijf Centraal-Aziatische landen – Turkmenistan, Oezbekistan, Kazachstan, Tadzjikistan en Kirgizië – helpen 'om op vreedzame wijze conflicten te voorkomen, de dialoog te bevorderen en internationale steun te geven aan initiatieven en projecten' tegen oorlogen en conflicten, de internationale misdaad, de drugssmokkel en het extremisme. Een kleine internationale staf stond onder leiding van een speciale gezant van VN-secretaris-generaal Ban Ki-moon en beschikte over 3,2 miljoen dollar.

Het imposante monument van de *Ruhnama* met zijn snoepgoedkleurige kaft, opgericht voor de twaalfde verjaardag van de onafhankelijkheid, stond er nog in een park aan de rand van de stad, tussen uitbundig bruisende fonteinen, een eigenaardigheid voor een land dat amper water heeft. Net zo goed stonden op pleinen en plantsoenen nog de vergulde standbeelden van de overleden leider en bovenop het monument van de neutraliteit draaide hij nog steeds, het gouden gezicht naar de zon gewend. Een doodgewone burgerman in westers pak, een Elvis op jaren. Zijn profiel sierde nog steeds de revers van de functionarissen, die er onder geen beding afstand van deden, het stond nog op de bankbiljetten, theeserviezen en de beste wodkaflessen, maar het was verdwenen van het scherm van de Turkmeense televisie. Als om zich ertegen te wapenen hadden de Turkmenen van in de vroege jaren negentig satellietschotels geïnstalleerd. Dat was de enige manier om met de buitenwereld voeling te houden want alle buitenlandse media waren verboden. Het waren goedkope Chinese antennes. Ze woekerden als zwammen op de woonkazernes uit de Sovjettijd en zorgden voor een magisch schijnsel in kale en spaarzaam verlichte appartementen. Zoiets had ik ook in Kabul gezien, onmiddellijk na de val van de taliban; daar waren het grote, zelf-gemaakte schotels. En in Bagdad bij de intocht van de Amerikanen, waar de ingevoerde voorraden zich opstapelden op de trottoirs. In Asjchabad waren het allemaal dezelfde kleine grijze schijven.

Voor het internationaal prestige van Berdimuhammedov, die sprekend geleek op zijn voorganger, was de opening van het VN-centrum een uitstekende zaak. Het gaf de indruk dat Turkmenistan een nieuwe weg was ingeslagen. Maar de antennes vertelden een verhaal dat daarover twijfel kon doen rijzen. Op 4 december, vier dagen nadat de president over de kwestie een televisietoespraak had gehouden, meldde Reuters dat Berdimuhammedov aan de burgemeester van Asjchabad had opge-dragen de strijd aan te binden tegen de 'lelijke' satellietantennes. 'Ga en verwijder de schotels die de gevels van al die huizen bedekken', had hij gezegd. Eén schotel per woonblok moest volstaan. Reuters had geen details over hoe het plan moest worden uitgevoerd, maar niet iedereen was ervan overtuigd dat de doortastende maatregel was ingegeven door esthetische overwegingen. In Turkmenistan bestond totaal geen infor-matievrijheid, maar zelfs Turkmenbashy de Grote had het niet gewaagd om tegen de schotelantennes, *50 $ made in China*, op te treden. Daarom was het een opmerkelijke speech op de Turkmeense televisie, die avond van 30 november, tussen twee diplomatieke triomfen in. Berdimuhammedov had zich beklaagd over de deerniswekkende staat van de hoofdstedelijke straten die vol afgevallen bladeren lagen en sigarettenpeuken. 'De stra-ten zijn vol met rokende mensen', had hij geklaagd, 'het probleem blijft maar duren omdat sommige functionarissen zelf rokers zijn. Zoiets zou niet mogen bestaan'. Het was voor het volk alsof het Turkmenbashy, wereldkampioen en pionier in de strijd tegen de tabaksverslaving, zelf hoorde.

De dag voor ik met minister De Gucht voor de tweede keer voet zette op Turkmeense bodem waren er verkiezingen geweest voor de Halk Maslahaty, een instelling die was uitgevonden door Niyazov om de wets-voorstellen van het parlement goed te keuren. Het orgaan, zo'n 2500 man sterk, kon het parlement ontbinden maar zijn grootste wapenfeit was de benoeming geweest in 1999 van Turkmenbashy tot president voor het leven. Verder fungeerde de vergadering als goedkeuringsmachine van de presidentiële decreten, de ene al wonderlijker dan de andere. De her-benoeming van de dagen, de maanden en de steden naar Turkmenbashy zelf, zijn moeder of zijn meesterwerk, de *Ruhnama*. Het optrekken van honderden monumenten, liefst verguld, van de onsterfelijke leider, de aanleg van strakke parken met veel fonteinen in de hoofdstad, en van een reusachtig meer, een ecologische catastrofe in de woestijn met aanpalend bos... Alle vertegenwoordigers in de Halk waren lid van de Democratische Partij van Turkmenistan. Verkiezingen lieten de Turkmenen onverschillig omdat ze overbodig waren.

De vrouw van de opgesloten voormalige minister van Buitenlandse Zaken, Boris Shikhmuradov, zei dat het nieuwe regime precies zo omging met de genadeverzoeken en aanvragen tot herziening van schijnprocessen als het vorige. Politieke gevangenen werden berecht op geheime of showprocessen waartegen mensenrechtenorganisaties talloze keren hadden geprotesteerd. Shikhmuradov was aangehouden na een vermeende aanslag op Turkmenbashy op 25 november 2002, die vermoedelijk door de 'Vader Aller Turkmenen' zelf was geënsceneerd. Officieel waren toen honderd mensen aangehouden, al lag het echte aantal vermoedelijk veel hoger. In oktober 2007 kregen elf van hen genade van de nieuwe president maar hun veroordeling werd niet ongedaan gemaakt. Daar bleef het bij want het Westen zag er een hoopvol teken in van liberalisering. Het was blind voor het voortleven van de personencultus van Turkmenbashy en doof voor het uitblijven van enig onvertogen woord over Berdimuhammedovs voorganger. Er was iets verbeterd in de abominabele onderwijssituatie die Turkmenbashy had aangericht en op het nippertje voorkwam Berdimuhammedov massale hongersnood door de pensioenen op te trekken. Hij had beloofd dat 'zekere bevolkingsgroepen' toegang zouden krijgen tot buitenlandse bladen, maar hij zou zelf bepalen welke. Diplomaten waarschuwden dat alles en iedereen als tevoren werd afgeluisterd.

Op 11 december beging ik de onvoorzichtigheid om in de bar van het Nissa Hotel in het Nederlands te zeggen dat er naar mijn gevoel weinig of niets veranderd was sinds mijn vorige bezoek, toen Turkmenbashy nog leefde. Enkele uren later verdween mijn opnametoestel uit mijn jaszak. 's Anderendaags kwam een Belgisch bedrijfsleider me zeggen dat de directeur-generaal van ENEX het had meegenomen. Toen ik het na uren weer terugkreeg, was de elektronische opnamekaart onbruikbaar, waarschijnlijk omdat ze was gelezen met ongeschikte software. Later vertelde de perschef van minister De Gucht dat hij had nagevraagd waar het toestel uiteindelijk was gevonden. De chauffeur die het terugbracht, had geweigerd dat te zeggen.

Ons vertrek viel samen met de Dag van de Neutraliteit. Turkmenbashy had 'neutraliteit' verheven tot leidend politiek beginsel. De feestdag ging gepaard met een folkloristisch feest in het stadion van Asjchabad. De befaamde Turkmeense volbloeden, nationale klederdrachten en de onvolprezen Turkmeense tapijten speelden een hoofdrol. Op de voorpagina van de krant *Turkmenistan* stond een foto waarop De Gucht Berdimuhammedov de hand schudt onder de kop: 'De president van Turkmenistan ontmoet de minister van Buitenlandse Zaken van België en de chef van de maatschappij ENEX.' De directeur, tevens gemeenteraadslid van de Open-VLD in Bierbeek, kon zich twee maanden later, begin februari 2008, verheugen in een contract ter waarde van 132 miljoen euro voor de bouw van een drukstation bij de gasbel van Dovletabad, waar de Russische gaspijplijn met Turkmenistan begint, zodat de exportcapaciteit met vier miljard kubieke meter zou verhogen. Kort tevoren was hij benoemd tot ereconsul van Turkmenistan in België. Hij werd in audiëntie ontvangen door Berdimuhammedov die ENEX een oude en betrouwbare partner noemde. 'Betrouwbaar', het woord stond er twee keer in het verslagje van het Turkmeense persbureau.

Op het eind van het bezoek kwam namens de president nog iemand aandraven met een doosje voor de minister. Het was een medaille maar het bleef in het midden of het de gouden medaille met 32 diamanten betrof, bestemd voor hoog buitenlands bezoek met verdiensten, de op 30 november 2007 gecreëerde 'Turkmenbashy de Grote, Eerste President van Turkmenistan Medaille', voorstellend Turkmenbashy in profiel.

Tegen het eind van het jaar kwam het tot wrijvingen tussen Turkmenistan en zijn buur Iran. Turkmenistan had de gaskraan dichtgedraaid wegens 'technische problemen en onderhoudswerken'. Waarschijnlijker was een geschil over de prijs. Iran was voor zijn binnenlandse bevoorrading voor vijf procent afhankelijk van Turkmeens gas. Reza Kasaizadeh, de chef van de Iraanse gasmaatschappij, zei dat Iran meer moest betalen omdat Turkmenistan een prijsstijging had bedongen bij de Russen. Maar volgens Teheran lag de prijs bij contract voor drie jaar vast. Er ontstond een brandstoftekort in de noordelijke provincies en Iran zag zich verplicht om de levering aan Turkije met driekwart te verminderen.

De nieuwe duivelsdag

ALGIERS (ALGERIJE) - *De ochtendspits liep op zijn eind toen*

op 11 december 2007 omstreeks halftien 's morgens een vrachtwagen stopte voor het

witte gebouw in Moorse stijl, dat onlangs door de Chinezen was opgetrokken ten be-

hoeve van de Algerijnse Grondwettelijke Raad. Enkele ogenblikken later weerklonk

een oorverdovende knal en werd de gevel van het gebouw weggeblazen. Ook een bus

met universiteitsstudenten onderweg naar de campus van Ben Aknoun moest eraan

geloven.

Amper was de nagalm uitgestorven of er was een nieuwe explosie, deze keer in een smalle straat in de rustige en goed bewaakte diplomatenwijk Hydra. Hier was het gebouw van de Verenigde Naties het doelwit van een pick-up die eruit zag als een watertankwagen en ook hier was de ravage enorm. Algauw was er sprake van de zwaarste aanslagen die Algerije ooit had gezien. Urenlang heerste de grootste verwarring over het aantal doden. De Algerijnse regering hield het bij 26 en later 31, maar de ziekenhuizen en hulpdiensten telden er minstens 60; de krant *al-Watan* sprak zelfs van 72 doden.

Het visitekaartje van de aanslagen liet geen twijfel over de afzender, maar voor alle zekerheid eiste al-Qaeda in de Maghreb ze op via het internet. Bij de boodschap waren de foto's van de daders gevoegd: een oudere man met een grijze snor, door zijn gevorderde leeftijd ongewoon voor al-Qaeda, en een lachende dertiger. Uiteindelijk bleek de ene 64 te zijn en een veteraan uit het Algerijns islamitisch maquis die twee zoons had verloren in de strijd. Ook de jongste had deel uitgemaakt van het gewapend islamitisch verzet. Hij was afkomstig uit een volkswijk van Algiers en had een tijd in de gevangenis gezeten. Toen hij vrijkwam, in 2006, had hij vrijwel meteen weer de wapens opgenomen. Allebei hadden ze een vrachtwagen met zo'n 900 kilo springstof tot ontploffing gebracht.

De media ontkwamen niet aan de bedenking dat de 11de een gevaarlijke dag was. De aanslagen in New York en Washington werden gepleegd op een 11de en hetzelfde gold voor die in Djerba, in Tunesië, op 11 april 2002, de aanslag van 11 maart 2004 in Madrid en voor zover het Algiers betrof was er eerder dat jaar, op 11 april, een dubbele aanslag met 33 doden geweest, tot dan toe de zwaarste in tien jaar in Algerije en de eerste van al-Qaeda in de Maghreb. Men sprak van de 11de als van de nieuwe duivelsdag.

Op mijn hotelkamer in Asjchabad zag ik de reddingswerkers tussen het rokende puin in Algiers. Tot vorig jaar waren de Algerijnse terroristen nog een geïsoleerd groepje in de bergen, vechtend voor rekruten, geld en aandacht; vandaag bleek dat al-Qaeda op elk van die fronten was vooruitgegaan, schreef *The Washington Post*. Functionarissen bij de terreurbestrijding en analisten wezen erop dat al-Qaeda in de Maghreb, de voormalige GSPC, veel gesofistikeerder was geworden sinds de adoptie door al-Qaeda in september 2006. De Algerijnse terroristen waren efficiënter geworden en hun tactieken waren veranderd. Kamikazes en hoge dodencijfers garandeerden wereldwijde aandacht. Ze waren ook snel op het internet met opeisingen en becommentarieerde video's van de aanslagen. Hun eigen website, drie jaren tevoren gestart met korrelige amateurinformatie, was uitgegroeid tot een professioneel propaganda-instrument dat rechtstreeks in contact stond met het mediadepartement van de centrale leiding van al-Qaeda.

De naamsverandering van GSPC naar al-Qaeda was er volgens de Algerijnse terroristen gekomen op verzoek van bin Laden zelf. Die verandering was veel meer dan een nieuwe merknaam. 'Het is niet enkel een kwestie van een nieuw merk, maar van operationele banden', zei een Spaanse expert.[99] Extremisten reisden van Algerije naar het Afghaans-Pakistaanse grensgebied of naar Irak en omgekeerd. Een Duitse specialiste sprak van aanslagen naar Iraaks model.[100] De Algerijnse al-Qaeda was nu de best gefinancierde, best georganiseerde en actiefste terreurgroep van de regio. Het uitkiezen van de Verenigde Naties als doelwit wees ook op een breder, globaler programma. Dit waren aanslagen van een nieuwe generatie, de 'generatie van al-Jazeera en het internet'.[101] Al-Qaeda sprak van een martelarenoperatie door twee helden om 'de islamitische natie te verdedigen en de kruisvaarders en hun agenten, de Amerikaanse slaven en de zonen van Frankrijk, te vernederen'. De aanslag op het VN-hoofdkwartier was voor de GSPC en al-Qaeda legitiem omdat ze de VN zagen als een instrument van de Joden. Of, zoals in de opeising stond, 'een internationaal nest van godloochenaars'. Ten slotte moest

11 december 'de legende aan stukken slaan dat de harde kern van onze groep vernietigd is'. De kamikaze-acties zouden voortduren tot de 'bevrijding van de hele moslimwereld'.

Vijf instellingen van de VN waren getroffen. Er waren minstens acht doden bij het personeel. De aanslag riep herinneringen op aan die op het VN-hoofdkwartier in Bagdad in augustus 2003, het openingssalvo van het al-Qaeda offensief in Irak.[102] Maar secretaris-generaal Ban Ki-moon volgde het voorbeeld van zijn voorganger Kofi Annan niet en handhaafde zijn vestiging in de Algerijnse hoofdstad.

De Algerijnse pers eiste dat president Bouteflika een einde zou maken aan de politiek van de uitgestoken hand. Bouteflika ging daar niet op in. Islamisten die zich overgaven moesten amnestie krijgen. Voor sommigen was de aanslag op de Grondwettelijke Raad een boodschap aan het adres van de president dat al-Qaeda geen grondwetswijziging zou dulden om hem een derde ambtstermijn te geven.

Een Libanees schimmenspel

BEIROET (LIBANON) - *Veel tijd om te gissen wat er verder nog*

achter de Algerijnse aanslag stak, was er niet. Geen 24 uur later was er immers een

nieuwe moordende knal, deze keer in Baabda, een chique buitenwijk van Beiroet.

De bom van nog geen veertig kilo was veel minder krachtig dan die in Algiers en was luxueuzer verpakt. Ze was verstopt in een blauwe geparkeerde BMW en werd van op afstand tot ontploffing gebracht. Ze miste haar doel niet, een voor Libanese normen ongewoon doel. Alweer gingen de beelden van brandende wrakken, stof en puin onmiddellijk de wereld rond en weer werd gedacht aan de sinistere Syrische hand. Voor het eerst was een militair het doelwit: de 54-jarige generaal François el-Hajj, de populaire held die de opstand in Nahr al-Bared de kop ingedrukt had en de gedoodverfde opvolger van opperbevelhebber Suleiman, wanneer die zijn uniform zou inruilen voor het presidentiële pluche. Ofschoon naar Syrië en zijn bondgenoten werd gewezen, was er maar een ding zeker: de aanslag had iets te maken met de presidentsverkiezing die nog altijd op zich liet wachten. Parlementsvoorzitter Berri had twee dagen tevoren een achtste uitstel aangekondigd van de stemming. Er was eensgezindheid over de kandidatuur van Suleiman maar niet over de procedure.

Er kwamen bittere commentaren uit Beiroet. Amerika en Frankrijk hadden, alle mooie woorden en beloftes ten spijt, toegestaan dat Syrië opnieuw greep kreeg op Libanon. Er was de indruk gewekt dat de vele politieke moorden onbestraft zouden blijven en dat er zaakjes konden worden gedaan. Libanon zal weer de prijs betalen, voorspelde Raghida Dergham, een gezaghebbende stem in de Arabische en internationale journalistiek die vanuit New York werkte voor *al-Hayat*.[103] De prijs die Amerika zou betalen voor zijn stilzwijgen kwam nog, nu het toestond dat Iran zowel Irak als Libanon domineerde met terreur, intimidatie, politieke moorden en sabotage. Ze beschuldigde Sarkozy ervan de nieuwe Blair van Bush te willen zijn en de Libanese poort weer te openen voor Syrië. Sarkozy liet zich leiden door financiële belangen, net als Qatar, een goede vriend van Syrië, het enige Arabische land dat de voorbije twee jaar in de VN-Veiligheidsraad zat. Qatar vormde met Zuid-Afrika,

Indonesië, Rusland en China de 'bende van vijf', die volgens Dergham altijd op de loer lag om VN-resoluties te verijdelen die onvriendelijk waren voor Syrië of Iran. Europa dreigde een 'open arena' te worden voor de gevolgen van de Franse politiek, die de goedkeuring had van de Unie. Drie jaar lang waren de Libanezen dapper geweest ondanks politieke moorden en geïmporteerde terreur, nu werden ze verraden door Bush, Sarkozy, de VN-Veiligheidsraad en Ban Ki-moon. Zij waren de verliezers omdat ze waren gezwicht voor afpersing, dreigementen en omkoperij.

Dergham onderscheidde twee visies op de Amerikaanse politiek. Volgens de enen was Libanon van geen tel en draaide alles rond Irak. Nu het tij in Irak leek te keren was niet de VS maar Iran vragende partij, dachten ze. Teheran had hulp aangeboden en Bush had die aanvaard. Washington was bereid tot samenwerking zolang Iran in Irak een positieve rol speelde. Met de National Intelligence Estimate (NIE) was ook de nucleaire kwestie geregeld. Zo was een stil bondgenootschap ontstaan tussen de erfvijanden. Volgens de aanhangers van deze visie wilde Teheran zonder gezichtsverlies afgeraken van Hezbollah, dat echte en politieke fortuinen kostte aan de ayatollahs.

Een tweede visie zag niet enkel desinteresse voor Libanon bij de VS maar bij de internationale gemeenschap, inclusief de VN. Rusland was daarvoor verantwoordelijk, aangemoedigd door de terugtrekkingsmanoeuvres van Frankrijk en de VS en het krachteloze discours of het stilzwijgen van Ban Ki-moon. De VN zweeg toen zijn onderzoeksrechter Serge Brammertz waarschuwde dat alles in Libanon aanwezig was voor nog meer politieke moorden. Zelfs na de aanslag op el-Hajj bleef Sarkozy verkondigen dat hij Syrië niet zou isoleren. Minister Kouchner moest de Syriërs weer binnenlaten in Libanon.

Geen van beide visies op de toestand in Libanon, en daarmee op het hele Midden-Oosten, was geruststellend.

Als om dat tegen te spreken, keerde VS-onderminister David Welch op 18 december onverwacht terug naar Beiroet. Met Welch was Elliott Abrams meegereisd, de ondervoorzitter van de Nationale Veiligheidsraad en een van de machtigste neoconservatieve overlevenden in de regering-Bush. De president zelf had opdracht gegeven tot het bezoek na een gesprek tussen Nicolas Sarkozy en Condoleezza Rice over Libanon. Andermaal kwam Welch steun betuigen aan de Libanese regering-Siniora en opnieuw sprak hij harde taal aan het adres van de oppositie.

Het fundamentele probleem was dat de machtsverdeling in Libanon gebaseerd was op een dubieuze volkstelling uit 1932, toen Libanon nog een Frans mandaatgebied was. De demografische realiteit van 2007 beantwoordde daar in de verste verte niet aan. De sjiieten, veruit de grootste bevolkingsgroep, kwamen bij de verdeling van de politieke koek op de derde plaats. Er waren feiten die iedereen liever niet wou zien en dat maakte van Libanon een schimmenspel. 'De tragedie is echt genoeg, maar niets is wat het schijnt te zijn', schreef de invloedrijke Amerikaanse Syrië-specialist en blogger Joshua Landis.[104]

Goed nieuws

BAGDAD (IRAK) - *Op 19 december verlengde de VN-Veiligheids-raad het mandaat van de troepenmacht in Irak onder leiding van de Verenigde Staten met een jaar. De Iraakse regering hoopte dat het de laatste keer zou zijn. Bagdad wil-de nog voor eind 2008 het vertrek vragen van de buitenlandse troepen. Er waren nog 150.000 buitenlandse soldaten, de overgrote meerderheid Amerikanen.*

De beslissing van de Veiligheidsraad viel samen met een Amerikaans re-geringsrapport dat sprak van een verbetering van de toestand: Irak werd veiliger en de economie ging erop vooruit. Maar Bagdad was nog wel afhankelijk van de Verenigde Staten voor zijn veiligheid.

Na het rapport van september, zei Defensie ook in het laatste verslag van 2007 dat de zaken de goede kant uitgingen, al was het nog te vroeg om de troepen terug te trekken. De economie groeide met zes procent en dat was logisch nu de olie-export eindelijk weer het niveau haalde van voor de invasie. Er was minder sabotage en minder geweld of zoals het rapport zei: er was een betekenisvolle verbetering van de veiligheids-situatie. Dat kwam vooral door het groeiende verzet van de stammen tegen al-Qaeda.

Toch waren er ook nog schaduwkanten. Op wetgevend vlak gebeur-de nog altijd te weinig om de grote verzoening tot stand te brengen tus-sen sjiieten en soennieten. De religieuze verdeeldheid bleef ook voelbaar bij de politie, die jaarlijks zeventien procent van zijn manschappen ver-loor.

Intussen was Amerika al weken in de greep van een nieuw politiek schandaal, van het type waar de regering-Bush het patent op had. De CIA had in november 2005 honderden uren videotapes vernietigd van de harde ondervraging van twee topfiguren van al-Qaeda, Abu Zubeida, die meer dan alles zou opbiechten, en Abd al Rahim al-Nashiri. De in-lichtingendienst gaf de vernietiging van de tapes begin december 2007 toe. In de opnames was te zien hoe de gedetineerden werden onderwor-pen aan *waterboarding*, een foltering waarbij de verdrinkingsdood wordt gesimuleerd.

Een Belgenmop van al-Qaeda

BRUSSEL - *Op 21 december, op het ogenblik dat België, een half*

jaar na de verkiezingen, zicht kreeg op een nieuwe regering en volop kerstinkopen deed,

werd 'versterkt terreuralarm' afgekondigd. Het alarm zou pas op 2 januari, na de

feestdagen, verstrijken. Er was verscherpte controle op de luchthavens en op sommige

plaatsen werden de vuilnisbakken dichtgekleefd. De bevolking werd gevraagd om

waakzaam te zijn maar niet te panikeren.

De aanleiding voor het alarm was een complot om de gevangen topterrorist en voormalige voetbalster Nizar Trabelsi gewapenderhand te
bevrijden. Na huiszoekingen werden veertien verdachten opgepakt. Er
werd ook gezocht naar wapens uit vrees dat die voor andere doeleinden
zouden worden gebruikt, nu het ontsnappingsplan was verijdeld.

Trabelsi was eind november overgebracht van de gevangenis van
Aarlen naar die van Lantin bij Luik, omdat toen al werd vermoed dat hij
wou ontsnappen. Daarna werd hij nog eens overgeplaatst naar Nijvel.

De ex-voetballer was wereldwijd een van de eerste arrestanten na 9/11.
Op 13 september 2001 werd hij aangehouden in een appartement aan de
Mozartlaan in Ukkel. In zijn huis lagen wapens en handleidingen voor
het maken van bommen. Hij was een bekende van Osama bin Laden,
met wie hij ooit een helikoptertochtje had gemaakt in Bamiyan, Afghanistan. Aanvankelijk werd hij ervan verdacht een aanslag voor te bereiden
op de Amerikaanse ambassade in Parijs. Op 14 november 2002 liet hij
vanuit de cel aan de RTBf weten dat niet Parijs zijn doelwit was, maar de
luchtmachtbasis van Kleine Brogel, waar Amerikaanse kernwapens lagen.
Hoe ver het met die plannen stond wist niemand. Zeker was alleen dat
hij iets van plan was. In juni 2004 werd Trabelsi op het meest geruchtmakende terrorismeproces in de Belgische geschiedenis door het Hof van
Assisen in Brussel veroordeeld tot tien jaar cel. Het Hof sprak zich uit
over twee grote dossiers tegelijk, dat van Trabelsi en elf van zijn medestanders, en een tweede dat de naam droeg van een andere Tunesiër,
Tarek Maaroufi, de man achter de moord op Ahmad Shah Massoud, de

belangrijkste tegenstander van de taliban in Afghanistan, twee dagen voor de aanslagen van 11 september. Maaroufi was in 1995 al eens tot drie jaar veroordeeld wegens lidmaatschap van een terreurorganisatie. In december 2001 werd hij gearresteerd omdat hij had gezorgd voor de valse Belgische paspoorten en de visa waarmee twee kamikazes naar Afghanistan reisden om Massoud te vermoorden. Die moord effende het terrein voor al-Qaeda in de periode die zou volgen op 11 september en er is ongetwijfeld een verband tussen beide operaties. Maaroufi kreeg zes jaar. Met hem stonden tien van zijn kompanen terecht. Ze behoorden tot de Tunesische Strijdende Groep,[105] die ook filialen had in Afghanistan en Italië en een ondersteunend netwerk was dat al-Qaeda voorzag van vrijwilligers en logistieke hulp. Leden ervan waren in april 2001 al verdacht van het beramen van aanslagen op de ambassades van Tunesië, Algerije en de Verenigde Staten in Rome. Maaroufi had samen met de voortvluchtige Saifallah Ben Hassine in 2000 de groep gesticht.

Het Tunesische terrorisme leek op zijn retour na de arrestatie van twee kopstukken in België en een derde in Tunesië, de leider van de cel die op 21 april 2002 de aanslag pleegde op de historische synagoge van Djerba, waarbij 21 mensen omkwamen.[106] In Tunesië was het extremisme verdeeld en weinig populair en het werd krachtig aangepakt door president Ben Ali. Toch was het niet uitgeschakeld.

Al-Qaeda in de Maghreb telde veel Tunesiërs en er waren cellen in België, Frankrijk en Italië. In Tunesië zelf was begin 2007 nog een cel uitgeschakeld, na een klopjacht die begon in een zuidelijke buitenwijk van Tunis om na tien dagen te eindigen met het beleg van een leegstaand gebouw waarin de terroristen zich hadden verschanst, veertig kilometer verderop. Balans: 12 dode en 15 aangehouden terroristen. Er was nogal wat verwarring over dat incident. Naargelang van de bron werd gesproken van terroristen en misdadigers van gemeen recht. Een specialist van het Franse Centre de Recherche sur le Renseignement (CF2R) wees op de gelegenheidssamenwerking tussen de internationale georganiseerde misdaad en de islamitische ondergrondse. Volgens hem kon dit het eerste teken zijn dat de Algerijnse GSPC, die op het punt stond al-Qaeda in de Maghreb te worden, een terugvalsbasis had in Tunesië, van waaruit hulp en manschappen konden circuleren van en naar Europa. Bovendien had de GSPC zijn historische bolwerk vlakbij de grens met Tunesië.

De meest bekende islamistische beweging in Tunesië was en-Nahda, 'Wedergeboorte', waarvan de leider Rached Ghanouchi naar Londen was gevlucht. De moordenaars van de Afghaanse commandant Massoud behoorden tot een afsplitsing van en-Nahda en hadden de opdracht voor de aanslag rechtstreeks gekregen van de Majlis al-Shura, de bestuursraad van al-Qaeda.

Voor het overige waren de Tunesiërs goed vertegenwoordigd in de vreemdelingenlegioentjes van al-Qaeda in Irak, Waziristan en Algerije.

In de cel was voetbalster Trabelsi, de man van Kleine Brogel, een magneet voor jonge allochtone gedetineerden. Hij won ze voor de goede zaak en sommigen van hen legden contacten met buiten om zijn ontsnapping mogelijk te maken. Op verschillende blogs werd erover gepraat en Trabelsi zelf onderhield ook contacten met de buitenwereld. Daarop was geattendeerd vanuit de VS.

De dag na de afkondiging van het terreuralarm werden de veertien verdachten weer vrijgelaten. Bij hen Malika el-Aroud, de weduwe van een van de moordenaars van Massoud. Ook Naïma was erbij, de vrouw met wie Trabelsi, voor de moskee was getrouwd. Er waren volgens het federaal parket genoeg aanwijzingen voor een terroristische dreiging, maar bij de huiszoekingen waren geen wapens of springstoffen gevonden. Intussen waren er ook huiszoekingen in verschillende gevangenissen, waarbij die van Aarlen en Nijvel, Trabelsi's laatste adres. Ook dat leverde niets op.

In een brief aan *La Dernière Heure* liet de ex-voetballer weten dat België geen doelwit was en dat de bevolking werd gemanipuleerd. Hij beweerde daarvan het bewijs te hebben. 'Ik zou weleens willen weten waarom ik een aanslag zou moeten plegen op uw grondgebied? Noch Trabelsi, noch wie ook heeft de intentie om iets te ondernemen en de toekomst zal uitwijzen dat zieke geesten paniek zaaien voor niets bij duizenden burgers die het kerstfeest voorbereiden.' Ontsnappen interesseerde hem niet nu hem nog maar vier jaar cel wachtten. Naïma, zijn partner en moeder van vijf kinderen van wie Trabelsi niet de vader is, gaf haar versie. De rechercheurs hadden telefoontjes van Trabelsi verkeerd begrepen. Trabelsi had contacten met Malika, omdat ze geld inzamelde voor hem en andere gevangen strijders en geloofsgenoten. Ze was intussen hertrouwd en in juni in Zwitserland veroordeeld wegens haar medewerking aan websites waarop ook bomrecepten verschenen. Deze Marokkaanse van 48 uit Tanger, stond volgens *La Dernière Heure* aan het hoofd van de groep die Trabelsi wilde bevrijden. Ze veranderde voortdurend van gsm-nummer en adres en was volgens de krant ook betrokken bij de rekrutering van Muriel Degauque, de eerste blanke vrouw die een zelfmoordaanslag pleegde in Irak.[107]

De vrijlating van de veertien deed wenkbrauwen fronsen, maar volgens het parket was het onderzoek niet afgelopen. Het terreuralarm bleef van kracht. Nog altijd werd gedacht dat een aanslag in voorbereiding kon zijn, met name in Brussel. De ontmijningsdienst van het leger moest menigmaal uitrukken om onschuldige pakjes onschadelijk te maken, onder meer bij de Amerikaanse ambassade en in verschillende metrostations.

Op 24 december, terwijl de koning zijn kerstboodschap hield en de natie opriep tot verdraagzaamheid, vroeg de hoogste parketmagistraat van het land, de voorzitter van het college van procureurs-generaal, Yves Liégeois, dringend wetten om het terrorisme beter te kunnen aanpakken. De veiligheidsdiensten hadden te weinig armslag om het terroristisch internetverkeer te volgen. Wij werken nog met telefoon en gsm, zei Liégeois, terwijl de terroristen al lang zijn overgeschakeld op internetsites met geheime codes.

Op oudejaarsavond werd het traditioneel vuurwerk in Brussel afgelast. Op tweede nieuwjaarsdag werd het verhoogd terreuralarm verlengd tot na de koopjesperiode. Dezelfde dag werd door het ministercomité voor Inlichtingen en Veiligheid beslist om het alarmniveau te verlagen van 'zeer ernstig' naar 'ernstig'. Dat betekende dat een aanslag niet langer 'zeer nabij' was, maar 'mogelijk en waarschijnlijk'. Bij die beslissing werd rekening gehouden met de arrestatie op oudejaarsavond van drie verdachten in Nederland en met het proces tegen de handlangers van Muriel Degauque, waarvan het vonnis werd verwacht op 10 januari. Op de websites van kranten werd gescholden op de overheid die de burgers bang maakte en zich beter kon inlaten met de tanende koopkracht.

De dag daarop werd bekend dat de politie burgers zou rekruteren voor de strijd tegen het terrorisme. Vooral de cel van Brussel bleek onderbemand. Bij de federale politie was te weinig geschikt personeel en er was dringend nood aan islamspecialisten, computerexperts en boekhouders.

Over het doelwit van de terroristen was weinig bekend. Er was sprake van de Brusselse metro, maar de overheid bleef karig met informatie. *Le Soir* puzzelde wat bekend was twee weken na de afkondiging van het alarm samen. De concreetste aanwijzingen kwamen van de politie. Betrouwbare informanten hadden horen praten over de voorbereiding van aanslagen in Brussel. Doelwitten waren er genoeg: het hoofdkwartier van de NAVO, de Europese instellingen en de regering wegens de aanwezigheid van Belgische militairen in Afghanistan. Er waren ook waarschuwingen vanuit de VS. Dan was er de verhoogde kans op een slachtpartij in de drukke eindejaars- en koopjesperiode. Ten slotte was er de dreigende internationale context.

Op basis daarvan had het Crisiscentrum op Binnenlandse Zaken op

21 december beslist om niveau 4 af te kondigen, het hoogste alarmniveau. Het Orgaan voor Coördinatie en Analyse van de Dreiging (OCAD) was relatief nieuw en bij het grote publiek nauwelijks bekend. Het verzamelde informatie uit nationale en internationale, open en geheime bronnen om de dreiging in te schatten en was tot de conclusie gekomen dat er een 'reëel risico' was.

Bovenop de signalen over een mogelijke aanslag waren er berichten van Trabelsi's ontsnappingsplan. Trabelsi beschikte in zijn cel clandestien over een gsm die werd afgeluisterd. Dat bracht een netwerk van contacten aan het licht met islamistische getrouwen en volgens *Le Soir*, vermoedelijk ook het misdaadmilieu. Maar er was geen enkele arrestatie verricht. Was dit vals alarm? Een Belgenmop van al-Qaeda?

De dood van Benazir Bhutto

RAWALPINDI (PAKISTAN) - *De eindejaarsperiode is door-*

gaans nieuwsarm, of er moet een natuurramp gebeuren. Maar op 27 december be-

gonnen alle persbureaus tegelijk spoedberichten te spuwen.

Het was 17.16 uur en bijna zonsondergang in Rawalpindi. Oppositieleidster Benazir Bhutto had juist vijfduizend militanten toegesproken in het
park van Liaqat Bagh, bekend van zijn massameetings. De televisieploe-
gen hadden net ingepakt. Haar gepantserde wagen baande zich traag
een weg door de menigte. Bhutto stond recht om doorheen het open dak
te wuiven naar haar aanhangers toen een magere jongeman achterop de
auto sprong. Een schot knalde, gevolgd door een enorme ontploffing,
een grote vuurbal en veel rook. Er zijn nauwelijks beelden van de aanslag. Die waren er des te meer van de verwarring, de paniek en de verwoesting onmiddellijk daarna. Een journalist van het Franse persbureau
zei dat een politieman hem de helft aanwees van een verticaal gekliefd
hoofd. 'Het hoofd van de kamikaze', zei de agent. Overal lagen menselijke resten en zwaar verminkte gewonden en doden.

Bhutto was al afgevoerd. Eerst was gezegd dat ze ongedeerd was
maar al snel sprak haar man van zware verwondingen. Korte tijd later zei
een woordvoerder van de Pakistan Peoples Party (PPP) dat de artsen de
dood hadden vastgesteld. Het nieuws werd onthaald op tranen en uit-
barstingen van machteloze woede en verontwaardiging. De politie had
de grootste moeite om de massa bij het ziekenhuis in bedwang te houden.

President Musharraf was het mikpunt. In de nacht koelden de aanhangers van de oppositieleidster hun woede op alles wat te maken had
met Musharraf en de regerende PML-Q. De chef van Bhutto's lijfwacht
had naar eigen zeggen een doeltreffende beveiliging gevraagd en geschikt materieel, maar de regering was doof gebleven voor zijn verzoeken.
Bhutto zelf had twee maanden tevoren naar een Amerikaanse vriend,
Marc Siegel, geschreven dat ze Musharraf verantwoordelijk stelde mocht
haar iets overkomen. Ze achtte het 'onmogelijk dat het verbod om privé-
auto's te gebruiken of wagens met ondoorzichtig glas, of een escorte van
vier politiewagens om mij van alle zijden te beschermen, was uitgevaardigd zonder zijn goedkeuring'. De Pakistaanse ambassadeur in Washing-

ton beweerde dat zijn regering voor 'alle noodzakelijke veiligheid' had gezorgd en Bhutto geregeld had gewaarschuwd met precieze informatie over terroristen die het op haar gemunt hadden. Maar als de regering daarvan wist, waarom had ze dan niets ondernomen?

Een collega in Islamabad vertelde mij twee dagen na de aanslag dat een goed geïnformeerde bron hem de avond tevoren op het hart had gedrukt om weg te blijven van Bhutto's meeting. Hij had 's morgens nog een stralende en vrolijke Benazir gezien tijdens haar ontmoeting met de Afghaanse president Karzai.

Het Amerikaanse reddingsplan voor Pakistan lag aan diggelen. 'De veiligheid van Amerika was toevertrouwd aan een militair dictator. Dat werkte niet. Gokken op een achterkamerakkoordje van de dictator met mevrouw Bhutto is niet meer mogelijk', schreef *The New York Times*. Amerika werd andermaal teruggeworpen op de intussen voormalige generaal, president van een land dat een draaikolk was van geweld. Het Witte Huis verkoos dat de parlementsverkiezingen zouden doorgaan op 8 januari, maar het kon leven met enig uitstel. Bush hield in zijn ranch in Crawford een korte televisie-interventie waarin hij aan de bevolking van Pakistan vroeg om de nagedachtenis van Bhutto te eren en verder te gaan op de weg van de democratie 'waarvoor ze zo dapper haar leven heeft gegeven'. Hij noemde de moordenaars voor een keer niet 'terroristen' maar naar Pakistaans gebruik 'extremisten' die de democratie wilden saboteren. Senator Joseph Biden, voorzitter van de machtige commissie Buitenlandse Zaken en de latere vicepresident, hekelde het 'falen' van de Pakistaanse regering en inlichtingendienst. Enkele dagen tevoren was aan het licht gekomen dat de riante Amerikaanse militaire hulp vooral ten goede kwam aan projecten van het leger en Musharraf zelf, zoals de productie van wapens die niet tegen al-Qaeda maar tegen India gericht waren.

De moord op Bhutto deed de bezorgdheid over het Pakistaanse kernarsenaal enkel maar groeien. Hillary Clinton vond dat Amerika desnoods de controle moest overnemen over de bommen. Deze en andere uitspraken irriteerden Musharraf en hij liet dat duidelijk blijken tijdens een bezoek van senator Joseph Liebermann aan Islamabad.[108] De anders zo omzichtige directeur van het Internationaal Atoomagentschap (IAEA) el-Baradei was ook bang dat de Pakistaanse bommen in verkeerde handen zouden vallen. Musharraf stuurde zijn *chargé d'affaires* in Wenen naar el-Baradei om hem te kalmeren en hem te verzekeren dat de wapens veilig waren. Ook Qazi Hussain Ahmad van de Jamaat-e-Islamiya was geprikkeld. Hij sprak van samenzweringen tegen Pakistan en westerse pogingen om beslag te leggen op het kernarsenaal, terwijl niets werd gezegd van de Israëlische wapens of die van India.

DE EERSTE UREN NA DE MOORD

In de uren die volgden op de moord kwamen bij onlusten in het hele land 33 mensen om. Binnenlandse Zaken zei dat op het lichaam van Bhutto geen kogelsporen waren aangetroffen, ofschoon ooggetuigen spraken van twee kogels, waarbij een nekschot en een dat de schouder had doorboord. Volgens Binnenlandse Zaken was de doodsoorzaak een schedelbreuk, veroorzaakt door een val tegen het handvat van het open dak. Binnenlandse Zaken kende ook de opdrachtgevers.

Volgens het ministerie was de ochtend na de moord een telefoongesprek afgeluisterd waarin Baitullah Mehsud zijn mannen feliciteerde met de aanslag. De leider van de taliban in Zuid-Waziristan was door de regering ook verantwoordelijk gesteld voor de aanslag in Karachi bij de terugkeer van Bhutto. Bij monde van een woordvoerder deed de 34-jarige talibanleider de beschuldiging af als propaganda. Ook de PPP geloofde er niets van en zag een 'poging om de aandacht af te leiden'. Enkele uren tevoren was op islamistische websites een opeising verschenen van al-Qaeda. De Pakistaanse regering bevestigde dat Benazir Bhutto op de hitlist stond van de terreurorganisatie.

Velen verdachten de regering zelf. Benazir had voor haar terugkeer tegen *The Guardian* gezegd dat ze Mehsud niet vreesde, maar wel de regering. 'Mensen als Baitullah Mehsud zijn enkel maar pionnen. Het zijn de krachten achter hem die verantwoordelijk zijn voor de opkomst van het extremisme in mijn land.'

Daags na de moord werd het stoffelijk overschot overgevlogen naar het dorpje Ghari Khuda Baksh, de wieg van de familie Bhutto in de provincie Sindh. Het werd bijgezet bij haar vader en haar twee broers. De ambulance met het lichaam had twee uur nodig om zich door de mensenzee tot bij het mausoleum te banen.

Benazirs echtgenoot, Asif Ali Zardari, en de drie kinderen, die nog in ballingschap leefden, waren overgevlogen uit Dubai. Op de begrafenis weerklonk de kreet dat niet al-Qaeda maar Musharraf Bhutto had vermoord. De moord op Bhutto beroerde de grote massa, niet enkel in Pakistan, maar in de hele wereld. Dat dankte ze aan haar dapperheid en vechtlust en aan haar buitengewone schoonheid. Benazir stierf op een steenworp van de plaats waar haar vader, die ze aanbad, achtentwintig jaar tevoren was opgeknoopt. Ze was zijn oogappel. Hij noemde Benazir, de 'Unieke', wegens haar roze huid vertederd 'Pinkie'. Zijn executie was het begin van haar politieke carrière.

Een week na de eerste aanslag, in Karachi, had ze nog geschreven: 'Ik ben niet zo oud geworden om me te laten afschrikken door kamikazes... De extremisten zullen alle bloedige middelen inzetten om de democratie te ondermijnen. Extremisten gedijen in dictaturen. Ze weten dat gematigdheid en democratie voor hen het einde betekenen. Ze zullen voor niets terugdeinzen om die twee om zeep te helpen. Maar ze zullen niet de dromen kunnen vermoorden en de hoop die de Pakistaanse armen stellen in de democratie en in een betere toekomst.'

Tot net voor de moord zag alles er nog hoopvol uit. Als een volleerde regeringsleidster had Benazir Bhutto de Afghaanse president Hamid Karzai ontvangen. Op de foto geniet een ontspannen Bhutto van een grapje van de president. Enkele uren later veroordeelde Karzai de 'laffe terreurdaad'. Tijdens hun gesprek had Bhutto vrede en welvaart gewenst aan Afghanistan en goede betrekkingen met Pakistan. Uit de lichaamstaal was duidelijk dat die betrekkingen veel hartelijker konden worden dan ze met Musharraf ooit waren geweest.

DE OPVOLGING VAN EEN ICOON

De vraag was wie Bhutto zou opvolgen aan het hoofd van de partij. Daar had ze zelf niet voor gezorgd, ook al wist ze zich bedreigd. Benazir Bhutto – icoon, heldin van de armen, idool van een stedelijke vooruitstrevende elite, prinses en passionaria, mannequin en madonna, belichaming van Oost en West, boegbeeld van een vrijzinnige islam, tijgerin in een ruwe mannenwereld – was inderdaad onvervangbaar. Haar betekenis bleek pas ten volle bij haar dood. Het verlies was des te pijnlijker.

De gemakkelijkste vraag was wie het politieke centrum nu zou bezetten. Musharrafs enige overlevende tegenstander van formaat was nu zijn gezworen vijand, Nawaz Sharif. Meteen na de moord eiste hij het leiderschap op van een 'oorlog' die het land moest bevrijden van de dictatuur. Andermaal eiste hij het ontslag van Musharraf en hij kondigde opnieuw een boycot aan van de verkiezingen van 8 januari, die volgens hem zouden leiden tot de 'zelfvernietiging van Pakistan'.

Meteen na de aanslag op Bhutto zocht de Amerikaanse ambassade contact met Sharif. De ex-premier was geen favoriet van Washington. Het waren de Saudi's die zijn terugkeer uit ballingschap hadden mogelijk gemaakt, niet de Amerikanen die vermoedden dat Nawaz Sharif de islamisten genegen was. Als Washington dacht om het problematische verstandshuwelijk Musharraf-Bhutto te vervangen door een duet met Sharif, dan moest het onmogelijke gebeuren. Tussen Benazir en de generaal was er nooit liefde geweest, maar Sharif haatte hem en die afkeer was wederzijds. Een alternatief was er niet. Niemand kon de vermoorde leidster vervangen. Het enige waarop Amerika kon hopen was dat min of meer eerlijke verkiezingen een afgetekende overwinning zouden opleveren voor de gematigden en een marginalisering van de religieuze extremisten. Maar wie moest die gematigden leiden en waren er in de gegeven chaotische omstandigheden überhaupt verkiezingen mogelijk? Het was hoogst onzeker dat Sharif Benazirs aanhang voor zich kon winnen. Washington mocht, gezien de centrale rol van Pakistan in de strijd tegen het terrorisme, niet afzijdig blijven, al pleitten steeds meer stemmen voor een andere Amerikaanse strategie.[109]

Op de laatste dag van het jaar werd Benazirs negentienjarige zoon Bilawal aangewezen tot haar opvolger. De echte macht kwam in handen van zijn vader, Asif Ali Zardari, die met hem het voorzitterschap zou delen van de PPP. Dat werd achter gesloten deuren beslist op een bijeenkomst in het familiedomein in Naudero. Na afloop zei Bilawal dat hij zijn studies in Oxford zou voortzetten maar dat de strijd van zijn moeder voor democratie niet zou verwateren.[110] Vervolgens beantwoordde vader Zardari de vragen van de pers.

Zardari, de nieuwe sterke man van de partij, was niet geliefd. In Pakistan werd hij 'Mister 10%' genoemd wegens de commissies die hij opstreek toen hij nog minister was onder zijn vrouw. Peilingen toonden aan dat de Pakistanen zich dat herinnerden. Veruit de populairste politicus van het land was de gematigde, trouwe ondervoorzitter van de PPP, Makhdoom Amin Fahim. Hij liet alle andere politici lichtjaren achter zich maar werd allicht daarom – en omdat hij niet behoorde tot de Bhutto-clan – op een zijspoor gezet.

SCOTLAND YARD IN PAKISTAN

Op 5 januari brachten vijf agenten van Scotland Yard een drie uur durend bezoek aan de plaats van de misdaad in het gezelschap van een onderzoeksteam van de Pakistaanse regering. De Britse speurders vroegen hun Pakistaanse collega's om een reconstructie. Ze bekeken de omgeving en de tribune waar Bhutto had gestaan, bestudeerden kaarten en diagrammen en zochten sporen van de explosie op de muren. Ze vroegen precieze inlichtingen over de posities van de schutter en de kamikaze. De chemische verslagen en de DNA-testen waren nog niet klaar. Tijdens de inspectie bleef de hele zone hermetisch afgesloten. Daarna trokken de speurders naar het hoofdkantoor van de politie van Rawalpindi voor een gedetailleerde briefing. Later op de middag onderzochten ze de Land Cruiser Jeep van Bhutto. Er waren twee pistolen gevonden op de plaats van de misdaad. Een ervan kon het wapen zijn van de dader.

's Morgens vroeg had het Pakistaanse onderzoeksteam een nieuwe samenstelling gekregen. De commandant was vervangen en het team was uitgebreid met een forensisch expert en telde nu zes man. Volgens Pakistaanse bronnen zou de Yard nagaan hoe de aanslag was verlopen, welke bom was gebruikt, wat de doodsoorzaak was en wie de dader(s) konden zijn. De Britten was de beschikking beloofd over alle bewijsmateriaal.

Op de dag dat Scotland Yard zijn onderzoek begon, sneuvelde de officiële versie van de doodsoorzaak. In een vraaggesprek met CBS, zijn eerste sinds de aanslag, gaf Musharraf toe dat Bhutto misschien doodgeschoten was.

Een nieuwjaarsboodschap: bloed voor bloed

Hezbollah kon rekenen op machtige vrienden, maar Osama bin

Laden was daar niet bij. Op 29 december leverde hij in een nieuwe boodschap kritiek

op Hezbollah-leider Nasrallah omdat die VN-troepen had toegelaten in Libanon.

'Kruisvaarders', zei bin Laden. De bijna dertienduizend blauwhelmen in Zuid-

Libanon troffen meteen extra veiligheidsmaatregelen.

Maar Libanon was niet de blikvanger in de nieuwe boodschap. De hoofdbrok was een oproep tot de soennieten in Irak om niet te vechten tegen al-Qaeda maar zich te scharen achter Abu Omar al-Baghdadi, de mysterieuze leider van al-Qaeda in Mesopotamië aan wiens bestaan sommige Amerikaanse functionarissen twijfelden. Wie meewerkte met de VS of de regering-Maliki, 'die de Iraakse olie weggeeft aan de Amerikanen', was een afvallige. Uit de geluidsboodschap, 56 minuten lang, sprak bezorgdheid over de krijgskansen in Irak, nu 'Anbar ontwaakt' en andere soennitische stammenlegers de wapens hadden opgenomen tegen al-Qaeda. Bin Laden noemde hen verraders die de godsdienst verkwanselden voor aards gewin, wat hen duur te staan zou komen in dit leven en het hiernamaals. De regering van nationale eenheid met Koerden, soennieten en sjiieten was een 'gevaarlijk plan' dat de vestiging belette van een islamitische staat in Irak, 'die een muur van weerstand zou zijn tegen de Amerikaanse plannen om Irak te verdelen'.

Osama maakte zich terecht zorgen. In december was het officiële aantal burgerdoden bij geweld in Bagdad met driekwart gedaald tegenover het einde van 2006. In december van dat jaar waren dat er nog 1930, nu 481. Oud en nieuw was in het veiliger oostelijke deel van de stad gevierd met vuurwerk en straatfeesten. Dat was een jaar eerder nog volstrekt ondenkbaar.

Bin Laden viel ook ongewoon fel uit tegen Israël, dat de aanhang van al-Qaeda zag groeien in de Palestijnse gebieden. 'We zijn van plan om Palestina te bevrijden, heel Palestina, van de rivier (de Jordaan) tot de (Middellandse) zee', aldus bin Laden. 'Bloed voor bloed, verwoesting voor verwoesting. We zullen geen duimbreed voor de Joden erkennen in

Palestina, zoals andere moslimleiders hebben gedaan.'

De voortvluchtige topterrorist vroeg ook steun aan de moslims om hun 'olie en rijkdom te beschermen en het geld dat tussen uw vingers wegglipt door de onrechtvaardige en willekeurige koppeling aan de dollar'. Het was weinig waarschijnlijk dat de rijke oliestaten meteen op die suggestie zouden ingaan, ook al had de Amerikaanse munt diezelfde maand diepterecords gebroken. De oproep maakte het alleen moeilijker om de olieprijs en een aantal munten los te koppelen van de dollar, al was die koppeling een probleem. In Saudi-Arabië, dat de riyal sinds 1986 had gekoppeld aan de dollar, was de inflatie in oktober geklommen naar 5,35 procent, het hoogste peil in twaalf jaar. De kleine oliestaatjes kampten eveneens met sterke prijsstijgingen en dalende koopkracht van de legioenen broodnodige buitenlandse werknemers. Koeweit had op 20 mei de koppeling opgezegd omdat de import te duur werd. Het emiraat verving de dollar door een deviezenkorf en stond een opwaardering toe van de dinar met bijna zes procent. De verleiding om dat voorbeeld te volgen was groot, maar niemand wilde de indruk wekken te bezwijken voor bin Laden.

Osama's interventie was uitstekend getimed omdat de discussie over de koppeling brandend actueel was. In november hadden Iran en Venezuela de kwestie aangekaart op de OPEC-top van Riyad. Op 24 december werd voorspeld dat er zestig procent kans was dat de Verenigde Arabische Emiraten de pariteit met de dollar eenzijdig of in samenspraak met andere olieproducenten, zouden aanpassen in de eerste helft van 2008. De gouverneur van de Centrale Bank van de Emiraten had daar een tijd geleden allusie op gemaakt, wat een speculatieve golf had veroorzaakt en uiteindelijk leidde tot de afspraak onder de leden van de Samenwerkingsraad van de Golf (GCC) om bij de dollar te blijven en gesprekken over een munthervorming geheim te houden. De rijke Golflanden, op Iran na, wilden de koppeling aan de dollar niet of niet helemaal lossen, maar waren verleid om het voorbeeld van Koeweit te volgen en hun munten op te waarderen. De Emiraten waren het ongeduldigst. Daar had de inflatie in 2006 al 9,3 bereikt, het hoogste peil sinds 1988.

Er werd nauwelijks getwijfeld aan de echtheid van bin Ladens boodschap. Dat niets was gezegd over de moord op Benazir Bhutto werd beschouwd als een aanwijzing dat ze voor de aanslag was opgenomen. Maar waarom was er dan niet de minste hint? Als bin Laden bij een complot tegen Bhutto betrokken was, zou hij daar allicht op hebben gezinspeeld. Misschien had hij dan even gewacht met het uitbrengen van zijn boodschap. Dat betekende niet dat de kamikaze geen banden had met al-Qaeda. Alleen wekte het de indruk dat zijn opdrachtgever niet bin Laden was.

Er was nog iets vreemds: op 2 november had Benazir Bhutto in een interview met David Frost op de BBC gezegd dat bin Laden vermoord was door Omar Sheikh! Het was een opmerkelijke lapsus. Bhutto bedoelde duidelijk de Amerikaanse journalist Daniel Pearl, die inderdaad door Omar Sheikh was vermoord, en Frost ging niet in op de sensationele verspreking, maar waarom werd ze weggeknipt uit latere versies van het gesprek? De gewraakte passage werd een hit op YouTube en was voer voor complottheorieën en internetdiscussies die voorbijgingen aan tal van andere interviews waarin Bhutto het steeds had over een 'levende' bin Laden. Omar Sheikh, die dus 'bin Laden had vermoord', was volgens haar een van de mannen die het op haar leven gemunt hadden.

De moord op Bhutto kostte aan 22 mensen het leven, inclusief de kamikaze.

HET GELOOF IN DE GOEDE ZAAK

President Bush vertrouwde niet alleen in de heilige zaak, hij geloofde dat hij Gods wil uitvoerde toen hij de invasie beval van Irak. Osama bin Laden deed het voor niet minder. Khamenei en zeker Ahmadinejad in Iran al evenmin. De zes Franse hulpverleners van L'Arche de Zoé, die in Tsjaad veroordeeld werden voor de ontvoering van 103 'ondervoede oorlogsslachtoffertjes uit Darfour', dachten waarschijnlijk ook dat ze 'goed bezig' waren. Ook Saddam Hoessein wist zich op het rechte pad, maar hij werd schuldig bevonden en opgeknoopt.

De Amerikaanse sociaal-psycholoog Roy Baumeister stelt dat de vele boosaardigen in dit tranendal zichzelf zelden als boosaardig beschouwen. Ze hebben ook andere herinneringen dan hun slachtoffers die de wreedheid pijnlijk levendig ondervinden maar voor hun beulen enkel schetsmatige herinneringen zijn zonder veel betekenis.

Alleen jihad kan vrede brengen

ISLAMABAD (PAKISTAN) - *Oost en West hebben een totaal*

verschillende ervaring van de tijd. Op 5 januari publiceerde De Morgen *een foto*

van Reuters uit Islamabad. Daarop was een dozijn Pakistaanse agenten te zien,

collega's van de rechercheurs van Scotland Yard.

Ze bevonden zich in het schoongespoten park waar Bhutto was vermoord en droegen blauwe jekkers met op de rug 'POLICE'. Eentje op de
voorgrond rookt waarschijnlijk een sigaret, terwijl hij zich onderhoudt
met een collega die onderuitgezakt op een bank zit. Verderop kuiert er
een met een stok. Vier anderen zitten in kleermakerszit te kijken naar wat
komen zal. Eentje ligt met uitgestrekte armen te genieten van de winter-
zon en nog een ander ligt prinsheerlijk met zijn been over zijn opgetrokken knie, graspriet tussen de tanden. Een laatste ligt op zijn zij, het
hoofd op zijn opgevouwen jasje, vermoedelijk in diepe slaap verzonken.
Wie zou hen niet begrijpen? Het plein was meteen na de aanslag schoongespoten. Veel bewijsmateriaal lag er niet meer. En enkel in dit seizoen is
de zon in Rawalpindi niet genadeloos maar weldadig.

Op 13 januari vernam *The Sunday Times* dat Scotland Yard tot dezelfde
conclusie was gekomen als president Musharraf. Achter de moord op
Bhutto stak Baitullah Mehsud de talibanleider uit Zuid-Waziristan. Na
de aanslag was dat door sommigen weggelachen. Het onderschepte telefoontje met de gelukwensen van Baitullah voor de daders was onvoldoende bewijs en misschien een vervalsing, de talibanleider had enkel
invloed in de tribale gebieden en hij was niet bij machte om toe te slaan
in het hart van het land. De Yard echter concludeerde dat het telefoongesprek authentiek was en dat de talibanleider inderdaad achter de meeste zelfmoordaanslagen stak die Pakistan teisterden. 'Gelukwensen', had
hij gezegd tegen een radicale geestelijke, 'waren het onze mannen?' Waarop het antwoord luidde: 'Ja, het waren de onzen.'

Mehsud ontkende, maar hij sprak niet tegen dat hij de stem was in de
opname. Volgens diplomaten had hij verschillende kamikazes uitgestuurd
om Bhutto doorheen het land te volgen en haar bij een geschikte gelegen-

heid te vermoorden. De vingerafdrukken op het pistool waarmee Bhutto was beschoten hadden geleid naar een man uit de Swat-vallei, waar strijders van Mehsud vochten aan de zijde van mullah Radio, een fanatieke geestelijke die zijn roepnaam dankte aan zijn FM-zenders die opruiende preken lieten weergalmen over de vallei.

Op 15 januari zei de regering dat een aantal verdachten was gearresteerd van de bomaanslag van 18 oktober in Karachi. Ze waren volgens Binnenlandse Zaken betrokken bij verschillende andere aanslagen, maar het was onzeker of ze ook iets te maken hadden met de moord op Bhutto. De arrestaties waren verricht in Baitullahs wingewest Zuid-Waziristan. Het ministerie adviseerde toppolitici om uiterst voorzichtig te zijn.

Het bleef erg woelig in Waziristan. In het holst van de nacht veroverden enkele honderden aanhangers van Baitullah Mehsud een legerfort.[111] De 42 belegerde soldaten sloegen op de vlucht toen de aanvallers de verdedigingsmuur opbliezen. Er sneuvelden vijftien soldaten; minstens zeven anderen werden onthoofd en twintig waren vermist. Sommigen van hen werden gegijzeld. Naar gelang van de bron waren bij de verovering van het fort vier tot zevenhonderd strijders ingezet. Ze vertrokken met geplunderde wapens en munitie. Een woordvoerder van Tehreek-i-Taliban zei dat Baitullah Mehsud zelf de actie had geleid. Drie dagen later was het opnieuw raak, maar nu namen de soldaten de benen zonder een schot te lossen. Vervolgens trokken de opstandelingen naar een derde fort en er werd ook geschoten bij een vierde. In de ochtend van 18 januari omsingelden ze het fort van Ladha.

Volgens sommigen wilde Baitullah aantonen dat de jihad begonnen was en zijn aanhangers verenigen, volgens anderen was het puur machtsvertoon.

De dag dat Baitullah in de tegenaanval ging, begon het door te dringen dat de jihadi's aan de controle van de inlichtingendienst ISI waren ontsnapt. De ISI had de militante groepen opgeleid en groot gemaakt, maar nu hadden ze zich gekeerd tegen hun beschermers. Pakistan was niet meer in staat om ze te beteugelen. Musharraf had altijd ontkend dat de ISI samenwerkte met de radicale groepen, maar zijn bevel om de extremisten aan te pakken was gestuit op verzet binnen zijn eigen regering en bij de inlichtingendienst. Nog altijd werden ze beschouwd als waardevolle hulptroepen tegen India. Sommige ministers sympathiseerden met hen, anderen waren bang. Bij de ISI waren er die jacht maakten op de extremisten maar anderen werkten nog steeds met hen samen.

Een voorbeeld was Jaish-e-Muhammad, het 'Leger van de Profeet', opgericht met steun van de ISI in 2000 om in Kasjmir tegen India te vechten. In december 2001 werd de groep verboden na een aanslag op het parlement in New Delhi. Kort daarna was Jaish betrokken bij de moord op de journalist Daniel Pearl. Na die moord waren tweeduizend verdachten opgepakt, van wie de meesten binnen het jaar weer vrijkwamen, bij hen de leider van de groep. Tussen 2002 en 2005 was met enig succes jacht gemaakt op al-Qaeda maar daarna was die stilgevallen. Jaish had zich intussen gehergroepeerd in de tribale gebieden Bajaur en Dir en leverde manschappen voor de opstand in de Swat-vallei.

Het was steeds duidelijker dat allerlei extremistische groepen de krachten hadden gebundeld. Ideologisch en tactisch was er geen verschil meer tussen de Pakistaanse taliban en al-Qaeda.[112] Ze waren een grote familie geworden onder Baitullahs motto: 'Alleen jihad kan vrede brengen.'

Op 17 januari werd in Dera Ismail Khan, niet ver van de Afghaanse grens, een jongen van achttien aangehouden die volgens de politie van plan was om enkele dagen later, tijdens het sjiitische Ashura-feest, op de tiende dag van de eerste maand van de islamitische kalender, een aanslag te plegen op een sjiitisch doelwit. De jongen studeerde in Karachi en was door een geestelijke naar Waziristan gestuurd voor een kamikaze-opleiding. Hij biechtte op dat hij door Baitullah Mehsud was ingelijfd bij een vijfkoppig doodseskader dat Benazir Bhutto moest vermoorden. Volgens de plaatselijke politie moest de jeugdige arrestant Bhutto doden, mocht de aanslag van 27 december zijn mislukt. Hij kende de naam van de eigenlijke dader, een zekere 'Bilal' en van diens opdrachtgever, Ikra(m) of 'Akra'. Die namen vielen ook tijdens het felicitatiegesprek van Baitullah met een van zijn medewerkers, daags na de moord.

Samen met de jongen was ook zijn opdrachtgever aangehouden.[113] Het duo liep tegen de lamp toen de kamikaze in spe met een taxi vanuit Noord-Waziristan arriveerde in Dera Ismail Khan. Hij vertelde dat hij een bommenjas kwam halen voor een aanslag op het Amerikaans consulaat in Karachi, maar dat de plannen wegens de strenge veiligheidsmaatregelen in extremis waren gewijzigd.

Op 19 januari ontmantelde de politie van Karachi een complot om cyanide te mengen in het drinkwater dat de volgende dag zou worden uitgedeeld tijdens de sjiitische Ashura-processies. De samenzweerders hadden een halve kilo vergif ingeslagen. De politiechef van de miljoenenstad zei dat een grote catastrofe was voorkomen, maar dat zelfmoordaanslagen nog altijd mogelijk waren. De vijf arrestanten waren trouwens zelf van plan om eerst wat granaten te gooien en zich daarna in de processies op te blazen. Ze behoorden tot drie verschillende organisaties.[114] De leider was een vriend van de talibanchef Jalaluddin Haqqani en bommenexpert in een terroristenkamp in Waziristan. Het aantal arrestanten klom tot acht toen in Hyderabad nog drie andere leden van de cel werden aangehouden. Vier van hen waren opgeleid in een al-Qaedakamp bij Mir Ali in Noord-Waziristan. Volgens de ISI was het cyanidecomplot bedacht door al-Qaeda, dat om de aandacht af te leiden, de uitvoering had uitbesteed aan drie kleinere verboden groepen.[115]

Iets vergelijkbaars moest met Bhutto zijn gebeurd. Ze wist dat ze hoog spel speelde door terug te keren. Ze had Musharraf de namen bezorgd van wie haar naar het leven stond. Haar vijanden hadden hun bedoelingen duidelijk gemaakt bij haar terugkeer in Karachi. Baitullah was mogelijk de leverancier van het kanonnenvlees, maar was hij de opdrachtgever? Benazir was in het woelige Peshawar geweest maar haar laatste meeting in Liaqat Bagh in Rawalpindi was vol gevaren. Ze had daar de avond tevoren nog langdurig over getelefoneerd met Musharraf. De auto vertrok. Enthousiaste jongeren hielden hem op. Stond ze recht in de wagen omdat ze de snelle dood met een kogel verkoos boven de verbranding in de auto bij de bomexplosie die zou volgen? Speelde ze poker, het spel van alles of niets? In ieder geval wist ze dat rechtstaan haar tot een schietschijf maakte.

Ashura kende een onverwacht rustig verloop. Zelden waren er zulke veiligheidsmaatregelen gezien. Musharraf kon met gerust gemoed naar Brussel, waar hij arriveerde in de namiddag van 20 januari. Net voor zijn vertrek gaf hij de kabelmaatschappijen toestemming om Geo, de populairste nieuwszender van het land, opnieuw in het aanbod op te nemen. Geo was 78 dagen verboden geweest. De zender was op 3 november, vier uur voor de afkondiging van de noodtoestand, uit de ether gehaald. Tot 16 december was hij nog via de satelliet te ontvangen. Toen maakte Dubai dat onmogelijk op aandringen van Musharraf. Geo had recordverliezen geleden omdat ook de populaire kinder- en sportkanalen onder het zendverbod vielen. Zo miste de zender de waanzinnig populaire India-Pakistan Cricket Series. Dat alleen was een verlies van vijftien miljoen dollar. De sluiting van Geo was een aanslag op het informatierecht, temeer omdat in augustus 2007 uit onderzoek was gebleken dat 68 procent van het publiek Geo vertrouwde tegenover maar 11 procent de staatsomroep PTV.

Parijs-Dakar afgelast

Het nieuws sloeg bijna in als een echte bom. Op 4 januari annuleerde

Amaury Sport Organisation de legendarische rally Paris-Dakar, voor het eerst in zijn

dertigjarige bestaan. Er waren 'directe dreigingen tegen de rally van terroristische

groepen'.

Er hing een schaduw over de koers sinds de executie op kerstavond van vier Franse toeristen die naast hun auto zaten te picknicken op het platteland van Mauretanië. De moorden werden toegeschreven aan moslimextremisten. De dood twee dagen later van drie Mauretaanse soldaten, had de vrees voor aanslagen op de rally alleen maar doen groeien. Acht van de vijftien ritten moesten in dat land worden gereden en de duinen van Mauretanië golden als het hoogtepunt van de koers.

Ook in het verleden moest het parcours soms worden aangepast. In 2007 was de rit van en naar Timboektoe in Mali afgelast na dreigingen van de GSPC, het latere al-Qaeda in de Maghreb. Nu was de vraag of de grootste en meest vermaarde rally ter wereld ooit nog zou worden gereden. In dertig jaar had Paris-Dakar aan een vijftigtal mensen het leven gekost. Daar waren acht kinderen bij. Er was vaak geprotesteerd tegen de karavaan, die deze keer 570 deelnemende moto's, auto's en vrachtwagens zou tellen, doorheen de armste streken ter wereld. Nooit eerder was eraan gedacht de wedstrijd af te gelasten.

Op de vraag of dit nu het einde was van Paris-Dakar antwoordde directeur Lavigne: 'We zitten in een ongewone conjunctuur. Overal in de wereld zijn er aanslagen. Madrid, Londen, New York zijn getroffen. Onlangs Pakistan... Het terrorisme is overal. Men weet niet waar het zal toeslaan. Dat is het probleem bij de organisatie van een evenement onder maximale veiligheidsvoorwaarden.' Er kwam wellicht een 'andere Dakar', liet hij uitschijnen. En of dit een overwinning was voor het terrorisme? 'Spijtig genoeg wel', gaf hij toe.

Ruben Faria, de winnaar van 2007, dacht aan al het verloren werk en de hoge investeringen van de sponsors, maar Ari Vatanen, de Finse winnaar van vier races, sprak van de top van een ijsberg. 'Afrika begint de gevolgen te zien van een halve eeuw westers beleid. De mensen zijn zo wanhopig dat ze zich overleveren aan het terrorisme en vandaag is de rally de gijzelaar van schurken, terroristen en fanaten. De Afrikaanse landen zijn vergiftigd door corruptie, maar wij hebben een verantwoordelijkheid. De waarde van de "Dakar" is dat het een uitstalraam is voor Afrika. De Afrikanen zijn van alles verstoken, moeten we ze nu ook 'Dakar' ontnemen? De annulering moet ons wekken: het lot van de Afrikanen is ook het onze.'

Twijfels over de toekomst van de rally waren er ook om puur economische redenen. David Frétigné van Yamaha sprak van een drama. Voor hem betekende het een verlies van 250.000 euro. Ook voor de regering van Mauretanië was de afgelasting een streep door de economische rekening. Ze reageerde ontgoocheld, begreep de beslissing van de organisatoren niet, en vond dat het terrorisme moest worden geconfronteerd. Voorts waren er vragen waarom de organisatoren geen noodplan hadden.

In de eerste dagen van 2008 waren verschillende boodschappen onderschept die bedreigend waren voor Franse doelwitten. De Portugese luchtvaartautoriteiten hadden in de ochtend van 10 januari op de korte golf een 'vaag en verward' gesprek afgeluisterd waarin sprake was van een aanslag op de Eiffeltoren. Op internetsites waren oproepen te lezen 'tot de broeders om toe te slaan in Parijs'. Frankrijk was al maanden in staat van 'rood alarm'. Alleen 'scharlaken' was hoger maar dat werd pas bij een aanslag afgekondigd. Een van de sites had er op 3 januari mee gedreigd 'een einde te maken aan de ambities van president Sarkozy in de Maghreb' en de 'ineenstorting van de Franse economie op wereldvlak' in het vooruitzicht gesteld. Twee dagen later signaleerde een Amerikaanse dienst die al-Qaeda in de gaten hield, bedreigingen aan het adres van Parijs en zijn burgemeester Bertrand Delanoë, alweer om Sarkozy ten val te brengen. Naast de Eiffeltoren waren de Champs-Elysées, de luchthaven Charles-de-Gaulle en het zakencentrum La Défense geviseerd. Eerder waren de Franse belangen in Noord Afrika bedreigd. Naast extra beveiliging voor Delanoë werd een team politiemannen naar verschillende landen van de Maghreb gestuurd om er de strijd tegen het terrorisme nieuw leven in te blazen, vooral in Tunesië[116] en Mauretanië.

Franse agenten waren ook betrokken bij de arrestatie op 11 januari in Guinée-Bissau van twee moordenaars van de toeristen op kerstavond. Ze hadden bekentenissen afgelegd en toonden geen enkel berouw over de moord op 'de blanke ongelovigen en bondgenoten van Amerika'. Een van hen, een 21-jarige Mauretaniër, was in 2006 veroordeeld als lid van een terreurgroep.[117] Volgens de politie van Mauretanië had hij een militaire opleiding gekregen in een oefenkamp van de GSPC. Hij ronselde vrijwilligers voor Somalië, waar de Islamitische Tribunalen oorlog voerden tegen de regering en het Ethiopisch leger. Een derde verdachte was vermoedelijk naar Algerije gevlucht. De politie van Guinee-Bissau kondigde de aanhouding aan van nog drie andere Mauretaniërs met banden met al-Qaeda. De verdachten werden meteen aan Mauretanië uitgeleverd.

De Franse minister Bernard Kouchner bevestigde voor Europe 1 dat Frankrijk in 'permanente staat van alarm' was. Hij sprak van de noodzaak om het internationaal terrorisme te verzwakken, 'waarvan men weet dat het weer ontwaakt en doorstoot naar de Maghreb'.

Algerije kondigde op 8 januari een verdubbeling aan van zijn veiligheidsdiensten. Minister van Binnenlandse Zaken Zerhouni zei dat een 'buitengewone veiligheidsmacht' naar de Sahara was gestuurd om luchthavens en gevoelige doelwitten te beschermen. In november was in Djanet, in de Algerijnse Sahara, een aanslag gepleegd op een geparkeerd militair vliegtuig. Dat was nooit officieel bevestigd, maar Zerhouni noemde de laatste zelfmoordaanslagen in Algerije 'spectaculaire terreuracties', waarbij gebruik was gemaakt van 'gemakkelijke procedés'. De laatste aanslag dateerde van 2 januari. Een kamikaze reed met een bomauto in op het commissariaat van Naciria, vijftig kilometer ten oosten van Algiers, en doodde vier agenten. Een week later waren er opnieuw vier dode agenten, deze keer bij een kleine veldslag met verschanste terroristen in de buurt van Constantine.

De Maghrebijnse al-Qaeda werd intussen door de plaatselijke pers 'Baqmi' genoemd, wat een afkorting was van 'Branche d'Al-Qaeda au Maghreb Islamique', en de term begon voorzichtig ingang te vinden in de Franse kranten, een aanwijzing dat de groep steeds meer werd gezien als een aparte entiteit. De Arabischtalige nieuwe krant *Ennahar*,[118] gespecialiseerd in nieuws over de terroristen, wist onder meer te melden dat de nummer twee van de organisatie, Samir Saïoud, niet was gedood bij een gevecht op 26 april 2007, zoals al-Qaeda zelf dacht, maar dat hij was hersteld van zijn zware verwondingen. Uit dankbaarheid werkte hij volgens het blad nu mee met de politie. Dat had de uitschakeling opgeleverd van verschillende kopstukken van Baqmi. Dezelfde krant wist ook te melden dat Baqmi een nieuwe chef had in het centrum van Algerije, inclusief de hoofdstad.[119] Zijn voorganger was in oktober gedood bij een gevecht in Kabylië. De nieuwe chef voor Algiers moest de dood wreken van een tiental Baqmi-leiders die de afgelopen maanden waren uitgeschakeld.

Onder haar nieuwe leider Abdelmalek Droukdel kreeg de GSPC naast een nationale ook een internationale agenda. In zijn 'eed van trouw' aan bin Laden op 3 januari 2007 had hij het over de 'boosaardige alliantie onder militaire leiding van Amerika en culturele aanvoering van Frankrijk, gesteund door de NAVO' en zei hij met ongeduld te wachten op instructies van de leider voor de volgende fase. Hij zag geen verschil tussen Karzai, Maliki, Abu Mazen of Bouteflika. Allen heulden ze met de vijand tegen de islam en hij stuurde zijn hartelijkste wensen naar bin Laden, Zawahiri en de 'helden en leeuwen' in Irak, Somalië, Tsjetsjenië en Saudi-Arabië.

Geen bloemen maar bommen

TEL AVIV (ISRAËL) - *Op 6 januari 2008, Driekoningen, was*

er een ongewone waarschuwing van al-Qaeda, afkomstig van de vermoedelijke

mediachef, Adam Gadahn, een Californiër die zich op zijn zeventiende had bekeerd

tot de islam. Gadahn verscheurde voor de camera zijn Amerikaans paspoort en riep de

broeders op het Arabisch schiereiland en in Palestina op om de Amerikaanse president

Bush op zijn nakende bezoek niet met bloemen te ontvangen maar met bommen en

bomauto's.

Vier dagen later landde Air Force One op de Ben Gurionluchthaven in
Tel Aviv. Daar stonden president Peres, premier Olmert en nog een aantal hoge functionarissen te wachten op de president die beschouwd werd
als de vriendelijkste die Israël ooit had gekend. Een historisch bezoek,
schreven de persbureaus, waarbij Bush ook de Palestijnse gebieden zou
aandoen. Amper had Bush voet op Israëlische bodem gezet of president
Peres zei dat Iran er goed aan deed om te beseffen dat Israël vast van
plan was om zichzelf te verdedigen. Hij vroeg de hulp van Bush om de
'waanzin' van Iran, Hamas en Hezbollah een halt toe te roepen.

Iran zou dus zeer hoog op de agenda staan, al hoopte Bush ongetwijfeld dat zijn historisch bezoek de afspraak van Annapolis zou redden.
'We zien een nieuwe kans op duurzame vrede, hier in het heilig land, en
op vrijheid voor de regio', zei hij. Op het ogenblik dat Bush een warm
welkom kreeg, zei zijn veiligheidsadviseur Stephen Hadley in Washington
dat Iran de gevolgen zou dragen van een mogelijke nieuwe confrontatie
in de Straat van Hormuz.

Enkele dagen tevoren waren drie Amerikaanse oorlogsschepen er lastiggevallen door een half dozijn snelle Iraanse bootjes van de Revolutionaire Garde. Volgens de Amerikanen dreigden ze ermee hun schepen op
te blazen. Pas toen de bevelhebber overwoog om het vuur te openen
maakten ze zich haastig uit de voeten. Teheran beweerde dat de Amerikaanse video een vervalsing was en kwam met een eigen video die moest

aantonen dat er volstrekt geen confrontatie had plaatsgevonden maar een normale routineconversatie. Beide partijen hadden maar enkele minuten laten zien van een incident dat zo'n half uur had geduurd. Er volgden waarschuwingen en gespierde uitspraken, maar voor de militaire planners was het een herinnering aan een scenario dat ze in 2002 hadden uitgetest: een confrontatie van de vloot met een armada van snelle scheepjes. De Amerikaanse Navy verloor bij de simulatie in minder dan tien minuten zestien grote oorlogsbodems, waarbij een vliegdekschip. Het aantal speedboten was te groot om de aanval mentaal en elektronisch onder controle te krijgen. Het incident riep ook herinneringen op aan de moordende en verwoestende zelfmoordaanslag van al-Qaeda met een rubberbootje op de USS Cole in de haven van Aden, in oktober 2000.

'Herinner je je hem nog?', vroeg *The Independent* in grote letters op de voorpagina bij een foto van Bush. 'Hij is de vergeten leider, afgewezen door zijn volk, en door zijn partij. Deze week heeft George Bush een laatste kans om de schade ongedaan te maken die door zijn presidentschap is veroorzaakt.' De kans dat Bush zijn ambtstermijn zou kunnen afsluiten met wat niemand voor mogelijk hield was klein. Premier Olmert zei dat zowel de Palestijnen als Israël 'zeer ernstig' probeerden om een twee-statenoplossing dichterbij te brengen, maar waarschuwde dat er geen vrede kon zijn zolang er terreur was. Bush dacht intussen, net als de Israëli's trouwens, aan Iran, dat hij een 'bedreiging voor de wereldvrede' noemde. Olmert voelde zich daardoor gesterkt.

Op de tweede dag van zijn bezoek zag Bush de Palestijnse president Abbas in Ramallah. Bush zei te geloven dat een akkoord over de stichting van een Palestijnse staat binnen het jaar mogelijk was. Abbas koesterde misschien verwachtingen, zijn volk deed dat niet. Het was geen feestelijk bezoek.

Voor zijn vertrek uit Israël bezocht Bush Yad Vashem, de herdenkingsplaats voor de slachtoffers van de Holocaust. Hij betreurde dat Amerika Auschwitz niet had gebombardeerd om een einde te maken aan de uitroeiing. In het gulden boek schreef hij: 'God zegene Israël, George Bush'. Het was sinds 1994 geleden dat een Amerikaans president het monument nog had bezocht. Voor zijn vertrek naar de volgende etappe, Koeweit, beloofde Bush terug te komen.

Vanuit Koeweit was de invasie van Irak gelanceerd. Het emiraat was nog altijd een vitaal bruggenhoofd voor de Amerikaanse operaties en Bush liet zich dan ook filmen voor een gordijn van soldaten in battledress in Camp Arifjan. Hij schakelde over op het tweede hoofdthema, naar sommigen vreesden het enige echte thema van zijn rondreis: Iran. 'De rol van Iran in het aanstoken van het geweld is bewezen', zei hij. 'We houden Iraanse agenten gevangen en we weten steeds meer over hoe Iran extremistische groepen steunt met opleiding en dodelijke hulp.' Het was taal die in de regio werd gevreesd. Maar er was ook goed nieuws voor de soennitische regimes in de olierijke Golf. Op het moment dat Bush stond uit te halen tegen Iran, keurde het Iraakse parlement na maanden van getreuzel een wet goed die een soort rehabilitatie inhield van de Baathpartij. Het beroepsverbod tegen lagere Baathfunctionarissen werd opgeheven. Dat was een belangrijke stap omdat zowat elke ambtenaar onder Saddam lid was van de partij en het land door het beroepsverbod van bestuurder Paul Bremer in 2003 de facto was onthoofd en niet langer beschikte over het personeel om het land te laten functioneren. De Amerikanen hadden dat uiteindelijk ingezien en drongen al twee jaar vruchteloos aan op de opheffing ervan. Alle landen van de regio wisten hoe belangrijk rust en continuïteit zijn en allen hadden ze met leedwezen de ontwrichting gevolgd van Irak.

De berichten uit Irak waren eindelijk beter, de storm van kritiek die een jaar geleden nog woedde was gaan liggen. Bush kon probleemloos aankondigen dat Irak ook een dossier zou zijn voor zijn opvolger.

Eén aspect was tijdens de oorlog weliswaar schromelijk onderbelicht. Hoewel er zeker in 2006 welhaast dagelijks aanslagen en gevechten waren met tientallen doden als gevolg, waren er geen betrouwbare cijfers van het aantal burgerslachtoffers. Het Amerikaanse leger hield daarover geen statistieken bij. Het onafhankelijke Iraq Body Count probeerde dat wel te doen en telde tegen juni 2006 bijna vijftigduizend doden. Een eerste nationaal onderzoek kwam aan een schrikbarende zeshonderdduizend. Uiteindelijk nam de Iraakse regering de Wereldgezondheidsorganisatie (WHO) onder de arm die bijna 10.000 families ondervraagde op 1000 verschillende plaatsen.[120] Een extrapolatie leverde op dat er tussen de 104.000 en de 223.000 burgers moesten zijn gestorven bij geweld tussen het begin van de oorlog en juni 2006. Geweld was de belangrijkste doodsoorzaak in die periode bij mannen tussen 15 en 59. In het eerste jaar na de invasie stierven dagelijks 128 mensen een gewelddadige dood. Dat cijfer daalde naar 115 het jaar daarop, maar steeg weer tot 126 in het derde jaar. De Wereldgezondheidsorganisatie had bij het onderzoek ook vastgesteld dat amper 57 procent van de Iraakse vrouwen ooit had gehoord van AIDS, waar dat cijfer boven de 90 procent was in Marokko en Jordanië en ruim 80 in Turkije en Egypte.

EEN POLITIEK VAN BESCHAVING

Op 13 januari landde ook Nicolas Sarkozy voor zijn eerste bezoek als president aan de Golf. Hij was Bush voor in de Saudische hoofdstad Riyad, waar hij een charmeoffensief begon. Hij noemde Saudi-Arabië een strategische partner en een 'brug tussen Oost en West'. 'Frankrijk is uw vriend, we spellen u niet de les maar we zeggen de waarheid. We zijn er wanneer u ons nodig hebt, maar we vragen niets in ruil.' Sarkozy had wel van alles in de aanbieding en toen hij een dag later op het vliegtuig stapte naar Qatar, zei hij te hopen dat zijn bezoek contracten zou opleveren ter waarde van veertig miljard euro. Voor de Saudi's dacht hij aan een TGV, de luchtvaart en water- en elektriciteitscontracten. En natuurlijk ook aan twaalf miljard euro wapens. De twintig bedrijfsleiders in het kielzog van Sarkozy waren tevreden.

In de Verenigde Arabische Emiraten zou de president proberen twee kernreactoren te slijten. Dat zou meteen de derde Arabische klant worden van de Franse nucleaire sector, na contracten die in december waren afgesloten voor de levering van reactoren aan Algerije en Libië. Hij hoopte in de Emiraten ook op een akkoord over de vestiging van een permanente marinebasis, de eerste Franse basis in de Golf. Het dichtste steunpunt was totnogtoe Djibouti, aan de Hoorn van Afrika. Zowel de Emiraten als Qatar hadden een territoriaal geschil met Iran en, zo was de redenering, de kleine, rijke landen moesten bescherming krijgen. Op de laatste dag van Sarkozy's korte rondreis werd bekend dat er inderdaad tegen 2009 een basis zou komen met vijfhonderd Franse militairen in Abu Dhabi.

Over Iran zei Sarko dat Parijs voor een beleid was van 'daadkracht en dialoog'. Overigens was de nucleaire interesse van de Emiraten en Saudi-Arabië ingegeven door de vrees om achterop te hinken in een regio waar enkel Israël en Iran de nucleaire cyclus onder de knie hadden. Er werd van uitgegaan dat verschillende landen de infrastructuur hadden om een bom te maken, mocht Iran erin slagen een te bouwen.

In de marge van zijn bezoek beklaagde de Franse president zich bij de Saudische koning Abdullah over de hoge olieprijs en vroeg hij om daar iets aan te doen. Ook Bush wilde het daarover hebben, maar kort na zijn aankomst zei de Saudische olieminister dat de productie zou worden verhoogd als de markt dat vereiste. De dag daarop zei de OPEC dat er geen schaarste was op de markt.

De Franse president benutte zijn rondreis voor het formuleren van zijn 'politiek van beschaving', die er een moest zijn van 'diversiteit en eerbied voor verschillende opvattingen, culturen en godsdiensten'. Hij noemde verscheidenheid een 'universele waarde' en zei voor de Saudische Shura, het raadgevende parlement, respect te hebben voor hen die in de hemel geloven en voor de ongelovigen. Vervolgens ging hij op de theologische toer. 'God is er niet om de mens te onderwerpen, maar om hem te bevrijden. God is de borstwering tegen buitensporige hoogmoed en tegen de dwaasheid van de mens.' Hij herinnerde aan de woorden van koning Abdullah die in alle godsdiensten en culturen 'iets universeels' had erkend en spoorde de assemblée ertoe aan te ijveren voor een 'open islam' die zich de eeuwen herinnert waarin de islam stond voor openheid van geest en verdraagzaamheid. Dat is precies wat Saudi-Arabië vandaag doet onder impuls van zijn koning, zei de president, en dat is wat Moebarak doet in Egypte 'met de wijsheid die de zijne is' en Mohammed VI van Marokko 'wanneer hij meer rechten toekent aan de vrouw'.

HET GROTE NIEUWE TIJDPERK

Op de dag dat Bush arriveerde in Riyad werd aan het Amerikaans Congres het contract voorgelegd voor de verkoop van negenhonderd satellietgeleide bommen aan Saudi-Arabië. Het Congres kreeg een maand om het goed te keuren. Het ging om de eerste schijf van het miljardencontract dat een half jaar tevoren was aangekondigd.

Bush ging in Riyad onverdroten voort met zijn campagne tegen Iran. Maar dat was een moeilijke opdracht want weinig landen in de Golf voelden iets voor nieuw wapengekletter.

Bush rondde zijn reis af met een bezoek aan Egypte. Het was opgevallen dat hij nergens kritiek had gespuid op het gebrek aan democratie, en alles had gedaan om de steun te krijgen van zijn gastheren. De vraag rees of het wel zo verstandig was dat Bush zijn tournee begon met een bezoek aan een aantal historische christelijke en Joodse plaatsen. Zijn uitstapjes naar Bethlehem, de kerk der Zaligheden in Galilea en Yad Vashem waren munitie voor wie in hem een kruisvaarder zag. Bush had met scha en schande geleerd dat 'kruistochten' in de moslimwereld gevoelig liggen toen hij na de aanslagen van 11 september had opgeroepen tot een 'kruisvaart' tegen het terrorisme. Het was niet duidelijk of hij sindsdien veel over de islamitische gevoeligheden had bijgeleerd, maar hij deed zijn best. Vlak voor zijn vertrek weidde hij in een interview met *al-Arabiya* uit over het geloof. 'Ik bid tot dezelfde God als de moslims', verklaarde hij. Op de vraag hoe de moslimwereld over hem zou oordelen, zei hij: 'Ik hoop dat de mensen op zijn minst zouden zeggen dat George W. Bush hun godsdienst respecteerde.' In een toespraak in de Emiraten had hij het over het 'Grote Nieuwe Tijdperk'. 'Die nieuwe tijd berust op de gelijkheid van alle mensen voor God.'

De Israëlische controleposten hadden hem bij het begin van zijn bezoek geïnspireerd tot de droom van een Palestijnse staat die de muren en controles overbodig zou maken en tot de overpeinzing dat de Almachtige de vrijheid schenkt aan 'elke man, vrouw en kind op deze aarde'. Vrijheid en rechtvaardigheid waren voor Bush één, maar het verlangen ernaar werd bedreigd door 'gewelddadige extremisten die onschuldigen vermoorden in hun streven naar macht. Zij hebben de nobele islam gegijzeld en willen hun totalitaire ideologie opleggen aan miljoenen. Ze haten vrijheid en democratie omdat die religieuze verdraagzaamheid bevordert en aan de mensen de kans biedt hun eigen toekomst te bepalen.'

Daarmee kon zijn publiek in het Emirates Palace Hotel misschien nog instemmen, maar toen hij meteen daarna de schuldigen noemde, waren dat een van de belangrijkste handelspartners van de Emiraten. 'De oorzaak van de instabiliteit zijn de extremisten die worden belichaamd door het regime in Teheran. Iran is vandaag de belangrijkste staatssponsor van het terrorisme. Het stuurt honderden miljoenen dollars naar extremisten in de hele wereld, terwijl zijn eigen volk wordt onderdrukt en het economisch moeilijk heeft.' Vervolgens schreef hij Teheran alle zonden van Israël toe. Het ondermijnde de Libanese hoop op vrede en steunde de terroristen van Hezbollah, Hamas en de Islamitische Jihad. Het leverde wapens aan de taliban en aan sjiitische milities in Irak. Het bedreigde zijn buren met ballistische raketten en daagde de Verenigde Naties uit met zijn nucleair programma.

Pas in tweede orde betichtte Bush al-Qaeda, dat de regimes van de oliestaten ten val wilde brengen, maar dat zelf zou worden verslagen door het verlangen naar vrijheid en rechtvaardigheid. Een meerderheid van de moslims in de wereld leefde in een 'vrije en democratische samenleving' en de landen van het Midden-Oosten moesten blijven streven 'naar de dag dat dit ook zo zou zijn voor de landen waar de islam was begonnen'. Verkiezingen zag hij als een begin. Voor zijn publiek en de erfelijke dynastieën waar hij te gast was, klonk dit als een terechtwijzing. Al goed dat hij handel en investeringen de sleutel noemde voor een 'toekomst van hoop en kansen', om vervolgens toch weer uit te halen naar de opsluiting van vreedzame dissidenten en de democratie uit te roepen tot enig aanvaardbaar politiek systeem. Hij eindigde met een vers van Amin Rihani over het Vrijheidsbeeld in New York: 'Wanneer wend je je gezicht naar het oosten, O Vrijheid?'

Hoe de Arabische leiders reageerden hielden ze voor zich. Maar misschien wezen ze Bush op het contrast tussen de waarschuwingen aan het adres van Teheran en het stilzwijgen over de Israëlische kernwapens. In verband met het vredesproces vroegen ze vermoedelijk een eind aan de Joodse nederzettingen, die uitgerekend na Annapolis weer snel uitbreiding hadden genomen.

Annapolis was in gevaar. Voor sommigen was het al ingestort. Er was

Arabische bereidheid om het initiatief een kans te geven, maar Bush had te veel de nadruk gelegd op de Iraanse dreiging en weinig of niets gedaan aan het beeld dat de Arabieren van hem hadden: een verdediger door dik en dun van Israël. Dat belemmerde zijn greep op alle andere regionale dossiers. De Arabieren schenen te wachten tot de onruststoker voorgoed het Witte Huis zou verlaten hebben.

Amper had Bush zijn hielen gelicht of het Israëlisch leger ondernam een actie in Gaza om een einde te maken aan de voortdurende raketaanvallen van Hamas. Bij de operatie werden negentien Palestijnen gedood, bij hen de zoon van Mahmoud Zahar, een topfiguur van Hamas. Dat bracht de crisis in een stroomversnelling. Voor het eerst in ruim een half jaar zocht de Palestijnse president Abbas contact met Hamas om zijn rouwbeklag mee te delen. Hamas vuurde een regen van raketten af en Israël riposteerde met een hermetische blokkade die Gaza zonder brandstof en elektriciteit zette. Op 22 januari werd de blokkade onder internationale druk versoepeld en mocht er noodhulp binnen. Bij de grens met Egypte arriveerden busladingen betogers die de opening eisten van de grens. In het holst van de nacht werden de dubbele betonnen muur en de metalen afsluiting tussen Egypte en Gaza opgeblazen en stormden tienduizenden naar de overkant om zich dagenlang te bevoorraden in Egypte. Israël waste zijn handen in onschuld en zei dat Caïro het probleem maar moest oplossen. De Egyptische douane trok zich terug zodat alleen Hamas nog enige controle verrichtte, vooral om te beletten dat rivalen wapens zouden binnensmokkelen. Pogingen om de grens te herstellen werden door de militie prompt weer ongedaan gemaakt en na vier dagen reden ook auto's over en weer tussen Gaza en Egypte. Sommige Egyptische handelaars zagen hun kans schoon en gingen de supermarkten in Gaza met vrachtwagens bevoorraden.

Onderhandelen met de zoon van een miljardair?

De fusie van extremistische groepen werd volgens Syed Saleem

Shahzad, de expert van de Asia Times, *bewerkstelligd doordat al-Qaeda zichzelf*

had opgeworpen als onvermijdelijke gesprekspartner voor een mogelijke vrede. Daar-

om had bin Laden in zijn opgemerkte video's van september 2007 verrast met zijn

oproep aan het Westen voor een dialoog.

Hij was zichzelf gaan zien als hoofdonderhandelaar voor alle islamiti-sche kwesties, belangrijker dan Hamas, de taliban of de Iraakse stammen. Zijn voorwaarden waren bekend: een terugtrekking van alle troepen uit de tribale gebieden, de vrijlating van Abdul Aziz, de leider van de Rode Moskee in Islamabad, het ontslag van Musharraf en de invoering van de sharia. Hoe moest het Westen daarop reageren?

Omar Osama bin Laden was 26. Hij was aannemer in Saudi-Arabië maar woonde in Caïro. Hij was het vierde van de negentien kinderen van de terrorist en geboren in de eerste jaren van zijn vaders nieuwe hoofdbe-roep: heilige strijder tegen de goddelozen, toen nog de Sovjets. Tot 2000 had hij bij zijn vader gewoond. Sindsdien had hij hem niet meer terug-gezien. Hij was opgeleid in een kamp van al-Qaeda, maar uiteindelijk naar Saudi-Arabië teruggekeerd. 'Ik wil het Westen anders doen denken', zei deze jongeman met discolooks tegen Associated Press. Hij wilde daartoe in maart 2008 een paardenkoers organiseren dwars door Afrika. Zijn vrouw van 52, de Britse Jane Felix-Browne, aka Zaina Alsabah, had zich alvast ingeschreven. Ze deelde met Omar en diens vader Osama een passie voor paarden. De race van bijna vijfduizend kilometer moest de vrede tussen de landen bevorderen want, zei Omar, het is niet waar dat de bin Ladens allemaal terroristen zijn. Minder publiciteit was er voor Omars oudere broer Saad die resoluut in zijn vaders voetsporen trad, genoemd werd bij verschillende aanslagen en in juni 2007 onder een schuilnaam opdook als een leider van Fatah al-Islam in Nahr al-Bared, bij de Libanese havenstad Tripoli. Hij was toen 28.

Belgische doden in Jemen, alarm in Algerije en Spanje

SANA'A (JEMEN) - *In de namiddag van 18 januari reden vijf-*

tien Belgische toeristen aan boord van vijf terreinwagens door de Wadi Daw'an, in

Hadramaut, een toeristische must in het oosten van Jemen. Het konvooi werd opge-

wacht door een pick-up bij een wegversperring. Vier schutters (volgens sommigen

zes[121]) openden het vuur.

Twee vrouwelijke toeristen en een Jemenitische chauffeur waren op slag dood. Een derde Belg werd in de buik getroffen door drie kogels, maar overleefde het incident. De daders namen de benen. Het prachtige Hadramaut staat op het programma van al wie Jemen bezoekt en de doorsteek via de Wadi van of naar de kust is daarbij onvermijdelijk.

Ofschoon de vader van Osama bin Laden daar geboren is, was het er nooit echt onveilig, op enkele kidnappings na. Maar toen het nieuws bekendraakte zei Binnenlandse Zaken in Sana'a dat de afgelopen dagen bedreigingen waren ontvangen van al-Qaeda. De organisatie had de vrijlating geëist van gevangenen die vastzaten na de aanslag op de Amerikaanse oorlogsbodem USS Cole in oktober 2000 in de haven van Aden. Volgens Jemen had al-Qaeda de toeristen overvallen. Het was een half jaar geleden dat al-Qaeda zich nog had laten horen in Jemen. Wel waren in juli acht Spaanse toeristen vermoord door een kamikaze bij Marib, de stad van de legendarische koningin van Sheba in de tijd van Salomon, maar dat was op de weg van Sana'a naar het gevaarlijke noorden. Twee dagen na de aanslag zei Jemen dat tientallen verdachten waren opgepakt, maar de actie was nog steeds niet door al-Qaeda opgeëist. Op 26 januari raakte bekend dat het Belgische federaal parket een eigen onderzoek begon, parallel met dat van de Jemenitische justitie.

Op 19 januari raadde de Amerikaanse ambassade in Algerije alle landgenoten aan om weg te blijven van plekken waar veel westerlingen kwamen en geen onnodige verplaatsingen te doen. Enkele dagen tevoren had ook de Britse regering afgeraden om naar Algerije te reizen.

Op hetzelfde moment sprong het alarm op rood in Spanje. Daar waren veertien militanten aangehouden in Barcelona. Twaalf van de veertien kwamen uit Pakistan. Ze stonden op het punt om tot actie over te gaan.

Op 24 januari was Engeland aan de beurt. Op extremistische sites verschenen doodsbedreigingen aan het adres van premier Gordon Brown en zijn voorganger Tony Blair. Als de Britse troepen niet werden teruggetrokken uit Irak en Afghanistan zouden zelfmoordaanslagen volgen. De auteur van het dreigement[122] had op tweede nieuwjaarsdag de oprichting aangekondigd van 'al-Qaeda in Groot-Brittannië'.

In Nederland viel op 23 januari het vonnis in beroep tegen de zogenaamde Hofstadgroep. De negen leden waren aangehouden in november 2004, kort na de geruchtmakende moord op Theo Van Gogh,[123] en op 10 maart 2006 veroordeeld als leden van een terreurorganisatie. Nu, bijna twee jaar later, werden ze vrijgesproken. Er was geen 'duurzaam en structureel samenwerkingsverband', oordeelde de rechtbank in Den Haag. Voor de eerdere conclusie dat de groep een 'geweldverheerlijkende geloofsovertuiging' aanhing, ontbrak volgens de rechter elk 'deugdelijk fundament'. Ook al schaarden ze zich achter een radicale ideologie, dat betekende voor het hof nog niet dat ze automatisch geweld wilden gebruiken. Voor de christendemocratische CDA en de liberale VVD toonde het vonnis aan dat de terrorismewetgeving tekortschoot en dat nieuwe wetten nodig waren.

Het naderend afscheid

WASHINGTON (VS) - *Voor de zevende en laatste keer in zijn*

presidentschap presenteerde het Amerikaanse staatshoofd op 28 januari 2008 zijn

State of the Union.[124] *Het was geen moment van begeestering en evenmin een hoop-*

gevend en inspirerend palmares van zijn twee ambtstermijnen.

Zijn toespraak duurde 53 minuten en werd zeventig keer onderbroken door applaus, maar de toejuichingen waren obligaat. Het land stevende af op een recessie en de lamentabele toestand van de economie was een kopzorg voor iedereen, maar Bush had meer aandacht voor Irak waar 'resultaten waren geboekt die weinigen een jaar geleden hadden durven voorspellen'. Hij zei niet dat 2007 het bloedigste jaar was geweest van de hele oorlog. Hij vertrouwde erop dat al-Qaeda in Irak zou worden verslagen, 'al-Qaeda is op de loop in Irak', zei hij.

Voor de zoveelste keer zei hij dat de soldaten zouden terugkeren wanneer Irak voor zijn eigen veiligheid zou kunnen instaan. Kort tevoren had de Iraakse minister van Defensie gezegd dat dat nog tien jaar kon duren. Bush zag 'bemoedigende tekenen van nationale verzoening' en herhaalde dat een vrij Irak een vriend zou zijn van Amerika, een bondgenoot in de strijd tegen de terreur en het bewijs voor de andere volkeren in het Midden-Oosten dat vrijheid mogelijk was.

Afghanistan noemde hij een jonge democratie waar de kinderen naar school gingen en nieuwe wegen en ziekenhuizen werden gebouwd, die er eigenlijk al vijf jaar hadden moeten zijn. Het was cruciaal voor de veiligheid van Amerika dat al-Qaeda en de taliban werden verslagen, maar hij ging voorbij aan de vaststelling dat dit nog lang niet was gebeurd. Zoals tijdens zijn presidentschap altijd was gebeurd, hanteerde Bush het spook van al-Qaeda wanneer hem dat uitkwam. In zijn laatste State of the Union was dat om de verlenging te bepleiten van de afluisterwet, 'zoniet verkleint de kans om complotten op te sporen en worden onze burgers blootgesteld aan groter gevaar'. De bedrijven die meewerkten aan het afluisterprogramma moesten worden beschermd. Andermaal was Bush de verdediger van steeds grotere bevoegdheden voor de uitvoerende macht.

Ook over Iran, een ander lid van de As van het Kwaad, viel Bush in herhaling. Hij riep Teheran op om een punt te zetten achter het nucleair dossier, de onderdrukking van het volk en de steun aan het terrorisme.

Het viel op dat de president met geen woord repte over Noord-Korea, een van de drie vijanden op de As van het Kwaad uit zijn eerste State of the Union, zes jaar tevoren. Dat land had beloofd om voor eind 2007 openheid van zaken te geven over zijn nucleair programma, maar dat was niet gebeurd en daarmee was Bush een verhoopt succes op het buitenlands front onthouden. Zijn hoop was nu gesteld in een akkoord dat voor het eind van zijn ambtstermijn de grondslagen zou leggen van een onafhankelijke Palestijnse staat.

Bush had een eindspurt beloofd van zijn presidentschap, maar wat hij voor het Congres kwam vertellen was niet de taal van een groot kampioen en weer bleek dat hij niet was genezen van zijn onhebbelijkheid om de werkelijkheid rooskleuriger voor te stellen dan ze was.

Op de dag van de State of the Union publiceerde de Britse *Independent* een voorpaginaverhaal over Falluja, de soennitische stad in de provincie Anbar die eind 2004 wereldnieuws werd door een weken durend Amerikaans offensief tegen al-Qaeda. Om Falluja te bereiken vanuit Bagdad, vijftig kilometer verderop, was Patrick Cockburn, de correspondent van de krant, 27 controleposten gepasseerd. Wie er niet woonde mocht de stad niet in. Het leek alsof er pas een einde was gekomen aan de gevechten. Er was geen stromend water en amper elektriciteit. Abu Marouf, de plaatselijke commandant van 'Anbar Ontwaakt', voelde zich in de steek gelaten door de Amerikanen, nu zijn manschappen al-Qaeda hadden verdreven. 'Anbar Ontwaakt' bleek geen betrouwbare bondgenoot van de regering-Maliki. De militie wilde een deel van de politieke koek en er was een reële kans op nieuwe conflicten als die verzuchting werd genegeerd.

De reacties op de State of the Union waren lauw. De president vertelt niets nieuws, het is wachten op zijn opvolger. De president is niet langer relevant, meenden sommigen. Het ultieme affront was dat hij steeds meer begon te gelijken op zijn voorganger Clinton.

The New York Times herinnerde aan zijn eerste, 'historische', State of the Union van 2002. Bush begon toen met de woorden: 'Op het ogenblik dat we hier bijeen zijn, is het land in oorlog en onze economie in recessie. De beschaafde wereld wordt geconfronteerd met gevaren zonder voorgaande. Toch is de natie nooit sterker geweest.' Na zes jaar van nietnageleefde of valse beloften en blunders van historisch formaat, is Amerika verwikkeld in twee oorlogen, dreigt er recessie en wordt de wereld nog steeds geconfronteerd met vreselijke gevaren. En, schreef *The New York Times*, er is minder respect en sympathie voor de Verenigde Staten.

De uitgestoken hand

LONDON (GROOT-BRITTANNIË) - *Aartsbisschop Rowan*

Williams van de Anglicaanse kerk, een beminnelijk man en gerespecteerd kerkjurist

met een sinterklaasbaard, deed stof opwaaien. De fans van de progressieve prelaat uit

Wales die het opnam voor de homoseksuelen en op de bres stond voor de vrouwelijke

priesters, wrongen zich in bochten. Hij had zich in een BBC-interview op 7 februari

2008 immers laten ontvallen dat er plaats moest zijn voor de sharia in het Britse

rechtssysteem.

Vier dagen later en nadat een storm was opgestoken bij de publieke opinie verschafte de erudiete kerkvorst uitleg op de tweejaarlijkse synode van Anglicaanse bisschoppen. 'Ik geloof sterk dat het niet ongepast is voor een herder van de Kerk van Engeland om iets te zeggen over de zorgen van andere religieuze gemeenschappen en die in de schijnwerpers te brengen', zei hij. De conservatieve fractie binnen de synode nam niet deel aan het warm applaus voor Williams. Zij vond hem al langer een ketter. Maar Williams had zijn vurigste verdedigers in een moeilijk parket gebracht. Hij haastte zich om de harde conservatieve kern tegemoet te komen door tegen te spreken dat hij voorstander was van een parallel rechtssysteem of blanco cheques. Voor de progressieven had hij eraan toegevoegd dat er niet zulke cheques mochten zijn 'vooral waar het de gevoelige vraagstukken betreft van de vrouwenrechten', om vervolgens te verduidelijken dat hij vooral 'gewetenskwesties' voor ogen had.

In het oorspronkelijke interview met de BBC had Williams geopperd dat het 'een beetje een gevaar' was om zomaar te stellen dat er één wet was voor iedereen en dat de rechtbanken geen rekening moesten houden met andere loyaliteiten. Hij pleitte voor een constructief samenleven 'met sommige aspecten van de moslimwet'.

Nuristan: het land van het licht

ASADABAD (AFGHANISTAN) - *Nuristan is verdeeld over de oostelijke provincies Laghman en Kunar, genoemd naar een zijrivier van de Kabul die evenwijdig met de lange grens met Pakistan zijn bronnen zoekt in het hooggebergte. De hoofdweg volgt de Kunar in een diepe vallei naar Jallalabad in het zuiden.*

Nuristan is de enige streek van Afghanistan die nog groen is, na de massale ontbossing tijdens de middeleeuwen ten behoeve van de metaalnijverheid. Enkel hier, en in het aangrenzende Paktia, zijn er houten huizen, die als vogelnesten boven de afgrond hangen en waarbij elk dak het terras is van een hogere bewoner. In dit gebied van de ceder van de Himalaya is houtbewerking een zaak van bijl en mes en een specialiteit van de Bari, een volk dat tot voor kort in slavernij werd gehouden door trotse herdersclans. Hun ingenieuze meubilair en vaatwerk bewaart de symbolen van een archaïsche, pre-islamitische levensbeschouwing.

Ondanks hun status van recente bekeerlingen, hun relatief klein aantal en taalkundige versnippering staan de Nuristani's erg goed aangeschreven in Afghanistan. Enkel de Pathanen en de Tajieken staan hoger op de maatschappelijke ladder. Dat danken ze aan hun krijgshaftigheid. Om de ontembare Nuristani's te onderwerpen viel de Afghaanse koning Abdur Rahman eind 1895 het gebied vanuit alle richtingen binnen.[125] Na veertig dagen had hij het grotendeels veroverd, maar het duurde nog jaren voor het laatste verzet was gebroken en het kostte deportaties, privileges, bescherming en geschenken om het uiteindelijk tien jaar later te islamiseren.

Voor het te vuur en te zwaard tot het ware geloof werd gebracht, heette Nuristan 'het land van het licht', nog 'Kafiristan' of het 'land van de heidenen'.[126] De Nuristani's verschillen grondig van alle volkeren in het gebied. Een derde van hen is blond en heeft blauwe ogen.[127] Zelf moesten ze niet van hun hoge afstamming worden overtuigd. Ze noemden zichzelf 'Koresh' en dat hielp bij de islamisering omdat dat leek op de naam van de stam van de Profeet, al was 'Koresh' waarschijnlijk afgeleid van 'Cyrus', de grote Perzische vorst.[128] De plaatselijke overlevering wil dat ze afstammen van Macedoniërs die met Alexander de Grote waren opgetrokken tegen India.

Halfweg in de Kunar-vallei ligt de provinciehoofdstad Asadabad. Daar werd in 1838, in een geslacht van *seyeds*, afstammelingen van de Profeet, Jallaludin al-Afghani geboren, een van de meest intrigerende personages van de negentiende eeuw.[129] Een krantenbericht uit 1866 maakt volgende schets van hem: 'Bleek, een breed voorhoofd, blauwe ogen, een geiten-sikje met wat rosse haren, een snorretje, klein, slank en ongeveer 35 jaar (in werkelijkheid was hij zeven jaar jonger). Hij drinkt voortdurend thee en rookt op de wijze van de Perzen. Hij is goed thuis in aardrijkskunde en geschiedenis, spreekt vloeiend Arabisch en Turks en Perzisch als een Pers. Ogenschijnlijk volgt hij geen enkele godsdienst. Zijn levensstijl is meer die van een Europeaan dan van een moslim.'[130]

Over de jonge man zou niets in de krant zijn verschenen was hij niet regelmatig 's avonds laat de gast van de emir, Muhammad Azzam Khan. Naar eigen zeggen was hij in de hoofdstad voor een 'politiek project'. Eigenaardig genoeg, en misschien wegens zijn westerse levensstijl, werd Afghani in het krantenstukje een '*seyed* uit Constantinopel' genoemd. Dat droeg bij tot de mythevorming rond deze ondoorgrondelijke man, die nooit om grootse politieke plannen verlegen zat en de geschiedenis inging als de aartsvader van het panislamisme, dat de politieke eenmaking van de moslims propageert. Daarmee was al-Afghani zijn tijd zeer ver vooruit. Pas eind twintigste eeuw werd de eenmaking in een 'kalifaat' een belangrijk denkbeeld.

Tot zijn dood, in 1897, in even mysterieuze omstandigheden als zijn geboorte, was al-Afghani een onvermoeibare globetrotter, die de mos-limwereld doorkruiste en zelfs een tijd in Europa woonde, waar hij een erg invloedrijk blad publiceerde, *Al-urwa al-wuthqa*, de 'sterkste band' met een uitgesproken anti-Britse en panislamistische strekking. Hij vertoefde in de hoogste politieke kringen maar viel ook geregeld in ongenade. De clerus bekeek hem met argwaan wegens zijn kosmopolitische levensstijl en zijn geloof in het rationalisme.

Honderd jaar na zijn dood droeg zijn praalgraf op de universiteits-campus van Kabul, zoals alles in Afghanistan, de sporen van tientallen jaren van moordende strijd en verwoesting. Asadabad verschilde weinig van de slaperige hoofdplaats waarin al-Afghani was geboren. Maar die slaperigheid was schijn want zowat alle mujahedin-organistaties waren vertegenwoordigd in Kunar dat als eerste provincie in 1978 had gerebel-leerd tegen de machtsgreep van de communisten. Wat een pure stam-menopstand was tegen het centraal gezag werd toen, na een vreselijke represaille, een jihad. Tegen maart 1979 hadden de opstandelingen een groot deel van de vallei onder controle en riepen ze Vrij Nuristan uit.[131] Op 19 april 1979 probeerden ze de provinciehoofdplaats Asadabad[132] in te nemen. Ze werden door het leger omsingeld en vernietigd in een dorp vlakbij. Drie van de 52 strijders overleefden het gevecht. De dorpelingen werden beschuldigd van collaboratie met de rebellen waarop ze onder vuur werden genomen en zeventienhonderd mannen en jongens werden gedood. De vrouwen en kinderen behoorden tot het eerste contingent van een enorme stroom Afghaanse vluchtelingen in Pakistan die in twee jaar aanzwol tot 3,5 miljoen.

Het incident was een keerpunt, ook omdat de tribale oorlogscode was geschonden die voorschreef dat alleen weerbare strijders mochten worden gedood. Er was gemikt op ongewapende burgers met onpersoonlijke vernietigingsmiddelen. De oude opvatting ging uit van lijf-aan-lijfgevechten, waarin persoonlijke kwaliteiten belangrijk waren. Daarin was geen plaats voor raketwerpers, bommen, artillerie of luchtbombardementen. De islam bood een referentiekader dat beter aangepast was aan die nieuwe situatie.

De oorspronkelijke leider van het verzet, het stamhoofd Wakil Safi, een soort evenknie van de charismatische Tadzjiekse commandant Massoud, kreeg al snel concurrentie van Jamil-ur-Rahman, een plaatselijke geestelijke die in de democratische periode een mislukte gooi had gedaan naar een parlementszetel. Rahman was niet populair en een geboren intrigant die aanzienlijk heeft bijgedragen tot het onderlinge wantrouwen tussen de mujahedinleiders tijdens de oorlog met de Sovjets.[133]

Hij ging al vroeg in de Afghaanse oorlog zijn eigen weg, veroverde de provincie Kunar, proclameerde het 'islamitisch emiraat', scheidde zich af van de Hezb van Hekmatyar en stichtte zijn eigen club, de Jama'at-i Dawa waarvan de leden zichzelf 'salafisten' noemden (en anderen 'wahhabieten'). Hij decreteerde dat alle mannen baarden moesten dragen en vaardigde een totaal rookverbod uit. Het was een voorafschaduwing van het talibanbewind, tien jaar later. Rahmans beweging was vergelijkbaar met die van Abd al-Rab Rasul Sayyaf, die ook al vroeg voor het Saudische geld en het wahhabisme koos, maar weinig militaire exploten op zijn naam schreef, op enkele geruchtmakende wreedheden na. Het emiraat van Kunar en de pas gevormde regering kregen een opdonder toen in april 1991 in Asadabad het wapenarsenaal van de groep explodeerde.

De emir werd verdreven door zijn voormalige chef Hekmatyar, de lieveling van de Pakistaanse ISI, en later vermoord door een Egyptenaar in Pakistan. De aanleiding was een conflict na het vertrek van de Sovjets over de Afghaanse buit tussen Pakistan en de rijke wahhabitische oliestaten aan de Golf; die hadden immers geïnvesteerd in Rahmans salafistisch emiraat en in het vreemdelingenlegioen van Osama bin Laden. Het emiraat kreeg militaire hulp van het prille al-Qaeda.

Kunar was in de eerste fase van de burgeroorlog na de Sovjetbezetting een al-Qaedarepubliek. De eerste en totnogtoe enige, maar dat bleef onopgemerkt wegens de ontoegankelijkheid van de provincie.

Midden jaren negentig sloegen de inlichtingendienst ISI en de Saudi's de handen in elkaar en hielpen de taliban die een Pathaanse versie van het emiraat van Kunar oplegden aan heel Afghanistan, daarbij geholpen door al-Qaeda. Die alliantie was tegennatuurlijk en leidde tot voortdurende spanningen. Nergens was het wahhabisme van al-Qaeda, zo succesvol als in het oude Kafiristan, waar het inspeelde op een onderdrukt onafhankelijkheidsstreven en een particularisme dat in stand gehouden werd door de ontoegankelijkheid van het gebied, geheel eigen gebruiken en een waaier van talen. De Linday Sin vallei, waar al-Qaeda zich had genesteld, had minstens drie andere, totaal verschillende namen.[134] Er werd een oude Nuristaanse taal gesproken, het oostelijk Kativiri,[135] die verwant is aan een taal aan de overkant van de grens, in Pakistan. De argwaan tegenover de Pathanen bleek, toen die eind de jaren zeventig winkeltjes openden in Nuristan en er land kochten. Ze vertrokken op het moment dat de oorlog met de Sovjets begon, tot grote opluchting van de oorspronkelijke bevolking.[136]

Dit ontoegankelijke en bosrijke bergland, dat al vroeg door wahhabitische missionarissen was bewerkt, was een gedroomd schuiloord voor iemand als bin Laden.

In dit voormalige land van de heidenen is de bevolking verbonden door taal, geschiedenis, cultuur en natuur. De landsgrens die het doormidden snijdt, is door de bewoners nooit erkend. Ook voor vreemdelingen bestaat zij amper. Zelfs de hoofdgrenspost van Torkham op de Khyber-pas is amper meer dan de slagboom die Pashawa scheidt van de clandestiene wapen- en drugsmarkt. In augustus 2002 keerde ik via Torkham terug uit Afghanistan zonder dat mijn paspoort door de Pakistaanse grenspolitie werd afgestempeld. Officieel was ik dus niet naar Pakistan teruggekeerd maar dat maakte verder niets uit.

De schorpioen en de vos

KHAR (BAJAUR, PAKISTAN) - *Een fabel uit Bajaur. Er was*

eens een vos die met een schorpioen overeenkwam om hem over een bergrivier te bren-

gen op voorwaarde dat hij niet zou steken. In het midden van de rivier stak de schor-

pioen toch. Voor ze zonken onder de golven riep de vos: 'Waarom deed je dat? Nu gaan

we allebei dood!', waarop de schorpioen antwoordde dat hij zijn aard niet kon ver-

loochenen.

Terwijl de beide Waziristans de meest zuidelijke gebieden van de FATA zijn, dan is Bajaur het meest noordelijke. De tribale gebieden zijn bergachtig, stoffig en beige, met een bevolking die achter hoge, blinde muren in lemen forten woont met uitkijktorens om ongewenste vreemdelingen, inclusief Pakistaanse ambtenaren, op afstand te houden met zware machinegeweren. Wegen zijn er stoffige pistes waarop enkel robuuste auto's overleven.

Recht en orde worden er enkel verzekerd door paramilitaire korpsen, bemand door leden van de plaatselijke stammen. Het leven wordt bepaald door het gewoonterecht en de verordeningen van de jirga, de raad van stamoudsten. Sinds mensenheugenis zijn de FATA een toevluchtsoord voor outlaws en vluchtelingen.

Net als Waziristan in het zuiden, was Bajaur in het noorden tegen eind 2007 stevig in handen van de taliban en al-Qaeda. Bajaur met bergen tot 2500 meter, is het voorgeborchte van de machtige zuidflank van de Hindukush, die verrijst aan de overkant van de fictieve grens, de ontoegankelijke bergen van Kunar en Nuristan.

Eind 2007 was Bajaur een veilige terugvalbasis voor militanten van de overkant. Daar, in het afgelegen district Kamdesh, bereidde al-Qaeda een machtsgreep voor, zoals de taliban er een hadden gepleegd in de provincies Helmand en Kandahar, waar ze de controle hadden veroverd over uitgestrekte gebieden. In sommige valleien van Kunar waren honderden strijders verzameld.[137] Een jaar na de val van de taliban waren er

in de hele provincie maar enkele tientallen rebellen meer, meestal strijders van Hekmatyar, maar sindsdien waren vanuit Bajaur Pakistanen,
Arabieren en andere vrijwilligers aangevoerd. In Kamdesh, de Bashal- en
de Landay Sinvallei waren ze veilig. De vlakbij gelegen Pakistaanse
smokkelgrenspost konden ze vrijelijk oversteken.

Dat de Amerikanen dat in de gaten hadden, bleek uit de militaire
basis die ze in 2007 bouwden op een berg in Kunar, drie kilometer van
de Ghakhi-pas, pal op de grens met Bajaur. Eind 2001 was dit de over-
steekplaats voor duizenden vrijwilligers die vanuit Pakistan de taliban
gingen helpen tegen Amerika. Ze waren gestuurd door Sufi Mohammad,
de schoonvader van mullah Radio, die daarna door Musharraf werd opgesloten. Zijn wahhabitische organisatie[138] werd begin 2002, samen met
vier andere extremistische groepen verboden. Men kon ervan uitgaan
dat mullah Radio van de vertrouwde grenspost bij Ghakhi, de bres die
zijn schoonvader had benut eind 2001, gebruikmaakte voor de bevoorrading van zijn opstand in Swat en de noordelijke FATA. Zijn Tehreek-
e-Nafaz-e-Shariat-e-Mohammadi (TNSM), letterlijk de 'Beweging voor
het Afdwingen van de Sharia', was een te duchten groep. De militie telde
veel voormalige militairen en volgens sommigen ook outlaws, Afghanistanveteranen en jonge stamleden, gewapend met sabels en geweren
uit de Tweede Wereldoorlog. In 2001 werden ze genadeloos afgeslacht.
Hun aanvoerders probeerden zich tijdens het debacle uit de voeten te
maken met een Amerikaanse vrijgeleide. De groep was bij de bevolking
in ongenade gevallen na dat catastrofale wedervaren. Het leiderschap
was na de arrestatie van zijn stichter, Sufi Mohammad, overgenomen
door zijn schoonzoon, Maulana Fazlullah, alias mullah Radio. Onder
zijn leiding kwam TNSM terug van weggeweest.

De Amerikaanse basis op de Ghakhi-berg was een antwoord op de
hopeloze toestand in Bajaur en de snel groeiende macht van mullah
Radio en zijn fanatieke TNSM. Vanuit de basis werd de amper bemande
grenspost in de gaten gehouden. Het terrein was onherbergzaam en de
bevolking ongastvrij voor de Amerikaanse elitesoldaten, maar die beschikten over de verraderlijke, onbemande, computergestuurde Predator,
die ook een precisiebommenwerper was. Twee keer hadden de Amerikanen bin Laden gelokaliseerd in Bajaur en er een Predator op af gestuurd.

Meer succes hadden de Amerikanen in de nacht van 28 op 29 januari met
een mysterieuze raketaanval op een huis drie kilometer van Mir Ali, in
Noord-Waziristan. Twaalf vreemdelingen werden gedood. Volgens onbevestigde berichten waren er zeven Arabieren bij. De overige vijf kwamen uit Centraal-Azië, wat wees op Yuldashevs IMU. Mensen in de streek

zegden dat ze Predators hadden gezien. De aanval was mysterieus omdat niemand kon zeggen wie de raket had afgevuurd, en ook omdat de rebellen de vernietigde schuilplaats dagenlang afsloten. Dat wees op een bijzonder doelwit.

Een bevestiging kwam van een website, die door al-Qaeda wordt gebruikt.[139] 'We feliciteren de islamitische natie met het martelaarschap van sjeik Abu Laith al-Libi. Moge God hem ontvangen.' Libi, een Libiër, zoals zijn naam zegt, was een dikke vis. Hij had in juli 2002 als allereerste in een videotape aangekondigd dat Osama bin Laden en mullah Omar in veiligheid waren, na de Amerikaanse interventie die de taliban ten val had gebracht en de mislukte jacht op bin Laden in de bergen van Tora Bora.

Hij liet opnieuw van zich horen in november 2007 toen hij aan de zijde van Zawahiri, de fusie aankondigde van 'zijn' groep, de Libische Islamitische Strijdgroep (LIFG)[140] met al-Qaeda. Libi was een topcommandant van al-Qaeda in de oostelijke grensprovincies van Afghanistan. Hij was gespecialiseerd in geavanceerde guerrilla en beschikte in de buurt van Mir Ali over verschillende huizen. Hij was nummer vijf op de lijst van de CIA van meest gezochte terroristen en op zijn hoofd stond vijf miljoen dollar. Volgens sommigen was hij zelf geen lid van al-Qaeda en nam hij zijn militaire beslissingen onafhankelijk. Zijn prioriteiten waren de strijd tegen de NAVO en opleiding van taliban-rekruten. Beide doelstellingen hadden fors averij opgelopen, toen de NAVO zijn trainingskamp in Shankiari, in de Afghaanse grensprovincie Khost, met de grond gelijkmaakte. Volgens de chef van de Amerikaanse inlichtingendiensten was Libi een verbindingsman van al-Qaeda met het succesvolle filiaal in de Maghreb en was zijn uitschakeling de zwaarste klap voor de terreurgroep in ruim twee jaar.

Het Barcelona-complot

BARCELONA (SPANJE) - *Op 10 februari zei Baltasar Garzon,*

de hoogste Spaanse antiterreurmagistraat, dat de Pakistaanse jihadi's de grootste

bedreiging waren voor Europa. 'Ze krijgen in Pakistan een ideologische en militaire

opleiding en worden naar hier geëxporteerd.'

De nieuwe trend was dat terroristen op missie vertrokken naar een continent waar ze geen banden mee hadden. Het dozijn terroristen die enkele
dagen tevoren in Barcelona werden aangehouden, waren in Pakistan opgeleid tot kamikazes en moesten uitwaaieren over Europa. Spanje sprak
van veertien arrestanten en anderen die door de mazen van het net waren
geglipt. Ze waren vanuit Pakistan gestuurd met de opdracht een golf
gecoördineerde zelfmoordaanslagen te plegen te beginnen in Barcelona,
om daarna Portugal, Duitsland, Frankrijk en Groot-Brittannië te treffen.
Een thriller waarvan het scenario in de buurt kwam van 11 september.

De samenzweerders waren in de vroege uren van 19 januari door de
militaire politie opgepakt in een moskee, een gebedskamer van de Tablighi Jamaat en vier appartementen in de wijk Raval. Drie kamikazes
waren de afgelopen maanden het land binnengekomen. Alle verdachten
behoorden tot de Tabligh Jamaat, de 'vreedzame' ultra's. Twaalf van de
veertien kwamen uit Pakistan.

De bommenmaker had onlangs bijna een half jaar in Pakistan doorgebracht, maar op een plastic zak met kapotte ontstekers en kleine hoeveelheden springstof na, werden weinig sporen gevonden van zijn werk.
De cel was in korte tijd gevormd en kreeg haar instructies vermoedelijk
vanuit de tribale gebieden. De verijdeling van het complot was te danken
aan een mol die werkte voor de Franse inlichtingendienst. Hij was vanuit
Waziristan naar Spanje gestuurd met een kamikazeopdracht. Van infiltranten in al-Qaeda was tot dan toe zelden gehoord.

De leider van de cel, Maroof Ahmed Mirza, was 38 en had vier jaar
doorgebracht in een extremistische koranschool in Pakistan. Hij werd
door verschillende westerse inlichtingendiensten geschaduwd. De Franse DGSE tipte de Spaanse collega's toen hij vanuit Frankrijk verhuisde
naar Barcelona om er imam te worden van een moskee aan de Zieken-

huisstraat in de wijk Raval. Een tweede ideoloog, Mohammad Ayub, was 63 en eveneens opgeleid in de tribale gebieden. Hij had als grootvader van een schare kleinkinderen een ongewoon profiel. Deze afwasser en kok op rust woonde al 24 jaar in Spanje en was al 13 jaar met pensioen. Op Kerstmis 2007 hadden de Spaanse en Franse diensten op een spoedvergadering in Madrid afgesproken om in te grijpen omdat de terroristen begonnen waren met een omstandig gebeds-, afscheids- en reinigingsritueel ter voorbereiding van hun 'offer'. Alle Europese inlichtingendiensten waren gealarmeerd, onder meer omdat het Wereld Economisch Forum in Davos en het bezoek van de Pakistaanse president Musharraf aan Europa op handen waren. Tijdens de eerste twee dagen van dat bezoek moesten aanslagen op een winkelcentrum van de stad, lijn drie van de metro, en een moskee een bloedbad aanrichten in Barcelona. Op de derde dag zou Frankrijk worden getroffen tijdens Musharrafs aanwezigheid daar. Tijdens zijn uitstap naar Davos moest Frankfurt aan de beurt komen en bij het eind van Musharrafs reis, in Engeland, moest de Kanaaltunnel worden opgeblazen. Tijdens die cascade van aanslagen zou Baitullah Mehsud vanuit Waziristan eisen en ultimatums stellen. Een ervan was de terugtrekking van de troepen uit Afghanistan.

De verijdeling van het Barcelona-complot was geen onverdeeld succes. Er was weinig bewijsmateriaal en de Fransen waren verbolgen dat 'hun' mol door de Spanjaarden tot kroongetuige en spijtoptant was gepromoveerd waardoor hij voorgoed onbruikbaar werd. Sommige van zijn verklaringen waren bovendien gelekt naar de pers. Onder meer volgend fragment uit de processen-verbaal, waarin de 'mol' 'F-1' wordt genoemd:

– Een van de jihadi tegen F-1: 'Waarom heb je je opleiding niet voltooid in Pakistan?'

– F-1: 'Omdat ik ziek was en moest terugkomen.'

– De jihadi: 'Emir Baitullah Mehsud is erg op je gesteld. Zo erg dat hij van jou een springstoffenexpert wilde maken en geen kamikaze, als je je voorbereiding had voltooid.'

– F-1: 'Wat is het verschil tussen een kamikaze en een springstoffenexpert?'

– Jihadi: 'Er zijn drie groepen: de planners, de bommenmakers en de kamikazes.'

Het gesprek wierp een licht op een hiërarchie waarin de kamikazes onderaan stonden.

Een terroristisch wereldproject

WAZIRISTAN (FATA, PAKISTAN) - *Het grote publiek moest*

nog wennen aan Baitullah Mehsud, de nieuwe komeet aan het terroristisch zwerk,

toen op 6 februari het verrassende nieuws kwam over een bestand in Zuid-Waziristan.

Het kwam van Baitullah zelf en het nieuws werd door de regering niet bevestigd,

maar off the record zegden veiligheidsofficieren dat er na een zwaar offensief van drie

weken inderdaad een staakt-het-vuren was.

'Ze zijn nu zo zwak dat ze onderhandelingen vragen', zei waarnemend minister van Binnenlandse Zaken Hamid Nawaz Khan. Een gepensioneerd generaal, die aan het hoofd had gestaan van het federale bestuur in de FATA, waarschuwde voor het gevaar om Baitullah op adem te laten komen of afspraken met hem te maken zolang zijn Tehrik-i-Taliban, met honderden kamikazes, niet was uitgeschakeld. De kaarten lagen gunstig voor het leger: de Swat-vallei was grotendeels weer onder controle en de weg naar het zuiden was weer vrij. De politieke partijen die de extremisten beschermden, hadden het te druk met de verkiezingen en bij de bevolking maakte de afkeer van legeroperaties tegen eigen volk door de vele spectaculaire aanslagen plaats voor toenemende twijfel. De bloedige en verraderlijke aanslagen van de 'religieuzen' troffen immers ook 'eigen volk'.

Op papier bestond de strategie van het leger uit een blokkade van de Mehsud-stam in Zuid-Waziristan gedurende een tweetal maanden en het afsnijden van Baitullahs aanvoerlijnen. Zodra hij militair was uitgeschakeld, zou hij worden uitgeleverd aan het traditioneel stammenrechtssysteem. De kracht van Baitullah - zijn internationale connecties - was ook zijn zwakte. Hij was er nooit in geslaagd om alle stammen van Zuid-Waziristan en hun (religieuze) milities onder zijn leiding te verenigen. De loyaliteit van de stammen lag hetzij bij bin Laden, hetzij bij mullah Omar. Ofwel vonden ze de oorlog van het Pathaanse volk tegen de Amerikanen en de NAVO in Afghanistan het belangrijkste, ofwel kozen ze voor het ware geloof, vrij van superstities en het terroristisch wereldproject van de 'Arabieren'. Baitullah had – uit opportunisme? – voor het laatste gekozen, en met hem zijn 'koepelgroep', de Tehrik-i-Taliban.

Bij het bestand met Baitullah was bemiddeld door Sirajuddin, de zoon van de legendarische talibanchef Jalaluddin Haqqani uit Noord-Waziristan. Het kwam goed uit voor de Afghaanse taliban die hun lente-offensief voorbereidden en daarvoor rekenden op hulp uit de FATA.

Voor de Afghanen was het prioritair dat de aanvoerlijn van de NAVO werd afgesneden. Die loopt van de haven van Karachi via Peshawar west-waarts over de Khyber-pas naar Jalalabad. De NAVO had in ruil voor de bescherming van de konvooien veel geld gegeven aan de stamhoofden van Khyber, maar die werden bedreigd door de taliban. Intussen ver-sterkten de Amerikanen hun aanwezigheid aan de Afghaanse kant van de grens met Noord-Waziristan en bouwden ze ook daar een kamp. Maar de hoofdprijs was Khyber.

Al-Qaeda bereidde zich voor op de grote confrontatie maar het plan liep averij op door de arrestatie van een aantal leden van Jundullah, na een bankoverval eind januari in Karachi. Jundullah, het Leger van God, een filiaal van Baitullah en de Oezbeek Yuldashev, had het gemunt op de Pakistaanse regering en op de Britse en Amerikaanse belangen in Paki-stan. Daarnaast was het een propagandamachine tegen de Amerikaanse en Israëlische 'wreedheden tegen de moslims'. Jundullah had tentakels tot diep in het leger, de luchtmacht en de politie.

In de Pakistaanse steden voerde al-Qaeda een strategie die totaal ver-schilde van die voor Afghanistan en de tribale gordel. De terreurgroep verzamelde in de steden informatie over het hele spectrum, inclusief wat de Europese Unie en zijn lidstaten dachten of deden en alles wat betrek-king had op Pakistans kernwapens. Samenvattingen van die informatie gingen naar de *shura*, de bestuursraad van al-Qaeda, waarin intussen ook Pakistanen zaten. De shura nam alle strategische beslissingen over elk project en dat kon enkel als de organisatie niet voortdurend *on the run* was. Zo had de shura het afgelopen jaar na rijp beraad beslist dat er een *khuruj*, een opstand, moest worden ontketend in Pakistan. Een khuruj veronderstelde een emir, een bevelhebber. Volgens de sharia mag een opstand alleen worden verklaard wanneer er een goede kans op slagen is. Daarom mocht de khuruj in Pakistan niet bestaan uit geïsoleerde aanval-len, maar uit opstanden in de steden. Zwak punt was dat de aanhang van al-Qaeda in de steden niet kon worden vergeleken met die van Khomei-ny in het Iran van 1978. Daartegenover stond dat de groep de expertise en de durf had om desnoods de twee grootste olieraffinaderijen op te blazen en daarmee een chaos uit te lokken die het leger niet zou kunnen controleren, waardoor uiteindelijk de ruggengraat van de staat zou breken. Mocht dat gebeuren, dan zou al-Qaeda ervoor zorgen dat Afghanistan en India meteen werden meegesleurd in de ontwrichting.

Over de kernwapens was de conclusie van al-Qaeda's studiegroep dat die in de veilige handen waren van 'patriottische, zuivere en betere moslims dan het militair bewind'. Een aanval op de sleutels van dat arsenaal moest dus niet onmiddellijk worden verwacht.

De nieuwe kamikazes

BAGDAD (IRAN) - *In de zomer had Mansur Dadullah, de*

Afghaanse talibancommandant, aangekondigd dat kinderen werden klaargestoomd

voor de jihad en kort daarna was in Zuid-Waziristan een video opgedoken waarin

een tiener een Pakistaans soldaat onthoofdt.

Een half jaar later legden Amerikaanse soldaten de hand op een pak beeldmateriaal in de Iraakse provincie Diyala, het nieuwe bolwerk van al-Qaeda in Mesopotamië na hun verdrijving uit Anbar. Het materiaal deed vrezen dat de nieuwe lijn van Dadullah navolging kreeg. De sterren van het filmpje waren jongens met kinderstemmen en bivakmutsen op, die een man op de grond dwongen onder bedreiging van kalasjnikovs en pistolen. De video was in december gevonden en werd op 6 februari 2008 in Bagdad op een persconferentie voorgesteld. Er waren wel meer video's en foto's van kinderen buitgemaakt op al-Qaeda in Irak, maar dit was volgens de legerwoordvoerder de grootste hoeveelheid. Dit materiaal wordt gebruikt in de jeugdopleiding van de terroristen, zei hij. Het was bedoeld voor verspreiding op zo'n vijfduizend websites. Spelende kinderen met echte wapens. Kidnappertje met volwassenen, biddende kinderen en kinderen die aanvallen onder de kreet 'God is groot'. Het waren geen beelden uit een opleidingskamp, dacht de legerwoordvoerder, maar propagandatoneeltjes. Het was bekend dat al-Qaeda jongetjes gebruikte als verkenners, niet als kamikazes, maar in twee zeer recente gevallen waren tieners ingezet. Er was ook een stijging van het aantal vrouwelijke kamikazes. Tot eind 2006 waren dat er maar vijf, bij wie de Belgische Muriel Degauque, maar in de loop van 2007 waren het er zes en in de veertig dagen van het nieuwe jaar waren dat er al vier.

De wereld was amper hersteld van de schok van de dubbele zelf-moordaanslag van 1 februari op twee dierenmarkten in Bagdad. De kamikazes waren vrouwen. Toen hun afgerukte hoofden werden gevonden, bleken ze allebei vermoedelijk het syndroom van Down te hebben. Mongooltjes als kamikazes. Ze pleegden de zwaarste aanslag in een half jaar. Minstens 65 doden en 150 gewonden. De kamikazes waren van op afstand met een kwartier tussenpauze opgeblazen. De immens populaire markt, waar de eerste bom ontplofte, was al vijf keer het doelwit geweest van zelfmoord- en andere aanslagen en alle mannen werden er afgetast op wapenbezit. Vrouwen werden niet gefouilleerd.

Steeds meer greep al-Qaeda naar het zelfmoordvest. Het was een trend op de vier grote fronten: Pakistan, Afghanistan, Irak en de Maghreb. Steeds meer werd ook een beroep gedaan op erg jonge kamikazes zoals Mansur Dadullah had aangekondigd. Dadullah was inmiddels in ongenade gevallen bij de taliban-top maar zelf ontkende hij dat en nog steeds was hij een commandant met een naam als een klok. Op 11 februari liep hij tegen de lamp in de buurt van Chaman, de belangrijke grenspost op de weg van Quetta in Pakistaans Baluchistan naar Kandahar, de oude talibanhoofdstad.

Op diezelfde 11de februari werd de Pakistaanse ambassadeur in Afghanistan, Tarik Azizuddin, ontvoerd op de andere hoofdader, de weg van Peshawar naar de grenspost van Torkham. Die loopt een kleine vijftig kilometer door het tribaal gebied Khyber, dat zijn uitzonderlijk strategisch belang ontleent aan de historische Road, die recht naar Jalalabad en Kabul voert en sinds mensenheugenis de oostelijke poort is van Afghanistan. Een delegatie van het consulaat in Jalalabad wachtte de diplomaat op bij de grenspost, waar hij van auto zou wisselen. Toen hij niet kwam opdagen werd alarm geslagen. Meteen werd vermoed dat hij op de korte, kronkelende, steile weg met zijn haarspeldbochten, eenzame forten en groezelige marktplaatsjes was ontvoerd. De ambassadeur was nogal nalatig bij het informeren van de plaatselijke autoriteiten over zijn passage door Khyber en hij was dat ook nu geweest.

De Tehrik-e-Taliban van Baitullah, de belangrijkste koepel van de Pakistaanse taliban, sprak meteen het vermoeden tegen dat ze de hand had in de ontvoering en de ambassadeur wilde ruilen tegen de gearresteerde Mansur Dadullah.

Twee dagen na de ontvoering zei de regering er zeker van te zijn dat de diplomaat nog in leven was, maar andermaal werden de berichten ontkend dat de taliban hem gebruikten als onderpand voor Dadullah. Officieel had nog niemand contact gezocht met de regering.

Het werd stil rond de ambassadeur. Pas op 19 april, ruim twee maanden na de kidnapping, bereikte een videoboodschap van de diplomaat de televisiezender al-Arabiya. Met de loop van een geweer tegen zijn hoofd zei hij zich zorgen te maken over zijn hoge bloeddruk en zijn hartkwaal. Hij vroeg aan de regering om in te gaan op de eisen van zijn ontvoerders maar gaf daarover geen details tenzij dat 'alle moslims in de Pakistaanse gevangenissen' moesten worden vrijgelaten. De boodschap duurde vier minuten en bij het eind zei Azizuddin dat het 8 maart was. De ambassadeur had zijn kidnappers 'taliban mujahedin' genoemd. De Pakistaanse media meenden te weten dat ze losgeld wilden en de vrijlating van tien medestanders bij wie mullah Obaidullah, de voormalige talibanminister van Defensie en topadjunct van mullah Omar, op wiens hoofd een miljoen dollar stond. Maar Islamabad ontkende dat hij in een Pakistaanse gevangenis zat. Eerder had Baitullah Mehsud tevergeefs zijn vrijlating gevraagd in ruil voor de grote groep van twee- tot driehonderd soldaten die in augustus was ontvoerd. Ook toen zei Pakistan dat het hem niet vasthield.

De arrestatie van Obaidullah op 26 februari 2007 was beschouwd als een cadeau voor vicepresident Cheney die dezelfde dag in Islamabad bij Musharraf was komen aandringen om meer te doen tegen de taliban in de tribale gordel.

Op het Afghaanse platteland herhaalde zich intussen het scenario van 1996 dat leidde tot de onweerstaanbare opgang van de taliban. Ontgoocheling over de machteloosheid van de centrale regering, de corruptie, de tergend trage wederopbouw, het voortdurende geweld en de aanwezigheid van buitenlandse troepen, dreef het volk opnieuw in hun armen.

Historische verkiezingen

ISLAMABAD (PAKISTAN) - *Februari 2008. Amper ben ik in*

Islamabad aangekomen of de telefoon rinkelt. Een zware aanslag heeft tientallen

doden gemaakt in Parachinar, palend aan het hooggebergte van Tora Bora. In vogel-

vlucht ligt het halfweg tussen de Afghaanse steden Khost en Jalalabad, maar het is de

hoofdplaats van het Pakistaans tribaal gebied Kurram.

Een langharige kamikaze is er met een bomauto ingereden op een bijeenkomst van de Volkspartij van Bhutto. In Kurram is al een tijd de oude
strijd opgelaaid tussen soenni en shia. Wegens de sjiitische Bhutto's was
de dader waarschijnlijk een soenniet. Officiële cijfers spraken van 37 doden maar dat aantal steeg tot zeker 50 en van de 150 gewonden verkeer-
den de meesten in levensgevaar wegens brandwonden die ter plaatse niet
konden worden verpleegd. De aanslag lokte represailles uit, waarbij winkels in brand werden gestoken en regeringsgebouwen aangevallen.

Het was twee dagen voor de parlementsverkiezingen. In Islamabad
was er de zoveelste stroompanne, een recent verschijnsel dat samen met
de brandstof- en graanschaarste de woede tegen president Musharraf
naar een hoogtepunt had gevoerd.

Er werd gevreesd dat Parachinar de voorbode was voor een golf van
geweld op de verkiezingsdag, niet enkel in de afgelegen tribale gebieden
of in de Frontier Province (NWFP), maar in het hele land. De kranten
meldden dagelijks arrestaties van kamikazes in de steden. Er circuleerden doemscenario's over aanslagen op de stembureaus en iedereen was
ervan overtuigd dat Musharraf de resultaten van de stembusgang naar
zijn hand zou zetten.

Human Rights Watch had een opname vrijgegeven van een telefoongesprek waarin procureur-generaal Malik Qayyum enkele weken tevoren
tegen een kandidaat-parlementslid verzekerde dat op grote schaal zou
worden gefraudeerd. Qayyum was voorzitter van het Hooggerechtshof
van Lahore dat Benazir en haar man Zardari in 1999 had veroordeeld tot
vijf jaar cel wegens corruptie. Later bleek die veroordeling politiek ge-
motiveerd en werd ze door het Opperste Gerechtshof ongedaan gemaakt.[141]

Benazir vreesde hem en had een half jaar tevoren zijn ontslag gevraagd. Op de verkiezingsdag kwamen de mensen pas laat buiten. Het was prachtig weer. De winter was definitief verslagen en de stad genoot van een van die schaarse dagen dat de zon mild is en niet genadeloos verschroeit. De parkieten speelden in de bomen en in de lucht cirkelden roofvogels, speurend naar slangen op de grond. Het was een luie, zondagse dag met weinig verkeer. Over de wegen paradeerden auto's met affiches en wapperende partijvlaggen. Voor de middag zagen de stembureaus amper kiezers. Maar op enkele sporadische incidenten na bleef het rustig en na de middag kwamen er wel veel kiezers opdagen. Bij de stembureaus bivakkeerden de partijen onder tentzeilen, opgesmukt met hun symbolen: het portret van de vermoorde Benazir, de groen-zwartrode vlag van haar partij en het embleem ervan, de pijl. Ook de tijger van Nawaz Sharif was alomtegenwoordig en de fiets van Musharrafs partij. Die symbolen stonden ook op de lichtgroene stembiljetten die door de kiezers moesten worden afgestempeld.

De Pakistaanse televisiestations brachten onafgebroken nieuws en uitslagen zodra de eerste stemmen waren geteld. Heel even was het een gelijkopgaande strijd tussen de drie groten, maar toen na enkele uren tien procent van de stemmen was geteld bleek dat de PPP van Zardari, de weduwnaar van Bhutto, en de PML-N van Nawaz afstevenden op een klinkende overwinning. Tweede constatering was dat de stembusgang geen bloedbad was geworden. Hier en daar was wel een stembureau of een voorzitter aangevallen, in Swat waren er een paar opgeblazen, her en der was een urne gestolen, al dan niet met stembiljetten en soms was er een gevecht tussen aanhangers van rivaliserende partijen, maar al bij al werden maar 25 doden geteld en dat vond iedereen erg schappelijk.

Nog een verrassing was dat de uitslag door iedereen werd aanvaard. Natuurlijk was hier en daar gefraudeerd en in sommige tribale gebieden was geen enkele vrouw gaan stemmen na een verbod van de stamhoofden, maar het effect daarvan op de globale uitslag was gering. De verkiezingen waren 'vrij en eerlijk' verlopen en daarvoor kreeg Musharraf in de kranten, die niet zijn beste vrienden waren, ruiterlijk krediet. Bloemen gingen ook naar de nieuwe legerchef generaal Kayani, die de 81.000 soldaten die hij had ingezet, bevel gaf om afzijdig te blijven. Waar problemen waren herstelde de politie de rust. Het script voor de fraude was klaar, maar het werd verijdeld door de weigering van Kayani om partij te kiezen.

De verkiezingen waren een ongelofelijke publiciteitsstunt voor Pakistan. Er was bewezen dat het geen land was van extremisten. Ondanks alle

anti-Amerikaanse sentimenten, de golf van agitatie en de vrijwel algemene solidariteit met de onschuldige slachtoffers van de Rode Moskee,
leden de religieuze ultra's een verpletterende nederlaag. In de onrustige
North-West Frontier Province (NWFP), die ze vijf jaar hadden bestuurd,
waren ze weggesmolten. Ze hadden niet het verschil kunnen maken en
waren net zo corrupt geweest als alle andere zakkenvullers. Awami, de
historische kampioen van het Pathaanse nationalisme, herrees en werd
de sterkste partij van de provincie en ook de PPP en de PML-N deden
het er uitstekend. Fazlur Rehman, de leider van JUI, de grootste pro-
talibanpartij, werd in zijn eigen district Dera Ismail Khan niet herverko-
zen. Zijn collega, Sami ul-Haq, voorzitter van zijn eigen JUI-S en hoofd
van de naar hem genoemde koranschool in Akora Khattaq, kweekvijver
van Afghaanse en Pakistaanse taliban, kwam in het stuk niet voor. De
senator met zijn rode hennabaard, ook bekend als Sami Sandwich omdat
hij in een bordeel in Lahore de liefde had bedreven met een knaap en een
deerne tegelijk, had eieren voor zijn geld gekozen en zich aangesloten bij
de boycot van de moslimbroederpartij JI en de kleine PTI van de voormalige cricketster Imran Khan.

In het land heerste een ontspannen en bevrijde sfeer. Er waren feestelijke optochten en spontane straatfeesten van de overwinnaars, en aanslagen van betekenis bleven uit.

Bij de PML-Q werd naar een schuldige gezocht voor de nederlaag en
afrekeningen dreigden. Sommige kopstukken stelden Musharaf aanspra-
kelijk. Over zijn politieke toekomst was veel te doen. Tegen drie Amerikaanse senatoren zei hij dat hij bereid was tot samenwerking met de
nieuwe coalitie. Hij had dat op de verkiezingsdag al beloofd. Het klonk
als muziek maar daags na de verkiezingen pookten de advocaten van
Pakistan de rechtbank van Genève op om vaart te zetten achter het tien
jaar oude onderzoek naar de corruptie die aan Zardari 55 miljoen dollar
zou hebben opgeleverd op Zwitserse rekeningen.

Kort daarna hield Zardari in zijn huis in Islamabad zijn eerste persconferentie als verkiezingsoverwinnaar. Het was een overrompeling en
de veiligheid van de partij had de grootste moeite om de honderden
journalisten in het gareel te houden en te controleren op wapens.

Toen de persontmoeting gedaan was, koos ik in een ingeving niet
voor de uitgang maar voor de deur die Zardari en zijn entourage hadden
gebruikt. Ik kwam terecht in een wachtkamer met een televisietoestel
waar niemand naar keek. Op het salontafeltje slingerden de kranten van
de dag met koppen als 'PPP en PML-N vegen PML-Q van de kaart', of
'Revanche van de Democratie' of 'De bondgenoten van Musharraf geconfronteerd met de woede van de kiezer'. Rond de volle asbak slinger-

den gebruikte papieren zakdoekjes en lege sigarettenpakjes. Niemand scheen het ongewoon te vinden dat ik er was. Ik polste twee medewerkers van de partijleider naar de kansen op een interview, maar die waren miniem. Zardari was in vergadering met de partijtop en had het druk. Ik liet me niet ontmoedigen, sloeg een bord pilaw af uit vrees dat ik etend mijn waterkans zou verspelen en bleef parkeren in de wachtkamer.

Na drie uur ging de magische deur open en wenkte een medewerker me binnen, waar Zardari troonde achter een bureau. Ik feliciteerde hem met zijn overwinning, maar hij wuifde de gelukwensen weg. 'We zijn in een sombere stemming, we denken aan wat Benazir voor Pakistan heeft gedaan. Ze bracht de democratie in 1988 en opnieuw in 1993, en ook nu. We willen haar erfenis uitvoeren.'

Toen ik hem vroeg of hij de nieuwe premier was van Pakistan, zei hij dat daarover nog geen beslissing was genomen door de partijtop. Over het lot van de afgezette rechters moest het nieuwe parlement oordelen, zei hij. Het terrorisme moest worden aangepakt met overredingskracht en door de oorzaken weg te nemen. Het terrorisme heeft ons vijfhonderd mensenlevens gekost, inclusief dat van Benazir, en vijftienhonderd gewonden, maar het is een humanitair probleem en geweld is de laatste optie. En hij kondigde aan dat het nieuwe parlement aan de VN zou vragen om de moord op zijn vrouw te onderzoeken.

Het was het allereerste interview van de toekomstige president met een buitenlands medium sinds zijn verkiezingsoverwinning. Hij gaf niet de indruk dat het terrorisme bovenaan zijn prioriteitenlijst stond.

Moord op een terreurgenie

BEIROET (LIBANON) - *Terwijl alle ogen gericht waren op Bush*

en Sarkozy die toerden in de Golf en er wapens verkochten, ontplofte in Dora, een

christelijke wijk van Beiroet, een krachtige bom. De knal weergalmde over de hele

stad.

Het doelwit was een auto van de Amerikaanse ambassade, het middel: een bomauto. Er zaten geen diplomaten in de wagen en er waren bij de vijf doden en zestien gewonden geen Amerikanen. Wel liep de Libanese chauffeur van de diplomatieke auto lichte verwondingen op. Het was de eerste anti-Amerikaanse aanslag in Libanon sinds de zelfmoordaanval van Hezbollah op de marinierskazerne in 1983. De aanslag verschilde van alle andere terreuracties en veel waarnemers in Beiroet zochten de daders niet in anti-Syrische kring, maar bij al-Qaeda. Er werd herinnerd aan de boodschap van 29 december van bin Laden en zijn kritiek op Hezbollah dat had toegestaan dat de VN 'de Joden beschermde'.

Op 13 februari ontplofte een bomauto in Damascus, waar dat niet gebruikelijk is. Het slachtoffer was nog ongewoner. Imad Mughniyeh was al een kwarteeuw de meest ongrijpbare en een van de gevaarlijkste terroristen ter wereld. Zijn impressionant palmares begon bij de zelfmoordaanslag van 1983 op de marinierskazerne en strekte zich uit over een kwarteeuw. Hezbollah maakte het nieuws bekend vanuit Beiroet en beschuldigde Israël, wat door de Israëli's meteen werd tegengesproken. Mughniyeh, de 'uitvinder' van de zelfmoordaanslag, was midden in de nacht poepsimpel om het leven gebracht met een lading springstof onder zijn auto. De Partij van God belegde een 'rouwstoet' voor de volgende dag, die de derde verjaardag was van de moord op Rafik Hariri. Om dat te herdenken wilden ook de regeringspartijen manifesteren.

Mughniyeh was een terreurgenie en een meester in de vermomming. Aangenomen werd dat hij in 1994 voor het laatst in het openbaar was gezien, op de begrafenis van zijn broer, die ook met een autobom naar het hiernamaals was gestuurd, maar dan in Beiroet. Het was van 1992 geleden dat nog een topman van Hezbollah werd uitgeschakeld. In de

Libanese hoofdstad waren er intussen al dagen sporadische gevechten tussen aanhangers van de regering en supporters van de oppositie in de aanloop tot de verjaardag van de Valentijnsmoord op Hariri.

Aan kandidaten voor de aanslag op Mughniyeh was er geen gebrek; 42 landen zochten hem. De VS wilden hem wegens de aanslag op de kazerne van de mariniers in Beiroet in 1983, een tweede aanslag op de ambassade het jaar daarop, waarbij de top van de CIA werd uitgeschakeld, en de kaping van een vliegtuig van TWA in 1985. De FBI had 5 miljoen dollar op zijn hoofd gezet. De Israëli's zochten hem voor aanslagen op een ambassade en een cultureel centrum in Argentinië in 1992, met meer dan 120 doden. Hezbollah zei dat hij was vermoord door de Zionisten en ook Iran beweerde dat.

'Een volk dat voor korannen zwicht...'

AMSTERDAM (NEDERLAND) - *Andermaal dreigde een rel*

tussen het Westen en de moslimwereld. Daar zou het Nederlandse parlementslid Geert

Wilders voor zorgen. Deze voormalige liberaal en fractieleider van de PVV, de Partij

voor de Vrijheid, met het goudblonde kapsel had eind november 2007 aangekondigd

dat hij werkte aan een film over de koran, volgens de politicus een fascistisch boek.

Enkele maanden tevoren had hij de koran vergeleken met *Mein Kampf* en ervoor gepleit het boek te verbieden. Zijn film wilde aantonen dat de koran aanzet tot onverdraagzaamheid, moord en terreur. Wilders zag het groot en wilde dat zijn film integraal te zien zou zijn op televisie, zo niet op het internet.

Het plan verwekte grote ongerustheid in regeringskringen en in de Europese Unie. Europa bracht alle gezantschappen op de hoogte van wat op til was. De Nederlandse minister van Buitenlandse Zaken Maxime Verhagen ontving de ambassadeurs van dertig moslimlanden op verzoek van de Organisatie van de Islamitische Conferentie. Verschillende landen dreigden met een boycot mocht de film worden vertoond. Verhagen betoogde dat de regering grondig van mening verschilde met Wilders en tot twee keer toe had geprobeerd om hem op andere gedachten te brengen, maar dat de godsdienstvrijheid en de vrijheid van meningsuiting in Nederland beschermd waren. Op 6 maart verhoogde de Nederlandse regering het terreuralarm van 'beperkt' naar 'substantieel'.

De vijftien minuten durende film zou *Fitna* heten, Arabisch voor 'beproeving', en volgens Wilders, die opgetogen was over het resultaat, bleef de prent binnen de grenzen van de Nederlandse wet.

In Kabul betoogden driehonderd parlementsleden om *Fitna* te verbieden. Jihadi's dreigden met aanslagen. Iran en Egypte zwaaiden met een handelsboycot. NAVO-secretaris-generaal Jaap de Hoop Scheffer maakte zich zorgen over de veiligheid van de troepen in Afghanistan, na dreigementen van de taliban tegen het Nederlands contingent in Uruzgan. In Amsterdam werd door onbekenden het opschrift gewijzigd van het vermaarde Van Randwijk-monument. Van het woord 'tirannen' werd 'korannen' gemaakt. Daardoor stond een tijdlang te lezen: 'Een volk dat voor korannen zwicht, zal meer dan lijf en goed verliezen. Dan dooft het licht...' Wilders stelde premier Jan Peter Balkenende, 'de vriend van de taliban' en 'de slechtste premier sinds de Tweede Wereldoorlog', verantwoordelijk voor de commotie. Hij noemde hem bang en laf en zei dat iedereen 'van Timboektoe tot Afghanistan' dankzij Balkenende wist van de film.

Wilders kreeg steun van Kurt Westergaard, een van de twaalf tekenaars van de Deense spotprenten die zoveel ophef hadden veroorzaakt.[142] Hij moedigde het parlementslid ertoe aan om geen bakzeil te halen. In Denemarken zou geen enkele politicus het wagen om de film te blokkeren, zei hij, 'wij, in Denemarken, leveren kritiek op iedereen, de koningin, de politiek en de godsdienst. Het aansturen op debat is een taak van de pers. De moslims moeten dat maar aanvaarden'. Tegen Westergaard, die Mohammed had afgebeeld met een tulband als een bom, was in februari een moordcomplot ontdekt. Sindsdien leefde hij dag en nacht onder politiebescherming. Wilders genoot al sinds de moord op Theo Van Gogh in 2004 bescherming.

De Nederlandse Islamitische Federatie (NIF) spande een kortgeding aan om een onafhankelijke deskundige te laten oordelen of de film grievend was. Op paaszaterdag organiseerde 'Nederland Bekent Kleur' een betoging op de Dam in Amsterdam tegen Wilders. Het hagelde en de opkomst bleef beperkt tot enkele honderden verkleumde betogers. Wilders sprak van een haatmanifestatie. De Nederlandse Wereldomroep begon die avond de verspreiding van een eigen filmpje in het Engels, Arabisch en Indonesisch onder de titel 'Over Fitna, Nederland en Wilders'.[143] Daarin probeerde een reiziger uit de moslimwereld antwoorden te geven op vragen als waarom de regering waarschuwde tegen de film van Wilders maar niets ondernam, wie die Wilders dan wel was, en hoe het voor moslims was om in Nederland te leven.

Op 17 maart huurde de Joodse auteur en televisieproducer Harry de Winter de volledige voorpagina van *de Volkskrant* voor een advertentie waarin stond dat Wilders al lang zou zijn veroordeeld wegens antisemitisme, had hij gezegd over de joden en de bijbel wat hij vertelde over de moslims en de koran.

In een volgepakte aula aan de universiteit van Tilburg beschuldigde de Duitse filosoof Jürgen Habermas Wilders ervan de publieke opinie te polariseren. 'Provocatie kan gerechtvaardigd zijn wanneer een kwestie niet op een andere manier onder de publieke aandacht kan worden gebracht', zei de filosoof

Op paasdag 23 maart – de koudste Pasen in veertig jaar – werd bekend dat de website waarop Wilders *Fitna* had willen presenteren van het net was gehaald. De Amerikaanse provider Network Solutions zei dat er klachten werden onderzocht.[144]

Een dag tevoren had Wilders zich verdedigd in *de Volkskrant*. Het ging niet over de moslims maar over de islam en de koran. Het ging om een ideologie die de vernietiging zocht van de vrijheid. Hij noemde zijn film een laatste waarschuwing voor het Westen. Enkele uren nadat de website voor nader onderzoek was gesloten, zei de Nederlandse Moslim Omroep (NMO) dat zij de gewraakte film integraal wilden uitzenden op voorwaarde dat Wilders aansluitend de discussie zou aangaan met voor- en tegenstanders. Tweede voorwaarde was dat de film binnen de grenzen van de wet bleef. 'Dit past in de traditie van de omroep om ook islamcritici aan het woord te laten. Hirsi Ali is bij ons te gast geweest, evenals Theo Van Gogh. Geert Wilders hebben we de afgelopen jaren meermalen uitgenodigd maar tevergeefs', zei een programmamaker. De Nederlandse Moslimraad, de zendgemachtigde van de NMO, steunde het initiatief. De voorzitter van de raad zei dat de moslims hiermee een teken gaven van bereidheid tot verzoening en dialoog. De uitzending was een manier om de doelgroep van de omroep te wennen aan de film.

'*No way*', zei Wilders. 'Ik laat hem aan niemand vooraf zien.'

Op 27 maart kon de wereld kennisnemen van zijn meesterwerk. Het was een anticlimax en Wilders zelf sprak al snel van een 'nette film'. Ook de Nederlandse moslimverenigingen vonden het werkstuk minder schokkend dan was aangekondigd. Premier Balkenende was opgelucht. Een Nederlands politicoloog van de universiteit van Antwerpen[145] vond *Fitna* saai en vroeg zich af of de aanhangers van de omstreden politicus de volle vijftien minuten zouden uitzitten. Toch was het geen afgang. Door de mediahype die wekenlang was opgebouwd staken de kranten elkaar de loef af met voorpaginakoppen.

In de journaals van 19 uur werd live verslag uitgebracht over wat er was te zien. Dat bleken in hoofdzaak journaalbeelden te zijn. De film begon met de cartoon van een moslim met een tulband in de vorm van een bom met een brandend lont uit de roemruchte Deense reeks. De lont brandde een tiental seconden terwijl een digitale klok de tijd wegtikte. Toen volgden beelden van het tweede vliegtuig dat zich op 11 september op het WTC stortte met als commentaar een vers uit *al-Anfal*, de achtste soera van de Koran over de oorlogsbuit. *Al-Anfal* was ook de naam die Saddam in 1988 had gegeven aan zijn moordcampagne tegen de Koerden. Vers 60 is een aansporing tot de strijd. De context is de slag bij Badr[146] van Mohammed en zijn volgelingen tegen het leger van Mekka in 624 na Christus, het jaar twee van de islamitische jaartelling. 'Bereid je voor tegen hen met wat je hebt aan wapens en ruiterij, zodat je terreur kan zaaien bij de vijanden van God en uw vijanden en anderen die je niet kent maar die bekend zijn bij God. Wat je verliest op de weg van God, zal volledig worden vergoed en er zal u geen onrecht overkomen.' Wilders gebruikte het eerste deel van het vers en gaf er een vertaling aan die de aansporing tot terreur benadrukte: 'Maak voorbereiding tegen hen met wat gij kunt aan kracht en paardenvolk om daarmee te terroriseren, te terroriseren Allahs vijand en uw vijand.' Die vertaling klonk archaïsch en bediende zich van het Arabische Allah, wat suggereert dat het om een andere, vreemde God ging. Er volgden fragmenten van telefoongesprekken van slachtoffers in de twee torens bij beelden van de paniek op straat en van mensen die naar beneden stortten. Dan kwamen de aanslagen van 11 maart 2004 op het treinstation van Atocha, bij Madrid, gekruid met 'Allah is blij als heidenen worden gedood' en andere ophitsende uitspraken van fanatieke predikanten. Dan volgde vers 56, 'De Vrouwen' uit de vierde soera van de koran. Het beschrijft een foltering van de heidenen. 'De ongelovigen zullen we roosteren en telkens hun huid gebakken is, zullen we die door een andere huid vervangen, zodat ze de straf proeven. Allah is machtig en wijs.' De foltering was bedacht voor de Joden van Medina en dat was de makers van de film niet ontgaan want er volgden staaltjes fanatieke Jodenhaat. Een predikant riep op de Joden te onthoofden, een meisje van drie en half met een hoofddoek noemde Joden apen en zwijnen want 'Allah zegt het in de koran'. Na beelden van de aanslagen van 7 juli 2005 op de metro van Londen liepen over het scherm betogende gesluierde vrouwen met borden als 'God bless Hitler'.

De zaak-Belliraj

RABAT (MAROKKO) - *Op 18 februari, de dag van de Pakis-*

taanse parlementsverkiezingen, rolden de Marokkaanse veiligheidsdiensten een ter-

reurnetwerk op dat ze lang in de gaten hadden gehouden. Bij de 23 arrestanten was

een vijftigjarige zakenman met de dubbele Belgisch-Marokkaanse nationaliteit,

Abdelkader Belliraj. Hij was aangehouden bij een van zijn vele bezoekjes aan zijn

geboorteland. Hij woonde met vrouw en drie kinderen in Evergem, bij Gent, en gold

als de leider van het netwerk. Het aantal aanhoudingen steeg tot 35.

De politie stootte op het grootste clandestien wapenarsenaal dat ooit in Marokko was aangetroffen en de groep had ruime geldmiddelen, onder meer dankzij een overval op 17 april 2000, op een depot van het geld-transportbedrijf Brink's in het Luxemburgse Kehlen. Daarbij was 17,5 miljoen euro buitgemaakt en verdeeld tussen de gangsters en de terreur-groep die samen de overval hadden gepleegd. Het geld werd in Marokko witgewassen met vastgoed, handel en toerisme. Volgens de Marokkanen had Belliraj ook iets te maken met de diamantroof bij het koeriersbedrijf Federal Express op de luchthaven van Zaventem op de avond van 24 november 2005. De groep was een langetermijnproject en volgde een strategie van infiltratie en subversie, zei minister Benmoussa.

Het netwerk had volgens de Marokkaanse onderzoekers banden met vier verboden organisaties en met de legale al-Badil al-Hadari, een poli-tieke partij die zonder veel succes had meegedaan aan de parlements-verkiezingen. Ze werd meteen buiten de wet gesteld. Bij de arrestanten waren er zakenlui, leraren, apothekers, drie politici,[147] een politiecommis-saris en een journalist, Abdelhafid Sriti, de correspondent van *al-Manar*, de zender van de Libanese Hezbollah. Dat gezelschap had volgens de Marokkaanse overheid banden met zowel Hezbollah als met al-Qaeda. Belliraj, de leider, was volgens de Marokkanen in zijn jeugd een doder geweest van de Palestijnse Fatah Revolutionaire Raad van Abu Nidal, ooit de gevaarlijkste terrorist ter wereld.

De heterogene samenstelling van de groep, zijn cynische en parasitaire aard en zijn banden met de onderwereld vertoonden gelijkenis met Nidals Revolutionaire Raad. Het was terrorisme als een vorm van business. De groep was niet uit het niets verschenen. Hij had oude wortels, zo bleek uit de loopbaan van zijn leider. Hij verenigde ogenschijnlijke tegenstellingen als godsdienst en nationalisme, misdaad en religie, soennieten en sjiieten, gestudeerd en ongeletterd en – waarom niet? – al-Qaeda en Hezbollah. Wat hen bond was de gemeenschappelijke vijand en een haat die meteen herkenbaar is voor al wie ze voelt. Enkel als een einde komt aan die haat kan de oorlog tegen het terrorisme worden gewonnen.

Belliraj had in 1981 ayatollah Khomeiny ontmoet en gedineerd met Osama bin Laden en al-Zawahiri, tien dagen voor 9/11. Bijzonder pijnlijk was dat hij in 2000, het jaar dat hij het Belgisch staatsburgerschap kreeg, volgens persberichten een informant was van de Belgische Staatsveiligheid. De Belgische Senaatscommissie Justitie kwam er achter dat hij nog voor een tweede inlichtingendienst werkte. De Marokkaanse overheid zei ook dat de bendeleider een half dozijn onopgeloste moorden had gepleegd in België in 1988 en 1989, de glorietijd van Abu Nidal. Een van zijn slachtoffers was Abdullah al-Ahdal, de rector van de grote moskee van Brussel, en zijn adjunct op 30 maart 1989.[148] Ze hadden de fatwa van Khomeiny tegen Salman Rushdie veroordeeld. Hij had een Syrisch diplomaat vermoord en de voorzitter van het Coördinatiecomité van Joodse Verenigingen in België, de arts Joseph Wybran, op 3 oktober 1989 voor het Erasmusziekenhuis in Brussel. Een van zijn slachtoffers had hij omgebracht omdat hij homo was, een andere omdat hij Joods was.

De Belgische politie was totaal verrast en opende een onderzoek. De Staatsveiligheid was in opspraak. De kersverse minister van Justitie Vandeurzen verklaarde in de Kamercommissie dat hij niet kon zeggen of Belliraj een informant was omdat de wet dat verbood. Hij voegde eraan toe dat de staatsveiligheid geen deals sluit met informanten die misdrijven hebben gepleegd. Dat kon ook betekenen dat de veiligheid niets wist van de moorden.

De Marokkaanse regering zei dat Belliraj en verschillende van zijn volgelingen in 2001 naar Afghanistan waren gereisd voor een opleiding in al-Qaeda kampen. Meer recent hadden ze getraind bij al-Qaeda in de Maghreb en in 2005 waren er pogingen om samen met Hezbollah te trainen.

Rabat zei dat Belliraj in de jaren zeventig onder invloed was gekomen van het radicaal islamisme. Dertig jaar later wilde hij in samenwerking met al-Qaeda een Marokkaanse groep stichten, maar in 1992 al richtte hij een eerste terroristische cel op in Casablanca. De doelwitten van de groep waren hoge officieren, ministers en Marokkaanse Joden.

De ontreddering was groot en er werden pijnlijke vragen gesteld. Wat waren de gevolgen voor de strijd tegen het terrorisme en wat vertelde de affaire over de samenwerking tussen de Europese diensten? Hoe had de Staatsveiligheid zich laten inpalmen, ofschoon de Marokkanen wel wisten wie Belliraj was? Wat had de Staatsveiligheid te danken aan zijn informant en wat had hij nog op zijn kerfstok? Was er een verband met de arrestaties van Trabelsi en Maaroufi in 2001?

Minister Vandeurzen hield de lippen stijf op elkaar. De chef van de Staatsveiligheid sprak van een poging om zijn dienst te beschadigen. Wie weet zelfs zijn eigen persoon. Administrateur-generaal Alain Winants diende klacht in tegen onbekenden wegens het lekken dat Belliraj een informant was geweest. Bij de dienst werd vermoed dat de politie of het gerecht dat hadden gedaan. De dader hing een celstraf van drie jaar boven het hoofd. *De Morgen*, die zich in de zaak had vastgebeten, schreef op 6 maart dat ook de huisbaas van Belliraj voor de Staatsveiligheid had gewerkt. Het betrof een jonge geestelijke die voorzitter was van de Unie van Moskeeën en Islamitische Verenigingen van Oost- en West-Vlaanderen.

Hulp van de Russen

Op 5 maart 2008 zei Robert Simmons, de speciale gezant van de

NAVO voor de Kaukasus en Centraal-Azië, dat Russische hulp werd gezocht voor de

oorlog in Afghanistan. Het was alsof de slang in zijn staart beet.

De Russen konden nuttig zijn bij het transport van materieel voor de NAVO en misschien ook bijdragen tot de uitrusting van het Afghaanse leger. Tenslotte hadden de NAVO en Rusland daar een gemeenschappelijk belang bij.

Simmons zei dat hij daarover ging praten met Moskou. Er werd een verband gelegd met de aanwezigheid van Putin op de NAVO-top die eind april zou plaatsvinden in Boekarest en in het teken zou staan van Afghanistan. Een Russisch staatshoofd op een NAVO-top was nooit eerder vertoond. Rusland begon gesprekken met Kazachstan en Oezbekistan over een landcorridor voor de NAVO.

Vanzelfsprekend zou de NAVO hiervoor een prijs moeten betalen, namelijk het uitstel van lidmaatschap van Oekraïne en Georgië.

Vuurproef voor Ahmadinejad

BAGDAD (IRAK) - *Begin maart werd in Bagdad de rode loper*

uitgerold voor Mahmoud Ahmadinejad, het eerste bezoek van een Iraans leider na

de bloedige oorlog van de jaren tachtig tussen beide landen. De Amerikanen, die

hoge gasten normaal per helikopter overbrachten naar de Groene Zone, keken toe.

Ahmadinejad moest over de dodenweg van de luchthaven naar Bagdad.

Hij was gekomen om 'een nieuwe bladzijde' te schrijven in de betrekkingen, liet zich ontvangen door al wie van enige betekenis was in de Iraakse
regering en besloot zijn tweedaags bezoek met de ondertekening van zeven samenwerkingsakkoorden. Tussendoor deed hij zijn reputatie eer aan
door te voorspellen dat Amerika nog meer problemen wachtten in het
Midden-Oosten, als het Iran bleef beschuldigen van inmenging in Irak.
Premier Maliki bedankte Ahmadinejad voor de hulp bij het beveiligen en
stabiliseren van het land en president Talabani, een oude bekende van
Teheran, zei dat was gepraat over veiligheid, economie, politiek en olie.
   Het bezoek paste in de strategie van Ahmadinejad om een anti-Ame-
rikaans front te vormen met het Venezuela van Chavez, Cuba, Bolivia en
Wit-Rusland en – in naam van de 'islamitische solidariteit' – met de Ara-
bische landen.

Het ging de Iraanse president echter niet op alle terreinen voor de wind.
Op de avond van zijn vertrek uit Bagdad keurde de VN-Veiligheidsraad
een derde reeks strafmaatregelen goed om Iran ertoe te dwingen zijn verrijkingsprogramma te beëindigen. De nieuwe sancties waren een vergelijk tussen de harde maatregelen die het Westen had gewild en de tandem Rusland-China, die zijn handelsbelangen wilde veiligstellen.

Ahmadinejad had bij zijn aantreden beloofd de olie-inkomsten rechtvaar-
diger te verdelen. Die inkomsten stegen spectaculair, maar daar merkte
de bevolking niets van. Integendeel. Het leven werd pijlsnel duurder, de
inflatie klom naar bijna twintig procent en de benzine was op de bon.
Ahmadinejad bleek een man van ijdele beloften.

De president zou waarschijnlijk moeten vaststellen dat zijn aanhang verder afkalfde, een proces dat bij de gemeenteraadsverkiezingen van 2006 was ingezet. Als de ultra's opnieuw veren zouden laten bij de parlementsverkiezingen, dan voorspelde dat weinig goeds voor Ahmadinejads kansen om zich in 2009 te laten verkiezen voor een tweede ambtstermijn. Voor de internationale gemeenschap was vooral dat belangrijk.

Grote veranderingen moesten voor de presidentsverkiezingen niet worden verwacht. Tenzij de onderhuidse spanningen binnen het conservatieve establishment de geestelijke leider Khamenei ertoe zouden bewegen om zijn president te laten vallen. Immers, niet het parlement en niet de president, maar Khamenei hield de teugels in handen. Voor wat de verkiezingen betrof, bleef Khamenei's publieke inbreng beperkt tot de traditionele oproep om massaal te gaan stemmen, om de 'vijanden van het regime' een neus te zetten. Vraag was hoeveel van de 43 miljoen kiesgerechtigden daaraan gehoor zouden geven.

Het staatspersbureau IRNA had voorspeld dat de helft van hen zou opdagen. Om toch zoveel mogelijk mensen naar de stembus te lokken besliste Binnenlandse Zaken om de stembureaus vijf uur langer open te laten. Om het goede voorbeeld te geven was Ahmadinejad vroegtijdig teruggekeerd van de bijeenkomst van de Organisatie van de Islamitische Conferentie in Senegal. De verkiezingscampagne was tam en bedaard geweest en had amper een week geduurd. Affiches waren verboden en de staatsmedia hadden het alleen over de conservatieve kandidaten. Hervormers werden gepest of kregen een proces aan hun broek.

Hoewel anders was beslist, lekten de staatsmedia de dag na de verkiezingen al resultaten. Een van de eerste berichten was dat Ali Larijani, de voormalige nucleaire toponderhandelaar, met een ruime meerderheid was verkozen in Qom. Larijani, die de voorbije zomer ontslagen was als topdiplomaat wegens zijn kritiek op Ahmadinejad, zei dat hij met de president van mening verschilde over stijl maar niet over inhoud. De ex-diplomaat liet zich ook uit over de kans dat Iran zou worden aangevallen door de Verenigde Staten. 'Ik denk niet dat ze hun hand in de bijenkorf zullen steken', zei hij.

De voorlopige uitslagen toonden aan dat de Raad van Hoeders er goed aan had gedaan de hervormers van de kiezerslijsten te weren. Zelfs met een zwaar gehavende kandidatenlijst haalden ze meer zetels binnen dan de veertig die ze totnogtoe hadden. Het zag er ook naar uit dat de pragmatische conservatieven zouden winnen van de radicalen uit het kamp van Ahmadinejad. De opkomst was volgens de Iraanse minister van Binnenlandse Zaken Pourmohammadi zowat zestig procent, hoger dus dan verwacht.

De baard en een mantel van krullen

ISLAMABAD (PAKISTAN) - *Op 15 maart ontplofte een bom in*

een Italiaans restaurant in Islamabad. Het was een bij buitenlanders gekend etablis-

sement. Bij de explosie werden zeven Amerikanen zwaar gewond, bij wie enkele FBI-

agenten. Maar de nieuwe regering had andere prioriteiten dan de oorlog tegen 'de

militanten'. Ze was de gijzelaar van verkiezingsbeloften.

Eerst moest worden afgerekend met Musharraf en met de zaak van de afgezette rechters, kwesties met een hoog gehalte aan persoonlijk ressentiment. Met 'de militanten' zouden de problemen in der minne worden geregeld – uitgerekend op het ogenblik dat Musharraf de vrijere hand had gegeven aan de Amerikanen om met onbemande vliegtuigen toe te slaan tegen doelwitten in de tribale gebieden. Dat was een vergiftigd geschenk voor de aantredende regering. Voor de Pakistanen was de golf van aanslagen een antwoord op die Amerikaanse bombardementen.

De eerste politieke overwinning van Asif Ali Zardari was de verkiezing van Fahmida Mirza tot parlementsvoorzitter. Met een ruime tweederdemeerderheid versloeg ze de kandidaat van Musharrafs partij en werd de eerste vrouwelijke parlementsvoorzitter uit de Pakistaanse geschiedenis. Haar echtgenoot, Zulfikar Mirza, was een goede vriend van Zardari. Zijzelf, een vrouw met krachtige trekken, geleek op Benazir.

Drie dagen later, op paaszaterdag, wees Zardari Yousaf Raza Gillani aan als eerste minister. Hij moest de zetel warm houden, werd gezegd, tot Zardari zelf via een tussentijdse verkiezing parlementslid en premier kon worden.

Nu kon de afrekening met Musharraf beginnen. Gillani kondigde een programma aan met een sterk sociale inslag. Als eerste ambtsdaad tekende hij een besluit waarbij de gevangen rechters werden vrijgelaten, maar hij vroeg hen het protest te staken en alle geschillen toe te vertrouwen aan het parlement. De wegversperringen en barricades bij de residentie van de afgezette opperrechter Iftikar Chaudhry werden verwijderd en voor het eerst sinds zijn afzetting, begin november, verscheen de rechter in het openbaar. Lachend wuifde hij van op zijn balkon in de

Judges Enclave in Islamabad, en bedankte zijn aanhang.

Een dag later, op 25 maart, legde Gillani in de handen van Musharraf de eed af als 23ste regeringsleider van Pakistan. Dat viel samen met het onaangekondigd bezoek van de Amerikaanse onderminister van Buitenlandse Zaken John Negroponte, een man die van de hoed en de rand wist in de geheime diplomatie. Met Negroponte was zijn collega voor Zuid- en Centraal-Azië, Richard Boucher, meegereisd. Hij kwam met de nieuwe en oude leiders overleggen over het terrorisme. Alle belangrijke namen stonden in zijn balboekje en de ambassade organiseerde daar bovenop een receptie voor de nieuwe parlementsleden. Het was Negropontes eerste bezoek aan Pakistan in een half jaar. De anti-Amerikaanse stemming was in die tijd alleen maar toegenomen.

26 maart. Ik krijg een mailtje uit Islamabad van mijn vriend Olivier.

Dag Jef,

Zardari is erin gelukt... na lang schurken en mouwtrekken door Nawaz, die als geen ander op de slang in het paradijs lijkt.

Ik vrees dat dit droog gemolken oord aan nog twee notoire kleptocratieën erbij ten onder zal gaan.

Op het moment is er eigenlijk geen geld meer. Alles zit in het buitenland. Er is een schrijnend tekort aan water, bloem, elektriciteit en de zomer moet nog komen. N gaat zowel bedenkelijke als onhoudbare deals sluiten met de baard en als resultaat daarvan zal P zich als natie aangevallen voelen. De baard gaat groeien, recht evenredig met de nieuwe buitenlandse schulden waar de volgende generaties nog maar eens mee worden opgezadeld. Op het moment dat de zakken zo zwaar gevuld zullen zijn dat de broeken van N en Z tot op hun enkels afzakken, zou je denken dat de naakte waarheid het daglicht zal zien. Dat is zonder de baard gerekend die dan al dat fraais onder een mantel van krullen zal kunnen bedekken.

Nog een fijne dag gewenst,

O

Negroponte had van Islamabad de vraag gekregen om zijn bezoek uit te stellen, maar hij had geïnsisteerd. Hij wilde weten hoe de nieuwe regering de dialoog met 'de militanten' zag en welke garanties er waren dat ze de onderhandelingen niet zouden aangrijpen om zich te herbewapenen en te hergroeperen.

Negroponte en Boucher praatten bijna een vol uur met Nawaz Sharif. Ze vroegen hem meer soepelheid tegenover Musharraf, die tenslotte al jaren een sleutelspeler was in de oorlog tegen de terreur. Nawaz antwoordde dat Musharraf deel was van het probleem, niet van de oplossing. Het Amerikaanse duo ging ook praten met de stamhoofden. Het was een ontmoeting in de mess van de Khyber Rifles, de plaatselijke politiemacht, in Landi Kotal, op enkele kilometers van de Khyber-pas en de Afghaanse grens. De stamhoofden zeiden dat geweld geen oplossing was en dat alleen het traditionele overlegsysteem kon werken. Het stamhoofd van de machtige Afridi benadrukte dat de bevolking van de FATA vredelievend was en het terrorisme wilde uitroeien door overleg. De hoofden waarschuwden voor de noodlottige gevolgen van een rechtstreeks Amerikaans of geallieerd optreden in de FATA en verwezen naar wat de Sovjets was overkomen in de jaren tachtig. 'We willen niet gedicteerd worden door de slecht geïnformeerde bureaucratie in Islamabad over hoe we de zaken hier moeten regelen', zeiden ze. Negroponte beloofde meer Amerikaanse steun voor de economische ontwikkeling, in het bijzonder voor het onderwijs, en verzekerde dat ook Amerika vrede wilde. Negroponte en Boucher gingen dan praten met de nieuwe gouverneur van de NWFP, met de top van de paramilitaire Frontier Corps en met de leider van de nationalistische Awami-partij, die bij de verkiezingen de religieuzen had verpletterd.

Op 1 april legden de 24 ministers van het nieuwe kabinet de eed af. Het telde elf ministers van de PPP, negen van de partij van Nawaz Sharif, een van de JUI van Fazlur Rehman en een onafhankelijke uit de FATA. Uit protest tegen de 'onwettige' president droegen de negen ministers van Nawaz een zwarte armband.

Een maand na het bezoek van Negroponte gaf de nieuwe regering bevel om de slabakkende militaire operaties in de FATA te stoppen en de troepen terug te trekken. Enkele dagen later circuleerde in Zuid-Waziristan een strooibrief waarin Baitullah Mehsud zijn manschappen opdroeg het vuren te staken. Er was geen twijfel over dat er discreet en via tribale tussenpersonen werd onderhandeld met de regering over een akkoord dat voorzag in een gevangenenruil, het staken van 'militante activiteiten' en de terugtrekking van het leger, die intussen al begonnen was. Tehrik-i-Taliban Pakistan, de militie van Baitullah, zei dat ze honderd ambtenaren en militairen vasthield. Ze zouden vrijkomen zodra het akkoord door een jirga zou zijn bezegeld. Washington was er niet gerust in.

Scheiding der Arabische geesten

DAMASCUS (SYRIË) - *De scheiding der Arabische geesten viel*

niet meer te ontkennen. Een aantal staatshoofden weigerde de uitnodiging voor de top

van de Arabische Liga in Damascus. Dat de Libanese regering besliste om haar kat te

sturen lag in de lijn van de verwachtingen, al was het voor het eerst dat een lidstaat de

jaarlijkse bijeenkomst volledig boycotte. De regering-Siniora verweet Syrië de verkie-

zing van een nieuwe president te saboteren.

Syrië had de top in het teken gesteld van de Arabische eenheid, maar die was ver te zoeken. Libanon bleef thuis, net als de staatshoofden van Egypte, Saudi-Arabië, Jordanië en zelfs Jemen. In zijn openingstoespraak ontkende president Assad dat zijn land zich bemoeide met Libanon en verzekerde hij dat Syrië bereid was om mee te werken aan elke 'Arabische en niet-Arabische inspanning' om de Libanese crisis op te lossen op voorwaarde dat ze zou gebaseerd zijn op nationale eensgezindheid.

De tweedaagse conferentie besloot met een Verklaring van Damascus die zwaar de nadruk legde op de soevereiniteit en de veiligheid van de lidstaten, de noodzaak van dialoog en de afwijzing van buitenlandse inmenging.

De Verklaring eindigde met de volgende bedenkingen: 'De toenemende felle aanval op de islam en de anti-islamfenomenen baren grote zorgen, in het bijzonder wanneer we merken dat de vijandigheid stijgt in landen die worden gekenmerkt door verscheidenheid en aanvaarding van de anderen. De scherpe polarisering noodzaakt grotere inspanningen om de kloof te dichten die steeds wijder wordt tussen culturen en beschavingen.'

Tot slot werd gepleit voor een Midden-Oosten zonder massavernietigingswapens, 'vooral kernwapens'. De internationale gemeenschap werd opgeroepen om Israël te dwingen lid te worden van het non-proliferatieverdrag en zijn nucleaire installaties onder toezicht te plaatsen van het Internationaal Atoomagentschap.[149]

Drie weken later zei de Syrische president Bashar al-Assad op een bijeenkomst van de top van de Baathpartij dat bemiddelaars probeerden het vredesgesprek tussen Syrië en Israël vlot te trekken. Twee dagen later onthulde hij tegen *al-Watan*, een krant uit Qatar, dat de Israëlische premier Olmert via de Turkse premier Erdogan had aangeboden om de Golanhoogvlakte terug te geven in ruil voor vrede.

Het was vreemd dat Assads interview geen wereldnieuws werd. Dat zou weldra anders zijn.

Und kein Ende

BEIROET (LIBANON) - *In februari leidde een rel in een ge-*

mengde wijk van Beiroet tot een vuurgevecht tussen sjiieten van Hezbollah en Amal en

soennieten van het beveiligingsbedrijf Secure Plus. Secure Plus was eind 2006 opge-

richt als een burgerwacht van 600 werkloze jongeren, betaald door Saad Hariri.[150]

Anderhalf jaar later was er een geüniformeerde afdeling voor de bewaking van hotels

en handelscentra, en een tweede sectie van duizenden jongeren in burger, die dag en

nacht patrouilleerden voor een maandloon van 300 dollar.

Intussen waren er nog minstens vier andere beveiligingsfirma's opgericht. De minister van Binnenlandse Zaken, een vriend van Hariri, hielp ze legaliseren. Sommige burgerwachten kregen een militaire opleiding in Jordanië.

De oprichting van de soennitische 'beveiligingsfirma's' was een symptoom. De spectaculaire prijsstijging van lichte wapens op de zwarte markt, was dat ook, net als de oefeningen van Hezbollah, Jumblatts druzen en de christelijke Forces Libanaises. De schermutseling tussen jonge soennieten en sjiieten kon het voorspel zijn van een veel grotere confrontatie.

Op 22 april probeerde het Libanese parlement voor de achttiende keer een president te verkiezen. Het was amper nieuws dat ook nu het vereiste quorum niet werd bereikt wegens de onwrikbare standpunten van meerderheid en oppositie. Minder dan de helft van de parlementsleden was komen opdagen. Parlementsvoorzitter Nabih Berri legde zelfs geen datum vast voor een volgende poging.

Op het internet deed al-Qaedatopman Zawahiri die dag een duit in het zakje door de 'Libanese mujahedin' op te roepen tot een offensief tegen de VN-blauwhelmen van UNIFIL.[151] Resolutie 1701, die een einde had gemaakt aan de zomeroorlog van Hezbollah met de Israëli's, was volgens hem onaanvaardbaar. 'Ik vraag de jihadi's om zich klaar te maken voor Palestina en de binnengevallen kruisvaarders te verdrijven, die zeggen vredeshandhavers te zijn. 'Libanon is een islamitisch frontlijnfort.

Het wordt een draaischijf in de komende strijd met de kruisvaarders en de Joden.'

De boodschap was niet vriendelijk voor Hezbollah. Zawahiri nam bijzonder kwalijk dat al-Manar, de zender van Hezbollah, als eerste het gerucht had verspreid dat niet al-Qaeda maar Israël achter de aanslagen van 11 september stak. Hij noemde de zender bij naam en zei dat de Iraanse media meteen op de kar waren gesprongen. Het inhalige Iran, betoogde hij, was medeplichtig aan de Amerikaanse invasies van Afghanistan en Irak. De anti-Iraanse en dus antisjiitische retoriek was een recent verschijnsel bij de top van al-Qaeda. Steeds meer presenteerde de terreurorganisatie zich als de verdediger van het soennitisch belang tegen de sjiitische expansie.

Op 6 mei trad de Libanese krachtmeting in een nieuwe fase. Het kabinet-Siniora eiste de ontmanteling van het militair telecommunicatienetwerk van Hezbollah, dat volgens de regering illegaal was en een bedreiging voor de staatsveiligheid. De veiligheidschef van de internationale luchthaven van Beiroet werd ontslagen wegens vermeende banden met Hezbollah. De man weigerde op te stappen en meteen werden de wegen naar de luchthaven geblokkeerd door gemaskerde militanten van Hezbollah. Het leger deed hetzelfde met de verbindingen tussen het christelijke en islamitische stadsdeel. Hier en daar kwam het tot schermutselingen, schietpartijen en explosies.

Twee dagen later hield Hassan Nasrallah via zijn verboden netwerk een toespraak waarin hij de regeringsbeslissingen een oorlogsverklaring noemde. Hij sprak van een conflict tussen de patriotten en de lakeien van Amerika, waartoe hij de meerderheid rekende. Hij dreigde met geweld tegen de ontwapening van Hezbollah waarvan hij het communicatienetwerk het belangrijkste instrument noemde.

In Beiroet braken gevechten uit tussen Hezbollah en soennitische aanhangers van de regering.

Nog maar eens Moqtada al-Sadr

BAGDAD (IRAK) - *Washington had altijd en vermoedelijk ten onrechte beweerd dat de sjiitische volksmenner Moqtada al-Sadr bevelen kreeg uit Teheran.*

Al maanden woedde een conflict tussen de verschillende sjiitische milities om de controle over het zuiden van Irak. Dat was zo gewelddadig dat de Britten zich in het najaar moesten terugtrekken uit Basra. Eind maart vond de regering-Maliki het nodig om de recalcitrante Moqtada aan te pakken.

Het offensief van de regeringstroepen werd aangekondigd als een actie tegen criminele bendes in Basra maar in werkelijkheid was het een afrekening met Moqtada en zijn machtige militie. De volksmenner was al even verrast als de Amerikanen en vroeg onderhandelingen, maar premier Maliki reageerde met een ultimatum. Op 27 maart eiste hij dat de 60.000 'soldaten' van het Leger van de Mahdi zich binnen de 72 uur zouden overgeven. Ondanks de opschorting van zijn militaire activiteiten, zeven maanden tevoren, beschikte Moqtada nog over een arsenaal van raketwerpers, zware mitrailleurs en kalasjnikovs. Hij aarzelde niet om de regering in de Groene Zone van Bagdad te bestoken met raketten en mortieren.

Maliki had over zijn aanval enkel beraadslaagd met zijn naaste adviseurs. Hij had niet overlegd met het parlement of met andere regeringspartners. Hij wil zich profileren als een 'nationale figuur', maar zijn eigengereid en brutaal optreden versterkte enkel maar de positie van zijn tegenstander. Honderden soldaten en veiligheidsagenten pleegden vaandelvlucht[152] en de Amerikaanse en Britse troepen zagen zich genoodzaakt om in te gaan op de vraag van Maliki naar luchtsteun. Zonder die steun had het Leger van de Mahdi het pleit misschien gewonnen. Op 30 maart gaf Moqtada vanuit de Iraanse heilige stad Qom het bevel om de wapens neer te leggen als het offensief zou stoppen. Er waren intussen zeker zeshonderd doden.

Het succes van Moqtada was zijn appel op de brede sjiitische volksmassa die hem op handen droeg. Meteen na de Amerikaanse invasie had hij zich geprofileerd als een echte Irakees en een nationalist, wars van elke buitenlandse inmenging. Dat ging recht naar het hart van de bevolking, zelfs voorbij de confessionele scheidingslijnen. Hij had destijds hulp aangeboden aan de belegerde soennieten van Falluja. Hij was tegen de splitsing van het land en de vereniging van de negen sjiitische provincies in een federatie met ruime autonomie zoals werd verdedigd door de 'Iraanse' partij van Hakim. Tijdens het schrikbewind van Saddam was zijn vader, een gezaghebbend grootayatollah en opposant, in Irak gebleven en uiteindelijk door de dictator vermoord. Zijn schoonvader was een andere grootayatollah en stichter van de Dawa-partij. Ook hij was immens populair en werd door Saddam gedood. Dat gaf Moqtada een aura waarvan de teruggekeerde bannelingen van de Hoge Raad en Dawa, die de dienst uitmaakten in de regering, alleen konden dromen.

Intussen was nog maar eens de onbetrouwbaarheid gebleken van het leger en de veiligheidsdienst. Op de vijfde verjaardag van de invasie was dat een pijnlijke herinnering aan de beslissing van Paul Bremer om het bestaande leger en politiekorps te ontbinden. De Amerikanen hadden sindsdien pijnlijke lessen gekregen, maar Washington scheen nog steeds te zweven want president Bush verheerlijkte het Irakavontuur als 'een opmerkelijk staaltje van militaire efficiëntie dat nog generaties lang zou worden bestudeerd'.

Ruim vijf miljoen Irakezen, dat is één op vijf, waren de voorbije jaren hun land ontvlucht. Meer dan vierduizend Amerikaanse soldaten en tienduizenden Irakezen waren gedood. Er was onbecijferbare schade toegebracht aan de reputatie van Amerika. Er was geen toekomstplan en elke seconde kostte de oorlog om en bij de 5000 dollar, 300.000 dollar per minuut, 18 miljoen per uur, 411 miljoen per dag... De dollar werd goedkoper met de dag. Thuis sloeg de recessie toe. Mensen verloren hun baan, hun ziekteverzekering en hun huis. De banken wankelden. De dure oorlog had de nationale economie minder gestimuleerd dan als het lieve geld thuisgebleven was. De beloofde goedkope olie was er niet. Integendeel, de prijs op de internationale markt brak het ene record na het andere. Economisten kibbelden of de crisis al dan niet toe te schrijven was aan de oorlog, maar ze waren het erover eens dat het vele geld nuttiger had kunnen worden besteed en vonden het zorgwekkend dat Bush de oorlog betaalde met leningen, onder meer bij de opkomende rivaal China. Al bij al zou de kost voor een gezin van vijf volgens Nobelprijswinnaar economie Joseph Stiglitz uiteindelijk oplopen tot 50.000 dollar. Weinigen vonden het avontuur in Mesopotamië die prijs waard. Zelden was het pessimisme in het Westen en vooral in de Verenigde Staten zo groot. De gebeurtenissen verliepen welhaast stuurloos.

Al-Qaeda verjongt

Er waren tegenstrijdige berichten over hoe het nu gesteld was met al-

Qaeda. Gezien de dikke mist die nog altijd rond de organisatie hing, waren sommigen

gaan twijfelen of ze wel bestond.[153] *Maar tegen eind 2007 was dat een minderheid.*

Een nieuwe theorie maakte furore. Ze verklaarde het moslimterrorisme aan de hand van de bevolkingscurve. In de geschiedenis was het altijd een overschot aan jonge mannen dat problemen veroorzaakte, poneerde de Duitse professor en demograaf Gunnar Heinsohn. Ze vinden geen werk en geen vrouw en worden vatbaar voor manipulatie door politieke agitatoren. Vechten garandeert een inkomen en vooral ook status. De Arabische wereld kende zo'n uitstulping in de bevolkingscurve. Minstens dertig procent van de mannen is er tussen 15 en 29 jaar. Na 2020 zou die bobbel sterk afnemen en de jihad vanzelf verpieteren. Het was een optimistische boodschap, al was het nog lang geen 2020. Heinsohn, die eigenlijk hoogleraar sociale pedagogiek was aan de universiteit van Bremen, kreeg volle pagina's in de kranten en zijn boek[154] werd een hit.

De vermaarde filosoof Peter Sloterdijk applaudisseerde. Het was een opluchting dat de demograaf niet de islam brandmerkte en zelfs niet de jeugd. Tegen *de Volkskrant* zei hij: 'Die jongens zijn geen psychopaten. Ze willen niet worden beschouwd als ordinaire moordenaars. Daarom hebben ze een moreel verheven standpunt nodig dat doden mogelijk maakt. Religie zorgt daarvoor. De tegenstander is de zondaar die voor zijn eigen zielenheil uit de weg geruimd mag worden. Het probleem zit niet in het oude boek, maar in de jongeren die het oude boek afstoffen. Geert Wilders ziet het verkeerd.'[155] De jongeren konden er zelf niet aan doen dat ze in grote aantallen werkloos waren en behept waren met dadendrang. De jeugd is nu eenmaal altijd een revolutionair reservoir.

De boodschap van FBI-directeur Robert Mueller, die zwaar onder vuur had gelegen omdat zijn dienst de aanslagen van 11 september niet had verijdeld, was nog rooskleuriger. Hij dacht dat al-Qaeda kon worden verslagen voor hij met pensioen zou gaan. Mueller was 62 toen hij dat zei voor de Britse thinktank Chatham House. Het was een opmerkelijke uitspraak omdat alle gezaghebbende stemmen in het Verenigd Koninkrijk, de chefs van veiligheids- en inlichtingendiensten en ministers, een strijd verwachtten die een generatie kon duren. Al-Qaeda was een drievoudige dreiging, zei Mueller. De eerste kwam van de harde kern en het leiderschap 'in de tribale gebieden van Pakistan'. Dan waren er de kleine, semi-autonome 'franchises', zoals de cel die de aanslagen van 7 juli in Londen had gepleegd. Ten slotte waren er de 'homegrown extremists' die op eigen houtje radicaliseerden zonder financiële en organisatorische banden met al-Qaeda.

Vraag is of Mueller de dynamiek van het terrorisme, dat dankzij het internet wereldwijd was uitgezaaid, juist inschatte. Voorlopig moest machteloos worden toegezien hoe de communicatietechnologie een efficiënte verspreider was van de oorlogsverklaring aan de moderniteit.

Het is ook onduidelijk of Mueller wel op de hoogte was van recente processen in Pakistan, die al-Qaeda een pint vers bloed hadden gegeven. Zijn prognose stond haaks op de Amerikaanse National Intelligence Estimate van juli 2007 die tot de conclusie kwam dat al-Qaeda had gehergroepeerd en opnieuw kon toeslaan in Amerika. Ook Bush had de organisatie onlangs nog een ernstige bedreiging genoemd.

Omstreeks de tijd dat de FBI-chef sprak in Londen werd in Islamabad een schets gepubliceerd van hoe het terroristische milieu in het afgelopen jaar was geëvolueerd. Het aantal Arabieren bij al-Qaeda was sinds 2001 geslonken van vele honderden tot nog maar 75. Ze waren gedood, aangehouden of gevlucht. Toch was de organisatie dodelijker geworden. Dat kwam door de radicalisering van de FATA. Het militair optreden had de verticale groei van al-Qaeda verhinderd, maar niet de horizontale. Losse Arabische groepen in de tribale gebieden waren in de loop van 2007 gefuseerd met al-Qaeda. De rangen waren ook versterkt met jihadveteranen uit Kasjmir, die niet langer nuttig waren omdat een dooi was ingetreden in de betrekkingen met India. Een van hun ontgoochelde leiders, Maulana Ilyas Kashmiri, had zich met een contingent strijders uit Punjab in Noord-Waziristan gevestigd. Deze vechters, getraind door het Pakistaanse leger en de inlichtingendienst, waren experts in guerrillatechnieken en brachten nieuwe technologie mee, zoals mortieren van amper vijf kilo of geluidsdempers voor kalasjnikovs, spullen die nuttig zijn voor politieke moorden.

De stamhoofden van Khyber hadden van de Amerikanen geld gekregen om de taliban buiten te houden en hadden een ultimatum gesteld aan de radicale Lashkar-i-Islam. De militie, maar ook de vertegenwoordiger van de federale regering, moest hun gebied verlaten. Lashkar weigerde en het kwam tot gevechten met zware wapens. Dat kon de voorbode zijn van een nieuwe cyclus van geweld, deze keer in Khyber dat strategisch van onschatbaar belang was.

Na de Pakistaanse parlementsverkiezingen van februari 2008 hadden de extremisten de overwinnaars wittebroodsweken gegund in de hoop dat de PML-N van Nawaz Sharif een einde zou maken aan de Amerikaanse greep op Islamabad. Het offensief van de kamikazes zou in alle hevigheid worden hervat, mocht ook de nieuwe regering bezwijken voor Washington. De tegenstander was inmiddels een amalgaam van tribale krijgsheren als Baitullah Mehsud, Jallaludin Haqqani en mullah Radio, taliban en Kasjmirveteranen onder leiding van Arabieren en ervaren Punjabi's die het verlies compenseerden van topfiguren bij al-Qaeda.

Het slinkend aantal Arabieren was een regelmatig onderwerp van gesprek bij de extremisten. Ze zagen er een teken in van het einde der tijden. Volgens de Profeet zouden de Arabische stammen verschrompelen tot een minimum. Dat gaf de nieuwe generatie terroristen moed.

Er waren ook heldenverhalen. De laatste Robin Hood was Abu Yahya al-Libi, die zoals zijn naam suggereerde een Libiër was maar geen familie van topterrorist Abu Laith al-Libi, die eind januari door de Amerikanen was uitgeschakeld. Abu Yahya was bij de dood van zijn landgenoot al de ster van vele internetboodschappen. Hij werd zelfs getipt als mogelijke opvolger van bin Laden. Dat had hij vooral te danken aan zijn stoutmoedige ontsnapping met drie celgenoten uit de zwaar bewaakte gevangenis op de luchtmachtbasis van Bagram, bij Kabul, in de nacht van 10 juli 2005. Yahya was voor het eerst in Afghanistan opgedoken begin jaren negentig. Zijn oudere broer was belangrijk in de Libische Islamitische Gevechtsgroep die vrijwilligers had gestuurd om tegen de Sovjets te vechten. Toen Yahya in Afghanistan verscheen was die oorlog afgelopen en hij werd teruggestuurd om de islam te bestuderen in Mauritanië. Twee jaar later dook hij op als predikant van de sharia in de opleidingskampen van al-Qaeda. In 2002 werd hij opgepakt door de Pakistanen, uitgeleverd aan Amerika en opgesloten in Bagram. Geen half jaar na zijn ontsnapping werd hij gerekend tot de top van al-Qaeda. Hij was op 20 november 2005 een van de ondertekenaars van een brief waarin de Iraakse filiaalhouder Zarqawi werd verweten te veel burgers te doden maar hij bleef zijn reputatie van opruiend predikant trouw met minstens een dozijn video's waarin hij gematigde collega's kastijdde die een probleem maakten van zelfmoordaanslagen. Hij werd gezien als een topstrateeg en -propagandist en was de leider van de Libische vrijwilligers in het Pakistaans-Afghaans grensgebied.

De NAVO-top van Boekarest

BOEKAREST (ROEMENIË) - *Op 2 april begon de eerste NAVO-*

top sinds die van 2006 in Riga en weer vond hij plaats in een voormalig communistisch

land. Kurt Volker, de Amerikaanse onderminister voor Eurazië, zette enkele weken te-

voren de toon. 'Europa en de Verenigde Staten vormen een democratisch blok met ge-

meenschappelijke waarden, daarom moeten we samen het hoofd bieden aan de grote

uitdagingen. Wij zijn de pijlers van de wereld, en omdat de dreiging tegenwoordig van

overal kan komen is de discussie over het territorium van de NAVO achterhaald.'

Hij wees op het verschil in de defensiebudgetten tussen Amerika en de
andere lidstaten: 4 procent van het bruto nationaal product (bnp) tegenover hooguit 1,4. In 1995 telde de NAVO 16 lidstaten en was het bondgenootschap nog nooit uitgerukt. In 2006 waren er 26 leden en 31 part-
nerlanden en was de alliantie verwikkeld in zes operaties, waarbij een
gevechtsopdracht in Afghanistan.

Maar een militair welslagen in Afghanistan volstond niet, er was ook
economische ontwikkeling nodig. Alleen was die niet mogelijk zonder
veiligheid. Niemand kon dit betwisten. Het schoentje knelde pas bij de
conclusie van die analyse want die pleitte voor samenwerking met de
Europese Unie, de VN en andere internationale instellingen. Hoe om-
vangrijk het ontwikkelingsprogramma voor Afghanistan was bleek uit
het palmares van zes jaar westerse aanwezigheid: in 2001 was er maar
vijftig kilometer aangelegde weg, nu vierduizend.

Een probleem was er ook met wat Kurt Volker zag als de grote agen-
dapunten van de top in Boekarest: Afghanistan, het lidmaatschap van
Oekraïne en Georgië, het rakettenschild en Kosovo. Voor Moskou, dat
geen lid was van de NAVO maar wel betrokken partij, was alleen Afghanistan bespreekbaar. 'Van wat we in Afghanistan doen hangt de veiligheid
af van onze samenlevingen. Denk maar aan 11 september', zei Volker,
'extremisten proberen dat land te heroveren'.

Interludium met vredesduif Jimmy Carter

JERUZALEM (ISRAËL) - *Het was rond de tijd dat voormalig*

Amerikaans president en vredesduif Jimmy Carter tegen de zin van de regering-Bush

en die van Israël ging praten met de leiding van Hamas en terugkeerde met de

boodschap dat de heersers over Gaza bereid waren om Israël te aanvaarden als

buur, indien de Palestijnen dat bij referendum zouden beslissen.

'Een strategie die Hamas en Syrië uitsluit kan onmogelijk tot vrede leiden,' zei Carter na zeven uur onderhandelen. 'Hamas is voldoende buigzaam om gesprekken de moeite waard te maken.' Hoon was Carters deel in Jeruzalem en Washington, en afwijzing wegens zijn contact met terroristen, die overigens weinig nieuws hadden gezegd.

Het initiatief van Jimmy Carter was een interludium en het werd als een politiek fait divers afgehandeld.

Ruim een jaar leefde de wereld met de vrees dat president Bush op advies van de neoconservatieve lobby het sein zou geven voor een aanval tegen Iran. Israël scheen te hopen dat dit zou gebeuren, maar toen, net voor de Joodse paasvakantie, zei Olmert dat Iran geen kernmogendheid zou worden. Hij sprak van de 'enorme inspanning' die werd geleverd door de internationale gemeenschap, maar gaf geen verdere verklaring voor zijn opmerkelijk geruststellende mededeling. Toch was de hemel nog niet opgeklaard. Op 1 mei zei de Israëlische vicepremier Mofaz dat Teheran zich in de laatste rechte lijn bevond voor de productie van een kernbom. Voor het eind van het jaar kon het zover zijn. Dat was minstens een jaar vroeger dan de somberste Israëlische inschatting.

De admiraal stapt op

WASHINGTON (VS) - *Het nieuws kwam als een donderslag.*

Minder dan een jaar nadat hij chef was geworden van de Amerikaanse troepen in de

Golf en wijde omgeving, kondigde admiraal William 'Fox' Fallon, bevelhebber van

CENTCOM, zijn ontslag aan. Meningsverschillen met de regering-Bush over de

aanpak van Iran, zo bleek al snel. Rivaliteit ook met generaal David Petraeus, die de

leiding had van de Amerikaanse troepen in Irak.

Petraeus was een voormalig professor internationale betrekkingen aan de militaire academie van West Point en de enige generaal die een behoorlijk palmares kon voorleggen na enkele maanden bezetting van Irak. Daarom genoot hij een haast grenzeloos vertrouwen in Washington.

Admiraal Fallon, zijn chef, was uit een ander hout gesneden. Deze voormalige gevechtspiloot, die toen - en door zijn vrienden nog altijd - 'Fox' werd genoemd, was al veertig jaar militair en gold als een uitmuntend strateeg. Eerder was hij de chef van Pacific Command, de troepen in de Stille Zuidzee. Hij werd bevelhebber van CENTCOM, het commando in de Golf, op het ogenblik dat Petraeus dat werd van de troepen in Irak. Volgens Petraeus kon Amerika niet alleen maar in Irak winnen. Daardoor werd in hem een pleitbezorger gezien voor een oorlog tegen Iran.

Ofschoon Fallon in de loop van zijn carrière geregeld een of ander land met enig sabelgekletter in het gareel had gekregen, voelde hij niets voor de oorlogstaal van Washington.

Een bekeerling te Rome

VATICAANSTAD - *Het stormde boven het Sint-Pietersplein, toen de paus zijn paaswensen en de zegen Urbi et Orbi, 'voor de stad en de wereld', uitsprak. Het onweerde heftig en de regen viel in bakken uit de lucht. De pauselijke toespraak werd drastisch ingekort, maar de meest welsprekende gebeurtenis had de nacht tevoren plaatsgevonden. Tijdens de paaswake had paus Benedictus XVI de journalist Magdi Allam gedoopt.*

Magdi Allam, een Egyptenaar van 56, had de islam de rug toegekeerd omdat hij die 'inherent gewelddadig' vond. Rond zijn dertigste was hij in Rome sociologie komen studeren, waarna hij een journalistieke carrière begon bij de communistische *Il Manifesto*, om via de centrumlinkse *La Repubblica* in 2003 te belanden bij die andere Italiaanse topkrant, *Corriere della Sera*, waarvan hij onderdirecteur werd.

Tot voor zijn overstap naar de *Corriere* was Allam een journalist met vooruitstrevende en politiek correcte standpunten, een propagandist van de integratie van moslimmigranten in het Westen en de verenigbaarheid van de islam met de westerse waarden. Toen kwam de ommekeer en ontpopte hij zich tot een vurig verdediger van Israël, een tegenstander van 'land voor vrede' en een vijand van het multiculturalisme. Hij publiceerde in 2007 een politieke autobiografie onder de veelzeggende titel *Viva Israele*. Hij waarschuwde tegen de islamisering van het Westen en vroeg een verbod op de bouw van moskeeën in Italië. Ten slotte vond hij dat Israël alles moest doen om het nucleair programma van Iran en zijn 'nazi-islamitisch regime' een halt toe te roepen. Een jaar voor zijn bekering tot het katholicisme kwam het tot een publieke twist met de gematigde moslimintellectueel van dienst Tariq Ramadan, die door Allam in een open brief werd beschuldigd van leugens en extremisme.

Bij zijn bekering schreef hij in de krant dat de islam onscheidbaar is van extremisme en geweld. Dat deed veel stof opwaaien en Allam, die voortaan als Magdi Cristiano Allam door het leven ging, werd ervan beticht zich te hebben laten dopen uit eigenbelang. Het Vaticaan had een vis in zijn netten, maar zoals wel meer het geval is bij bekeerlingen, was Allam heiliger dan de paus en Rome zag zich genoodzaakt lichtjes afstand van hem te nemen.

Osama bin Laden maakte zich geen illusies over het Vaticaan. Kort voor het geruchtmakende doopsel, op 19 maart, de geboortedag van de Profeet en vijfde verjaardag van de invasie van Irak, was er een nieuwe geluidsopname op het internet waarin bin Laden de Europese Unie bedreigde wegens de publicatie van de Deense cartoons. Ze waren een wapen in de 'nieuwe kruisvaart', waar volgens hem 'de paus van het Vaticaan' een belangrijke rol in speelde.

Paasdag bracht voor de Kerk ook minder goed nieuws. Uit het statistisch jaarboek van het Vaticaan bleek dat de katholieken niet langer de grootste religieuze gemeenschap ter wereld waren. Ze hadden de eerste plaats moeten afstaan aan de moslims. Die waren nu goed voor 19,2 procent van de wereldbevolking of zo'n 1,25 miljard mensen. De katholieken telden nog 1,13 miljard gelovigen, goed voor 17,4 procent. Alle christenen samen vormden volgens de cijfers van het Vaticaan nog een derde van de wereldbevolking of zo'n 2,15 miljard. Dat gaf een comfortabele voorsprong, maar de oude christelijke wereld – Europa en Noord-Amerika – verkeerde in een diepe crisis en landen als België, Nederland en Frankrijk, ooit bastions van het katholicisme, zagen een leegloop van de seminaries en een ineenstorting van het aantal roepingen. Vraag was of dat de weerspiegeling was van een tijdelijke dip of van een duurzamer trend.

Als Osama gelijk had met zijn 'kruisvaart' was demografie niet onbelangrijk. In het Midden-Oosten was de confrontatie tussen de wereldgodsdiensten volop aan de gang en ze verliep slecht voor de christenen die in grote aantallen vertrokken. Vooral in Irak, waar ze zeer oude wortels hadden, waren ze niet meer veilig. Dat was anders dan verwacht. Toen de Amerikanen binnenvielen had een oude missionaris ze toegejuicht als 'de christenen', maar al spoedig werden op christelijke feestdagen aanslagen gepleegd op kerken. De christenen werden collectief als collaborateurs beschouwd van de 'Joden', zoals de Amerikaanse troepen werden genoemd. Zonder dat daar veel aandacht voor was, werd in de Chaldeese diaspora de noodklok geluid en gesproken van vervolging en zelfs genocide.

Een voorlopig hoogtepunt was de kidnapping van de Chaldeese aartsbisschop Paulos Faraj Rahho. De prelaat, een 65-jarige hartpatiënt, werd gekidnapt toen hij op 29 februari 2008 de kathedraal van Mosul verliet. Twaalf dagen later werd zijn lijk aangetroffen in een ondiep graf even buiten de stad. Het nieuws was nog niet koud of er werd een Assyrisch-Orthodox priester vanuit een voorbijrijdende auto doodgeschoten in de relatief veilige wijk Karrada, in Bagdad. Het waren de laatste incidenten in een lange rij.

De kruisvaart die bin Laden zag, was nog lang geen volksopstand. Maar de onverdraagzaamheid in het Midden-Oosten groeide en oude religies, die er hun wortels hadden, waren met uitsterven bedreigd. Een eeuwenoude en rijk geschakeerde biotoop versteende in snel tempo tot een religieuze monocultuur.

De wereld keek onverschillig toe. Het onderscheid tussen soennieten en sjiieten was al moeilijk genoeg om ook nog te moeten weten dat er tussen die twee grote geloofsgroepen talloze kleintjes waren die eeuwenlang de gemeenschappen waarin ze leefden hadden gekleurd, gevoed, bevrucht en geolied.

De perschef spreekt, de pers zwijgt

WASHINGTON (VS) - *'Het ergste en meest beslissende moment*

van mijn carrière was in juli 2005 toen ik ontdekte dat wat ik twee jaar tevoren had

gezegd onwaar was. Ik had onbewust valse informatie doorgegeven. Karl Rove,

Lewis Libby, vicepresident Cheney, de stafchef van het Witte Huis Andrew Card en

de president zelf waren daar verantwoordelijk voor.'

Dat schreef Scott McClellan die twee jaar en negen maanden woordvoerder geweest van Bush in zijn herinneringen aan die periode, *What Happened.*[156] Het boek deed het stof hoog opwaaien, al zei McClellan dat hij nog steeds hield van de president en geloofde in zijn oprechtheid. De leugen die hij had verkocht was dat Rove en Libby niets te maken hadden met de 'ontmaskering' van Valerie Plame als CIA-agente.

McClellan was voor het eerst gaan twijfelen aan Bush toen die zich tijdens zijn eerste campagne in 2000 'niet herinnerde' of hij ooit cocaïne had gesnoven. 'Voor het eerst zag ik Bush zichzelf overtuigen van iets dat waarschijnlijk onwaar was, terwijl hij dat zelf diep vanbinnen ook wist. In de jaren die volgden, toen ik samenwerkte met de president, kwam ik tot de overtuiging dat hij zichzelf soms aanpraat om te geloven wat op dat moment goed uitkomt.' De president leed aan een 'jammerlijke weerstand tegen nadenken' en dat hadden zijn medewerkers 'beter moeten compenseren dan ze deden'.

Het portret werd nog somberder. Bush was 'niet in staat om toe te geven dat hij fout was en niet bereid om in zijn baan te groeien door te leren van zijn fouten. Hij was te koppig om te veranderen en te groeien.' Dat kwam door een gebrek aan zelfvertrouwen, een vrees zwak over te komen door misstappen toe te geven en een onvermogen om terug te komen op een genomen beslissing. Bush verkoos propaganda boven eerlijkheid. Hij verborg de waarheid en manipuleerde de publieke opinie totdat geweld de enig mogelijke optie was. Cheney stuurde de oorlog achter de schermen. Rove zorgde voor een permanente campagnestemming, dat wil zeggen: niets uitleggen, nooit toegeven en niet terugkrabbelen. Bush nam beslissingen met een of twee ogen op de verkiezingskalender en opereerde in een politieke luchtbel. De oorlog tegen Irak was niet nodig geweest.

Dat stond allemaal in het boek en het was niet nieuw. Het was alleen sensationeel omdat de pijnlijke waarheid kwam van iemand uit de Texaanse presidentiële kring. In het voorjaar van 2006, na bijna drie jaar dienst, had hij afscheid genomen als woordvoerder van de president.

McClellan verweet de pers dat ze de regering met fluwelen handschoenen had aangepakt en na 11 september geen kritische vragen meer stelde. Ook dat was een pijnlijke waarheid die de boegbeelden van de Amerikaanse kwaliteitspers trouwens tot publieke verontschuldigingen had gedwongen.

Maar de pers hoort niet graag kritiek. Ze was na een regelrechte collaboratieperiode, van 11 september 2001 tot na de invasie van Irak op 19 maart 2003, zeer geleidelijk ontwaakt. Maar de pijnlijke abdicatie van de media had diepe wortels in de jaren negentig toen de explosie van de nieuwe technologie machtige groepen deed ontstaan van politiek gedreven moguls als Rupert Murdoch en Silvio Berlusconi. Onder hun invloed waren de media zichzelf gaan zien als commerciële ondernemingen. Dat ging langzaam maar zeker ten koste van redactionele onafhankelijkheid en kritische cultuur. De introductie van 'formats' stelde eerder technische dan inhoudelijke eisen aan journalisten. De nieuwe bedrijfscultuur ademde een onvoorwaardelijk geloof in het talent, de schoonheid en de manipuleerbaarheid van de jeugd en een drang tot vernieuwing ter wille van de vernieuwing, zonder vragen over de zin en de gevolgen ervan. Relatieve onschendbaarheid en onafhankelijkheid werden ingeruild voor onverantwoordelijkheid en dogmatisch relativisme.

Het was een proces dat zich voltrok zonder dat aan het publiek werd gevraagd of het dat wel wenste ofschoon het er het grootste slachtoffer van was. In plaats daarvan werd het publiek gepaaid met vertelsels van onder de kerktoren, spelletjes en sterretjes. Geruisloos had zich op vrijwel alle redacties van het Westen een cynische cijferdictatuur geïnstalleerd die het nieuwsaanbod zag als een handelsproduct en het oog voortdurend gericht hield op de schommelingen in kijk-, luister- en oplagecijfers. Een dictatuur omdat het niet geoorloofd was om aan die commerciële logica hardop te twijfelen.

Zo voltrok zich een trage instorting van de kwaliteitsjournalistiek. Uiteindelijk bleek dat de meest eerbiedwaardige media verhalen brachten die soms volledig verzonnen waren. Een obsessie voor de eigen invalshoek leidde van de ene kortstondige hype naar de andere. De nieuwe bril van de Belgische premier of zijn val van de fiets waren even interessant voor de nieuwsprogramma's als de beslissingen die hij trof. Het machteloze publiek voelde zich gemanipuleerd en geloofde steeds minder wat het via de pers vernam. De macht liet zich steeds minder aan de media gelegen. Dat was ernstig omdat het de vraag deed rijzen of democratie kan bestaan zonder waakhond.

Scott McClellan, een Texaan van veertig met een blakende babyface, kon op weinig genade rekenen. Niet bij de media die hij zelf had bedot en nu betichtte van medeplichtigheid, en ook niet in het Witte Huis. Een mokkende man die zijn reputatie probeert te redden met scrupules die hij jarenlang heeft verzwegen, was het wachtwoord dat werd uitgestuurd door Dana Perino, de woordvoerster van de president. Het Witte Huis was 'bedroefd' en 'verward', alsof McClellan ten prooi was gevallen aan een geestesziekte. Of misschien was hij gekaapt door een uitgever die hem iets anders deed vertellen dan wat hij zelf geloofde. 'Dit klinkt niet als McClellan, echt niet', zei Karl Rove.

McClellan schreef niets nieuws toen hij wees op het belang van 11 september voor de uitvoering van klaarliggende neoconservatieve plannen. Hij sprak van een 'filosofie van gedwongen democratie' en 'het geloof dat Irak rijp was om zich te laten bekeren van dictatuur tot een baken van vrijheid door het gebruik van geweld en tegen een minimale kostprijs'.

Het Witte Huis was een oord van geheimen en kamers met gesloten deuren en het was bereid tot wansmakelijke praktijken die leidden tot excessen. Het lekken in opdracht van de president van stukken uit de geheime National Intelligence Estimate (NIE) over Irak in 2002, de niet-gevonden massavernietigingswapens, het openbaar maken van de identiteit van een CIA-agente om af te rekenen met haar man, Joseph Wilson, de diplomaat die het argument van de nucleaire dreiging van Irak had ontzenuwd, de mensonterende behandeling van gevangenen in Abu Ghraib en Guantanamo, de geheime gevangenissen en gevangenentransporten, de willekeur en het machtsmisbruik, het militaire debacle, het nieuwe Vietnam, de vijandigheid van de moslims wegens interventies die uitdraaiden op mislukkingen, de gemanipuleerde idealen van vrijheid en democratie, de peptalk, de leugens, het grote rad dat langzaam maar zeker de rechtstaat vernietigde...

Had Shakespeare ooit kunnen vermoeden dat zo'n drama zich in de werkelijkheid zou voltrekken voor een publiek van miljarden mensen die in stomme verbazing en machteloos toekeken en wachtten op het moment waarop deze bende het paleis zou ontruimen? Voor zover het niet was verdoofd door afstompende reclame en kwisjes op de buis. De president kon in zijn eigen ogen niet liegen omdat hij zichzelf en de wereld voorhield een slecht geheugen te hebben.

CHINEES PORSELEIN EN EEN BOZE TOVENAAR

De toestand aan het presidentieel hof, zoals geschetst door McClellan, was een haast oriëntaals paradijs voor jaknikkers en ijdeltuiten. Zo liet een schrijver van de presidentiële toespraken, David Frum, zich erop voorstaan dat hij het brein was waaruit de onsterfelijke 'As van het Kwaad' was ontsproten. Zijn echtgenote was zo fier dat ze het aan haar vrienden uitbazuinde per mail. Het verhaal klopte niet helemaal. Haar man had wel de 'as van de haat' bedacht maar iemand anders had er 'kwaad' van gemaakt. Die iemand anders was volgens sommigen de chef toespraken-schrijver van het Witte Huis, Michael Gerson, een ijdel man die zich erop beroemde de bedenker te zijn van elk gedenkwaardig woord dat de president ooit had gesproken.

De klerkenstrijd in de schrijfkamer was van een tijdloze herkenbaar-heid. De hoofdschrijver, een evangelisch protestant, verbood zijn onder-geschikten om ontwerpteksten uit te wisselen. Ze mochten van elkaar niet weten dat ze aan hetzelfde werkten, zodat hij, de hoofdschrijver, als geniale componist in het zonnetje bleef staan bij de president. 'Ze zien mijn werk als het fijne Chinese porselein dat ze enkel op tafel zetten bij bijzondere gelegenheden', zei hij op kantoor, waar iedereen de pest aan hem kreeg.

De boze tovenaar in McClellans paleis was de vicepresident, Dick Cheney, de 'magische man' die het beleid bepaalde achter de schermen en geen vingerafdrukken achterliet. Altijd haalde hij zijn slag thuis. Ook hier was het grote nieuws dat McClellan bevestigde wat aandachtige waar-nemers al jaren wisten.

Ik was nog jong, verontschuldigde de woordvoerder zich, en ik had waarschijnlijk mijn mond vroeger moeten opendoen. Hij beloofde om een deel van de royalty's af te staan aan de families van de gesneuvelde en gewonde soldaten.

McClellan verklaarde het verschil tussen zijn oorspronkelijke boek-ontwerp en de uiteindelijke tekst die er lijnrecht tegenover stond, als een Damascus-ervaring. Schrijvend vielen de voormalige perschef de schel-len van de ogen en werd de lofzang een aanklacht. Werd hij daarbij ge-holpen door zijn uitgever? Dat is niet uitgesloten want voor het oor-spronkelijk ontwerp was niemand warmgelopen. Allicht daarom had alleen PublicAffairs er interesse voor, een kleine uitgeverij van een voormalig journalist bij de *Washington Post*. Wij zijn journalisten, zei hij, we waren niet geïnteresseerd in een verdediging van de regering-Bush.

De woordvoerder van de voorzitter van het Huis van Afgevaardig-den[157] herinnerde zich zijn Texaanse collega's in het Witte Huis. Ze ston-den onder aanvoering van Karen Hughes en die liet haar beeld van de media leiden door enkele eenvoudige principes: de pers is links tuig, het Congres is onbelangrijk en dood met de kogel voor wie lekt. Ze kende enkel discipline, discipline en discipline. Tegenover journalisten was de mantra: Bush is groot, het Congres is onbelangrijk en de democraten zijn het kwaad.

Toen McClellan Ari Fleischer opvolgde, drie maanden na de val van Saddam, was al duidelijk dat de oorlog in Irak niet voorbij was en dat de dictator vermoedelijk geen verboden wapens had. De pers begon ongeduldig te worden en wilde iets anders dan de Karen Hughes-formule. McClellan, die niet zo geestig en spits was als Fleischer, kreeg er dagelijks van langs in de media, die zich als eersten door de regering bedrogen voelden.

Hij werd het symbool van de onbekwaamheid van het kabinet, dat hij nu zelf incompetentie verweet. Iedereen in de perszaal wist dat hij loog wanneer hij nog maar over Valerie Plame begon. Hij werd geofferd om die reden en ook wegens de catastrofe die de orkaan Katrina en vervolgens de blunderende regering aanrichtten in New Orleans. Hij was de spreekbuis van de president in de donkerste jaren. Zoals Mike McCurry destijds Clinton redde met eerlijkheid, moed en humor, zo werden de problemen van Bush groter telkens zijn woordvoerder iets zei. Uiteindelijk moesten hij en de andere Texanen plaatsruimen voor figuren die Washington wel kenden, maar McClellan was zowat de laatste van wie een boek als dit was verwacht.[158]

In de jungle van het grensgebied

KUNAR (AFGHANISTAN) - *Eind mei bracht de taliban- en*

al-Qaedaspecialist van de Asia Times *verslag uit van een bezoek aan de Afghaanse*

provincie Kunar. Daar, en in het aangrenzende tribale gebied Bajaur, rommelde het.

Dat bewees de Amerikaanse aanval van 14 mei op Damadola, de derde soortgelijke

aanval op het stadje in Bajaur waar zich volgens hem de top van al-Qaeda, inclusief

bin Laden en Zawahiri, schuilhield.

Bij de aanval met onbemande vliegtuigen waren twee kopstukken van al-Qaeda gedood, maar een derde, Dost Mohammad, was ongedeerd. De zwaargewichten waren naar Damadola gekomen om er een selecte groep talibancommandanten in te wijden in het veilig gebruik van de satelliettelefoon. Sheikh Osman met zijn geamputeerde hand was de adjunct van dr. Junaid al-Jazeri, een topinstructeur en bommenexpert die, ofschoon hij het vermoedelijke brein was achter de operaties van al-Qaeda in de Maghreb en Europa, relatief onbekend was.[159] Algerijnen waren er nauwelijks in de top van de terreurorganisatie. Ze hadden een eigen, bloeiend filiaal in de Maghreb. Zes jaar tevoren was Jazeri in Pakistan opgedoken als een middenkaderfiguur. Hij klom hoger naarmate topmannen wegvielen door arrestatie of dood.

Specialisten wezen op de goede terreinkennis die nodig was voor dit soort precisieaanvallen. Dit was de vierde aanval in 2008 en telkens was het raak. Daar waren spionnen op het terrein en een goede technische kennis voor nodig. Vermoedelijk begonnen de rondgestrooide dollars hun werk te doen. Het reisverslag van de Pakistaanse reporter bevestigde dat.

Anders dan in de zuidelijke opiumprovincie Helmand, controleerden de taliban in Kunar, aan de Afghaanse kant van de grens, geen volledige districten, maar ze waren er veilig. Ze beschikten er over schuilplaatsen en genoten de sympathie van de bevolking. Alle plaatselijke inlichtingendiensten waren ervan overtuigd dat bin Laden en Zawahiri zich in dit gebied ophielden.

De verslaggever was na een steile nachtelijke beklimming van de Nawa-pas Kunar binnengekomen. Zijn gidsen waren magere taliban die huppelden naar de top met de bagage, patronengordels en een kalasjnikov. Eén verkeerde stap en je kon in een diepe ravijn belanden en meer dan eens dacht de reporter aan terugkeren. Hij sliep in een hut die een schuilplaats was van de taliban. De tocht moest 's nachts verlopen omdat in de streek mensen woonden die van de Amerikanen astronomische bedragen kregen voor inlichtingen. Duizend dollar voor een niemendal was heel gewoon. In Kunar kopen ze elke steen om iets van ons te vernemen, zeiden de gidsen. Zijn gastheer was de provinciale woordvoerder van de taliban. Het dorp was helemaal op zijn hand omdat zijn broer, een jonge talibancommandant, zich in 2001 na lang onderhandelen had overgegeven maar enkele dagen later door de Amerikanen was gearresteerd, gefolterd en vermoord teruggestuurd naar zijn dorp. Sinds die dag wees het dorp, een plek van moerbeibomen en opium, elk vredesaanbod af. Soms maakten de Amerikanen jacht op de weinige jongemannen, landarbeiders die in een oogwenk konden veranderen in een gewapende militie, maar ze wisten de dans telkens te ontspringen. Gingen ze zelf in de aanval, dan werden ze op het laatste ogenblik gemobiliseerd en alleen de milities die de aanval uitvoerden wisten waar en wanneer ze zouden toeslaan.

Bij zijn terugkeer was de correspondent getuige van een Amerikaanse actie, beginnend met laagvliegende B52-bommenwerpers. Weldra was de lucht gevuld met geluiden, inclusief die van onbemande vliegtuigen. Dan kwamen de helikopters waarin de mannen zaten die spiedden naar beweging op de grond, klaar om te springen en de omgeving af te grendelen. Toen een vuurgevecht aan de gang bleek overwogen de gidsen een alternatieve route via de jungle, waar de rebellen altijd veilig waren wegens de vele grotten. In een nieuwe schuilplaats bleek dat de taliban vanuit verschillende windstreken een aanval hadden gelanceerd op de Nawa-pas. De langere route door de doornige en gevaarlijke jungle was inderdaad veilig en voerde naar een steile bergwand op de grens met Pakistan.

De uitgeputte reporter arriveerde terug in Bajaur, twee dagen na de aanval op Damadola. Terug op kantoor in Karachi schreef hij een portret van Maulana Ziaur, de talibanleider van Nuristan en Kunar, een geestelijke zonder banden met de ISI maar wel met bin Laden die hij 'over het geloof had onderricht'. Hij was pas vooraan in de dertig en een veteraan van de kampen van de Arabieren. Daar had hij de roeping gekregen om de Amerikanen waar ook te bevechten. Hij was het brein achter verschillende aanvallen op de Amerikanen in Kunar en er stond 350.000 dollar op zijn hoofd. Toen het hem te heet onder de voeten was geworden, vluchtte hij over de grens waar hij in een net liep dat de CIA en ISI voor hem hadden gespannen. Maar Allah was hem genadig want weldra was hij weer vrij als onderdeel van een gevangenenruil tussen Baitullah en de Pakistaanse regering. Bij zijn vrijlating werd hij bevorderd tot topcommandant van de taliban in Kunar en Nuristan, verantwoordelijk voor oorlog en financiën. Een foto was volstrekt geen bezwaar. Hij was uit Kunar afkomstig, had als kind de koran uit het hoofd geleerd en Arabisch gestudeerd aan 'een school die gefinancierd werd door een Arabisch land'. Ongetwijfeld een Saudische school want Kunar was het oudste wahhabitische bruggenhoofd in Afghanistan.

Hij omschreef zijn nieuwe job vooral als een financiële verantwoordelijkheid. Het geld kwam van 'contributies van het volk'. Zijn strategie berustte op de vaststelling dat de val van elk regime in Kabul altijd begon met herrie in zijn gebied. Hij zei dat de NAVO dat ook wist en gaf een opsomming van de vele bases van de 'duizenden' NAVO-soldaten in Kunar en Nuristan. Buiten hun kampen hadden ze geen enkele invloed, zei hij, daar patrouilleerden de taliban openlijk en voerden ze aanvallen uit. Hij noemde Kamdesh in Nuristan het belangrijkste operationele front. De zwakte van de tegenstander was dat die niet kon vechten in de bergen. En er zijn veel en hoge bergen in Kunar en Nuristan. 'De NAVO zegt dat het Nuristan heeft aangevallen wegens bin Laden, alsof bin Laden almachtig is in Nuristan. Ze zeggen dat Zawahiri in Bajaur is en ze vallen aan.' Hij wist dat er geld stond op zijn hoofd, maar niet hoeveel en de slag op de Nawa-pas was goed afgelopen.

De taliban hadden in de gebieden die de reporter bezocht een eigen cultuur geïntroduceerd. De schlagers uit de steden waren vervangen door ijle liederen over de krijger en zijn geweer, zijn baard en lange haren, zijn verwondingen, zijn voorkeur voor het slagveld boven de liefde – ik kocht in Mazar-i-Sharif ooit cassettes met deze hoge, archaïsch klinkende zangen, de enige muziek die de taliban toen duldden.

Tijdens de tocht bleken de verslaggever en zijn Pakistaanse gids, die al acht jaar bij al-Qaeda was, te vermoeden dat bin Laden zich vermoedelijk schuilhield in een uithoek van Nuristan, bij de grens met de noordoostelijke provincie Badakshan. Het verdwijnen van de leider zou een ramp zijn, zei de vrijgeleide. Het moreel zou instorten en in de Golf zou de geldstroom opdrogen die er nu is wegens de sjeik. De jongeman had een verrassend helder inzicht. Hij was tegen een confrontatie met de Pakistaanse regering in de FATA en argumenteerde dat Pakistan de taliban zou steunen naarmate ze meer succes boekten in Afghanistan, zeker als de NAVO daar onder druk bleef. Pakistan was voor hem de enige echte bondgenoot van de taliban. En dan, kort voor het oversteken van de oncontroleerbare grens, ontlokt de bezorgdheid van de reporter om zijn bezittingen deze uitspraak aan een andere gids: 'Wij hebben de wereld achter ons gelaten en de hele wereld liet ons in de steek. Toch dagen we de wereldmachten vrijelijk uit en zonder vrees. Denk je nu echt dat die kleine struikrovers die je geld willen het tegen ons durven opnemen?'

De islam erkent geen grenzen

De regeringswissel in Pakistan, het offensief van en tegen de taliban in

Afghanistan en in de tribale gebieden brachten Osama bin Laden niet af van zijn grote

missie. Op zondagavond 18 mei dook op het internet een geluidsboodschap op waarin

hij de moslims herinnerde aan hun heilige plicht om de Palestijnen van Gaza te helpen

tegen de Israëlische blokkade. Het moment was goed gekozen.

De Amerikaanse president stond op het punt om in het vliegtuig te stappen. Het was zijn tweede en normaal ook laatste toer in de regio. Alleen in het 'thuisland van het uitverkoren volk' had hij de vorige keer applaus gekregen. Bin Laden gaf de Arabische leiders die Bush enkele maanden tevoren hadden ontvangen, ervan langs omdat ze de Palestijnen 'opofferden'. Egypte vocht met Israël en het Westen tegen de islam en er was geen andere manier om Palestina te bevrijden dan met geweld, zei hij. Hij stelde de blokkade van Gaza gelijk aan moord.

Het was de tweede keer in een week dat bin Laden zijn stem verhief. Enkele dagen tevoren had hij de westerse leiders veroordeeld die de zestigste verjaardag vierden van Israël en daarmee bewezen dat ze aan de kant stonden van de 'Joodse bezetting'. Zolang er één moslim op aarde is zullen we geen morzel Palestijnse grond afstaan, had hij toen gedreigd.

Bin Ladens oproep om Gaza te gaan bevrijden was een ordewoord, maar toonde ook de grenzen van zijn macht. De overwinning van de sjiitische Hezbollah in Zuid-Libanon in de zomer van 2006 had nog steeds een bittere nasmaak en de soennitische trots was diep gekrenkt. Dat bleek ook op 1 juni, enkele dagen voor een interreligieuze conferentie, bijeengeroepen door de Saudische koning. In een krachtige boodschap schreven 22 Saudische geestelijken dat de 'zogenaamde Hezbollah' de moslims probeerde te doen geloven dat het tegen de Joden en de Amerikanen was. Het was een onverbloemde oorlogsverklaring aan het adres van de sjiieten. Ze werden beschuldigd van hoog- en dubbelhartigheid, corruptie, het zaaien van tweedracht onder de moslims en het destabiliseren van de staat 'zoals in Jemen', waar de sjiitische Zaydi's in opstand waren. Zowel Saudi-Arabië als de regering in Jemen geloofde dat Iran daar de hand in had.

De positie die de extremisten en hun denkbeelden intussen waren gaan innemen bij de bevolking stemde tot pessimisme. Al wie Pakistan bezocht kwam onder de indruk van de populariteit van bin Laden. Bijna net zo populair was hij in Jordanië. Hij sprak tot de verbeelding. Zijn eenvoudig wereldbeeld sloeg aan. De politieke islam was in opmars. Predikanten waren niet meer weg te branden uit de politieke programma's van al-Jazeera en al-Arabiya. In soms hoog oplopende televisiedebatten werd de toelaatbaarheid besproken van zelfmoordaanslagen. De verdedigers ervan intimideerden hun tegenstanders. In de diaspora affirmeerden de moslims hun identiteit door een modegolf: de hoofddoek.

Toen verhief zich in het verre Deoband, in India, een oude maar gezaghebbende stem die zei dat'onwettig geweld, vredebreuk, bloedvergieten, moord en plundering' onder geen enkele vorm door de islamitische beugel kon. Het was op zich niet zo'n historische uitspraak, als ze niet van een van de rectoren van de Darul Uloom gekomen was, de religieuze hogeschool met een invloed tot diep in Afghanistan. De taliban waren als goede Pathanen Deobandi's, volgelingen van een honderdvijftig jaar oude hervormingsbeweging die een strenge interpretatie voorstaat van de sharia. Duizenden studenten juichten toen maulana Rehman zijn fatwa voorlas: 'De islam is er om alle vormen van terrorisme uit te roeien en een boodschap te verspreiden van wereldvrede.' Hoge geestelijken riepen slogans tegen het terrorisme. Ze vroegen hun volgelingen om er de strijd mee aan te binden.

Ver daar vandaan hield Baitullah Mehsud intussen een persconferentie. Hij kwam aangereden in een nieuwe terreinwagen, omzwermd door bewapende taliban. De boodschap voor de Pakistaanse journalisten was eenvoudig. Hurkend, een nieuwe kalasjnikov tussen de knieën, kondigde hij de voortzetting aan van de strijd tegen de Amerikanen in Afghanistan. 'De islam erkent geen grenzen', zei hij, en: 'met de Amerikanen is geen akkoord mogelijk.'

Die paar woorden in een schooltje in het onherbergzame Waziristan verwekten een nieuwe opstoot van machteloze woede in Washington. 'Mehsud moet worden gepakt en voor de rechter gesleept. Dat is wat moet gebeuren', had John Negroponte een maand tevoren nog gezegd. Het belangrijkste wat Baitullah had willen zeggen was dat hij terug in het spel was en gewoonweg een persconferentie kon houden onder de neus van de westerse militairen.

De Arabische orde zegeviert

BEIROET (LIBANON) - *Korte tijd later liet Hezbollah zien hoe*

de kaarten precies lagen. In de zomeroorlog van 2006 hadden de Israëli's de mobiele

telefoon in Libanon uitgeschakeld, maar dat had Hezbollah niet gehinderd. De partij

had haar voorzorgen genomen en een glasvezelnetwerk aangelegd dat het hoofd-

kwartier in Beiroet verbond met de meest afgelegen posten bij de Israëlische grens en

in de Bekaavallei. Daardoor was de coördinatie van het verzet tegen de Israëlische

invasie feilloos verlopen.

Na de 'goddelijke overwinning' begon Hezbollah met de uitbreiding van dat netwerk over het volledige grondgebied. Een aanslag op de nationale veiligheid, oordeelde de regering, en daarom moest het netwerk, dat alleen een militaire functie had, verdwijnen. Voor Hezbollah was dat een oorlogsverklaring, of zoals Hassan Nasrallah zei: 'Het netwerk is een wapen dat we met de wapens zullen verdedigen.'

DE WEKKER VOOR DE BURGEROORLOG

Nasrallah was nog niet uitgesproken of er werd geschoten en in de volgende nacht vielen minstens elf doden. Saad Hariri, de politieke leider van de soennieten, was geschrokken en stelde voor om de oplossing van de crisis toe te vertrouwen aan legerchef Suleiman. Hezbollah weigerde. In de ochtenduren werden de media van Hariri het zwijgen opgelegd. De kantoren van zijn krant werden in brand gestoken en zijn televisiezender geplunderd. Vrijwel zonder slag of stoot veroverde Hezbollah het islamitische West-Beiroet en verjoeg Hariri's veiligheidskorps. 's Middags paradeerde Hezbollah in uniformen van het Libanees leger in Hamra, het commerciële hart van de stad; vrijwel alle winkels bleven dicht. In het chique Verdun droegen ze politie-uniformen. In Clémanceau belegerden ze de residentie van Walid Jumblatt, die door het leger moest worden ontzet. Ze deelden de lakens uit in soennitische buurten die bolwerken waren van Hariri. Hier en daar werd het portret van Hariri vervangen door dat van zijn vijand, de Syrische president Assad. Het Libanees leger bewoog niet. Het had enkel de regeringsgebouwen en de banken van Hariri beschermd en de scheidingslijn bezet tussen het christelijke oosten en het islamitische westen van de hoofdstad. Iran en Syrië spraken van een binnenlandse aangelegenheid. Qatar trok na overleg met Syrië zijn onderdanen terug; Koeweit volgde dat voorbeeld. Italië trof voorbereidselen. Frankrijk zei dat het dat niet deed. België meende dat er geen gevaar was voor het UNIFIL-contingent in het zuiden. Parijs en Washington zegden hun steun toe aan de regering.

Het 'nationaal verzet' had de wapens gekeerd tegen de natie. De meerderheid sprak van een staatsgreep. Hezbollah kon bij zijn offensief rekenen op steun van Amal, de partij van parlementsvoorzitter Nabih Berri, en op de Syrische Sociaal-Nationale Partij, die aansluiting met Syrië nastreeft. Hezbollahs christelijke bondgenoot Michel Aoun betuigde zijn steun van aan de zijlijn. Daardoor kreeg de sensationele wending een uitgesproken confessionele en politieke kleur. Het was een sjiitisch en pro-Syrisch offensief, planmatig uitgevoerd en met militaire discipline.

Volgens de Libanese en Arabische traditie mocht deze agressie niet onbestraft blijven. Hezbollah had een gemakkelijke zegetocht ondernomen maar had zichzelf een vergiftigd geschenk toegeëigend. Toen iedereen van de verrassing was bekomen, begon het protest. Dat bleef niet beperkt tot machteloze kreten in de internationale hoofdsteden. Daags na het offensief protesteerden de Libanese journalisten op straat tegen de brutale muilkorving van Hariri's media en de agressieve houding van Hezbollah tegenover individuele verslaggevers.

Intussen werd Syrië ongewoon diplomatiek actief. Het beschuldigde VN-gezant Terje Roed Larsen van partijdigheid en miskenning van de Syrische bijdrage tot de veiligheid en stabiliteit van Libanon. Toen, op 8 mei, sprak Assad met de Italiaanse krant *L'espresso* en zei dat hij bereid was om over vrede te praten met Israël, maar het verbreken van de banden met Iran, Hamas en Hezbollah was een onaanvaardbare voorwaarde. 'Hoe zou Israël reageren als wij zouden vragen dat het breekt met Amerika? Onderhandelingen kunnen enkel bij respect voor wederkerigheid. Syrië blijft er vast van overtuigd dat Hamas en Hezbollah geen terreurorganisaties zijn om de eenvoudige reden dat ze geen burgers doden. Ze verdedigen hun land. Voor wat Iran betreft is het antwoord nog eenvoudiger. Het is een van onze oude bondgenoten.' Dat was duidelijk. Voor de tweede keer in korte tijd voerde Assad diplomatie via de internationale media.

Op het terrein, in Libanon, was ook Hezbollah welsprekend, maar misschien iets te nadrukkelijk want binnen de 24 uur na de verovering van West-Beiroet trok de militie zich terug en droeg ze haar stellingen over aan het leger. Amper was dat gebeurd of er braken gevechten uit in de Chouf, tussen de PSP van Jumblatt en zijn rivaal Talal Arslan, een druzenleider die samenspande met Hezbollah en steun kreeg vanuit de Westelijke Bekaavallei. Jumblatt droeg zijn hoofdkwartier in Mukhtara over aan het leger en vroeg aan zijn tegenstander om ermee in te stemmen dat de volledige Chouf onder militaire controle kwam. De Chouf ontleende zijn bekendheid aan de Burgeroorlog toen die de inzet was van een bittere strijd tussen christelijke maronieten en druzen. De verzoening tussen beide gemeenschappen, die eeuwenlang meestal vreedzaam hadden samengeleefd, dateerde van het bezoek van kardinaal Sfeir aan Jumblatt in augustus 2001. De Chouf, op de westelijke flank van de Libanonberg, is het historische hart van het land en een van de laatste gebieden waar nog ceders groeien.

Er braken ook gevechten uit in het noordelijke Tripoli, tweede stad van het land en een soennitisch bolwerk waar het islamisme al in de burgeroorlog wortel had geschoten. Daar liep de spanning op met de sjiitische alawieten. In Beiroet bleef de luchthaven geblokkeerd door Hezbollah. 'Toekomst', de partij van Hariri en Siniora, beschuldigde de oppositie van een jihad tegen Beiroet en van pogingen om de stad te veranderen in een nieuw Bagdad.

De crisis had binnenlandse politieke effecten met mogelijk verstrekkende gevolgen. Nasrallah had in zijn kaarten laten kijken en een eindspel laten zien dat geen enkele soenniet kon bevallen. Soennitische leiders die als compromisfiguren golden, keerden zich nu tegen hem. Het was niet de eerste blunder van de man die door velen werd beschouwd als een politiek en strategisch genie. Nasrallah had de oorlog van 2006 niet zien aankomen en de overwinning dankte hij enkel aan het feit dat de Israëli's nog meer fouten maakten dan hij, zegden sommigen.

Op 13 mei was Future TV van Hariri opnieuw in de ether met de woorden: 'Onze stem tegen uw kogels. Onze beelden tegen uw geweren. Wij zijn de toekomst. Jullie zullen altijd het verleden zijn.' Hariri was danig geschrokken van de sjiitische machtsontplooiing. 'De oorlog tussen sjiieten en soennieten is begonnen', zei hij. 'Ze bezetten Beiroet en hangen portretten op van Bashar al-Assad. Wat zal het volgende zijn?' Hij herhaalde zijn steun aan presidentskandidaat en consensusfiguur generaal Suleiman en aan de bemiddelingspogingen van de Arabische Liga. 'Wij respecteren Iran, maar Iran en Syrië moeten ook ons respecteren. De campagne van Hezbollah is beslist door Syrië en Iran. Wat we hebben gehoord is de wekker voor de burgeroorlog.' Iran zei dat het als enige niet intervenieerde in Libanon.

BELGISCH COMPROMIS IN QATAR

Op 15 mei kwam er op initiatief van de Arabische Liga een akkoord dat een einde maakte aan de confrontatie, maar de soennieten konden de vernedering moeilijk verkroppen. Het offensief van Hezbollah had hun kwetsbaarheid blootgelegd. Zelfs gematigde stemmen vroegen nu wapens.[160] In Tripoli bleef het onrustig tot het leger tussenbeide kwam.

In opdracht van de Liga begon Qatar aan zijn bemiddelingsmissie met een tweedaagse verkenning van het politieke slagveld. De eerste minister van het kleine, steenrijke gasland verkoos de luchtkoeling in de ruime paleizen van het hete Doha boven het stoffige en gevaarlijke Beiroet voor zijn overleg met de Libanese kemphanen. Hij inviteerde veertien van hen naar Qatar en legde verschillende oplossingen voor. Na enkele dagen was er sprake van vooruitgang en op de ochtend van de zesde dag werden de Libanezen wakker met sensationeel nieuws: er was een akkoord!

Generaal Michel Suleiman zou binnen de 24 uur, volgens anderen binnen de 48 uur, volgens nog anderen de komende zondag, worden verkozen tot president. Daarna zou een regering van nationale eenheid worden gevormd, met een blokkeringminderheid voor de oppositie. Er was ook een akkoord over een nieuwe kieswet die van kracht zou zijn voor de parlementsverkiezingen in de lente van 2009. Daarover was nog het langst gebakkeleid. De kwestie was belangrijk omdat de omvang van de kiesdistricten kon beslissen over de uitslag. Het werd een operatie waarbij beide partijen voordeel hadden: de meerderheid in Beiroet, de oppositie in de provincie. Politieke spitstechnologie.

Er vlogen gelukwensen heen en weer. De soennitische moefti feliciteerde Hariri en president Assad feliciteerde de emir van Qatar. Syrië was een van de eerste landen om het akkoord toe te juichen, spoedig gevolgd door Saudi-Arabië, Frankrijk en Iran. Toen Washington wakker werd sprak het van een noodzakelijke en positieve stap. Applaus van alle deelnemers. Mooier kon het niet voor de 'machteloze' en door interne ruzies verscheurde Arabische Liga. En een pluim op de hoed van Qatar dat met grote koppigheid al jaren een behendige neutraliteitspolitiek voerde, waardoor het met iedereen kon praten. Er was een voorbeeld gesteld aan anderen die zich met de regio wilden bemoeien maar minder oog hadden voor de eigenheden ervan. Het was een 'Belgisch compromis' dat het kind niet met het badwater weggooide. Iedereen kon het uitleggen als een overwinning.

In werkelijkheid was het echte probleem – de groeiende sjiitische macht – naar later verschoven, al kreeg Hezbollah het begeerde vetorecht. Dat was pas een overwinning. Het bleek dat de macht, naar het woord van Mao, nog steeds uit de loop van het geweer kwam. Misschien was Nasrallah dus toch niet zo'n belabberd strateeg.

Het akkoord deed de wereld even weer naar Libanon kijken, maar de dag was nog niet halfweg of de Israëlische premier Olmert kaapte de headlines met het bericht dat onrechtstreekse onderhandelingen werden gevoerd met Syrië via Turkije. Dat was een bevestiging van wat president Assad een maand tevoren had gezegd. Meteen werd het bericht door Buitenlandse Zaken in Damascus bevestigd. Het ging om 'ernstige gesprekken' die van beide kanten werden gevoerd 'met een open geest en wederzijds vertrouwen om te komen tot een globale vredesregeling in overeenstemming met de conferentie van 1991 in Madrid'.[161] Met één stem bedankten beide landen Turkije voor zijn hulp en zijn gastvrijheid.[162] Ernstige gesprekken, dat was meer dan het 'voorbereidend werk' waar Olmert het twee weken tevoren nog over had. De Syrische minister van Buitenlandse Zaken Mouallem had de dag tevoren in Bahrein gezegd dat Israël zich zou terugtrekken uit de Golan. Syrië en Israël leefden al zestig jaar, sinds de stichting van de Joodse staat, formeel in staat van oorlog.

Ofschoon de teruggave van de Golan nogal eenvoudig leek was er een probleem. De vraag was immers waar de grens moest liggen. Voor Syrië was dat de grens vóór de oorlog van 1967, voor Israël de 'internationale' grens. Het ging om een paar honderd meter. En om water. De grens van 1967 viel samen met de oostelijke oever van het meer van Galilea, het belangrijkste zoetwaterreservoir van Israël. Ook Syrië kampt met watertekort maar tijdens het recente bezoek van Jimmy Carter aan Damascus had president Assad beloofd om geen water uit het meer af te tappen als hij hulp kreeg voor de bouw van ontziltingsinstallaties en water zou krijgen van Turkije. Anatolië is de watertoren van de regio maar de Turkse stuwmeren op de Eufraat hadden het debiet aanzienlijk doen dalen. Een ervan, de Atatürkdam, de vijfde grootste ter wereld, moest een woestijn, zo groot als de Benelux, omtoveren tot de graanschuur van het Midden-Oosten. De Turkse premier Erdogan was dus niet zomaar een bemiddelaar maar ook betrokken partij.

De basis voor de onderhandelingen was gelegd in februari 2007, bij een bezoek van premier Olmert aan Ankara. Turkije was ervan overtuigd dat vrede tussen Israël en Syrië gemakkelijker was dan vrede met de Palestijnen. Het was beducht voor de groeiende macht van de sjiitische buur Iran en voor het isolement waarin Syrië steeds dieper wegzakte. Het bemiddelde uit eigenbelang en 'ondanks Amerikaanse bezwaren'. Die bleken vooral te komen van Elliott Abrams, adjunct-veiligheidsadviseur voor de Globale Democratie Strategie, een mond vol voor een van de laatste hardcore neoconservatieven in de Amerikaanse regering. Het geheim overleg was een klap in het gezicht maar de VS had geen keuze toen bleek dat Israël het gesprek met Syrië niet wilde afbreken. Amper een week tevoren had Bush in een toespraak voor de Knesset bij de zestigste verjaardag van Israël gewaarschuwd tegen 'onderhandelingen met terroristen en radicalen'. Dat is als met Hitler praten, had hij gezegd. Zijn beste bondgenoot – de natie van Hitlers slachtoffers – dacht daar anders over en vond het beter om wel te praten met de vijand.

Het was misschien geen toeval dat de aankondiging van het akkoord van Doha samenviel met het bericht van de onderhandelingen tussen Syrië en Israël. Hezbollah had in Doha gekregen wat het wilde: een vetorecht als beloning voor het machtsvertoon kort tevoren in Beiroet. Het enige antwoord op de gevaren die daaruit konden voortspruiten was het weghalen van de Syrische schakel tussen de Partij van God en de ayatollahs in Teheran. Sommige tekenen wezen erop dat die schakel niet meer zo stevig was. De moord op Imad Mughniyeh, drie maanden tevoren in Damascus, bijvoorbeeld.

DE VERLOSSENDE DAG

Tweehonderd hoge buitenlandse gasten maakten hun opwachting in Beiroet. Het was een stralende, zonnige dag met temperaturen rond de 25 graden en al in de vroege ochtend was Beiroet versierd met metershoge portretten van het nieuwe staatshoofd en een zee van Libanese vlaggen. In Amshit, de geboorteplaats van Michel Suleiman, veertig kilometer ten noorden van Beiroet, dreven witte en rode ballonnen boven de straten en prijkte de foto van de generaal op elk balkon. Het leger verbood vreugdeschoten. Die leidden weleens tot ongevallen en de laatste tijd mocht bijvoorbeeld geen sjiitisch leider op de buis verschijnen of er werd in de lucht geschoten van vreugde. Overtreders zouden worden vervolgd, dreigde het leger. Op de vooravond van zijn verkiezing nam generaal Suleiman afscheid van zijn troepen. Hij bedankte zijn soldaten en beloofde er als staatshoofd voor te zorgen dat het leger er beter op werd.

Het moest een vertoning worden in drie bedrijven die uren in beslag zou nemen. Eerst de verkiezing van Suleiman, dan zijn eedaflegging, vervolgens zijn eerste toespraak en een rede van de Emir van Qatar. Ten slotte zou de nieuwe kieswet worden goedgekeurd. Omdat dit een beetje te veel hooi was op de feestelijke vork werd de herziening van de kieswet uitgesteld tot de volgende zitting.

De eerste toespraak van Suleiman bevatte de krachtlijnen van de politiek die hij wilde voeren. Hij zei broederlijke betrekkingen te willen met

Syrië maar op basis van wederzijds respect. De Palestijnen mogen blijven, zei hij, zolang ze geen eigen staat hebben. Hij sprak niet over de ontwapening van Hezbollah maar waarschuwde tot twee keer toe dat 'het verzet' zijn wapens niet tegen het volk mocht richten. De verworvenheden van het verzet moesten worden opgenomen in een nationale defensiestrategie. Niet onbelangrijk was zijn steun voor een internationaal tribunaal om de moorden te onderzoeken op oud-premier Hariri en andere Libanese leiders.

Dan nam de Emir het woord. Naast Suleiman was hij de man van de dag. Bij onenigheid moet er een winnaar en een verliezer zijn, zei hij. In dit geval heeft Libanon het gehaald van de onenigheid. De verkiezing van een president noemde hij een eerste stap in de uitvoering van het akkoord van Doha. Het 'verzet' was volgens hem belangrijk twee jaar geleden. Hij besloot dat de 'Arabische orde' had gezegevierd.

Buiten het parlementsgebouw weerklonken vreugdeschoten ondanks de waarschuwing van het leger. In Amchit waar alles werd gevolg op een reuzenscherm, werd gedanst in de straten.

Afscheid van Europa

WASHINGTON (VS) - *Op 9 juni stelde het democratische*

Congreslid Dennis Kucinich voor om president Bush af te zetten. 'Impeachment' kan

volgens de Amerikaanse grondwet bij 'verraad, corruptie en andere zware misdrij-

ven' tijdens de uitoefening van het mandaat.

Kucinich, die behoorde tot de linkervleugel van zijn partij en een bescheiden gooi had gedaan naar de nominatie voor het presidentschap,
had een lijst van 35 'zware misdrijven' opgesteld.[163] Hij begon met de
aanklacht dat in de aanloop tot de invasie van Irak een geheime propa-
gandacampagne was opgezet om op basis van valse voorwendsels de
oorlog te verklaren. Op twee stond de frauduleuze implicatie van Irak
bij de aanslagen van 11 september. Dan volgde de misleiding van volk en
Congres over de massavernietigingswapens van Irak en de bedreiging
voor Amerika. Onvermoeibaar las het parlementslid vier uur lang een
gedetailleerde aanklacht voor:
- het gebruik van 2 miljard dollar om in de zomer van 2002 de invasie
  militair voor te bereiden, zonder het Congres daar in te kennen,
- de overtreding van resolutie 114 waarmee het Congres de president op
  10 oktober 2002 groen licht gaf om oorlog te voeren,
- het binnenvallen van Irak zonder oorlogsverklaring,
- het binnenvallen van een ander land in overtreding van het handvest
  van de VN en het internationaal recht, onder meer enkele protocollen
  van de Conventies van Genève van 1949, die door het Congres zijn
  geratificeerd en daardoor Amerikaanse wetten zijn,
- het niet-adequaat beschermen van de troepen door beschikbaar pant-
  sermateriaal niet te leveren, waardoor de soldaten onnodige risico's
  liepen,
- het vervalsen van de informatie over gewonde of gesneuvelde Amerikaanse soldaten om politieke redenen, waarbij het valse heldenver-
  haal van de redding van Jessica Lynch in de begindagen van de oorlog,
- het vrijmaken van ruim 1 miljard dollar voor de bouw van permanente Amerikaanse bases in Irak door een beslissing van 28 januari
  2008, die een overtreding is van de wet,

- het voeren van een oorlog om de hand te leggen op de natuurlijke rijkdommen van Irak. Vicepresident Cheney dacht daar al aan toen hij nog baas was van Halliburton en hij leidde vóór 11 september al een geheime werkgroep die het op de Iraakse olie gemunt had. Washington hield de pen vast bij het schrijven van een Iraakse wet die het grootste deel van de reserves aan de overheid onttrok en ter beschikking stelde van de oliemaatschappijen.
- het openbaar maken van geheimen (de identiteit van Valerie Plame als CIA-agente) om een klokkenluider (haar man Joseph Wilson) te straffen,
- het verlenen van immuniteit aan misdadige contractanten en huurlingen door de beruchte Verordening 17 van Paul Bremer,
- roekeloze uitgaven en verspilling van belastinggeld. Competitie was er niet en contracten werden toegekend aan bevriende bedrijven zoals Halliburton, dat 7 miljard dollar kreeg voor het herstel van de Iraakse olie-industrie maar morste met het geld en systematisch schaamteloze facturen voorlegde. Een van de managers moest terechtstaan voor het aanrekenen van 5,5 miljard voor een opdracht die maar 685.000 dollar had mogen kosten. Irak werd opgedeeld in wingewesten waarin de contractanten monopolieposities kregen. Ondanks de bodemloze put van de 'wederopbouw' zat Irak twee jaar na de komst van de Amerikanen nog onder het vooroorlogs niveau van olie- en elektriciteitsproductie en was het een eldorado voor enkele maatschappijen die snel en schaamteloos poen schepten,
- het onwettig vasthouden van mensen voor onbepaalde tijd en zonder aanklacht,
- het martelen van gevangenen als officieel beleid, ondanks de logenstraffingen van de president,
- het ontvoeren van mensen en ze vasthouden in geheime gevangenissen in derde landen, waarbij landen die foltering toestaan,
- de arrestatie van minstens 2500 kinderen onder de achttien jaar als 'vijandige strijders'. In Guantanamo was zelfs een kindergevangenis, Camp Iguana. Sommige kinderen bleven tot vijf jaar achter de tralies,
- het misleiden van volk en Congres over het gevaar van Iran en de ondersteuning van terreurorganisaties in dat land om het regime omver te werpen.
- het schrijven van geheime wetten zoals die over de ondervragingstechnieken, het Yoo Memorandum van 14 maart 2003, en een tiental andere geheime beschikkingen,
- het oneigenlijk gebruik van het leger voor het bespieden van (Amerikaanse staats-)burgers en grensbewaking,

- het bespieden van burgers zonder voorafgaande toestemming van de rechter,
- de aanleg van een ongrondwettelijke gegevensbank van telefoon- en e-mailverkeer.

De hoofdmoot van de aanklacht betrof de oorlogen van Bush. Maar ook de rest van zijn beleid was een reden om de president af te zetten, vond het parlementslid. Zaken als

- manipulatie van het electoraal proces, veelal ten koste van zwarte kiezers,
- misleiding van het volk en het Congres om de gezondheidszorg ten gronde te richten,
- nalaten van bescherming van mensen en bezittingen tijdens en na de orkaan Katrina die in 2005 New Orleans verwoestte,
- misleiding van volk en Congres over de klimaatverandering,
- verwaarlozing van herhaalde waarschuwingen voor de aanslagen van 11 september,
- belemmering van het onderzoek naar de aanslagen van 11 september.

In totaal voerde Kucinich 35 gedetailleerde redenen aan om Bush de laan uit te sturen, maar dat zou niet gebeuren. Daar had voorzitster Pelosi van het Huis van Afgevaardigden een stokje voorgestoken bij haar ambtsaanvaarding, eind 2006. De democraten willen geen revanche en *impeachment* staat niet op de agenda, zei ze toen.

LAATSTE REIS
President George W. Bush zat in het vliegtuig onderweg naar Ljubljana voor wat vermoedelijk de laatste reis zou worden naar Europa. Hij was zoals steeds vroeg opgestaan die maandag 9 juni. Om 7 uur 's morgens zei hij aan de trap van het vliegtuig dat er veel te bespreken viel met de Europeanen. Hij scheen geprikkeld omdat de pers hem al omschreef als aangeschoten wild, op weg naar het einde en wilde zijn gewicht zetten onder de grote dossiers, Iran en Afghanistan. Hij was wat ontgoocheld in Angela Merkel en Nicolas Sarkozy die lauwere vrienden waren dan hij had gehoopt. Dat Bush nog kans zag om de problemen met Iran diplomatiek op te lossen, was ongetwijfeld een opluchting voor de Europeanen. Hij zou het voorstel bespreken dat de 5+1 groep, de vijf vaste leden van de VN-Veiligheidsraad + Duitsland, aan Iran zouden gaan doen. De kans op een nieuw militair avontuur werd klein geacht, zodat Iran vermoedelijk een jaar respijt zou krijgen.

De opiniepeilingen zagen er slecht uit. Nog maar 28 procent van de ondervraagde Amerikanen vond dat Bush het goed deed; 68 procent vond hem een slechte president. Hij bevond zich daarmee in de rij van Nixon in 1973 en 1974 en Jimmy Carter bij het eind van zijn presidentschap. Alleen Truman, die Bush als zijn voorloper zag, had het nog slechter gedaan. Het was een magere troost. Onmiddellijk na 11 september stond 90 procent achter hem. Nooit had Gallup een hogere score genoteerd. Ook daarin geleek hij op Truman, die in 1945, toen hij Roosevelt opvolgde, 87 procent haalde.

Over dit soort dingen denkt een afscheidnemend president vermoedelijk na op een dood moment in Air Force One onderweg naar een ander werelddeel. Hij had ook tijd voor een praatje met de verslaggever van *The Times* van zijn vriend Rupert Murdoch. 'Ik geef toe dat mijn retoriek de wereld heeft doen geloven dat Saddam klaar was voor de aanval. Achteraf beschouwd had ik misschien een andere toon kunnen aanslaan. Zinnetjes als *'bring them on'* of *'dead or alive'* zegden dat ik geen man van de vrede was'. Het unilateralisme van zijn eerste ambtstermijn was intussen ingeruild voor een 'hard multilateralisme' en de resterende maanden wilde hij wijden aan een akkoord over een Palestijnse staat. Wat Iran betrof zou de volgende president snel genoeg merken wat werkt en wat niet, zei Bush.

DE PRESIDENT EN DE PAUS

VATICAANSTAD - De audiëntie bij de paus was niet voor iedereen een hoffelijke formaliteit. De president kreeg de uitzonderlijke eer om te worden ontvangen in de Vaticaanse tuinen. Daar stak volgens sommigen in de moslimwereld iets achter. De paus was net als de president een krijger en hij had het gemunt op de bekering van de tientallen miljoenen moslimmigranten in Europa. Daar was de bekering van de Egyptische journalist Magdi Allam een bewijs van. Een ander was dat het Vaticaan op 3 december 2007 een richtlijn had ingetrokken tegen de bekering van andersdenkenden. En er was de expansie van het christendom in China, waar naar verluidt honderd miljoen nieuwe christenen waren.

EEN BOM VOOR DE SPOTPRENTEN...

Op 2 juni was een bom ontploft bij de Deense ambassade in Islamabad. Een zelfmoordaanslag. Er waren minstens acht doden en in een wijde omgeving werden tientallen auto's verwoest. Al-Qaeda eiste de verantwoordelijkheid op en sprak via het internet van een waarschuwing aan het adres van het goddeloze Denemarken dat 'vijandige spotprenten' toestond over de Profeet. De Denen waren ervan overtuigd dat de aanslag lang en zorgvuldig was voorbereid. Na de februarirellen met vijf doden bij het verschijnen van de cartoons, ruim twee jaar tevoren, was de ambassade een tijd dicht en onlangs waren de meeste Deense diplomaten teruggeroepen. Vermoedelijk om dezelfde reden waren de diplomaten in Afghanistan en Algerije overgebracht naar geheime locaties.

Het was de eerste aanslag in Islamabad sinds die op een Italiaans restaurant, bijna drie maanden tevoren waarbij een dode viel en vier FBI-agenten gewond raakten.[164]

HET LAATSTE OFFENSIEF

LONDEN (GROOT-BRITTANNIË) - Op 15 juni arriveerde Bush in Londen, de laatste stop van zijn Europese afscheidstournee. *The Sunday Times* vernam bij de inlichtingendiensten dat de president de klopjacht tegen bin Laden nieuw leven had ingeblazen. Daarbij was de hulp ingeroepen van Britse commando-eenheden voor operaties in de FATA. Samen met de Amerikaanse Delta Force staken ze nu geregeld de grens over tussen Afghanistan en Pakistan. Volgens Britse bronnen was de Pakistaanse regering daarvan perfect op de hoogte. Nu al het andere verloren leek, droomde Bush ervan om zijn presidentschap te kunnen bekronen met de arrestatie of de dood van de hoofdschuldige van de aanslagen van 11 september.

Eind 2007 was een uiterst geheim plan uitgewerkt door het Pentagon voor een campagne van Amerikaanse elite-eenheden in de FATA om bin Laden zelf te pakken of kopstukken van al-Qaeda die naar de topterrorist konden leiden. Dat wees op ongeduld in Washington. Jarenlang had het Witte Huis president Musharraf beschermd en zijn lezing van de toestand in de FATA aanvaard. Musharraf zelf lag niet wakker van de tribale gebieden en verliet zich daarvoor op generaal Aurakzai, de commandant van het Pakistaanse leger in de North-West Frontier Province (NWFP). Aurakzai, zelf uit de tribale gebieden afkomstig, wilde geen confrontatie met de stammen en wimpelde alle waarschuwingen over een hergroepering van de taliban en al-Qaeda weg als overdrijvingen.

Wanneer hij dan toch optrad hoefden de extremisten weinig te vrezen. Op 25 mei 2006 werd de generaal provinciegouverneur van de NWFP. Hij begon meteen te onderhandelen met de taliban en tekende onder meer het roemruchte akkoord van 5 september 2006 met de extremisten van Noord-Waziristan.

Enkele weken later nam Musharraf hem mee naar het Witte Huis om aan Bush uit te leggen waarom bestanden en overeenkomsten de beste politiek waren om de Amerikanen binnen de zeven jaar uit Afghanistan te kunnen terugtrekken. *Wishful thinking*. Enkele maanden na het akkoord van Waziristan was het aantal invallen in Afghanistan vanuit de FATA met 300 procent gestegen. Begin 2007 drong dat door tot in Washington dat gebiologeerd naar Irak was blijven kijken. Het bezoek van vicepresident Cheney en adjunct-chef Kappes van de CIA, eind februari 2007, aan Islamabad, was het eerste teken van een meer agressieve koers tegenover Musharraf.

Rusland na Boekarest

Op de NAVO-top in Boekarest was een akkoord aangekondigd over

het gebruik van het Russisch grondgebied voor de bevoorrading van Afghanistan. Dat

was ingegeven door de groeiende bezorgdheid over de aanvoerlijn via Pakistan die

sinds begin 2008 bedreigd werd door de taliban.

In het weekend van 21 juni 2008 ging de Amerikaans-Russische Werkgroep voor de Terreurbestrijding nog een stap verder met een overeenkomst voor de levering van Russische wapens aan Afghanistan. De problematische toestand in Afghanistan had de Amerikanen ook al doen aankloppen bij China en India met de vraag of ze geen troepen wilden leveren. Een Duitse NAVO-generaal had gezegd dat er minstens zesduizend extra soldaten nodig waren maar de lidstaten bleven erg weigerachtig. Peking was niet afkerig van het sturen van troepen, op voorwaarde dat er daarvoor een mandaat was van de VN.

De Russische hulp betekende niet dat Moskou en Washington nu op dezelfde lijn zaten. Minister Lavrov van Buitenlandse Zaken beklemtoonde dat zijn land zich enkel engageerde voor zover dat in zijn belang was. Moskou bewaarde slechte herinneringen aan Afghanistan en de problemen daar waren enkel een aansporing om de banden aan te halen met de voormalige Sovjetrepublieken die het land in het noorden omringen. De zogenaamde Sjanghai-groep was daartoe het gedroomde instrument. Het probleem was alleen dat China, een lid van de groep, net als de Russen en de Amerikanen toegang zocht tot de energiereserves van Centraal-Azië en dus ook een rivaal was.

Leugens en fraude

WASHINGTON (VS) - *De oorlog zou aan de belastingbetaler*

niets kosten. De hele onderneming zou zelfbedruipend zijn dankzij de olie-inkomsten.

Zo verkocht de regering-Bush de invasie begin 2003 aan het publiek. Het was een van

de vele leugens waar Washington onder zijn voortvarende president het patent op

had. De oorlog kostte intussen 90 miljard dollar per jaar. Dat woog op de schatkist en

op de gezondheid van de dollar. Nog erger was dat er op grote schaal werd gefraudeerd

met de enorme bedragen voor de wederopbouw van Irak. In totaal was 23 miljard

dollar verdwenen in zakken die daar geen recht op hadden. Alle instrumenten van de

financiële misdaad werden gehanteerd. Er werden fortuinen verdiend met de logistiek

van het Amerikaans leger. Het hielp natuurlijk dat de Iraakse regering en adminis-

tratie door en door corrupt waren en in Irak alles cash werd betaald. Het stond, na

Myanmar en Somalië, op nummer drie in de lijst van Transparency International

van meest corrupte staten.

De regering-Bush zweeg daar in alle talen over. Halliburton, het bedrijf waar Dick Cheney voor werkte tot hij vicepresident werd, voerde een lijst aan van zeventig Amerikaanse ondernemingen die zich op een bedenkelijke manier verrijkten. De inspecteur-generaal van Defensie sprak in mei 2008 van onrechtmatige uitbetaling van 8,2 miljard dollar aan contractanten. Toen een van zijn inspecteurs, Charles Smith, uitleg vroeg over een onverklaarbare factuur van 1 miljoen dollar aan KBR, een dochter van Halliburton, werd hij overgeplaatst. Een van de facturen vermeldde 'uitbetaling van salarissen in Irak' voor een bedrag van 320,8 miljoen dollar, zonder verdere details. Sommige facturen spraken van miljoenen dollars voor de levering van niet-genoemde goederen aan niet-genoemde klanten.

Premier Maliki had in de zomer van 2007 een commissie die moest toezien op integer bestuur opgedoekt en elk onderzoek naar corruptie tegen een lid van de regering onderworpen aan zijn uitdrukkelijke toestemming. Meer dan dertig commissieleden waren vermoord nadat ze hun neus hadden gestoken in vieze zaakjes. Maliki zelf had in zes maanden tijd 48 onderzoeken naar corruptie persoonlijk stilgelegd. Iedereen wist dat je in Bagdad 500 dollar moest neertellen om bij de politie te komen en het dubbele om promotie te maken.

In juni 2008, een half jaar voor de Amerikaanse presidentsverkiezingen, werd in Bagdad de laatste hand gelegd aan een verdrag dat de grote oliemaatschappijen zou toestaan om de belangrijkste olievelden van het land te ontginnen. Anders dan gebruikelijk mochten ze niet tegen elkaar opbieden. Er waren 46 gegadigden, waarbij maatschappijen uit China, India en Rusland, maar de contracten werden toegekend aan Exxon-Mobil, Shell, Total en BP. Het ministerie van Olie verantwoordde die beslissing met het argument dat de vier *majors* al twee jaar gratis advies verschaften en de nodige technologie in huis hadden. Ofschoon de contracten in een eerste fase maar een looptijd hadden van twee jaar, waren de winstperspectieven door de exorbitante olieprijs enorm. Voor het eerst in bijna veertig jaar werd de Iraakse olie-industrie geprivatiseerd.

Er restte nog één probleem, vóór de olie eindelijk rijkelijk zou gaan stromen: de veiligheid. Bagdad scheen al een tijdje rustig, maar hoe bedrieglijk die schijn was bleek op 17 juni toen een kleine vrachtwagen met springstof ontplofte op een markt in de sjiitische wijk Kadhimiyah: 46 doden en 80 gewonden.

Scherven met Frankrijk gelijmd?

PARIJS (FRANKRIJK) - *Op 17 juni deelde de Franse minister*

van Buitenlandse Zaken Bernard Kouchner tevreden mee dat de Syrische president

Assad op 13 juli in Parijs aan dezelfde tafel zou zitten als de Israëlische premier

Olmert. Die dag zou de Unie van de Middellandse Zee boven de doopvont gehouden

worden. Tegelijk kwamen er ook bemoedigende geluiden over de geheime onderhande-

lingen tussen Syrië en Israël.

Condoleezza Rice had de nieuwe Libanese president Suleiman een fijne man genoemd, maar was zwijgzaam over zijn dringende vraag naar wapens voor het Libanese leger. Sinds de aftocht van de Syriërs had Washington voor driehonderd miljoen dollar tactische hulp gegeven, maar het weigerde strategische wapens te leveren als geleide raketten, tanks, moderne artillerie of technische snufjes voor de inlichtingendiensten.

Het Amerikaanse voorbehoud was er al lang want de wapens konden weleens worden gebruikt tegen Israël. Dat stond haaks op de belofte om de Libanese staat te versterken, nu was gebleken dat het leger geen partij was voor Hezbollah. Het kon amper de crisis aan in het vluchtelingen-kamp Nahr el-Bared. De Emiraten hadden toen Gazelle-helikopters gele-verd maar de Amerikanen hadden geëist dat eerst alle geavanceerde ra-ketten werden verwijderd zodat de Libanese soldaten tijdens het beleg van het kamp hun bommen met de hand moesten afwerpen met grote en onnodige schade tot gevolg. De Russen waren bereid om Libanon gratis te bevoorraden maar Washington zette Beiroet onder druk om dat aan-bod af te slaan.

'Wanneer de mensen vrij zullen kunnen reizen tussen Syrië, Israël, Palestina, Jordanië en Egypte, komt er een grote verandering. Onze mensen zullen van het leven kunnen genieten zonder kwade dromen van het martelaarschap van hun kinderen. De levensomstandigheden zullen verbeteren en we zullen openstaan voor de internationale gemeenschap. De gevolgen van de vrede zullen een zegen zijn voor de hele regio.' Het was alsof Simon Peres sprak, maar het waren de woorden van de Syrische onderminister van Buitenlandse Zaken Faisal al-Mekdad, de man die zijn land had vertegenwoordigd op de vredesconferentie van Annapolis. Voor Damascus moest Washington mee in het water, al twijfelde het aan de kans dat zoiets mogelijk was onder president Bush. De Syriërs wilden het isolement doorbreken en broodnodige buitenlandse investeerders aantrekken.

Nog altijd hadden de Israëlische onderhandelaars niet gevraagd dat Syrië zou breken met Iran. Toch was er een wig gedreven tussen de twee, alleen al door de publieke aankondiging van de gesprekken met Israël en de Syrische aanwezigheid in Annapolis.

Tegenoffensief in cyberspace

Het internet was al jaren het geliefd propaganda- en rekruterings-

instrument van al-Qaeda. As-Sahab ('De Wolk'), het mediadepartement van al-

Qaeda, verspreidde zijn aanbod – hoofdzakelijk toespraken van de leiders en video's

van zelfmoordaanslagen in Irak, Afghanistan en elders – via een viertal websites.

De sites waren alleen met een paswoord te bezoeken en hadden forums die voorbehouden waren voor leden onder een pseudoniem. Vanaf september verdwenen drie van de vier sites.[165] Dit soort sabotage was illegaal, maar zonder iets toe te geven spraken Britse veiligheidsfunctionarissen van een nieuwe agressieve poging om al-Qaeda van het internet te verbannen.

De uitschakeling van internetforums is niet eenvoudig. Daarom werd de hand vermoed van een grote spionagedienst, al dachten sommigen dat de sites in handen waren gevallen van sjiieten. Een laatste theorie wilde dat al-Qaeda zelf de sites had gesloten omdat ze te veel informatie bezorgden aan de vijand.

De vierde site (al-Hesbah) bleef onverstoord verder werken, maar volgens verschillende specialisten was dat een instrument van de Saudische inlichtingendienst om de jihadi's te volgen en te vangen.

Guantanamo: het proces

WASHINGTON (VS) - *Nauwelijks was het eerste proces begon-*

nen tegen de daders, mededaders en handlangers van de aanslagen van 11 september,

of het Hooggerechtshof kende aan de gevangenen het recht toe om hun zaak aanhangig

te maken bij een gewone rechter.

Op 18 juni begon het tweede proces. Dat was tegen twee jongemannen die in 2002 waren gearresteerd in Afghanistan omdat ze granaten gooiden naar Amerikaanse soldaten. De ene was 15 op het ogenblik van de feiten, de andere 16 of 17. De oudste van de twee was in mei 2004, in een periode van twee weken, 112 keer van cel veranderd. Het 'frequent flyer programma' was een techniek om de gevangenen op te warmen voor ondervraging. Dat was in dit geval niet echt nodig want de jongen had alles al opgebiecht.

Dokters voor de Mensenrechten[166] onderzocht elf voormalige gevangenen van Abu Ghraib en Guantanamo, die naderhand onschuldig bleken. De organisatie sprak van ernstige letsels en mentale stoornissen ten gevolge van marteling en betichtte het militair medisch personeel ervan aan de ondervragers 'bruikbare medische informatie' te verschaffen en geen zorgen te verstrekken. De elf zeiden dat op hen was geürineerd en gespuwd. Ze spraken van isoleercellen, elektroshocks, slagen, seksuele vernederingen, en beroving van voedsel en slaap.

Vrijwel gelijktijdig publiceerde de Senaatscommissie van Defensie de waarschuwingen van militaire juristen tegen de onwettige behandeling van de gevangenen. Ze hadden bot gevangen bij de topjurist van het Pentagon terwijl de president ontkende en bleef ontkennen dat er werd gefolterd. Geheime documenten toonden aan dat het Pentagon en Justitie minstens gedurende een bepaalde periode 'technieken' toestonden als gedwongen naaktheid, isolering, gedwongen wakker blijven en vernedering. Uit het onderzoek van het Congres bleek dat de CIA het Pentagon had geadviseerd bij bedenkelijke ondervragingstechnieken, inclusief *'waterboarding'*, schijnverdrinking.

De CIA was daar vertrouwd mee. Het stond op het programma van de overlevingstechnieken waarmee elitesoldaten werden voorbereid op mogelijke gevangenschap. Dat programma – *Survival, Evasion, Resistance and Escape* (SERE) – had de aandacht getrokken van het Pentagon dat wilde weten welke technieken het doeltreffendst waren.

Tijdens een bijeenkomst in Guantanamo had Jonathan Fredman, een jurist van de geheime dienst, geargumenteerd dat marteling 'in wezen een kwestie van perceptie' was en dat een mogelijk overlijden van de gevangene het gevolg was van een slechte toepassing van de marteltechniek.

Oorlog is een videospel

PARIJS (FRANKRIJK) - *Ze waren de sterren van Eurosatory,*

het salon van de defensie-industrie, begin juni 2008 in Parijs. Onbemande vliegtui-

gen. Ze konden voor vreedzame doeleinden worden gebruikt, maar ze bewezen vooral

hun nut op het slagveld.

Ze zijn minuscuul. De microdrone woog amper 100 gram, de nanodrone stond nog in de steigers. Dat moest een toestelletje worden van 8 gram uitgerust met een navigatie-, communicatie- en geleidingssysteem plus een videocamera. Zo'n negentig landen hadden hun legers al uitgerust met de onbemande vliegtuigjes. De informatie die ze verzamelden kon worden doorgeseind naar hoofdkwartieren op duizenden kilometers afstand. De pioniers waren Israël en de Verenigde Staten. De onbemande vliegtuigjes werden voor het eerst ingezet tijdens de oorlog in Vietnam.

Het meest bekend was de Predator - kostprijs: 10 miljoen dollar per stuk. De Predator B - bijna 11 meter lang, een spanwijdte van 20 meter en een autonomie van 30 uur - kon 14 Hellfire-raketten en twee bommen van 500 kilo meenemen. Het meest gesofistikeerde, grootste en ook duurste (60 miljoen dollar) onbemande vliegtuig was de Global Hawk, een regelrecht observatiestation. Het kon 24 tot 36 uur in de lucht blijven op een hoogte tot 20.000 meter met een actieradius van 3000 kilometer. Boven Irak en Afghanistan hingen permanent 1500 Rovers, ze zijn niet veel groter dan een laptop. De oorlog was een videospelletje waarbij de piloot ver weg en veilig zijn bommen kon droppen. Het doelwit was een stip op een scherm. Het slagveld was van aanschijn veranderd. De wereldmarkt voor de *drones*, zoals de onbemande toestellen heten, was volop in expansie, een markt die voor twee derde in handen was van de Amerikanen.[167]

The press almighty

WASHINGTON (VS) - *De Amerikaanse pers bepaalt niet alleen*

wat aan de orde is in de Verenigde Staten, maar ook in de rest van de westerse wereld.

Ze gaf zich volledig over aan het verkiezingsjaar, de campagne, de voorverkiezingen,

de kandidaten en de binnenlandse thema's. Het slinkend contingent Amerikaanse

journalisten in de oorlogsgebieden raakte steeds meer gefrustreerd. Het was vechten

om aandacht.

Aangezien er verkiezingen aankwamen en het geweld in Irak was verminderd was er amper nog interesse. Halfweg het jaar hadden de drie groten - NBC, CBS en ABC - samen over Irak 181 minuten nieuws gebracht. In 2007 was dat nog 1157 minuten.

Amerika had vrede met de oorlog. Of liever: het was oorlogsmoe, de media hadden niet meer de wil om te investeren in oorlogsnieuws, dat daardoor steeds verder onder controle kwam van de regering in Washington. Zeer aarzelend groeide bij journalisten het inzicht dat ze medeplichtig waren geweest. Katie Couric kwam op haar eigen zender CBS vertellen dat ze onder druk had gestaan van de regering en haar toenmalige werkgever NBC om geen lastige vragen te stellen in de aanloop tot de oorlog. Een van haar collega's, Jessica Yellin, sprak van de 'enorme druk' van de mediadirecties om de oorlog voor te stellen als consistent met de 'patriottische koorts in de natie'.

De klokkenluiders waren enkelingen. Sommige journalisten verweerden zich met het argument dat er een oorlogsstemming was na de aanslagen van 11 september. Anderen zegden dat wel pertinente vragen waren gesteld. Nog anderen vonden dat niet alle media over dezelfde kam mochten worden geschoren.

De directies weigerden commentaar. De grote geldschieters zegden dat ze zich niet bemoeiden met het redactioneel beleid.

Komkommertijd

en de gezondheid van een topterrorist

Men kon er zijn klok op gelijkstellen. Samen met de vakantie-uittocht

doken nieuwe berichten op over de gezondheidstoestand van Osama bin Laden. Op

30 juni publiceerde Time Magazine *speculaties over de levensverwachting van de*

topterrorist.

Het blad baseerde zich op een geheim rapport van de CIA. Op basis van de geneesmiddelen die bin Laden kreeg voor zijn nierziekte kon de Saudi het hooguit nog anderhalf jaar uitzingen. Dat bin Laden een nier-kwaal had was allang bekend. Musharraf had in 2002 gezegd dat de terrorist dialyse kreeg toen hij nog in Afghanistan leefde onder de be-scherming van de taliban. Maar hoe de CIA wist welke geneesmiddelen hij nodig had en of hij ze ook daadwerkelijk nam, was niet duidelijk. *Time* nam een slag om de arm en zei zelf dat dergelijke berichten onbe-trouwbaar waren. Vraag was waarom ze dan werden gepubliceerd. Al-licht omdat de voortvluchtige tot de verbeelding bleef spreken want geen artikel op de website van *Time* werd zoveel gelezen als de speculatie over zijn gezondheidstoestand.

Peter Bergen, die Osama ooit had geïnterviewd, zei dat het er niet toe deed. Bin Laden had aan populariteit ingeboet, voormalige medestan-ders hadden zich tegen hem gekeerd en zijn boodschappen haalden amper nog het nieuws. In mei 2008 waren er twee geluidsboodschappen geweest maar niemand had ze opgemerkt.

De terrorist was hooguit nog een symbool, een icoon, een soort Ro-bin Hood. Maar de jihad was niet gedoofd. Integendeel, een nieuwe ge-neratie trok naar de FATA om zich te bekwamen in de heilige strijd en al-Qaeda bleef verraderlijk en onvoorspelbaar.

Opium, een goudmijn

KABUL (AFGHANISTAN) - *In de loop van 2007 was de*

opiumteelt in Afghanistan met zeventien procent toegenomen. Er was ruim acht-

duizend ton geoogst, het dubbele van de jaarlijkse vraag. Een nieuw record na dat

van 2006. De Afghaanse productie was in twee jaar tijd verdubbeld en voorlopig

verwachtten de Verenigde Naties geen noemenswaardige daling, al kon de oogst van

2008 iets lager liggen.

De opium financierde de oorlog van de taliban die tweehonderd tot vierhonderd miljoen dollar hadden geïnd aan drugsbelasting in 2007. Teelt
en handel hadden ongeveer vier miljard dollar opgebracht en dat was
goed voor de helft van de inkomsten van Afghanistan. Aangezien het
aanbod het dubbele was van de vraag moesten er opslagplaatsen zijn ter
waarde van honderden miljoenen dollar. Die konden in handen zijn van
trafikanten, corrupte Afghaanse ambtenaren of taliban. David Belgrove,
het hoofd van de Britse narcoticabrigade in Afghanistan, twijfelde niet.
Hoe meer we weten van de drugshandel, hoe meer de opstandelingen
in het vizier komen, zei hij. Een groot deel van de wapens en de munitie
kochten de taliban met drugsgeld.

Begin juli 2008 rolde de Zuid-Koreaanse politie een bende op die tonnen
chemicaliën voor de bereiding van heroïne wilde exporteren naar Afghanistan. Een van de negen arrestanten zei dat de lading bestemd was voor
de taliban.

Ook andere drugs bleven een grote bron van inkomsten. Een maand
voor de arrestaties in Zuid-Korea was in de buurt van Kandahar maar
liefst 237 ton hasj ontdekt. Dat was vermoedelijk de grootste drugsvangst
ooit, tenminste wat het gewicht betrof. Ze woog zoveel als dertig Londense dubbeldeksbussen en vertegenwoordigde een waarde van minstens
vierhonderd miljoen dollar. De drugs waren verstopt in een ondergrondse bunker in de buurt van de stad en de luchtmacht werd ingeroepen om
de voorraad met een bombardement te vernietigen.

Wie zat achter de aanslag op Karzai?

WAZIRISTAN (PAKISTAN) - *Op 27 april woonde president*

Karzai in Kabul een militaire parade bij voor de zestiende verjaardag van de over-

winning op de communisten. Plots werd geschoten maar Karzai werd niet geraakt. De

taliban eisten de verantwoordelijkheid op. Twee maanden na de mislukte aanslag zei

de Afghaanse inlichtingendienst dat Pakistan daarbij betrokken was.

We hebben de bewijzen, zei Kabul, en die bestonden uit documenten, een aantal telefoonnummers en de bekentenissen van de zestien verdachten. Ze wezen volgens de Afghanen in de richting van de Pakistaanse inlichtingendienst ISI. Het was de zwaarste aantijging aan het adres van Islamabad in jaren. De inlichtingendienst zei ook dat drie samenzweerders contacten hadden in Miranshah, in Noord-Waziristan en suggereerde dat het ging om de krijgsheer Jalaluddin Haqqani die daar hoofdkwartier hield. Islamabad liet het nieuws even bezinken en sprak dan van leugens die weinig goed deden aan de oorlog tegen het terrorisme.

Op 30 juli 2008 stond Sirajuddin, de ambitieuze oudste zoon van Jalaluddin Haqqani, een interview toe aan NBC, zijn eerste met een Amerikaans medium. Vanuit zijn schuilplaats in Khost, aan de Afghaanse kant van de grens met Noord-Waziristan, gaf hij toe de organisator te zijn van de aanslag van 14 januari op de Serena, het enige vijfsterrenhotel in Kabul, waarbij zes doden vielen en die van april op president Karzai. 'Ik had de hulp van een Afghaans generaal. Sommige mensen in de regering steunen ons omdat ze bezorgd zijn over hun eigen veiligheid. Ze lichten ons in over de bewegingen van de Amerikanen en de NAVO.'

De NAVO had er meer dan eens over geklaagd dat de Pakistanen geen strobreed in de weg legden van het Haqqani-netwerk en andere talibanmilities die naar believen de grens overstaken. Om verraad te voorkomen brachten de Amerikanen Islamabad pas op de hoogte van een bombardement op een of ander terroristisch doelwit in de FATA nadat het was uitgevoerd.

De oude Jalaluddin, vermoedelijk al een stuk in de zestig, was ooit de gastheer van het Amerikaanse Congreslid Charlie Wilson, het brein achter de CIA-steun aan de mujahedin tegen de Sovjets. Hij was toen een van de meest legendarische commandanten en een troetelkind van Washington. Weldra telde hij onder zijn gasten ook Osama bin Laden, die een goede vriend werd en zijn eerste kamp, het Leeuwennest, bouwde in het gebied van de Haqqani's. Jalaluddin was ondanks zijn gevorderde leeftijd nog steeds een briljant tacticus en strateeg en vermoedelijk de naaste adviseur van mullah Omar, de voortvluchtige leider van de taliban. In zijn gebied, aan weerszijden van de grens, was er een netwerk van radicale koranscholen. Het dagelijks werk liet hij over aan zijn veelbelovende zoon Sirajuddin, een dertiger op wiens hoofd 200.000 dollar was gezet en die door de NAVO werd beschouwd als een van de gevaarlijkste commandanten in Afghanistan.

De Haqqani's behoren tot de Zadran, een stam van wie het gebied zich uitstrekt over Noord-Waziristan en Khost, aan de overkant van de grens. Sirajuddin vertegenwoordigde een nieuwe generatie. Hij woonde in Dande Darpa Khel, een dorp vlakbij Miramshah, de hoofdplaats van Noord-Waziristan, en was telkens kunnen ontkomen bij pogingen om hem te vangen. Net als zijn vader, was hij een beschermer van al-Qaeda en de 'vreemdelingen' in de FATA. Hij was zo mogelijk nog machtiger dan zijn vader en zelfs een concurrent van mullah Omar voor het leiderschap van de taliban.

De Haqqani's waren gezworen vijanden van de regering in Kabul en van hun oude vriend, de Verenigde Staten, maar ze stonden weigerachtig tegenover een conflict met Islamabad. Dat was in de lijn van de top van de taliban. Ze stonden de vreemdelingen toe om in hun gebied opleidingskampen te bouwen, wat hen verzekerde van de steun van al-Qaeda en van geld uit de rijke Golfstaten. Geld kwam er ook van de controle op de drugssmokkel.

De oude Haqqani cultiveerde zijn contacten uit de jaren tachtig met het Pakistaanse leger en de inlichtingendienst ISI zodat hij kon blijven rekenen op bescherming. Na de val van het talibanregime werd hij wegens zijn relatieve onafhankelijkheid benaderd door de Verenigde Staten en Pakistan om eerste minister te worden onder Karzai, maar hij weigerde. Zijn zoon zag de zaken nog groter en breidde de actieradius van het netwerk uit tot Noord-, Centraal- en Zuid-Afghanistan. In Pakistan waren de Haqqani's relatief veilig door een stilzwijgende overeenkomst dat de Amerikaanse Predators enkel 'buitenlanders' en geen Pakistanen of Afghanen zouden aanvallen.[168]

Op 13 juli voerden de Amerikanen in een nieuwe militaire post op de grens van Kunar en Nuristan een van hun zwaarste grondgevechten. Tegen de aanval van de taliban met lichte wapens die de huizen van het dorp gebruikten als dekking, waren luchtbombardementen en artillerie nodig om ze te verdrijven. Negen soldaten sneuvelden en vijftien werden gewond. Het was de zoveelste aanval op een garnizoen in de jungle van het oosten.

Op 7 juli ramde een kamikaze met een vrachtwagen vol springstof de poort van de Indiase ambassade in een van de best beveiligde wijken van Kabul. Er waren 41 doden en 141 gewonden. Bij de slachtoffers was de militaire attaché, een diplomaat en tientallen mensen die stonden aan te schuiven voor een visum. Het was de zwaarste aanslag in Kabul sinds de omverwerping van de taliban. Binnenlandse Zaken geloofde dat een geheime dienst uit de regio betrokken was. Iedereen wist dat de ISI werd bedoeld.

India is een belangrijke speler in Afghanistan. Het had de Noordelijke Alliantie gesteund tegen de taliban en was nu de vijfde donor van het land, betrokken bij grote infrastructuurwerken, hulp- en opleidingsprojecten. Het had consulaten in de provincie. Indiase projecten en arbeiders waren geregeld doelwit van geweld. De aanslag op de ambassade was koren op de molen van voorstanders van een Indiase militaire aanwezigheid in Afghanistan.

Democratie is de beste wraak

ISLAMABAD (PAKISTAN) - *Maandenlang hadden de rege-*

ringspartijen overlegd hoe ze president Musharraf zouden aanpakken. Moesten de

rechters eerst in hun oude functies worden hersteld of kon dat wachten tot na het vertrek

van Musharraf? En hoe moest de president tot ontslag worden gedwongen?

Na eindeloze palavers was op 7 augustus de kogel door de kerk en besliste de regeringscoalitie om een afzettingsprocedure te beginnen. Geen tien dagen later had ze een waslijst van aanklachten over schendingen van de grondwet en wanbeleid. Het was duidelijk dat de Amerikanen hun voormalige vertrouweling niet door dik en dun zouden steunen, zodat Musharrafs grootste vrees bewaarheid werd. Ook binnen de koningspartij was de afvalligheid groot. Achter de schermen werd alleen nog gezocht naar een fatsoenlijke uitweg.

Toen hij op 18 augustus, kort na de middag, op televisie verscheen, enkele uren voor het parlement een eerste zitting zou houden over zijn afzetting, leek het er lange tijd op dat hij kwam zeggen dat hij bleef. Maar toen sprak hij van de blijvende schade die een afzettingsprocedure zou toebrengen aan zijn betrekkingen met de regering. Daarom had hij, na overleg met zijn raadgevers, beslist om op te stappen. Hij vroeg dat het volk zou oordelen en besloot met de woorden: 'Ik ben een mens en kan dus dwaasheden hebben begaan.'

Bilawal, de zoon van Benazir Bhutto, was een van de eersten om te reageren. Hij was net geland in Karachi en herhaalde tegen een plaatselijk televisiestation wat hij had gezegd na de moord op zijn moeder: 'Democratie is de beste wraak.' Bilawal vond dat nu iemand van zijn partij president moest worden, alleen wist hij niet wie.

Het ontslag van de president riep tal van vragen op. Hoe zouden de coalitiepartners, voormalige rivalen, voortaan met elkaar omgaan? Het verzet tegen Musharraf was immers wat hen had verenigd.

Mooie vooruitzichten en donkere wolken

BEIROET (LIBANON) - *Libanon bleef onrustig. Vooral in en rond Tripoli liepen de spanningen op en waren er aanslagen, politieke moorden en gevechten tussen sjiieten en soennieten, maar uiteindelijk kwam het op 8 september tot een memorandum waarbij de leiders van Tripoli beslisten te gaan praten onder auspiciën van de regering. De getroffenen van het geweld moesten een onderkomen krijgen en het leger werd uitgenodigd om de veiligheid in de stad te waarborgen.*[169]

Op 25 september begonnen alle politieke slogans, vlaggen en affiches uit het straatbeeld van Beiroet te verdwijnen ten gevolge van een akkoord tussen Hariri en Berri. Na de hoofdstad zou ook de rest van het land van ostentatieve politieke propaganda worden verlost. Vooral Hezbollah was goed in straatversiering. Na drie dagen herinnerde alleen de aanwezigheid van het leger in veel wijken van Beiroet nog aan de politieke koorts. Hariri had ook een 'historisch' gesprek met een delegatie van Hezbollah. Maar er was geen sprake van vergeving. De geschiedenis zou oordelen over wat Beiroet was overkomen.

Een paar dagen later, in de drukke ochtendspits, ontplofte aan de zuidelijke rand van Tripoli een bomauto op het ogenblik dat een bus vertrok met 24 soldaten. Er waren minstens vijf doden en dertig gewonden, achttien van hen militairen. Een maand tevoren, op 13 augustus, was er een vergelijkbare aanslag geweest. Toen was een brieventas ontploft vlakbij een bus met soldaten aan een halte in Tripoli. Die explosie kostte aan vijftien mensen het leven, bij hen negen soldaten. Die aanslag, de dodelijkste in drie jaar in Libanon, had het nieuws overschaduwd dat Syrië en Libanon voor het eerst diplomatieke betrekkingen zouden aanknopen.

De aanslag van eind september leek het conflict in een hogere versnelling te brengen. Twee dagen tevoren was immers een autobom ontploft iets ten zuiden van Damascus op de weg naar de luchthaven. Er waren zeventien doden en veertien gewonden. Over het doelwit was geen duidelijkheid. Het was sinds de geweldcampagne van de Moslimbroeders, begin jaren tachtig, geleden dat nog zo'n geweld was gepleegd in Syrië. Alle slachtoffers waren burgers. De vermoedelijk antisjiitische motieven deden zoeken in de richting van soennitische extremisten. Het Syrische persbureau sprak na enkele dagen van een zelfmoordaanslag en zei dat de bomauto een dag tevoren was binnengebracht 'vanuit een Arabisch buurland', Libanon, Jordanië of Irak dus. President Bashar al-Assad zei dat het noorden van Libanon een basis van extremisme was geworden en een bedreiging voor zijn land. Waarschijnlijk was de aanslag het werk van veteranen die in Irak hadden gevochten en zich hergroepeerden in en rond Tripoli.

Ten slotte was er ook de moord, in augustus, op de Syrische generaal Mohammed Suleiman, de verbindingsofficier van Assad met Hezbollah. Suleiman, een naaste medewerker van de president, maakte op 2 augustus 2008 een wandelingetje langs de Middellandse Zee in Tartus toen hij door een sluipschutter werd gedood. De schutter verdween met een boot. Een mysterie waarin al snel de hand van de Israëlische Mossad werd gezien. Het was bijna een jaar geleden dat de Israëli's de plutonium-reactor van al-Kibar, vlakbij Deir ez-Zohr, hadden gebombardeerd. De generaal was lid van de Syrische onderzoekscommissie voor de raketbouw en massavernietigingswapens, inclusief het atoomprogramma. De Amerikaanse diensten vermoedden dat hij een rol had gespeeld bij de transfer van Saddams chemische wapens naar Syrië, net voor de invasie van maart 2003. Volgens de Libanezen wist hij alles van de moord op Hariri. De Syrische oppositie zag in de moord op een man die zo dicht bij de president stond, het bewijs dat het rommelde aan de top.

Er kwamen Syrische 'troepenconcentraties' bij de Libanese grens 'om de smokkel tegen te gaan' van en naar Tripoli. Volgens sommigen was dat niet zomaar een excuus. De brandstof was in Syrië zwaar gesubsidieerd en de helft goedkoper dan in Libanon. De schatkist leed zware verliezen door de lucratieve smokkel. De troepen bij de grens hadden dus niets te maken met mogelijke invasieplannen, zoals sommigen in Libanon vreesden.

Op 26 september had de Amerikaanse minister van Buitenlandse Zaken Rice een gesprek met haar Syrische collega Muallem. Het was bijna een jaar geleden dat ze elkaar nog hadden gezien. Het ging onder meer over Libanon en over de geheime onderhandelingen met Israël. Natuurlijk willen we een rol spelen, zei Rice, maar onze voorkeur gaat naar het vredesoverleg van Israël met de Palestijnen. Dat dossier was volgens haar rijper. Rice vond ook dat het de goede kant uitging in het Midden-Oosten.

Wie na Musharraf?

ISLAMABAD (PAKISTAN) - *De nieuwe Pakistaanse premier*

Yousef Raza Gillani had geen grote indruk nagelaten in juli, bij zijn eerste bezoek aan

Washington. Op een bijeenkomst van de machtige Council on Foreign Relations had

hij een modderfiguur geslagen toen hij vragen kreeg over de Amerikaans-Pakistaanse

betrekkingen. Op het Witte Huis was zijn optreden al even schamel. Zijn ideeën over

de strijd tegen de taliban en de terroristen beperkte zich tot de mantra: laat ons samen-

werken.

Die strijd stond duidelijk niet bovenaan zijn agenda. Gillani en de rest van de Pakistaanse politieke klasse had het voorbije half jaar andere bekommernissen. De afzetting van Musharraf en de rechterskwestie waren de inzet geweest van machtspelletjes tussen de twee grote regeringspartijen, de PPP en PML-N. De economie was intussen in vrije val. De sterke groei van de beurs van Karachi was omgeslagen in een duik van 37 procent sinds de verkiezingen. De waarde van de roepie smolt weg. Er was nauwelijks iets gedaan aan het voedsel- en energietekort. Het kon niet anders of de bevolking was ontgoocheld over de zegeningen van de democratie. Daar konden alleen de extremisten van profiteren.

UNITED STATES OF AL-QAEDA
De talloze aanslagen, de sympathie voor de terroristen en de taliban in de FATA en de rechterskwestie wezen op een anti-Amerikaanse stemming. Een foto van een betoging in Lahore ten gunste van de afgezette rechters maakte dat duidelijk. Een manifestant steekt de Amerikaanse vlag in brand, terwijl een tweede een bord toont met het opschrift 'United States of al-Qaeda, Inch'allah very soon', Verenigde Staten van al-Qaeda, hopelijk spoedig.

Men kon zich afvragen wat Washington te maken had met een mogelijk eerherstel voor opperrechter Iftikar Chaudhry in dit land van verdwijningen en geheime gevangenissen, maar voor de Pakistanen was dat zonneklaar. Ze zagen in de rechters de echte kampioenen van het Pakistaans nationalisme en in Zardari, de president-in-spe, een nieuwe Musharraf, een pion van de Amerikanen. Er was afgesproken dat de rechters binnen de 24 uur na het ontslag van Musharraf in hun oude functies zouden treden. Toen dat na enkele dagen nog niet was gebeurd, stapten de ministers van de PML-N op.

Over de bekwaamheid van Zardari, weduwnaar van Benazir Bhutto, rezen twijfels. Hij was emotioneel niet evenwichtig en leed aan een ernstige vorm van geheugenverlies, zware depressie, posttraumatische stress en zelfs dementie. Dat hadden psychiaters in het voorjaar van 2007 in de rechtbank gezegd. Zijn medestanders spraken van een lastercampagne en zegden dat jarenlange opsluiting schade had aangericht maar dat Zardari nu helemaal genezen was en volgens zijn artsen in staat om het land te besturen. Een lichtpunt was dat het Zwitserse gerecht op 26 augustus zijn aanklacht tegen Zardari introk. Volgens de openbare aanklager waren er geen bewijzen. Dat was dus een kopzorg minder en Zardari kon opnieuw beschikken over de zestig miljoen dollar die al tien jaar op een Zwitserse rekening geblokkeerd was.

De afwijzing van een bestandsvoorstel van de taliban in Bajaur, het voortdurend offensief in dat gebied en de oproepen in de Pakistaanse media om hard op te treden tegen de 'militanten' deden vermoeden dat er meer aan de hand was. De Amerikaanse stafchef, admiraal Mike Mullen, was in juli ongezouten gaan zeggen wat hij over de toestand in de FATA dacht tegen zijn Pakistaanse evenknie, generaal Kayani. Op een geheime krijgsraad, eind augustus, op een Amerikaans vliegdekschip werden de duimschroeven verder aangehaald. Misschien vroegen de Amerikanen de toestemming om hun eigen elitetroepen in de FATA te laten jagen op de taliban en al-Qaeda. Misschien dreigden ze daarmee. Duidelijk was dat Afghanistan Irak had verdrongen als militaire prioriteit nummer één. Begin september werd de Iraakse provincie Anbar, ooit de gevaarlijkste van het land, overgedragen aan het Iraaks leger. De 25.000 mariniers die er zaten, kwamen beschikbaar voor Afghanistan. Thuis, in de Verenigde Staten, werden doorgedreven opleidingen georganiseerd voor gevechten in de bergen. Het was de bedoeling de taliban te verdrijven uit de vruchtbare, dichtbevolkte valleien en ze in de kale bergen te isoleren.

Op 1 september zei het Pakistaanse leger dat het had afgerekend met de taliban in Bajaur en dat tijdens het offensief 560 militanten waren gedood. De vijand was op de loop, zei het leger, en de plaatselijke bevolking wil niet langer van hen weten. Rehman Malik, de feitelijke minister van Binnenlandse Zaken, noemde de taliban van Baitullah Mehsud een aanhangsel en een spreekbuis van al-Qaeda. Het bestand in Bajaur viel samen met de belofte van de stamhoofden in Khyber dat de militaire konvooien met bestemming Afghanistan ongehinderd door hun gebied mochten passeren. In de voorbije weken waren ze verschillende keren aangevallen. Sommige chauffeurs waren gekidnapt. Ook uit andere incidenten bleek dat de taliban bleven proberen om de militaire bevoorrading van Afghanistan af te snijden. Eind augustus was andermaal de strategische Kohat-tunnel bij Darra Adam Khel aangevallen, deze keer met drie bomauto's bestuurd door kamikazes. Er was ook nieuwe onrust in Swat, Zuid-Waziristan en Kurram, waar de taliban zich mengden in het oude conflict tussen soennieten en sjiieten. Op 31 augustus ontruimde Lashkar-e-Islam, de militie van de voormalige buschauffeur Mangal Bagh, een koranschool vlakbij Landi Kotal, de hoofdplaats van Khyber, pal op de aanvoerlijn van de NAVO. De militie was ook elders in Khyber nog actief. Ze had vooruitgeschoven posten tot aan de grens van Peshawar.

Links van de brede autoweg die de luchthaven verbindt met Islamabad ligt een heuvel met een groot portret van Jinnah en zijn oproep tot 'Unity, Faith and Discipline'. In de vroege namiddag van 3 september werd van op die heuvel de auto van premier Gillani onder vuur genomen door een of meer scherpschutters. Ze troffen het raam aan de kant van de chauffeur maar de twee kogels doorboorden het glas niet. Men vermoedde een waarschuwing, al sprak de regering van een moordpoging en werd in de omgeving van de premier een verband gelegd met Gillani's steun aan de strijd tegen het terrorisme. Kort na het incident werden drie mensen opgepakt.

Gillani wist van het complot. De dag tevoren was hij ingelicht en daarom had hij zijn terugreis vanuit Lahore uitgesteld. Wie hem op de hoogte had gebracht, zei Gillani niet. Onduidelijk was ook hoe de daders wisten wanneer de auto zou passeren. Het oorspronkelijke reisplan van de premier was immers uit voorzorg gewijzigd. Niemand raakte gewond bij het incident maar het legde bloot dat de veiligheid niet waterdicht was en dat zelfs hoog beveiligde, snelle autokaravanen kwetsbaar waren.

De taliban eisten de verantwoordelijkheid op.

DE TWAALFDE PRESIDENT
De verkiezing van een nieuw staatshoofd op 6 september begon met een zware zelfmoordaanslag. Een vrachtwagen met veertig kilo dynamiet ontplofte bij een controlepost van de politie in Peshawar. De explosie was twintig kilometer ver voelbaar. Er waren minstens 35 doden. Volgens de politie wilde de kamikaze naar het provinciaal parlement waar net als

in de andere provincies de verkiezing was begonnen van de opvolger van president Musharraf.

Van een tanende populariteit van de Pakistan Peoples Party (PPP) was in de uitslag niets te merken. Asif Ali Zardari werd met een ruime meerderheid van 481 parlementsleden op een totaal van 702 verkozen tot twaalfde president van Pakistan. Toen de uitslag werd voorgelezen weergalmde in het halfrond in Islamabad de naam van Benazir Bhutto. Dit was voor Zardari, naar het woord van Benazir, democratie als beste wraak en hij sprak van een nieuwe mijlpaal in het democratiseringsproces. Zijn overwinning was de triomf van Benazirs principes en idealen, verklaarde hij. Aan beloftes had de kersverse president geen gebrek. Hij zou het parlement de eerste viool laten spelen en van Pakistan een welvarend land maken dat in zijn eigen energiebehoeften kon voldoen en niet enkel textiel maar ook cement en staal zou exporteren. Hij zou ook het vertrouwen herstellen in het presidentschap. Niet iedereen was ervan overtuigd of Zardari daarvoor geschikt was. Hij kreeg gelukwensen van zijn rivaal Nawaz Sharif, die kort geleden de regeringscoalitie had verlaten.

Zardari was een ritselaar. Dat was de voorbije maanden gebleken en het had hem veel sympathie gekost. Nu hij president was riskeerde hij spoedig even ongeliefd te worden als zijn voorganger. Zardari, die enkele dagen voor zijn verkiezing uit veiligheidsoverwegingen was verhuisd naar de residentie van de eerste minister, was nu ook opperbevelhebber. Verwacht werd dat hij onder Amerikaanse druk zou proberen het leger en vooral de inlichtingendienst ISI te dwingen om het volle pond te geven tegen het terrorisme. Maar dat was geen gemakkelijke oefening.

Meer nog dan Musharraf was Zardari geneigd tot compromissen.

De Amerikaanse appetijt om het heft in de FATA in eigen handen te nemen was door de afloop van het Pakistaans offensief in Bajaur alleen maar aangescherpt. De operatie was in de ogen van Washington een mislukking. De bedoeling was dat een dikke vis werd gevangen. Maar nog voor het offensief was begonnen had al-Qaeda er lucht van en namen de leiders de benen. Na die mislukking nam de Pakistaanse regering zijn toevlucht tot het uitdelen van miljoenen roepies aan de stamhoofden om de militanten te bestrijden met stammenlegertjes. Een onzekere strategie, rekening houdend met de tweehonderd vermoorde chefs die zoiets hadden geprobeerd in beide Waziristans.

Het eindeloos geweld schaadde de taliban en al-Qaeda allerminst. Een nieuwe Amerikaanse peiling gaf een nog pessimistischer beeld dan alle voorgaande onderzoeken.[170] Een derde van de ondervraagden had een gunstig oordeel over al-Qaeda. Dat was een verdubbeling in enkele maanden. Voor 44 procent waren de Amerikanen de grootste bedreiging van de veiligheid. Niet één op tien dacht dat al-Qaeda of de taliban gevaarlijker waren en maar veertien procent vond erfvijand India het grootste gevaar. Volgens de Pakistanen wilde bin Laden vooral een vuist maken tegen de Verenigde Staten en zes op tien vond dat goed. Ten strijde trekken tegen de extremisten was geen populair project. Acht op de tien Pakistanen leed onder de voedsel- en energiecrisis, toch was de hoogste prioriteit voor negen op tien de rechterskwestie.

Een nieuw front

ISLAMABAD (AFGHANISTAN) - *Op de vooravond van de*

verjaardag van 11 september onthulde The New York Times *dat president Bush*

in juli al een geheim bevel had uitgevaardigd om Amerikaanse elitetroepen, Delta

Force en Navy Seals, te laten opereren op Pakistaans grondgebied zonder instemming

van Islamabad. De Pakistaanse autoriteiten moesten enkel op de hoogte worden ge-

bracht.

In de loop van het jaar hadden de Amerikaanse troepen in Afghanistan een commandostructuur opgericht om de CIA en de elitetroepen beter op elkaar af te stemmen. Dat was een gevolg van de frustratie over de samenwerking met Pakistan en het wantrouwen tegenover de ISI en het Pakistaans leger.

De regering-Gillani had volgens een Amerikaans functionaris discreet ingestemd met de Amerikaanse koerswijziging, maar dat de opening van een nieuw front een belangrijke stap en misschien wel een keerpunt was, bleek uit de reacties in Islamabad. De aankondiging van de nieuwe koers bracht de kersverse president meteen in een moeilijk parket. In Washington was de nieuwe strategie een overwinning van Defensie op Buitenlandse Zaken, die over de kwestie alweer een interne oorlog hadden uitgevochten.

Op 11 september sprak de Afghaanse president Karzai, het enige buitenlandse staatshoofd op de eedaflegging van Zardari twee dagen tevoren, van een kentering ten goede in Islamabad. Hij zag in Zardari iemand die vrede zocht voor de hele regio en hij hoopte dat de 'moordenaars, terroristen en vijanden van het volk en de islam' nu zouden worden verdreven. Hij was bereid elke stap van Islamabad met verschillende stappen te beantwoorden. Karzai was blij met de nieuwe regering in Pakistan, maar niet met de aanpak in de FATA. Bij herhaling had hij gezegd dat Afghanistan niet het enige slagveld kon zijn in de oorlog tegen het terrorisme. Zijn openlijke steun voor de koers van Mullen, die de extremisten voortaan ook in Pakistan wilde treffen, werkte als een rode lap op een stier in het Pakistaans leger.

Terwijl politiek Islamabad op zijn kop stond door de nieuwe Amerikaanse strategie werd die onverstoorbaar toegepast.

Amerikaanse raketaanvallen op verdachte doelwitten in de FATA werden bijna dagelijkse kost. Hoe precies ze ook waren, toch maakten de krachtige bommen onvermijdelijk ook onschuldige burgerslachtoffers.

Een correspondent van *The News* die de gevaarlijke tocht naar Miramshah in Noord-Waziristan had ondernomen, zei dat de Amerikaanse luchtaanvallen geen enkele taliban- of al-Qaedamilitant van betekenis hadden uitgeschakeld. Alle gewonden in de plaatselijke ziekenhuizen waren vrouwen en kinderen, zei hij. Tijdens zijn reis zag hij dat het leger sommige hoofdwegen controleerde maar weinig of geen vat had op de dorpen en kleine provinciestadjes. Daar waren diverse militante groepen heer en meester, die onderling rivaliseerden en gehoorzaamden aan verschillende commandanten. Miramshah was onder controle van een groep die Baitullah Mehsud volgde, de militie van Mir Ali gehoorzaamde aan een andere commandant met een groot opleidingskamp in Mohmand.[171] In de bossen van Shawal verscholen zich de Oezbeken buiten het bereik van de Amerikaanse luchtmacht.

Pakistan was nu het land dat het zwaarst te lijden had onder zelfmoordaanslagen. In de voorbije acht maanden waren er meer doden dan in Irak of Afghanistan. In totaal waren er 28 kamikazeoperaties geweest waarbij 471 mensen waren gedood. Afghanistan en Irak telden meer zelfmoordaanslagen maar minder slachtoffers. Ook overheidsrapporten wezen op de snel verslechterende situatie in Pakistan. Het land had in 2007 een stijging gezien van het terrorisme met 137 procent, schreef het US National Counterterrorism Centre (NCTC) in zijn jaarrapport.

Op 14 september arriveerde Zardari in Londen voor overleg met premier Brown over Amerika's unilaterale beslissing om op Pakistaans grondgebied te opereren. Brown had niet geantwoord op de vraag of hij die beslissing steunde. Er waren een miljoen Pakistanen in zijn land, de meesten van hen kiezers van Labour en zijn populariteit was aan het tanen. De premier moest dus uitkijken. Volgens de Pakistaanse Hoge Commissaris in het Verenigd Koninkrijk was de Amerikaanse strategie olie op het vuur dat smeulde in de migrantengemeenschap. 'Dit maakt de moslims kwaad, en de straten van Londen minder veilig.'

Codenaam BAD

(Bangalore-Ahmedabad-Delhi)

NEW DELHI (INDIA) - *Op 13 september ontploften in een tijd-*

spanne van drie kwartier vijf bommen op drie drukke markten in het centrum van

New Delhi. Al snel werden twintig doden en honderd gewonden geteld. Even later

werd de aanslag per e-mail opgeëist door de Indiase Mujahedin, die eerder ook de

aanslagen hadden opgeëist in Jaipur en Ahmedabad.

De Indiase inlichtingendienst wist dat extremisten van plan waren om toe te slaan in de hoofdstad. Dat hadden ze vernomen van verdachten die waren aangehouden na de aanslagen in Ahmedabad en Bangalore. Het complot droeg de codenaam BAD (Bangalore-Ahmedabad-Delhi). De Indiase Mujahedin was een samenwerkingsverband van verschillende verboden groepen. Volgens de Indiase veiligheid bestond de organisatie niet eens en ging het om een soort filiaal van al-Qaeda dat gesteund werd door de eeuwige ISI. Ook minister van Defensie Antony zag de hand van Pakistan. 'Het is een feit dat ze steun krijgen van over de grens', zei hij. De politie volgde sporen die leidden naar een mogelijke splintergroep van de verboden islamitische studentenbeweging SIMI, de Students Islamic Movement of India. De opeising van de aanslagen in Delhi droeg de foto van Qutubuddin, het gezicht van de onlusten tussen hindoes en moslims in Gujarat in 2002. Ze had de krantenredacties bereikt nog voor de bommen afgingen en was opgesteld in vlekkeloos Engels.

Naast de vijf ontplofte bommen waren er drie niet afgegaan. India was al lang een geliefkoosd doelwit van het moslimterrorisme, maar het leek of de aanslagen in crescendo gingen. Het was de vierde zware aanslag in evenveel maanden tijd.

Lashkar-e-Toiba, dat deel uitmaakte van de Indiase Mujahedin, wist van niets. De Pakistaanse regering had de aanslagen telkens veroordeeld, maar dat nam de verdenking niet weg. Richard Boucher, de Amerikaanse onderminister voor Centraal- en Zuid-Azië, vond het hoog tijd dat de ISI werd hervormd. In juli had premier Gillani geprobeerd om de dienst onder te brengen bij Binnenlandse Zaken, maar na enkele dagen al maakte hij die beslissing ongedaan. Boucher vond dat het hele staatsapparaat aan hetzelfde zeel moest trekken. Zolang je organisaties hebt, of delen van organisaties, die andere doeleinden nastreven, wordt het moeilijker voor de regering, zei hij.

Op een ochtend, vroeg in september, zette een zware Amerikaanse AC-130 gevechtshelikopter een ploeg Navy Seals aan de grond in Agoor Adda, in Waziristan, voor een aanval op een vermeende schuilplaats van het Haqqani-netwerk. Het was de eerste Amerikaanse actie met grondtroepen op Pakistaans grondgebied. Een tweede team elitesoldaten was standby voor vergelijkbare missies die op korte termijn konden worden bevolen. CIA-agenten uit alle hoeken van de wereld werden samengetrokken in het Afghaans-Pakistaans grensgebied.

De Pakistaanse regering protesteerde heftig en sommigen voorspelden dat het leger de macht zou grijpen als het kabinet niet in staat was om de Amerikanen in te tomen. Het was de vierde poging tot een burgerregering in Pakistan. Alle vorige experimenten waren uitgedraaid op militaire staatsgrepen.

Een Pakistaanse 9/11

ISLAMABAD (PAKISTAN) - *Er waren uitzonderlijke veilig-*

heidsmaatregelen getroffen voor de eerste toespraak van president Zardari voor het

parlement. Hij stelde de oprichting voor van een parlementscommissie om de presi-

dentiële macht te beperken die onder zijn voorganger buiten zijn oevers was getreden,

zei dat hij geen schending van het grondgebied zou dulden en dat geweld het laatste

antwoord moest zijn op de problemen. Verder was hij voor een onafhankelijke justitie

en een juridische oplossing van de problemen met de rechters. Ten slotte zou de econo-

mie zijn prioriteit zijn.

Bij de aanvang van zijn toespraak had hij een foto van zijn vrouw op de
rand van het spreekgestoelte gezet. Hij had herinnerd aan zijn schoonvader Zulfikar Ali Bhutto en aan Benazirs dromen van een Pakistaanse
democratie. De tijd was rijp voor nieuwe ideeën en verzoening. Hij had
de aanwezigheid van de Afghaanse president Karzai op zijn eedaflegging
verdedigd en gepleit voor betere betrekkingen met de aartsrivaal India en
'onze traditionele bondgenoot' Iran. Zelf een Baloetsj, noemde Zardari
Baluchistan de meest achteruitgestelde provincie van het land. Hij beloofde dat de NWFP zou worden omgedoopt tot Pakhtunwa, een oude
verzuchting van coalitiegenoot Awami. Nawaz Sharif had dat ook ooit
beloofd maar nooit de vereiste tweederdemeerderheid gevonden in het
parlement. Op televisie was te zien dat de oppositie van PML-N en PML-Q
soms niet applaudisseerde, ook niet wanneer het over 'meer welvaart' ging.
De toespraak was kort en snedig maar voor de bevolking ging ze zonder
vertaling in het Urdu en andere regionale talen grotendeels verloren.

HET TERRORISME IS EEN KANKER
's Avonds, omstreeks acht uur, ramde een witte minitruck met duizend
kilo springstof de hoge metalen omheiningspoort van het Marriott Hotel.
De chauffeur had eerst geschoten op de wachters. Het was erg druk om-

dat veel gefortuneerde Pakistanen er na de vastendag – het was de negentiende van de maand Ramadan – kwamen eten. Zo'n driehonderd mensen zaten in het restaurant vlakbij de ingang en er verbleven zo'n duizend gasten in het hotel en zeshonderd personeelsleden.

Al snel werden veertig doden geteld en dat cijfer bleef klimmen terwijl het vijfsterrenhotel brandde als een toorts. Bij de aanslag was een gasleiding geraakt waardoor alle vijf verdiepingen ten prooi vielen aan een spectaculaire vlammenzee.

Het was opnieuw een getrapte aanslag. Eerst een kleinere bom en dan een zware die een krater sloeg van zeven meter diep en tien meter diameter. De imposante voorgevel van het hotel was weggeblazen. Boven op het dak riepen vrouwen en kinderen om hulp. Een halve kilometer verderop waren Zardari en generaal Kayani de eregasten op een banket aangeboden door premier Gillani. Tot honderden meter ver was er glasschade. Binnen een straal van tweehonderd meter waren de straten herschapen in een autokerkhof.

Nooit was er zo'n zware aanslag geweest in Islamabad; hij was voelbaar tot dertig kilometer ver. Rehman Malik zei dat Binnenlandse Zaken wist van plannen om het parlement aan te vallen tijdens de toespraak van Zardari. Daarom was er politie- en troepenversterking in de hoofdstad. Sommige politiebronnen spraken van twee bomauto's en er werd gezegd dat Amerikaanse veiligheidsagenten het doelwit waren. Er waren agenten van het FBI en de CIA in het hotel en Amerikaanse mariniers die twee dagen later moesten vertrekken naar Kabul. Het aantal buitenlandse doden viel volgens de eerste berichten mee: een Amerikaan, twee Saudi's en een Filippino. Een dag later bleken er twee Amerikaanse doden te zijn. Het dodencijfer steeg naar minstens zestig.

De onderzoekers wezen in de richting van al-Qaeda. Door de bomexplosie waren de gasflessen in de keuken ontploft en was een vuurzee doorheen het hotel gejaagd. Buiten de vele doden sprak de aanslag boekdelen over het vermogen van de 'militanten' om toe te slaan tot in het machtscentrum, vlakbij het parlement, de ambtswoning van de premier en de Pakistaanse omroep.

Het was de tiende zelfmoordaanslag ooit in Islamabad. De eerste was tegen de Egyptische ambassade, op 19 november 1995. Gepleegd door een Egyptenaar. Daarna was het wachten tot 2005. De Marriott was in januari 2007 al het doelwit, maar de zelfmoordenaar maakte toen maar één dode.

'Het terrorisme is een kanker in Pakistan', zei Zardari enkele uren na de aanslag op televisie. 'We zijn vast van plan om het land daarvan met de hulp van God te verlossen.'

DE STEM VAN DE STEMLOZEN

De toespraak van Zardari zorgde voor een incident. De afspraak met de Pakistaanse officiële omroep PTV was dat ze vooraf zou opgenomen worden. In plaats daarvan zagen de Pakistaanse kijkers hun president rechtstreeks, tijdens de repetitie van zijn toespraak. Het was niet de eerste keer. Twee maanden tevoren had PTV ook de eerste televisiespeech van premier Gillani in de soep gedraaid.

Zardari had een krachtige indruk willen maken op een crisismoment. De bevolking hing aan de buis, al was het intussen twee uur 's nachts. De directeur van PTV, Shahid Masood, was persoonlijk aanwezig. In plaats van een krachtdadig leider kreeg de bevolking een onzeker mannetje te zien, niet alleen op de staatsomroep maar ook op twee andere kanalen waaraan PTV de rechtstreekse beelden ter beschikking stelde. Zardari gelastte een onderzoek en de grote baas van PTV, die zou meereizen in het selecte persgevolg van de president naar New York, moest thuisblijven.

Shahid Masood was een arts die zich in korte tijd had opgewerkt tot een van de populairste televisiesterren van het land. Dat succes was het gevolg van zijn politieke talkshow op Geo, de grootste van de Pakistaanse privézenders, die door Musharraf bij diens tweede machtsgreep, op 3 november 2007, meteen uit de ether was gehaald. De blitzcarrière van dokter Masood wekte de afgunst op van collega-journalisten die zijn verleden opfristen. De dokter had zijn eerste stappen in de pers gezet door een gezondheidscolumn op te dringen aan een krant in Karachi die populair was bij de vele immigranten uit India en hun partij, de MQM.[172] Toen hij naar Londen verhuisde eiste hij van de hoofdredacteur de titel 'bureauchef in Londen'.

Zijn doorbraak kwam bij de dood van het Pakistaanse popicoon Nazia Hasan, op 13 augustus 2000. De zangeres had albums uitgebracht waarvan de titels alleen al een gruwel waren voor de opkomende Pakistaanse extremisten. *Disco Deewane, Star/Boom Boom, Hotline, Camera Camera...* perversie en corruptie in vrome oren. Dat Nazia gelanceerd was door Indiase producers was een bewijs van goddeloosheid en haar roem, niet alleen in Pakistan maar ook in India en Rusland, was dat ook. Haar waanzinnige populariteit dankte ze aan de omwenteling die ze veroorzaakte in de Pakistaanse en Indiase rock en filmmuziek. En ook aan haar liefdadigheid. Nazia zag haar muzikale carrière als een hobby en was daarnaast advocate bij de Veiligheidsraad van de Verenigde Naties. Haar eerste succes, *If Someone Like You Comes Into My Life*, zong ze toen ze vijftien was en werd een van de grootste hits in de geschiedenis van Bollywood. Met haar nasale stem en aanstekelijke levenslust was ze vanaf dat ogenblik de koningin van de Aziatische pop. De 'hartendief van Pakistan', de 'nachtegaal van het Oosten', symbool van gratie, schoonheid en onschuld, scheidde na een rampzalig huwelijk dat vijf jaar had geduurd en stierf tien dagen later aan de gevolgen van longkanker. Daarop kreeg de 'vrouw van Pakistan' van Musharraf het hoogste ereteken.

Toen Nazia Hasan stierf in Londen, reisde Shahid Masood met haar lichaam terug naar Pakistan en interviewde haar moeder. Zijn krant was de enige die het hele verhaal had en Shahid werd opgemerkt. Zijn entree in de politiek deed hij via MQM, de partij die door zijn krant werd gesteund. Toen hij zichzelf binnensmokkelde bij een interview met de nog verbannen Benazir Bhutto, fotografeerde hij haar met zijn krant in de hand. De foto werd de voorpagina. Er onder stond: 'photo by Dr. Shahid Masood'. Kortom, de dokter was een grensverleggend modeljournalist nieuwe stijl, maar sommige collega's zagen in hem een platte arrivist, een spindoctor, een ijdele godsdienstfanaat, een plagiaris en een volbloed leugenaar.[173] De eeuwige 'dr.' voor zijn naam zegde veel. Een collega van *The News* herinnerde zich Masoods bewering dat Jinnah, de stichter van de staat, geen moslim maar een Parsi was, een volgeling van Zarathustra. Dat was kort na de aanslagen van 11 september en de toekomstige PTV baas zag toen een samenzwering tegen de moslims. Hij had over alles een mening. In de praatshows van ARY viel hij in wanneer een gast niet kwam opdagen.[174] Al snel had hij er zijn eigen show die sprekend leek op die van Bill O'Reilly, de roemruchte O'Reilly Factor op FOX News. Hij zocht voortdurend naar de sensationele kanten van de tegenstelling tussen het Westen en de moslimwereld of die tussen religieuze en andere moslims, waarbij hij vooral niet vergat om op de emoties te spelen. PTV mocht dan al een tamme instelling zijn, de omroep had altijd intelligente bazen gehad die de Pakistaanse geschiedenis goed kenden en journalisten die de grenzen aftastten van wat mogelijk was en nu het talent leverden waarmee de privézenders uitpakten.

Masood had het omgekeerde parcours afgelegd. De stem van de stemlozen, noemden zijn bewonderaars hem. De media in de moslimwereld moesten het westerse voorbeeld volgen en niet alleen maar zeggen wat er gebeurt maar ook een standpunt innemen. De oorlog tegen het terrorisme is een wapen van de kruisvaarders, zei hij en hij vond de opkomst van het religieus extremisme in het Westen alarmerend.

Zeven van zijn kinderjaren had hij doorgebracht in Saudi-Arabië als zoon van een burgerlijk ingenieur. Als arts had hij een praktijk gehad in Pakistan, Groot-Brittannië en Ierland; succesvol volgens de enen, een mislukte dokter volgens de anderen. Hij zat pas zeven, acht jaar in de journalistiek die voor hem een goudmijn was. Het recept was simpel: schelden op de regering, het leger, het establishment en Amerika. In discussiegroepen op het internet werd hij een sympathisant van JI, de taliban en al-Qaeda genoemd. 'Ik ben geen extremist', zei hij, 'maar ik geloof dat men soms geen compromissen mag sluiten.'

Na het geknoei tijdens de speech van premier Gillani had hij koppen doen rollen. Maar de ontslagen journalisten werden door minister van Informatie Sherry Rehman, ook een ambitieuze oud-journaliste, in hun functies hersteld. Met loonsverhoging.

MILITAIRE SPRINGSTOF

'Het is voorbarig om een schuldige aan te wijzen, maar alle wegen leiden naar Waziristan', zei Rehman Malik op een persconferentie daags na de aanslag op de Marriott. De terroristen hadden voor het eerst in de hoofdstad gebruik gemaakt van TNT en RDX, de krachtigste militaire springstof, voor het eerst uitgebreid gebruikt in de Tweede Wereldoorlog en een basisbestanddeel van de eerste kneedbommen.[175] In alle andere aanslagen was potassium aangewend. Aluminiumpoeder was verantwoordelijk voor de brand in het hotel. De bom bevatte zeshonderd kilo springstof van militaire kwaliteit plus artillerie- en mortiergranaten. De bomauto's waren vermoedelijk tot bij hun doelwit kunnen komen omdat de overheid vrachtwagens met bouwmateriaal binnenliet in Islamabad na zonsondergang. Malik vroeg de media om de daders niet op te hemelen. 'Ze doden onschuldigen en toch worden ze niet veroordeeld door ankermannen en andere mediamensen', zei hij. Er werd tien miljoen roepies uitgeloofd voor wie informatie kon verschaffen.

De eerste verdachten werden aangehouden in twee steden, Gujranwala en Kharian, op de weg van Islamabad naar Lahore. In Kharian, een van de grootste legerbases van het land, werden er drie gearresteerd in een moskee. In Gujranwala werd een imam aangehouden en een lid van al-Qaeda dat ook betrokken was bij een moordcomplot tegen Musharraf.

De voormalige legerchef, generaal Mirza Aslam Beg, zag in de aanslag een vergelding voor de militaire operaties in de FATA. Beg was Zia ul-Haq opgevolgd als legerleider na diens mysterieuze dood in 1988. Hij werd ervan verdacht het brein te zijn achter de fatale vliegtuigcrash van Zia en achter de illegale nucleaire handel van Abdul Qadir Khan. Sinds zijn pensioen was hij actief als politiek en militair analist en stichter van een denktank.[176] Volgens Beg kon het leger de operaties in de FATA beter stoppen en in plaats daarvan onderhandelen. Beg wist ook waar de springstof van de aanslag vandaan kwam. Zeshonderd kilo hebben ze gebruikt; ze hebben nog vijftienhonderd kilo over, beweerde hij. De regering moest volgens hem goed beseffen dat nog nooit een oorlog tegen 'vrijheidsstrijders' was gewonnen. Het kabinet moest afstand nemen van

Amerika en het vredesproces met de stammen nieuw leven inblazen. Elke andere koers was gedoemd tot een catastrofe.

De speurders kwamen tot de conclusie dat de autobom in Islamabad zelf was samengesteld. Ze achtten het uitgesloten dat de auto van ver kwam wegens de vele controleposten. Het was mogelijk dat de bestanddelen in kleine hoeveelheden waren binnengebracht in de stad. Er werden verbanden gelegd met de aanslag op de Deense ambassade in juni, en op een bus van de ISI in Rawalpindi in 2007. Toen waren dezelfde explosieven gebruikt. Anderen zagen op basis van het soort springstof en de manier waarop de aanslag was gepleegd verwantschap met vier andere aanslagen, waarbij een op Musharraf in 2003 en de aanslagen in Lahore op de Marineacademie en op het hoofdkwartier van de Federal Investigation Agency. Die waren volgens de onderzoekers het werk van de Harakatul Jehadul Islami (HUJI), een terreurorganisatie 'met banden met al-Qaeda. Volgens sommige speurders wilde HUJI de regering dwingen om zijn leider Qari Saifullah Akhtar vrij te laten.

Saifullah was een van de weinige Pakistaanse jihad-leiders die mullah Omar was gevolgd op zijn vlucht bij de val van de taliban. Toen Omar nog Emir was, was hij zijn politiek adviseur. De HUJI-militanten in Afghanistan stonden toen bekend als de Punjabi taliban. HUJI had de val van de taliban zonder veel kleerscheuren overleefd. Saifullah dook een tijd onder in Zuid-Waziristan, kwam boven water in Peshawar en vluchtte dan naar Saudi-Arabië van waaruit hij verhuisde naar de Emiraten. Drie jaar later, op 6 augustus 2004, werd hij daar aangehouden en uitgeleverd aan Pakistan. Later bleek dat de aanslag van 25 december 2003 op Musharraf georganiseerd was door zijn rechterhand.

Maar Saifullah moest niet worden vrijgelaten. Hij was vrij wegens gebrek aan bewijzen. Benazir Bhutto had hem aangewezen als het brein achter de aanslag bij haar terugkeer in Karachi. Hij had haar ook in 1995 naar het leven gestaan. Volgens Benazir hadden de inlichtingendiensten Saifullah opgedragen om de aanslag in Karachi te plegen. Twee weken na het verschijnen van Bhutto's memoires zag de regering zich verplicht hem aan te houden. Drie maanden later was hij op borgtocht weer vrij.

Saifullah was veertig en geboren in Zuid-Waziristan. Hij had gestudeerd aan het Binori-seminarie van Karachi, een broedplaats voor jihadleiders. Na zijn uitwijzing door de Emiraten hadden de Pakistaanse diensten hem vastgehouden zonder officiële beschuldiging. In mei 2007 zei de regering zelfs dat Saifullah niet gevangen was; twee weken later was hij inderdaad opnieuw thuis. Hij behoorde tot de categorie topterroristen die door de ISI achter de hand werd gehouden. Nu, na de aanslag op de Marriott, was hij spoorloos.

De Pakistaanse overheid en de media spraken van 'een Pakistaanse
11 september'. Het land was het doelwit geworden van de 'militanten' in
een kamikazevlucht vooruit, vooraleer de oorlog die de Amerikanen wilden uitbreiden tot de FATA op volle kracht zou komen. Driehonderd
Amerikaanse adviseurs waren geland om de Pakistaanse Special Opera-
tion Task Force op te leiden in Tarbela, op twintig kilometer van Islamabad. Ze hadden daar een terrein van verschillende vierkante kilometer
gekocht. De eerste twintig containers waren er al. De Pakistanen mochten de inhoud niet zien. In Trabela werd gezegd dat de driehonderd een
voorhoede waren.

Een commentator in de NWFP wees op een recente verandering in
het officieel discours. Rehman Malik was er de pionier van. Niet langer
was het terrorisme een zaak van buitenlanders, Oezbeken, Afghanen en
Tsjetsjenen. Volgens Malik waren alle kamikazes, hun opdrachtgevers en
geldschieters Pakistanen. Als dat zo was, waarom werden ze dan niet
opgesloten?

Waar kwam de RDX vandaan die gebruikt was bij de aanslag op het
hotel? Sommigen wezen beschuldigend naar de Indiase geheime dienst
RAW. Ze wezen erop dat het Indiase leger honderden tonnen RDX had
besteld voor een wegenbouwproject in Afghanistan. Het schip was uitge-
varen in Mumbai met bestemming Iran, maar was korte tijd later spoorloos verdwenen.

Op 22 september was er een opeising. Iemand had met al-Arabiya
gebeld om te zeggen dat de aanslag was gepleegd door de Fedayin-i-
Islam, de Strijders voor de Islam. Pakistan heeft een rijke flora aan extremistische groepen maar van de Fedayin hadden ze bij Binnenlandse
Zaken nog niet gehoord.

NIEUWE WENDING

Hoe de militaire bastions van de militanten in de FATA eruitzagen, wisten weinig mensen. De opleidingskampen waren kleinschalig en ondergebracht in onopvallende huizen. Een koranschool volstond voor onderricht in de fabricage van een bom of een onderdeel ervan. Tijdens de
oorlog met de Sovjets in Afghanistan waren in het grensgebied grote
graafwerken uitgevoerd ten behoeve van de mujahedin. Er werd nog nauwelijks over gepraat, al kon het niet anders dan dat ze nog steeds diensten bewezen. Zoals het ook amper kon dat de grote jihad van de jaren
tachtig en de expertise die toen werd opgedaan, vergeten waren.

Op 22 september zei een legercommandant in Khar, de hoofdplaats
van Bajaur, dat een netwerk van tunnels en bunkers was aangetroffen in

de bastions van de militanten. De tunnels waren verbonden met elkaar en met sommige huizen zodat de militanten zich ongezien konden verplaatsen. De troepen rukten op naar Lowi Sam, amper veertien kilometer van Khar, maar de opmars verliep traag omdat de militanten zich goed verschansten en mijnen hadden gezaaid op de wegen.

De afgelopen maand had de strijd in de FATA een nieuwe wending genomen. De oorlog was veranderd van een oudmodische loopgraven- en stellingenoorlog in een hightech conflict met precisieraketten en aanvalshelikopters, artillerie en gevechtsvliegtuigen. Nog veel belangrijker was dat de plaatselijke bevolking partij begon te kiezen voor de sterkste. Vraag was of de Mamond het voorbeeld van de Salarzai zouden volgen. De Salarzai-stam had de handschoen opgenomen tegen de militanten na de moord op twee stamoudsten en een geestelijke. Ze vormden een lashkar die de huizen plat brandde van taliban, waarop vergeldingsacties volgden. Het grondgebied van de Mamond was een bastion van de taliban. De Mamond waren ontevreden omdat de militanten hadden verboden het gebied te ontvluchten in de chaotische begindagen van het offensief, in augustus 2008. Toen bleven de taliban ondanks de zware luchtbombardementen, die niet zelden de burgerbevolking troffen, de controle behouden over de wegen en de grens met Afghanistan. De taliban waren ook heer en meester in Darra Adam Khel, beroemd om zijn zelfgemaakte wapens, en aan de twee toegangen tot de Kohat-tunnel. In Khyber veroverde Lashkar-i-Islam van Mangal Bagh opnieuw de controle over Darra, een ander wapenstadje, vlakbij Peshawar. Een 'offensief' van het Frontier Corps had niet Mangal Bagh geviseerd maar diens tegenstanders. Buiten de tribale gebieden hadden de taliban van zich doen spreken in Hangu, in het zuiden van de NWFP, Tank, de poort naar Zuid-Waziristan, Bannu, de toegang tot Noord-Waziristan en Kohat met zijn militaire basis... Alle steden van de vruchtbare Peshawar-vallei waren geïnfecteerd door het extremisme. In Swat hadden de militanten openlijk de oorlog verklaard aan alle politici van Awami en de PPP. Enkel het Hazara-gebied in het noorden van de provincie bleef gespaard van de taliban.

Het offensief in Bajaur, dat begon op 6 augustus na de moord op 22 paramilitairen door de taliban, had de grootste vluchtelingenstroom veroorzaakt uit de Pakistaanse geschiedenis. De honderdduizenden vluchtelingen (officieel 263.000) kregen een tent in de buurt van de steden en moesten maar zien hoe ze zich redden. Allen wilden zo snel mogelijk terug, liefst nog voor de vastenmaand en sommigen keerden terug ondanks de bombardementen, weg van de vernedering van de tentenkampen. De regering maakt bedelaars van ons, zeiden ze. Ze voelden niets voor de taliban maar twijfelden aan de militaire operaties van het leger. De regering zag in hen het bewijs dat de bevolking van de FATA de militanten, die er het schoon weer maakten, afwees. Het probleem van de militaire operatie was dat ze zich vooral in de lucht afspeelde. De bevolking vreesde het moment dat de grondoperaties zouden beginnen.

In Bajaur opereerden vijf grote milities. De belangrijkste ervan was de TTP, de Pakistaanse taliban van Baitullah Mehsud onder de plaatselijke leiding van de rijke en machtige Faqir Mohammad.[77] Ooit, toen de taliban nog niet zo gewelddadig waren, kregen ze steun van de plaatselijke stammen. Daar was stapsgewijs verandering in gekomen.

Aan de overkant van de grens toonde ook de Afghaanse president Karzai een actieve belangstelling voor de stammen. Hij herstelde de betalingen aan de Ahmedzai van de Wazir-stam die in 1929 hadden bijgedragen tot de overwinning van de Afghaanse monarchie tegen de Britten en traditionele vijanden zijn van de Mehsud. Karzai zelf ontving geregeld stamhoofden uit de FATA en hielp soennieten die Kurram waren ontvlucht.

Nu de militanten zich moesten terugtrekken uit sommige gebieden van de FATA, kwamen ze naar de steden. Ze zwierven er rond als predikanten en doken op in de moskeeën op zoek naar steun. Ze gedroegen zich als de missionarissen van Tablighi maar beklemtoonden het belang van de jihad. Bij de inlichtingendiensten werd vernomen dat de aanslag op het Marriott uitbundig werd gevierd door het voetvolk van al-Qaeda.

Een uitslaande brand in Azië

NEW YORK (VS) - *De laatste grote toespraak van Bush voor de*

Algemene Vergadering van de Verenigde Naties stond helemaal in het teken van het

conflict met de moslimwereld en het terrorisme, ofschoon iedereen zich op dat ogenblik

afvroeg hoe de Amerikaanse regering de noodlijdende financiële sector zou redden.

Zijn neoconservatieve geloofsbelijdenis in vrijheid en democratie klonk belegen en

wereldvreemd in het licht van de gigantische financiële crisis die was losgebarsten, iets

verderop in Wall Street.

Vóór Bush het woord nam, sprak hij met president Zardari en verzekerde hem dat Amerika de soevereiniteit van Pakistan respecteerde en zelfs wilde verdedigen. Zardari beklemtoonde dat hij het varkentje in de FATA zelf wilde wassen. 'Onze bevelen zijn duidelijk', zei Zardari tegen het televisiestation NBC, 'wij dulden niet dat iemand het grondgebied schendt. Als er Amerikaanse militairen de grens oversteken zonder iets te zeggen of zonder toestemming, dan schenden ze het handvest van de Verenigde Naties.' Voor het overige zou hij in New York steun zoeken voor een programma van economische ontwikkeling onder de noemer 'Vrienden van Pakistan'. De Afghaanse minister van Defensie Wardak zei intussen dat met Pakistan werd overlegd over de vorming van een gemeenschappelijke troepenmacht voor het grensgebied. Hij raamde het aantal fulltime opstandelingen in Afghanistan op tien tot vijftienduizend. Daar waren de militanten in de FATA niet bijgeteld.

De regering-Bush liep op haar laatste beentjes en dat was voelbaar. De nieuwe president zou vermoedelijk niet soepeler zijn voor Pakistan. Barack Obama vond dat Irak de foute oorlog was. Voor hem was al-Qaeda herrezen in de FATA en lag het echte slagveld daar.

EINDE VAN DE RAMADAN

ISLAMABAD (PAKISTAN) - Terwijl de wereld plots ten prooi was aan een diepe financiële crisis en alle beurzen in het rood gingen, liep de ramadan ten einde. In het hele land werd gefeest. Mensen gingen bij elkaar op bezoek en waren blij dat de vasten voorbij was. De kranten hadden speciale bijlagen. In Karachi waren de straten schoongemaakt. De politie waakte.

Midden in de feestvreugde liet Musharraf zich ontvallen dat hij in het land bleef. Een andere hoofdrolspeler die geleidelijk naar het achterplan gleed, was Iftikar Chaudhry. De afgezette opperrechter ging bidden in de imposante Faisalmoskee in Islamabad, genoemd naar de milde schenker, de koning van Saudi-Arabië. Meestal kwamen ter gelegenheid van het feest veel hoogwaardigheidsbekleders naar de moskee, maar op een aantal ambassadeurs uit moslimlanden na, lieten ze deze keer verstek gaan. Wel waren er veel juristen. De veiligheidsmaatregelen waren streng. Al wie binnen wilde werd gefouilleerd en de privételevisiezenders moesten buiten blijven.

President Zardari was op tijd terug uit New York om het feest thuis te vieren. Op de vooravond ervan zei hij tegen een Amerikaanse nieuwszender dat hij en de andere leiders van het land op het nippertje waren ontsnapt aan de dood. De aanslag op het Marriott was bedoeld tegen ons, het parlement, het volk, de democratie, zei hij. We waren verondersteld in het hotel te zijn.

Traditioneel is het feest een gelegenheid voor verwennerijen. Voor de bazaars was het een jaarlijks hoogtepunt. Vrouwen stortten zich op de winkels met henna, kleren en armbanden.

Maar in de NWFP was dit jaar de grote rush uitgebleven. De bevolking was te bang om zich aan zorgeloos shoppen over te geven. In kampen verspreid over de provincie wachtten honderdduizenden vluchtelingen uit Bajaur op beterschap. Als ze geluk hadden kregen ze voedsel en medische verzorging. Officieel opereerden enkel de Rode Halve Maan en Artsen Zonder Grenzen in de kampen, maar ook andere ngo's zeiden dat ze hielpen, bij hen een organisatie van de islamistische JI-partij.[178] De belofte dat het offensief zou stoppen tijdens de vasten was niet gehouden en de bevolking kon het einde van de ramadan dus niet thuis vieren.

Op 29 september dook in Peshawar plots de Afghaanse ambassadeur op die precies een week tevoren was ontvoerd. Het was een geheimzinnige affaire. De regering in Islamabad had onderhandeld over zijn vrijlating, maar wie hem ontvoerd had bleef een mysterie. Er werd gezegd dat hij ergens in Khyber was vrijgelaten. Of aan zijn ontvoerders betaald was en zo ja, hoeveel, werd niet gezegd.

Generaal Kayani, een rustig en intelligent man, moet de hete adem hebben gevoeld. In Washington had minister Gates op de dag van de herschikking van de Pakistaanse legertop tot twee keer toe gezegd dat de Verenigde Staten het recht hadden om op te treden in de FATA. Amerika beschouwde de tribale gebieden als de grootste bedreiging van het Westen. 'Terreurnetwerken vinden schuilplaatsen binnen de grenzen van een zwakke staat... Een kernmacht kan in chaos en misdaad worden gestort... De meest catastrofale bedreigingen, zoals de vergiftiging of de verwoesting van een Amerikaanse stad, gaan meer uit van falende staten dan van agressieve landen', zei Gates in een toespraak voor de Militaire Universiteit van Washington. Maar, had hij gezegd, het is belangrijk om samen te werken met Pakistan, al geloofde hij niet dat het land de klus alleen kon klaren.[179] Als om het tegendeel te bewijzen, richtte premier Gillani twee comités op om een antiterreurstrategie te ontwikkelen.

De alwetende geheime diensten arresteerden op 30 september vier broers die net terug waren uit Dubai op verdenking dat ze betrokken waren bij de aanslag op het Marriott.

In Bajaur geraakten de Salarzai intussen voor het eerst slaags met de taliban. Na een hevig gevecht werden veertien doden geteld, negen van hen Salarzai.

Helikopters strooiden pamfletten uit boven Bajaur waarin de 'nobele stamleden' werden opgeroepen om samen met het leger de militanten te verdrijven. 'Een baard is het teken van een goede moslim maar iedereen met een baard is verdacht wegens de militanten die onze godsdienst een slechte naam hebben bezorgd. Scholen en ziekenhuizen zijn door hen gesloten en vrouwen en kinderen hebben ze op de vlucht gedreven. Ze hebben ons land bezet en zijn verantwoordelijk voor de situatie.' De jeugd werd opgeroepen de troepen te helpen om 'onze verdreven zusters' weer naar huis te brengen en Bajaur herop te bouwen onder leiding van de stamhoofden.

Ook buiten Bajaur kwamen stammen in het geweer tegen de taliban. Toch leek de politiek om de stammen te winnen voor een opstand tegen de taliban niet zo best te lukken. De overgrote meerderheid van de Pathaanse clans bleef achter de taliban staan. Zelfs stamhoofden die aarzelden, verkozen het veilige kamp van de taliban wegens de voordelen die daaraan vastzaten en de geruchten dat in Afghanistan met de taliban werd gepraat.

Er verscheen een video, die was opgenomen in Zuid-Waziristan, waarin tientallen jongens tussen zeven en veertien werden klaargestoomd voor zelfmoordacties.[180] Net als het vorige kinderkamp stond het onder leiding van Qari Hussain. Ondanks de 157 opleidingskampen en de 400 steunpunten voor de taliban in Zuid-Waziristan dacht het leger niet aan een nieuwe operatie in Baitullah Mehsuds wingewest.

Een van de eerste geschiedschrijvers en kenners van de taliban, de Pakistaan Ahmed Rashid, zag zijn land als de haard van een uitslaande brand in Centraal- en Zuid-Azië. President Zardari, die voor enorme uitdagingen stond, verloor zich in interne politieke ruzies. Als hij op die weg doorgaat, dan is Pakistan verloren, zei Rashid. De taliban zijn een regionaal probleem geworden en de volgende Amerikaanse regering zal een regionale strategie moeten voeren die Iran, Pakistan, India, Afghanistan en de republieken van Centraal-Azië omvat.

De economische crisis sloeg in Pakistan hard toe. De graan- en energietekorten bleven nijpend. Volgens minister Shaukat Tarin van Financiën was er binnen de maand een kapitaalsinjectie nodig van drie tot vijf miljard dollar. Zardari's bedeltocht naar China had weinig opgeleverd en Amerika vertrouwde de geldhonger van Zardiri niet voor het volle pond. Hetzelfde gold voor de zogenaamde 'Vrienden van Pakistan'. Het Internationaal Muntfonds kon helpen maar stelde steeds hardere voorwaarden, daarom was dat de laatste optie. Shaukat sprak tegen dat een onderhoud was aangevraagd met het Muntfonds hoewel dat nieuws door het IMF zelf was verspreid. Hij hoopte dat Saudi-Arabië zou instemmen met een uitstel van betaling van de oliefactuur. De islamisten van JI protesteerden even heftig tegen geld van het Muntfonds en de Vrienden, als tegen de bombardementen in Swat en Bajaur. Zardari gaf zijn voorganger Musharraf de schuld voor de economische ellende.

Generaal Petraeus had met het oog op zijn nieuwe opdracht als chef van CENTCOM een comité gevormd[181] dat een strategie moest ontwikkelen van verzoening met de taliban die afstand wilden nemen van al-Qaeda. Dat lag in de lijn van wat twee prominente experts, Ahmed Rashid en Barnett Rubin, hadden aangeraden. Er moeten nieuwe regels komen, hadden ze gezegd. Alleen wanneer een onderscheid werd gemaakt tussen gewone, zelfs gewelddadige vijanden van Amerika en 'globale' terroristen als al-Qaeda, kon de dreiging afnemen voor Afghanistan, Pakistan en de rest van de wereld. Dat veronderstelde een politieke oplossing waarbij zoveel mogelijk opstandelingen deelnamen aan het politiek proces en de internationale troepenmacht de vijandelijkheden zou staken in ruil voor samenwerking tegen al-Qaeda. Een groot diplomatiek initiatief en een ontwikkelingsprogramma moest zorgen voor de rest. Het was opnieuw het plan-Bhandara.

Petraeus mocht zo'n aanpak al genegen zijn, voorlopig triomfeerde de doctrine van de *pre-emptive strike*, die voor Washington sinds 11 september acties wettigde in een ander land tegen een dreiging. Op 31 oktober,

enkele dagen voor de Amerikaanse presidentsverkiezingen, voerden onbemande vliegtuigen twee raketaanvallen uit, een op Noord- en een op
Zuid-Waziristan, ondanks de scherpe protesten die ambassadeur Patter-
son twee dagen tevoren had gekregen van de regering in Islamabad.

Op 3 november, de dag voor de presidentsverkiezingen, maakten generaal Petraeus en onderminister Boucher hun opwachting in Islamabad. De Pakistanen waren unisono: raketaanvallen op doelwitten in de
FATA waren contraproductief. President Zardari zei dat ze de geloofwaardigheid van zijn regering ondermijnden. De aanvallen maken anti-
Amerikaanse gevoelens los, zei defensieminister Mukhtar. Ze dreven een
wig tussen regering en bevolking. Het was niet op alle fronten een dove-
mansgesprek. De voorbije week was de Amerikaanse legerleiding ingegaan op de oude Pakistaanse klacht dat de grens niet dicht was aan de
Afghaanse kant. Eenheden hadden de rivier de Kunar overgestoken en
bewaakten nu de grens met Bajaur veel nauwlettender.

Terwijl Amerika zijn stem uitbracht, namen de Pakistanen Petraeus
mee op een vlucht naar het grensgebied zodat de generaal met eigen ogen
kon zien waar de wegen eindigden en de bergen begonnen. Petraeus, met
zijn diplomatieke achtergrond, was een goed luisteraar en iemand die
probeerde de finesses te begrijpen. Hij kreeg de raad om politieke oplossingen te zoeken in Afghanistan. Bij zijn vertrek hadden de Pakistanen
de indruk dat hij iemand was die openstond, al bleef hij de raketaanvallen verdedigen. Hij zei niet welke taliban hij geschikt achtte om mee
te praten, alleen liet hij uitschijnen dat Jalaluddin Haqqani, de oude
krijgsheer uit Noord-Waziristan en vriend van de ISI, te gevaarlijk was.
Haqqani is voor ons wat Baitullah Mehsud is voor jullie, zou hij hebben
gezegd. Voor zijn vertrek maakte premier Gillani nog eens zijn verzet
duidelijk tegen de raketaanvallen. Ze doorkruisen ons offensief, zei hij,
hoe kan je een oorlog voeren zonder de steun van de bevolking?

De wereld reageerde opgelucht op de verkiezingsuitslag in Amerika
maar Pakistan maakte zich zorgen. Het grootste deel van de bevolking
had gehoopt op een overwinning van John McCain omdat Obama had
gedreigd eenzijdig op te treden in de FATA, of Islamabad dat nu leuk
vond of niet. Gaat hij ons bombarderen?, was de bange vraag.

Ook de NAVO had bange vragen. Op 10 november werd een konvooi
van het bondgenootschap overvallen door zestig gemaskerde mannen
vlakbij de Khyber-pas. Er volgde een vuurgevecht waarbij de aanvallers
er vandoor gingen met twee Humvees, een watertankwagen en verschillende vrachtwagens met graan, bestemd voor het voedselprogramma van
de VN in Afghanistan. Een kleine week later sloot de Pakistaanse rege-

ring de vermaarde Khyber-pas voor bepaalde categorieën vrachtwagens. In de buurt van Peshawar stonden nu tientallen gestrande olietankwagens en vrachtauto's. Hun verzamelpunten waren al maanden het doelwit van aanvallen en tientallen vrachtwagens waren verwoest.

Rond dezelfde tijd zegden Amerikaanse en Pakistaanse functionarissen dat in september een akkoord was bereikt om raketaanvallen op de FATA oogluikend toe te staan. Zardari en zijn regering mochten luidruchtig protesteren en Washington zou weigeren om publiek toe te geven dat het de aanvallen uitvoerde. In ruil drong Zardari bij Washington aan op de levering aan het Pakistaanse leger van de roemruchte onbemande Predators die de bommen afvuurden. Intussen was door de Amerikanen een brede waaier van onbemande toestellen en sensoren in stelling gebracht. Voor 2002 had de CIA daar geen ervaring mee maar in de loop van 2008 waren de expertise en het gebruik met reuzenschreden vooruitgegaan.

Afscheidsgeschenk

BAGDAD (IRAK) - *Half oktober, toen het wereldnieuws werd*

beheerst door de lawine van spectaculaire berichten over de financiële crisis, werd de

laatste hand gelegd aan een akkoord tussen de Verenigde Staten en Irak. Het was

amper drie weken voor de verkiezingen die een streep zouden trekken onder het tijdperk

Bush.

In de ontwerptekst stond dat de Amerikaanse troepen tegen eind 2011 zouden vertrekken. Tegen 30 juni 2009 moesten ze weg uit de steden. Maar het waren geen bindende data. Ze konden met wederzijdse toestemming worden vervroegd of verlaat, naargelang van de 'omstandigheden' en het vermogen van de Irakezen om de toestand zelf te beheersen. Toch was het tijdschema een breuk met alles wat de regering-Bush de voorbije jaren had verkondigd.

Zeven maanden was er moeizaam onderhandeld. Het akkoord moest de basis worden voor een stabiel en langdurig bondgenootschap. Maar de klok tikte. Op 31 december liep het mandaat af dat de coalitie onder leiding van Amerika had gekregen van de Verenigde Naties. Als er tegen dan geen verdrag was konden de vreemde troepen worden beschouwd als een onwettige bezettingsmacht. De vervaldatum betekende dat Bush dit varkentje in extremis zelf nog moest wassen.

Zoals steeds wanneer er politieke beslissingen moesten genomen worden in Bagdad, kostte dat tijd. Tegen half november scheen het parlement er klaar voor. Washington had een hele reeks toegevingen gedaan. In het verdrag stond dat Irak geen lanceerplatform mocht worden voor een aanval op een buurland – lees Iran, dat zich overigens tegen het akkoord bleef verzetten. Ook werd de suggestie geschrapt dat de Amerikanen na eind 2011 in het land zouden mogen blijven. Ten slotte kwamen beide partijen overeen dat een lijst zou worden opgesteld van de zware misdrijven waarvoor Amerikaanse militairen in Irak zouden worden berecht.

De volgende dag werd het pact geparafeerd door de regering-Maliki die de tekst meteen doorstuurde naar het parlement voor een definitieve goedkeuring. In de slotweken van zijn presidentschap had Bush een van zijn belangrijkste dogma's laten sneuvelen: een tijdschema voor de terugtrekking van de Amerikaanse troepen, waar hij zich jarenlang met hand en tand tegen had verzet.

Ook de oliekwestie moest nog worden geregeld voor zijn vertrek. Als Texaan met een verleden in de olie had Bush steeds oog gehad voor dat aspect van het Iraakse dossier. Op 19 oktober bood het Iraakse ministerie van Olie aan een club van 35 buitenlandse oliemaatschappijen 82 procent van zijn bekende reserves aan voor een vriendenprijs. De uitzonderlijk grote velden van Kirkuk en Rumailah, op de grens met Koeweit, werden het jachtgebied van de fine fleur van de *oil majors*.

De erfenis

WASHINGTON (VS) - *Amper een week vóór de Amerikaanse presidentsverkiezingen schetste Mike McConnell, de chef van de nationale veiligheid, een somber beeld van de wereld die de opvolger van Bush zou aantreffen.[182] Er was toenemende internationale onzekerheid met een verhoogde kans op terreuraanslagen in de onmiddellijke toekomst, regionale conflicten op lange termijn en een tanende Amerikaanse macht. De strijd om energie, water en voedsel zou conflicten ontketenen die in tientallen jaren niet waren gezien. De klimaatverandering en de economische crisis zouden die versterken. De euforie van de aflossing van de wacht in het Witte Huis zou snel plaatsruimen voor de talloze uitdagingen van een veranderende wereld. Vooral in de eerste maanden zou de nieuwe administratie kwetsbaar zijn.*

De grootste uitdaging bleef al-Qaeda. McConnell verwachtte niet dat de terreurorganisatie in de komende twintig jaar zou verdwijnen, integendeel. Als er geen ingrijpende verbetering kwam van de politieke en economische toestand in het Midden-Oosten, dan was een groei van het radicalisme en het terrorisme te verwachten. Het was best mogelijk dat de nieuwe terroristen gevaarlijker zouden zijn dan hun voorgangers omdat de nieuwe technologie gevaarlijke wapens binnen hun bereik bracht. Een van onze grootste zorgen, zei McConnell, blijft dat een of andere groep de hand legt op biologische of chemische wapens en misschien zelfs een kernbom. De groei van de wereldbevolking zou de spanning over de voedselreserves – de vraag zou tegen 2030 met de helft toenemen – en het drinkwater doen stijgen. McConnell verwachtte tegen 2025 een tekort aan drinkwater voor 1,4 miljard mensen in 36 landen.

Tegen die tijd zou China een militaire grootmacht zijn met de tweede economie ter wereld, vermoedelijk ook de grootste importeur van grondstoffen en de grootste vervuiler. India zou China op de hielen zitten.

McConnell verwachtte een daling van de olieproductie, de brandstof voor de groei van de voorbije eeuw. Een alternatief zou er in 2025 nog niet zijn.

Een dag later was er op de radio het volgende bericht: de Britse bank Barclays heeft een kapitaalsverhoging gekregen van bijna 12 miljard dollar. Het geld komt vooral van investeerders uit kleine oliestaten in de Golf, uit Qatar en Abu Dhabi, een van de Verenigde Arabische Emiraten. Die hebben nu bijna een derde van de bank. Dubai en Qatar bezitten sinds enkele maanden samen ook 35 procent van de beurs van Londen. Barclays wil geen kapitaal aanvaarden van de Britse regering zoals andere grote Britse banken wel hebben gedaan.

Enkele minuten later liep het bericht binnen van een nieuwe Amerikaanse raketaanval in Pakistan. Die volgde enkele dagen na een raid door *special forces,* aangevoerd met drie Black Hawk-helikopters op een Syrisch dorp vlakbij de grens met Irak. De Amerikaanse minister Michael Chertoff van Homeland Security legde uit wat er aan de hand was en dat kwam neer op een verruiming van het begrip 'zelfverdediging'. Het internationaal recht moest toestaan dat een land optreedt tegen een mogelijke bedreiging vanuit een ander land, zei hij, soevereiniteit betekent ook de verantwoordelijkheid dat je grondgebied geen lanceerplatform is voor aanvallen tegen andere staten.

'Er zijn onbestuurde en onbestuurbare gebieden in de wereld. Moeten we terroristen daar laten complotteren en oefenen met chemische en biologische wapens?' Het volstaat niet om te wachten op een aanval, aldus Chertoff. 'Ik denk niet dat dit de bedoeling is van wat recht zou moeten zijn.'

Zawahiri groet Obama

WASHINGTON (VS) - *Op de websites Elkhas en Hesbah, forums*

van al-Qaedavolgelingen, werd volop gedebatteerd over wie van beide presidentskan-

didaten de ondergang van Amerika het meest zou bespoedigen: Barack Obama of

John McCain.

Het debat was op gang gebracht toen een gezaghebbende stem op Hesbah een sterke voorkeur uitsprak voor McCain, omdat die het faliekante beleid van zijn voorganger zou voortzetten en Amerika dieper zou meesleuren in een uitzichtloze en dure guerrilla tegen al-Qaeda in Irak en Afghanistan. Daarop argumenteerden anderen dat Obama de terugtrekking van de Amerikaanse troepen uit Irak zou versnellen zodat al-Qaeda er een uitvalsbasis van kon maken voor de rest van het Midden-Oosten. Een topfiguur van al-Qaeda hoopte op een vernedering voor Bush, zonder zijn steun uit te spreken voor Obama. Die was met zijn huidskleur, zijn islamitische grootvader en zijn pro-Israëlische standpunten een raadsel voor de islamisten.

Een populaire mening was dat de zionisten en de blanken nooit een zwarte president zouden dulden. Zodra Obama in een toespraak in februari 2008 beloofd had Israël te zullen verdedigen, had de democratische kandidaat geen krediet meer in moslimkringen. Door enkele maanden later bij de Klaagmuur Jeruzalem uit te roepen tot de 'eeuwige hoofdstad van Israël' was Obama veel verder gegaan dan zijn voorgangers en was er volstrekt geen ruimte meer voor illusies. De verkiezingsoverwinning van Obama werd door een extatisch Europa toegejuicht, maar in de moslimwereld was het enthousiasme gering.

Twee weken na de verkiezingen was al-Qaeda klaar met zijn analyse. Het nieuwe gezicht in Washington verbergt een hart vervuld met haat, Obama was naar het woord van Malcolm X een 'huisneger', zei Zawahiri in een videoboodschap die op 19 november verscheen op het internet. Zijn overwinning was een toegeving van het Amerikaanse volk dat Irak was uitgedraaid op een nederlaag, maar als Obama meer troepen zou sturen naar Afghanistan, dan wachtte hem daar hetzelfde lot als de Russen in de jaren tachtig. Obama was een hypocriet, een verrader van zijn ras en een afvallige, zei Zawahiri. Ook de zwarte politici Colin Powell en Condoleezza Rice kregen ervan langs.

De videoboodschap toonde Obama met een keppeltje bij de Klaagmuur naast archiefbeelden van de bekeerling Malcolm X, de revolutionaire woordvoerder van de Amerikaanse Nation of Islam in de vroege jaren zestig, ook bekend als Hajj Malik el-Shabazz, een naam die herinnert aan zijn pelgrimstocht in 1964 naar Mekka.

Het vonnis van Zawahiri was geen verrassing. Er werd niet getwijfeld aan de echtheid van de boodschap die duidelijk maakte dat al-Qaeda er niet aan dacht om de strijdbijl te begraven. Zawahiri zocht integendeel aansluiting met een brede radicale onderstroom bij de zwarte bevolking van de VS. Uit recent onderzoek was gebleken dat daar een potentieel sluimerde. Waar bijna tweederde van de geïmmigreerde moslims in Amerika een zeer ongunstig oordeel had over de terreurorganisatie, was dat bij de zwarte moslims maar 36 procent. En al-Qaeda stak al maanden de loftrompet voor Malcolm X.

De video toonde aan dat het Zawahiri niet zo heet onder de voeten was dat hij geen tijd meer had voor zijn pr. Directeur Hayden van de CIA had het nog geen week tevoren gezegd: de terreurorganisatie versterkte haar basis in de FATA en haalde de banden aan met regionale groepen in Noord-Afrika en Somalië die volgens Hayden aanslagen beraamden in Europa, Afrika en het Arabisch schiereiland. Intussen trokken veteranen uit Irak en Afghanistan naar Jemen waar al-Qaeda alsmaar sterker werd. Maar het hoofdkwartier bleef (voorlopig) waar het was. Vrijwel elk complot waar de CIA weet van had leidde naar de Pakistaanse tribale gordel.

De Amerikaanse aanvallen met onbemande vliegtuigen viseerden intussen niet langer uitsluitend al-Qaeda maar mikten nu ook op Pakistaanse militanten. Ze beperkten hun aanvallen ook niet langer tot de FATA. Op 17 november drongen ze zeventig kilometer diep in het Pakistaanse luchtruim en vielen het huis aan van een gepensioneerd militair in de buurt van Bannu, een stad buiten de FATA, ten zuiden van Peshawar. De raket doodde een Arabier, twee Turkmenen en een plaatselijk militant.

Bij de veiligheid in Peshawar werd vernomen dat een van de doden Abdullah Azzam al-Saudi was, een Saudi die door de Amerikaanse diensten werd omschreven als de belangrijkste verbindingsman tussen al-Qaeda en de taliban van de FATA. Daarnaast was hij ook nog ronselaar en instructeur.

Operatie Mumbai

MUMBAI (INDIA) - *Als goede zakenman moest de Pakistaanse*

president Zardari er niet van overtuigd worden dat zijn land alles te winnen had bij

betere handelsbetrekkingen met erfvijand India, zeker nu de economische ineenstor-

ting dreigde. Op 21 oktober ging voor het eerst in meer dan zestig jaar de grens open

tussen het Pakistaanse en het Indiase deel van Kasjmir.

Zestien rinkelende Indiase vrachtwagens reden met appelen en noten naar de overkant. Even kleurrijke Pakistaanse trucks legden het traject af in de tegenovergestelde richting. Enkele maanden geleden nog werd hier geschoten. Nu mochten 21 goedgekeurde goederen worden verhandeld bij de buren. Voorlopig bleef dat beperkt tot twee dagen per week. Dit kon het voorzichtig begin zijn. Een maand later verraste Zardari vriend en vijand door een afschaffing voor te stellen van de visumplicht tussen beide landen en te suggereren dat ze zouden beloven elkaar niet als eerste aan te vallen met kernwapens. Zuid-Azië moest, volgens Zardari, kernwapenvrij worden.

EEN BUITENLANDSE HAND

Zardari stuurde zijn minister van Buitenlandse Zaken, Shah Mahmood Qureshi, naar New Delhi voor gesprekken over handel, visa en terrorisme. Terwijl die zijn onderhandelingen afrondde doken in de straten van de miljoenenstad Mumbai, het vroegere Bombay, op de avond van 26 november een dozijn mannen op met zakken. Ze verspreidden zich over de kade in het historische stadscentrum, openden het vuur in café Leopold en drongen via de personeelsingang binnen in twee tophotels en een aantal andere gebouwen. In het Oberoi Hotel vernamen gasten die de room service belden dat de dienst niet werkte wegens 'een noodgeval'. Toen ze poolshoogte gingen nemen botsten ze op mensen die naar boven vluchtten en spraken van een terreuraanval en een bloedbad. De terroristen waren binnengevallen met machinegeweren en handgranaten. Daarmee zaaiden ze dood en vernieling. In het historische Taj Mahal Hotel, eigendom van de Tata-groep, drongen ze binnen via de keuken. Ze doorzochten stelselmatig de kamers en doodden zonder veel onderscheid. Er weerklonken explosies en weldra sloegen er vlammen uit het hotel.

De ongewapende hotelveiligheid moest machteloos toezien. De aanvallers noemden zich de Deccan Mujahedin. Daar had nog nooit iemand van gehoord. Het was duidelijk een dekmantel die door de verwijzing naar Deccan, een hoogland in het zuiden van India, de aandacht moest afleiden.

In een oogwenk had de wereldpers verzameling geblazen en het exploot van het handjevol terroristen werd een nieuwssoap met in de heldenrol commando's die aan touwen uit helikopters bengelden om mensen te redden. De enorme belangstelling kwam door de doelwitten: luxehotels waar veel westerlingen logeren, een treinstation waar bijna evenveel doden vielen als in de Taj Mahal, twee ziekenhuizen, een café, een bioscoop en een centrum van orthodoxe Lubavitcher-Joden, waar de rabbijn en zijn vrouw werden afgemaakt. Het duurde ruim drie dagen voor de situatie weer onder controle was. India was regelmatig het doelwit van bloedige aanslagen maar omdat de slachtoffers altijd Indiërs waren, was de terreur in dat land een voetnoot gebleven in het wereldnieuws.

Amper tien terroristen hadden de nachtmerrie veroorzaakt. Van hen was er nog één in leven. Algauw werd gezegd dat ze behoorden tot Lashkar-e-Toiba. De militaire discipline waarmee de stoutmoedige aanslagen waren uitgevoerd en de grondige voorbereiding ervan, wezen in de richting van de beruchte terreurorganisatie die zich vooral op India en Kasjmir had toegelegd. De terroristen stonden tijdens hun operatie telefonisch in contact met Karachi van waaruit ze waren vertrokken. Na enkele dagen bevestigden zowel de Indiase als de Amerikaanse diensten dat het spoor leidde naar Lashkar.

India sprak van zijn '11 september'. Achttien uur na het begin van het drama zei premier Singh op televisie dat er een buitenlandse hand achter de aanslagen stak, maar hij noemde Pakistan niet. De Pakistaanse regering, die meteen haar afschuw had uitgesproken, beloofde alle medewerking, maar het aanbod om generaal Pasha, de chef van de ISI, naar India te sturen werd na luid protest van de oppositie ingetrokken. Het was onwaarschijnlijk dat de Pakistaanse regering op een of andere manier de hand had in het drama van Mumbai. De kans was ook klein dat het leger of zelfs de top van de ISI er voor iets tussen zat. Des te groter was de kans dat 'losgeslagen elementen' van de inlichtingendienst erbij betrokken waren. Lashkar-e-Toiba was weliswaar in 2002 verboden maar de organisatie was een instrument van de ISI in Kasjmir en leefde ondanks het verbod voort als hulpverleningsorganisatie.

De antiterreurbrigade van Mumbai vermoedde dat de terroristen medeplichtigen hadden die vooraf wapens hadden binnengesmokkeld in de hotels. In ieder geval beschikten ze over de namen en telefoonnummers van vijf inwoners van Mumbai. Verrassend was dat de aanvallers een gedetailleerde kennis hadden van de hotels, terwijl de Indiase politie en veiligheid het met onduidelijke grondplannen moest stellen.

De hotelsector vroeg zich af hoe de veiligheid nog kon worden verbeterd. De maatregelen waren al draconisch en volgens experts was geen enkele beveiliging waterdicht. Er werd gevreesd dat het terrorisme een nieuw, gemakkelijk en spectaculair doelwit had gevonden.

DE UITVOERENDE ARM VAN AL-QAEDA

Lashkar-e-Toiba, de naam keerde telkens weer. Ook al-Qaeda was van in het begin genoemd wegens de stoutmoedigheid, de doelwitten en het spectaculaire karakter van de aanslagen. Ofschoon het onderzoek het Lashkar-spoor bevestigde, bleven de rechercheurs rekening houden met de betrokkenheid van al-Qaeda. Al-Qaeda stond in 1988 aan de wieg van Lashkar-e-Toiba, dat was gesticht door een adjunct van bin Laden in de oostelijke Afghaanse provincie Kunar[183] en meteen rekruteerde in het Pakistaanse tribale gebied Bajaur. Bin Laden financierde de opleidingskampen. De stichter, een Saudi, was de zwager van commandant Lakhvi, de militaire leider van Lashkar-e-Toiba.

RAW, de Indiase inlichtingendienst, had vóór de aanslagen boodschappen onderschept die wezen op een nakende aanval van Lashkar. Er was geen verband gelegd tussen een waarschuwing op 18 september voor aanvallen op de hotels van Mumbai en die van twee maanden later over een schip met Lashkar-militanten onderweg naar India. Het was bekend dat de ngo van Lashkar, Jamaat-ut-Dawa, de poort was tot de jihadondergrondse van Pakistan. Via die weg werden vrijwilligers uitgestuurd over de wereld om voor al-Qaeda te opereren. De leider van Lashkar was thuis bij al-Qaeda en de top van de taliban. De militanten waren vertrouwd met guerrillatactieken. Het was niet uitgesloten dat Lashkar optrad als een uitvoerende arm van al-Qaeda.

Het onderzoek leidde naar twee Pakistaanse architecten van de aanslagen, Zaki-ur-Rehman Lakhvi, de militaire chef van Lashkar-e-Toiba, en Yusuf Muzammil, de commandant van de groep in Kasjmir en India. De overlevende terrorist had tegen zijn doortastende ondervragers opgebiecht dat hij door de eerste was gerekruteerd en dat de terroristen, na de kaping van een Indiaas schip, telefoneerden met de tweede. Alle tien waren ze maandenlang opgeleid in kampen van Lashkar in Pakistan.

Het complot was beraamd in samenwerking met sommige agenten van de ISI. De commando's hadden training gekregen in PNS Iqbal, een basis van marinecommando's bij Karachi, en in een tweede basis, Mangla Dam, vlakbij Islamabad.

President Zardari herhaalde dat het kabinet niet alleen wilde helpen bij het onderzoek maar ook streng zou optreden tegen mogelijke Pakistaanse betrokkenen. Lashkar maakte er geen geheim van dat het het liefst een oorlog zag uitbreken tussen Pakistan en India. Dat was de sleutel voor het succes. De duizenden militanten waren totnogtoe trouw aan de staat, maar mocht de regering iets ondernemen tegen hen, dan kon de hel uitbreken. Een zuivering van de ISI kon tot een felle reactie leiden van de extremisten binnen het veiligheidsapparaat.

Het aandeel van de ISI bij de aanslagen in Mumbai bestond volgens goede Pakistaanse bronnen uit een plan waarbij een kleine operatie in Kasjmir moest uitmonden in een grote aanval op de Indiase havenstad. Het plan mislukte doordat Lashkar niet wilde wachten op bevelen van de ISI en een pact sloot met al-Qaeda. Verschillende factoren hadden daartoe bijgedragen, onder meer de arrestatie van een miljonair in Karachi[184] die een geldschieter was van Lashkar, al-Qaeda financierde in Zuid-Waziristan en tegelijk werkte voor de ISI. Een andere factor was dat een belangrijke jihadi-groep in Kasjmir, die onder de controle stond van de ISI,[185] was verkast naar Noord-Waziristan, brak met de geheime dienst en in handen viel van al-Qaeda. Hetzelfde gebeurde met de zusterorganisatie in Bangladesh. Bovendien waren er nieuwe regeringen in Bangladesh en Nepal, die de smokkel ten behoeve van de jihad in India bemoeilijkten. Het nettoresultaat was dat de resterende jihadi's van Kasjmir zich hadden teruggetrokken in Karachi waar ze werden getraind en van de ISI de opdracht kregen om zich voorlopig gedeisd te houden.

Nieuw was dat al-Qaeda India tot zijn doelwit zou hebben genomen. India was een veilige vluchtroute voor militanten. Dat de NAVO eraan dacht om van India een strategische partner te maken, had al-Qaeda in 2007 al doen zoeken naar allianties met Pakistaanse organisaties.

In Islamabad presenteerde Condoleezza Rice en Mullen de bewijzen van ISI's betrokkenheid en die van Pakistaanse groepen. Ze vroegen de onmiddellijke arrestatie van de betrokken ISI-agenten, Lashkars opperbevelhebber Lakhvi en Emir Hafiz Muhammad Saeed, hoofd van de 'caritatieve ngo' Jamaat-ut-Dawa, de mantelorganisatie van Lashkar-e-Toiba. Het Pakistaanse opperbevel liet voelen dat het niet gediend was met dictaten en dat het op zijn manier met de militanten zou afrekenen. Dat was hoog spel, dat Washington in de verleiding kon brengen om eigenhandig op te treden. In ieder geval moest er iets gebeuren: er was het telefoonverkeer tussen de terroristen in Mumbai en Karachi en de bekentenissen van de overlevende terrorist. Tegelijk was er een algemene scepsis in Pakistan, ook en vooral bij de militairen, tegenover 'bewijzen' die door India werden aangedragen. Washington speelde vier namen van voormalige ISI-officieren door aan de VN-Veiligheidsraad om te worden opgenomen op de lijst van internationaal gezochte terroristen. Bij hen de flamboyante Hamid Gul, de voormalige chef van de inlichtingendienst, notoir Amerikahater, sympathisant van de jihadi's, en coryfee van westerse internationale nieuwszenders. Ze willen de ISI vernietigen maar ik kan ze ontmaskeren, zei Gul. Ook Khalid Khawaja stond op de lijst, de voorzitter van een mensenrechtenorganisatie die hulp verleende aan de slachtoffers van de oorlog tegen het terrorisme. Hij was een voormalig officier van de luchtmacht en van de ISI, een man met een lange baard, die nooit een geheim had gemaakt van zijn haat voor de regering-Bush en van zijn sympathie voor bin Laden die hij kende sinds de vroege jaren van de Afghaanse oorlog tegen de Sovjets.[186]

De bekentenissen van de ene gearresteerde terrorist legden de achtergronden bloot van de stoutmoedige operatie en voorkwamen dat nog meer aanvallen werden uitgevoerd in India. Hij vertelde dat de aanval een half jaar lang was voorbereid en dat het de bedoeling was om vijfduizend mensen te doden, liefst Israëli's, Amerikanen en Britten. Hij werd aangehouden toen hij met een handlanger in een gekaapte Skoda onderweg was voor een aanval op de residentiële wijk Malabar Hill. Dat was een dikke streep door de jihad-rekening.

In plaats dat nu hun wapens het zwijgen werd opgelegd werden de jihadi's juist zeer actief in de NWFP. In Peshawar werd een golf van ontvoeringen ontketend. In vier dagen tijd werden zestig mensen gekidnapt, de meesten van hen gepensioneerde legerofficieren of mensen van Awami. Tegelijk was er een offensief tegen de konvooien van de NAVO op weg naar Afghanistan. Bij een van die aanvallen werden in hartje Peshawar veertig containers vernield.

OP DE RAND VAN EEN OORLOG

In één opzet waren de terroristen geslaagd. Ze brachten de buurlanden, allebei kernmogendheden, op de rand van een oorlog. Voor de Indiase regering zou het zelfmoord zijn geweest om een betrokkenheid van de ISI niet op te vatten als een oorlogsdaad en de aanslagen niet militair te vergelden. Voor de Pakistaanse regering dreigde een militaire staatsgreep, als een knieval werd gedaan voor New Delhi. Het was niet uitgesloten dat het Pakistaanse leger de druk zou aangrijpen om onder de oorlog met de terroristen uit te komen. Het hoofdkwartier in Rawalpindi koesterde weinig illusies over de aantredende Amerikaanse president Obama. Het zag met leedwezen dat de Amerikanen de stammen in de

FATA, naar het model van het Iraakse Anbar, wilden bewapenen tegen de taliban en al-Qaeda. Dat kon op termijn leiden tot een gewelddadige herleving van de gevreesde droom van een vereniging van alle Pathanen in een Pashtunistan. Dat Obama Gates handhaafde als minister van Defensie vond Rawalpindi evenmin geruststellend want Gates wilde een sterk Afghaans leger van 134.000 manschappen. Dat zou vrijwel zeker onder het commando komen van een Tadzjiek, omdat driekwart van het officierenkorps uit Tadzjieken bestond die Pakistan niet vertrouwden.

Voor Washington, dat midden in een machtwissel zat, dreigde het verlies van een onmisbare partner in de strijd tegen de terroristen als Islamabad te zwaar onder druk zou komen. De medewerking van Pakistan was vitaal voor Afghanistan en de strijd tegen al-Qaeda.

Midden in deze crisis vergaderden de ministers van Buitenlandse Zaken van de NAVO in Brussel. Het was de laatste bijeenkomst met Condoleezza Rice. Allicht speelde bezorgdheid over de bevoorrading van de troepen in Afghanistan een hoofdrol bij de beslissing om Georgië en Oekraïne in de wachtzaal van het bondgenootschap te houden. Mocht dat niet zijn gebeurd, dan liep de 'noordelijke' aanvoerlijn gevaar. Moskou volgde de vergadering aandachtig en was achteraf tevreden dat de dialoog, die was afgebroken na de Russische invasie van Georgië in augustus, zou worden hervat. Niemand had belang bij een nieuwe oorlog in Zuid-Azië, tenzij de terroristen. Een speler die ademloos en stil toekeek was China, bondgenoot van Pakistan en op zijn hoede voor India.

In Azië zagen sommigen in de aanval op Mumbai een antwoord op de acties van de Indiase marine tegen de piraterij die een regelrechte plaag was geworden voor de kust van Somalië. De marine had pas een commandoschip van de zeerovers gekelderd en het was een publiek geheim dat de piraten samenwerkten met al-Qaeda.

Het spoor van de terroristen leidde naar het zuiden van Punjab, de straatarme streek waarvan Bahawalpur en Multan de grote steden zijn. Nergens is er een grotere concentratie van koranscholen en de meesten ervan onderrichten in de traditie van de Deobandi die ook door de taliban wordt aangekleefd, scholen waarin werd voorgehouden dat de strijd tegen de vijanden van het geloof een plicht is. Het is een van de belangrijkste rekruteringsgebieden voor terreurorganisaties als Lashkar-e-Toiba en Jaish-e-Mohammed, die vertakkingen hebben tot in Groot-Brittannië. De gevangen tiende terrorist had opgebiecht dat hij afkomstig was uit Faridkot, een dorp in het zuiden van Punjab. Dat was vervelend voor Pakistan dat had ontkend dat hij een onderdaan was. Volgens Amerikaanse persberichten gaven India en de Verenigde Staten aan Pakistan 48 uur om op te treden tegen Lashkar en drie verdachten aan te houden: Hamid Gul, ex-chef van de ISI, commandant Lakhvi van Lashkar en Yusuf Muzammil, die werd beschouwd als het brein achter de aanslagen.

Op de avond van 7 december bezette een legereenheid een kamp van Lashkar in de buurt van Muzaffarabad, de hoofdstad van Pakistaans Kasjmir.[187] Het kwam tot een kort vuurgevecht en de aanhouding van een dozijn militanten, bij wie commandant Lakhvi, de man die door de tiende terrorist was aangewezen als een van zijn twee opdrachtgevers.[188] Tegelijk werd in Rawalpindi een lid van Lashkar opgepakt. De plaatselijke pers sprak van een veel ruimere operatie met razzia's in Punjab en tientallen arrestaties. Het was onduidelijk wat met Lakhvi zou gebeuren. India vroeg zijn uitlevering en die van negentien andere topterroristen maar president Zardari had gezegd dat als er Pakistanen bij de aanslagen betrokken waren, ze in eigen land zouden worden berecht.

Enkele uren na de legeroperatie bij Muzaffarabad overviel een groep van tientallen gewapende mannen in Peshawar een staanplaats van vrachtwagens voor de bevoorrading van de NAVO in Afghanistan; 100 tot 150 trucks werden in brand gestoken. Het was duidelijk dat de extremisten woedend waren. Woedend omdat een van de kamikazes was blijven leven en al snel was bezweken onder de ondervragingstechnieken van de Indiase veiligheid. Machteloze woede ook over het verraad door de Pakistaanse staat, het leger en de top van de ISI, die organisaties als Lashkar hadden aangemoedigd. Operatie Mumbai breidde het conflict in de FATA en sommige delen van de NWFP in een klap uit tot de Kasjmirjihadi's in het hele land. Het zag ernaar uit dat het afgelopen was met de bescherming wegens het goede doel. Dat kon leiden tot een burgeroorlog in plaats van de grote oorlog van Pakistan met India waarop Lashkar en ongetwijfeld alle jihadi's, hadden gerekend.

Washington was tevreden over Muzaffarabad en sprak van 'positieve gebaren', maar het verwachtte meer. We willen dat Islamabad samenwerkt met India, zei het Witte Huis.

Pakistan sloot een ondervraging van Lashkar-commandant Lakhvi door buitenlandse diensten uit. We zullen het zelf doen, zei Islamabad, en we moeten daarvoor de tijd nemen. Wel wilde Islamabad een hoge delegatie naar New Delhi te sturen om te helpen met het onderzoek. De Indiase politie publiceerde de lijst van gedode terroristen. Allen waren ze afkomstig uit Punjab, in Pakistan. President Zardari stuurde een open brief naar *The New York Times*[189] waarin hij de aanslagen van Mumbai vergeleek met die van Karachi bij de thuiskomst van Benazir Bhutto. Ze zijn niet alleen tegen India maar ook tegen de democratie in Pakistan gericht, schreef hij. We hebben niets te maken met de terroristen, we zijn zelf hun doelwit, ging hij verder. Hij beloofde dat alle daders zouden worden opgespoord en vervolgd maar waarschuwde tegen overhaaste en ophitsende uitspraken. En hij vroeg politieke en economische hulp.

Intussen kreeg de geestelijke Masood Azhar, de stichter van Jaish-e-Mohammed, huisarrest in Bahawalpur. Masood was in de kerstdagen van 1999 door India vrijgelaten toen een gekaapt vliegtuig van Indian Airlines naar Kandahar was afgeleid. Ook het 'Leger van Mohammed' had een naamsverandering ondergaan nadat het buiten de wet was gesteld. Het bediende zich van twee ngo's die intussen ook op de VN-terreurlijst stonden.[190] Premier Gillani bevestigde ook de arrestatie van Zarrar Shah, die gezorgd had voor het communicatiesysteem waarmee de terroristen contact hielden met leiders van Lashkar in Pakistan.

Ogenschijnlijk was het offensief tegen de jihadi's eindelijk ingezet, maar was dit meer dan een geste om de confrontatie met het buurland te voorkomen? Pakistan zei dat India geen snipper bewijsmateriaal had aangedragen en de vraag was of de arrestanten, zoals in het verleden, na enkele maanden stilletjes zouden worden vrijgelaten. Jamaat-ut-Dawa, de ngo van Lashkar, was trouw aan de staat en de verwachting was dat de Emir niet zou worden verontrust. Mochten Lakhvi en andere topfiguren op de rooster worden gelegd, dan kon volgens Lashkar-militanten een burgeroorlog uitbreken waar vooral Punjab onder zou lijden. Een gevolg zou ook zijn dat de dunne grens tussen Lashkar en al-Qaeda helemaal zou wegvallen. Al-Qaeda was stevig ingeplant in India dat uiteindelijk een interessant doelwit was wegens de nog sterkere rol van Israël bij de opleiding van geheime agenten en commando's na de aanslagen van Mumbai. Voor wat Pakistan betrof zouden de jihadi's zich toespitsen op de aanvoerlijn van de NAVO. Als die kon worden doorgeknipt, dan zou de NAVO in 2009 moeten vertrekken uit Afghanistan, dachten ze.

Zardari had kort na de aanslagen gezegd dat hij zou optreden als er bewijsmateriaal was tegen individuen of groepen 'in mijn deel van het land'. Dat was een betekenisvolle lapsus. Over sommige delen van zijn land had hij geen controle en ook niet over sommige delen van het staatsapparaat. De schijnwerpers stonden op Islamabad en op de kleren van keizer Zardari. Maar er was nog hoop. Als de ISI eindelijk in het gareel kon worden gedwongen, dan kon misschien alsnog het hoofd van bin Laden op tafel worden gezet omstreeks de machtswissel in het Witte Huis...

MAFFIABAAS EN DRUGSBARON

Na verloop van tijd dook een nieuwe naam op. Bij de twintig van wie

India de uitlevering vroeg door Pakistan was de grootste maffiabaas van Mumbai, Dawood Ibrahim, tevens een van de gevaarlijkste drugsbaronnen ter wereld. Ibrahim leefde op grote voet, afwisselend in Karachi[191] en Dubai. Zijn dochter was getrouwd met een Pakistaanse cricketster. De gangster leidde de D company, een wereldomspannend syndicaat, en hij was de hoofdverdachte van de aanslagen van 1993 in Mumbai waarbij driehonderd mensen stierven. Volgens India had hij die gepleegd in samenwerking met de ISI. Nu werd hij ervan verdacht de eigenaar te zijn van het schip waarmee de terroristen van Lashkar naar Mumbai waren gevaren tot ze in het vizier kwamen van de Indiase marine en een Indiase vissersboot kaapten. Een van de vijftienhonderd leden van Ibrahims D syndicaat leverde de rubberboten waarmee de tien terroristen kort na negen uur 's avonds aanmeerden in Mumbai. Niemand kende de zee voor Mumbai beter dan Ibrahim, de smokkelkoning met zijn 26 aliassen en elf paspoorten. Terrorisme was volgens de Amerikaanse regering een van zijn talloze ondernemingen.[192] Ofschoon de Pakistaanse leiders al jaren volhielden dat hij niet op hun grondgebied vertoefde, was zijn exuberante levenswandel bij alle ingewijden bekend. Voor de ISI was hij nuttig als topinformant over het reilen en zeilen in Mumbai en volgens de plaatselijke pers had hij ooit de Centrale Bank van Pakistan gered.

* * *

Voor de Verenigde Staten was het een moeilijke oefening. Washington wilde onder geen beding een nieuwe oorlog tussen de kemphanen. Tegelijk moest het zwaard van Damocles boven Islamabad blijven hangen om Pakistan tot meer te bewegen dan gratuite gestes. En er moest worden voorkomen dat de regering-Zardari zou gaan wankelen. Grosso modo was dat ook het streven van India. Waarom zwijgt onze regering over de samenzwering van de RAW, de CIA en de Mossad tegen Pakistan, vroeg *The Frontier Post* in een hoofdartikel waarin werd verzekerd dat de overgrote meerderheid van de Pakistanen achter de ISI stond. De regering verzekerde alvast dat de voormalige baas van de dienst, Hamid Gul, niet zou worden uitgeleverd.

Op 10 december verklaarde de VN-Veiligheidsraad dat Jamaat-ud-Dawa een dekmantel was van Lashkar-e-Toiba. De zwaarlijvige Emir van beide groepen, Hafiz Muhammad Saeed, sprak van een oorlogsverklaring aan het adres van de religieuze groepen en zei dat hij in beroep ging bij Pakistaanse en internationale gerechtshoven. Hij zei dat er geen bewijzen waren, dat zijn groep niets te maken had met de aanslagen in Mumbai en dat de Veiligheidsraad een protestbrief mocht verwachten.

De hoofdvogel

GUANTANAMO BAY (CUBA) - *Op 8 december werden de families van de slachtoffers van 11 september voor het eerst geconfronteerd met het brein achter de aanslagen, Khalid Sjeik Mohammed. Die veroorzaakte opschudding door samen met vier andere kopstukken tijdens een routinezitting aan de rechter te vragen om schuldig te mogen pleiten.*

De vijf wilden volledige bekentenissen afleggen op een 'onmiddellijke hoorzitting'. Ze zeiden dat ze hun beslissing hadden genomen zonder druk, bedreiging of beloftes.

Ze droegen lange baarden. Die van Khalid Sheikh Mohammed, die optrad als de leider van de groep, was patriarchaal breed en grijs. Ze maakten grapjes. 'We willen onze tijd niet verspillen met emoties', zei hij, 'ik vertrouw geen enkele Amerikaan.' Ramzi bin al-Shibh, de verbindingsman tussen de kapers en hun opdrachtgevers, feliciteerde Osama bin Laden en vroeg hem Amerika opnieuw een opdonder te verkopen. Er werd getwijfeld aan zijn toerekeningsvatbaarheid en aan die van Mustafa al-Hawsawi, een econoom van al-Qaeda. Drie van de vijf beklaagden wilden zichzelf verdedigen. Rechter Henley vond dat hij de procedures moest nakijken. Dat zaaide vertwijfeling bij de vijf.

'Wil je zeggen dat we de doodstraf niet krijgen als we schuldig pleiten?', vroeg Khalid aan de rechter en namens de vijf trok hij zijn aanbod in. Ze wilden martelaars worden en liefst zo snel mogelijk. Dat wilde ook de openbare aanklager. Er dreigde een procedureslag die weken en misschien maanden zou duren.

Dat was een probleem voor president Obama. Hij had beloofd dat hij Guantanamo en de uitzonderingstribunalen zou opdoeken en de verdachten in Amerika laten berechten. Sommige familieleden van de slachtoffers vonden de vertoning wansmakelijk en wilden dat Khalid en co de eer van het martelaarschap niet werd gegund.

Nieuw eindejaarsalarm

BRUSSEL - *Op 11 december, een jaar na het eerste terreuralarm dat*

ogenschijnlijk weinig schokkende gevolgen had, arresteerde de Belgische veiligheid een

netwerk van veertien militanten, mannen en vrouwen, na zestien huiszoekingen in

Brussel en Luik.

Vier leden van de groep hadden sinds 2007 in de FATA een opleiding gekregen of meegevochten en contact gehad met 'belangrijke figuren' van al-Qaeda. Twee van hen waren enkele maanden tevoren teruggekeerd en werden geschaduwd. Een derde was pas een week terug. Hij had een afscheidsvideo laten maken en vrouw en kinderen in veiligheid gebracht, wat erop wees dat hij op het punt stond een zelfmoordaanslag te plegen. Aangezien er die dag een Europese top was in Brussel werd het zekere voor het onzekere genomen zonder dat er duidelijkheid was over het doelwit van de 'martelaar'.

Het onderzoek was een uitvloeisel van de bevrijdingsplannen voor de ex-voetballer Trabelsi, ruim een jaar tevoren. Er werd rekening mee gehouden dat de huiszoekingen die toen waren verricht een aanslag in Brussel hadden verijdeld.

Ook nu was Malika el-Aroud een spilfiguur. Haar man was een van de kamikazes die in Afghanistan de Tadzjiekse commandant Massoud had vermoord, enkele dagen voor de aanslagen van 11 september. Haar nieuwe echtgenoot, de Tunesiër Moëz Garsalloui, was een ronselaar voor de strijd in Afghanistan en Pakistan.

De route in gevaar

ISLAMABAD (AFGHANISTAN) - *De situatie verslechtte zien-*
derogen. In twee weken tijd waren honderden vrachtwagens met goederen bestemd
voor de NAVO en het Amerikaans leger in Afghanistan verwoest. In een week tijd
waren er driehonderd in de as gelegd bij vijf verschillende aanvallen.

De Afridi's waagden hun leven door de vrachtwagens over de 55 kilometer lange weg dwars doorheen hun stamgebied te rijden van Peshawar
naar Torkham op de grens. Een van hen, de voorzitter van de vervoers-
federatie van Khyber, goed voor 3500 vrachtwagens en de hoofdmoot
van het transport, kondigde op 15 december aan dat zijn organisatie ermee stopte. Sommigen hadden het werk al een week gestaakt omdat de
chauffeurs onderweg werden vermoord. Voedsel, munitie, voertuigen en
brandstof stonden geblokkeerd in opslagplaatsen rond Peshawar.

De meeste brandstof kwam nu al uit Oezbekistan en Turkmenistan
en ook de Amerikanen hadden daar al 1,6 miljoen liter ingeslagen. Het
bondgenootschap onderhandelde met Kazachstan en Oezbekistan en
zelfs met Oekraïne en Wit-Rusland, over een landcorridor. Om te voorkomen dat Moskou te veel greep kreeg op de aanvoerlijn werd gedacht
aan een 'derde route' via Turkmenistan, Azerbeidzjan en Georgië, al was
dat een tijdrovend en duur alternatief.

Rusland, dat zijn luchtruim al had geopend voor de Fransen en de
Duitsers en zijn spoor voor Duitsland, was bereid om alle NAVO-landen
gebruik te laten maken van zijn spoorwegnet zodra die een akkoord hadden met Oezbekistan en Kazachstan. Intussen was het zover. Het was
enkel nog wachten tot de papiermolen zijn werk had gedaan.

Annapolis revisited: de wereld kijkt toe

GAZA (PALESTIJNSE GEBIEDEN) - *Van zijn spectaculaire belofte om vrede te brengen tussen Israël en de Palestijnen vóór het einde van zijn ambtstermijn had Bush bitter weinig terecht gebracht. Integendeel. In de laatste dagen van zijn presidentschap vlogen Israël en Hamas elkaar in de haren. Op 27 december 2008 lanceerde Israël een luchtoffensief tegen Gaza om een einde te maken aan de raketaanvallen van Hamas. Daarop riep Khaled Mechaal, de leider van Hamas, vanuit Damascus op tot een 'derde intifada'.*

Na een week rukte het Israëlisch leger de Gazastrook binnen, sneed het kleine gebied van anderhalf miljoen mensen doormidden en omsingelde Gaza-stad voor een grote razzia met zwaar materieel. Er vielen gemiddeld vijftig Palestijnse doden per dag, lang niet allemaal Hamas-strijders, en weldra telde ook het Israëlisch leger doden in zijn rangen. Tot de eersten behoorden drie soldaten die sneuvelden door *friendly fire*. Al snel waren er berichten van vergelijkbare ongelukken met burgers. Een gezin van vijf in een auto, een schuilplaats met tientallen burgers die er een veilig onderkomen hadden gezocht, een schooltje van de VN... Alleen als de veiligheidsdienst een perfect plan had afgeleverd aan perfecte soldaten over wat precies moest gebeuren, had deze operatie kans op slagen zonder onvergeeflijk bloedvergieten en slechte publiciteit. Het was een spel van hard tegen onzacht waarin de kaarten niet helemaal lagen zoals iedereen ze verwachtte. De Egyptische president Moebarak bijvoorbeeld hoopte dat Hamas niet als overwinnaar uit de strijd zou komen.

De wereldopinie keek met betraande ogen toe...

De leeuwen van de islam in Somalië

MOGADISHU (SOMALIË) - *Tegen het eind van 2008 trok de*

kaping van de driehonderd meter lange Saudische olietanker Sirius Star de aandacht

op het chaotische en nog altijd levensgevaarlijke Somalië aan de Afrikaanse oostkust.

Het land zat al bijna twintig jaar zonder noemenswaardige regering en geleek op het

Afghanistan van de vroege jaren negentig toen een kluwen van krijgsheren elkaar

bekampte op leven en dood.

Van centraal gezag was geen sprake en het extremisme kon ongeremd
gedijen. De bevolking snakte naar recht en orde en was, net als de Afghanen in de jaren negentig, bereid om de zorg daarover toe te vertrouwen
aan religieuze ultra's. Ethiopië was militair tussenbeide gekomen en had
de Unie van Islamitische Tribunalen verdreven van de macht maar anderhalf jaar later, in de zomer van 2008, waren de Tribunalen er terug, zij
het onder een nieuwe naam, de Shabaab.[193] Shabaab, letterlijk 'de jeugd',
was in 2006 gesticht als jongerenorganisatie van de Tribunalen. De zegetocht van Shabaab in Zuid- en Centraal-Somalië werd op 22 augustus
2008 bekroond met de val van de havenstad Kismayo, de tweede stad
van het land.

Onder de slogan 'geen vrede zonder islam' werden de laatste contacten met de machteloze regering in Mogadishu verbroken en veranderde
het zuiden in een soort Waziristan. De hoofdstad was sinds eind 2007
omsingeld. Ook Baidoa, waar het parlement resideerde, was dat. De regering, die door het leven ging als de Federale Overgangsregering, bleef
weg uit de hoofdstad en verkeerde nog maar eens in crisis ten gevolge
van een conflict tussen de eerste minister en de president die tot rivaliserende stammen behoorden en van mening verschilden over een ouverture naar 'gematigde islamisten'. Hinderlagen en aanslagen verstoorden
de lange aanvoerlijnen van de Ethiopische troepen die Baidoa en Mogadishu uit de handen van Shabaab probeerden te houden.

Shabaab onderhandelde intussen over een fusie met al-Qaeda. Sommige leiders van de beweging waren in de jaren negentig opgeleid in

kampen van al-Qaeda en Shabaab beschermde drie voortvluchtige verdachten van de dubbele aanslag op de Amerikaanse ambassades in Nai-
robi en Dar-es-Salaam in 1998. Een van de drie, Abu Taha al-Sudani, een
veteraan van al-Qaeda, werd beschouwd als de leider van de terreurorganisatie in Noord- en Oost-Afrika. Al-Qaeda had een voet aan de grond in
Somalië sinds het beruchte Black Hawk-incident in 1993.[194]

Op 2 september 2008 legde de militaire commandant van Shabaab[195]
namens zijn organisatie de eed van trouw af aan Osama bin Laden. Hij
kende Osama persoonlijk. Het antwoord kwam op 19 november in een
video, waarin Zawahiri zijn waardering uitsprak voor 'de broeders, de
leeuwen van de islam in Somalië'

Intussen, op 26 oktober, hadden de Overgangsregering en gematigde
islamisten besloten tot een bestand en het vertrek van het Ethiopisch
leger.

Een maand later kondigden de Ethiopiërs hun aftocht aan voor het
eind van het jaar zodat de kleine internationale troepenmacht werd ge-
halveerd en alleen nog 3200 soldaten uit Oeganda en Burundi zouden
achterblijven om de instortende instellingen van de Overgangsregering
overeind te houden. De Somalische president Yusuf gaf toe dat zijn regering enkel nog stukken van Baidoa en Mogadishu controleerde. Sinds de
Ethiopische invasie twee jaar tevoren waren duizenden mensen gedood
en ruim een miljoen ontheemd en op de dool in het hete woestijnland.
Het vertrek van de Ethiopische soldaten uit de hoofdstad in de eerste
dagen van 2009 ging gepaard met gevechten tussen islamisten die het
presidentieel paleis bestookten en regeringstroepen die acht burgerdoden maakten bij een beschieting van een drukke markt met mortiergranaten. Intussen had de president de premier ontslagen en was hij op
zijn beurt de laan uitgestuurd door het parlement.

De bestuurlijke chaos en de opmars van Shabaab inspireerden vele
jongeren in de diaspora. Alleen al vanuit de Amerikaanse deelstaat Min-
nesota vertrokken in december 2008 een twintigtal vrijwilligers om in
Somalië te gaan vechten. Ook vanuit Canada en Europa vertrokken contingenten. Shahaab had een internationale roeping en streefde niet enkel
naar de verovering van de macht maar naar de vestiging van een wereldwijd kalifaat.

De situatie was in snel tempo verslecht. Al bijna twintig jaar was het
land compleet ontredderd maar nooit was het zo erg. Als je landen punten kan geven van een tot tien voor anarchie en verwarring, dan krijgt
Somalië een twintig, zei een VN-functionaris. De helft van de bevolking
was afhankelijk van voedselhulp, een stijging met ruim driekwart in een
jaar tijd. De Somaliërs hadden nooit veel gevoeld voor religieuze scherp-

slijpers maar de slordige Ethiopische represailles troffen veel onschuldigen en dreven massa's mensen in de armen van de Shabaab.

Het was verleidelijk om een verband te zien tussen de herovering van het zuiden door de islamisten en de piraterij voor de noordelijke kust van Somalië. Maar de baronnen achter de zeerovers steunden de zwakke regering en hadden hun eigen republiekjes in Somaliland en Puntland, ver van het rijk der Shabaab.

Al jaren maakte de wereld zich grote zorgen over de veiligheid van de Straat van Malakka tussen Maleisië en Indonesië, waar de piraterij hoogtij vierde en een kwart van de wereldhandel bedreigde. Vooral kleine, trage olietankers waren er een doelwit van een nieuwe generatie zeerovers die met snelle bootjes en lichte wapens opereerde vanuit de Indonesische jungle. Na Malakka was de Golf van Aden gekomen en de Somalische kust. Daar was het probleem veroorzaakt door de industriële visvangst door internationale spelers die de Somalische vissers had gebroodroofd.

Al-Qaeda had er al jaren geleden mee gedreigd om de 'economische levensaders' van het Westen door te snijden en bin Laden had eind 2002 de aanslag op de Franse tanker Limburg voor de kust van Jemen toegejuicht. 'Met de aanval op de Limburg zijn handelsschepen en in het bijzonder kwetsbare olietankers, een doelwit van terroristen geworden', had de directeur van het Internationaal Maritiem Bureau van de VN toen gezegd.

Toch werd zes jaar later geen verband gelegd tussen de opmars van de Shabaab en de piraterij. Vermoedelijk omdat de Amerikaanse legerleiding dat niet deed. Generaal William Ward, de chef van het Afrikaans commando, zei dat hij 'geen enkel bewijs' had van banden tussen de zeerovers en al-Qaeda. De internationale gemeenschap kwam aarzelend en in gespreide slagorde in actie om de plaag te bestrijden. Voor India waren de Golf van Aden en de Afrikaanse oostkust van groot belang. Het had al vroeg een fregat[196] in de regio; op 18 november 2008 kelderde het het moederschip van een zeeroversvloot. Het uitblijven van internationaal protest (zelfs vanwege Pakistan) werd in New Delhi opgevat als een legitimering van de uitbreiding van zijn traditionele actieradius. Tegelijk viel de reactie op van Washington. Daags na het incident zei de woordvoerder van het Pentagon dat een militaire benadering niet het antwoord was op de zeeroverij en dat de koopvaardijschepen meer moesten doen om zichzelf te beschermen. Hij pleitte voor een 'omvattende benadering van de internationale gemeenschap'.

Op dat moment waren 18 schepen gekaapt met in totaal 330 gegijzelde bemanningsleden. Van de 95 schepen die dat jaar waren aangevallen waren er 39 veroverd door de piraten. Buitenlandse Zaken in Washington sprak van een internationaal probleem dat niet door de VS alleen zou worden opgelost. De Amerikaanse regering wilde een VN-resolutie om de bestrijding mogelijk te maken, maar prominente juristen zagen geen noodzaak voor nieuwe rechtsmiddelen omdat zeeroverij vanouds wordt beschouwd als een misdaad tegen de mensheid en piraten altijd door wie en waar ook mochten worden aangehouden en berecht.[197]

Waar kwam die Amerikaanse aarzeling vandaan? Na de aanslagen van 11 september was op Amerikaans initiatief een Combined Task Force opgericht met hoofdkwartier in Djibouti om in de Golf van Aden, de Rode Zee, de Golf van Oman, de Arabische Zee en de Indische Oceaan de bevoorrading van al-Qaeda in Irak en de taliban in Afghanistan te beletten. Pakistan was er lid van geworden op voorwaarde dat India werd uitgesloten. Piraterij stond niet hoog op de prioriteitenlijst van de Task Force. Ze beantwoordde een noodkreet van de internationale zeevaartorganisaties met de afbakening van een 'veiligheidspatrouillegebied' in de Golf van Aden, in afwachting van 'internationale inspanningen die zouden leiden tot een oplossing op lange termijn'. Intussen moest de koopvaardij overwegen om veiligheidsbedrijven onder de arm te nemen, zei viceadmiraal Bill Gortney. Blackwater, dat bijna werkloos werd in Irak, kreeg telefoontjes van zo'n zestig reders en verzekeringsmaatschappijen. Ofschoon ook Gortney geen bewijzen zag, vreesde hij dat het terrorisme, dat een stevige poot had in Somalië, in de buurt moest zijn wanneer het ging om zo veel geld als de piraterij opleverde.

Frankrijk en Groot-Brittannië waren net als India en China wel gealarmeerd. Washington schreef een resolutieontwerp voor de VN-Veiligheidsraad waarin werd opgeroepen tot 'alle nodige maatregelen aan de wal en in de lucht' om een eind te maken aan de zeeroverij, maar het Pentagon deed alsof het daar niets van wist.

De grote zorg van de militairen was wat ze moesten doen met gevangen piraten. Ze wilden zeker zijn dat die konden worden gevonnist in de regio. Ook het onderscheid tussen terroristen en zeerovers speelde voor de Amerikanen mee. Zolang niet was bewezen dat de zeerovers terroristen waren moest er geen nieuw Guantanamo komen. Om de kwestie op te lossen moest er een VN-vredesmacht naar Somalië worden gestuurd om het multinationaal leger van de Organisatie voor Afrikaanse Eenheid (OAE) af te lossen want dat had noch het geld, noch de mankracht, noch de middelen. En als er blauwhelmen naar Somalië zouden gaan moesten ze van de Amerikanen niet alleen de zeerovers bekampen.

Op 16 januari keurde de VN-Veiligheidsraad eenparig een resolutie

goed, voorgesteld door de Verenigde Staten. Daarin stond dat een mogelijke missie van blauwhelmen werd uitgesteld tot juni. Aan de troepen
van de Organisatie van Afrikaanse Eenheid werd gevraagd om te blijven
en de getalsterkte op te trekken van 3200 tot 8000. De Veiligheidsraad
zou de situatie opnieuw bekijken na een rapport van secretaris-generaal
Ban Ki-moon dat verwacht werd tegen uiterlijk 15 april. Ban was tegen
het sturen van blauwhelmen omdat de omstandigheden in Somalië
'ongunstig' waren, terwijl dat precies de reden was waarom ze er nodig
waren. De redenering was dat vredestroepen alleen zin hadden als er een
vrede was die door VN-soldaten kon worden gehandhaafd.

Dezelfde dag marcheerden drieduizend hoofdstedelingen door de
straten van Mogadishu. Ze droegen twijgen en riepen om vrede. De laatste Ethiopische soldaten waren de dag tevoren vertrokken. Hun stellingen waren meteen ingenomen door islamistische milities. De Ethiopische regering voorspelde dat Shabaab zou proberen de macht te grijpen.
Shabaab zelf kondigde aan dat de soldaten van de OAE die de regering
beschermden, nu haar eerste doelwit waren. Het bleef niet bij woorden.

Intussen lag voor de Somalische kust de Sirius Star voor anker, een
reusachtige Saudische olietanker met een lengte van 332 meter. Het schip
met 25 bemanningsleden was op 18 november gekaapt, ruim achthonderd kilometer voor de kust. Het verhaal van de reuzentanker kende een
ontknoping uit een jongensboek. Op 9 januari 2009, bijna twee maanden na de kaping, gooide een helikopter een valscherm met daaraan een
zak met 3 miljoen dollar op het dek van de tanker. Dat was minder dan
de 25 miljoen die de kapers aanvankelijk hadden gevraagd, maar toch
nog een behoorlijke smak. De piraten verdeelden de buit, haastten zich
naar hun bootjes en stoomden plankgas naar de kust. Toen ze daar schoten hoorden, vreesden ze te worden opgewacht door afgunstige rivalen
met wie ze het losgeld zouden moeten delen, dus maakten ze rechtsomkeert. Bij het nemen van die scherpe bocht kapseisde een van hun schepen. Vijf zeerovers gingen naar de haaien en ook hun deel van het losgeld zonk naar de zeebodem. Drie anderen konden pas na uren zwemmen
de kust bereiken. Ook zij waren hun geld kwijt. De droom van een zorgeloos leven met luxe, nog betere bootjes en terreinwagens aan de wal
ging in rook op. Twee dagen later spoelde het lijk aan van een van de
boekaniers met 153.000 dollar in zijn zak.

De verzekeringspremies werden onbetaalbaar en een Noorse tanker-
maatschappij, Odjfell, wilde zijn honderd schepen niet langer door de
Golf van Aden sturen. De bemanning van de Sirius Star kwam ongedeerd uit het avontuur en kon in de volgende haven vertellen van de kaping van het grootste schip, drie keer de tonnage van een vliegdekschip

en drie voetbalvelden groot, het grootste schip ooit gekaapt...

Hoe ernstig de gevolgen konden zijn van de nieuwe zeeroverij bleek uit de kaping van de Oekraïense MV Faina op 25 september 2008. Het schip had een lading wapens aan boord, waarbij 33 Russische T-72 tanks, granaatwerpers, luchtdoelraketten en munitie. Het drijvend arsenaal werd al die tijd omsingeld door oorlogsbodems van verschillende landen om te beletten dat de lading aan wal zou worden gebracht. De kapers kregen van Shabaab de goede raad om het schip op te blazen of het te kelderen als ze geen losgeld kregen. Shabaab zei niets van doen te hebben met de kapers maar toonde wel belangstelling voor de lading van de Faina. Het schip werd na bijna vijf maanden op 5 februari 2009 door de kapers vrijgegeven na betaling van 3,2 miljoen dollar. De eigenaar van het schip was nog steeds onbekend en over de uiteindelijke bestemming van de lading waren er tegenstrijdige berichten.

De kapingen van 2008 waren nog maar de voorbode van een ware golf die in het voorjaar van 2009 zou volgen.

Geopolitieke gevolgen van de bedreigde bevoorrading

WASHINGTON (VS) - *De toenemende onzekerheid over de be-*

voorrading van de westerse troepen in Afghanistan deed Washington uitkijken naar

alternatieven. Dat waren er drie. Het eerste, via Iran, was om evidente redenen

uitgesloten. Restten er nog een noordwestelijke route via Rusland, en een noordooste-

lijke via China.

In beide gevallen was Washington afhankelijk van twee oude rivalen die ook een begerig oog hadden op de energiereserves van Centraal-Azië en niet bepaald enthousiast waren over de Amerikaanse aanwezigheid in de Afghaanse toren midden in het continent. Ook al vreesden ze de extremisten zelf, de vrees voor een Amerikaans bolwerk in hun achtertuin was nog groter.

De Russische ouverture naar de moslimwereld duurde al jaren. In 2003 was Putin uitgenodigd om het woord te voeren op de top van de Organisatie van de Islamitische Conferentie. Rusland met 15 procent moslims binnen zijn grenzen was waarnemend lid dankzij de steun van zowel Saudi-Arabië als Iran. Minister Lavrov van Buitenlandse Zaken liet geen gelegenheid liggen om te onderstrepen dat Rusland deel is van de moslimwereld. Moskou voelde een historische missie als bemiddelaar tussen het Westen en het islamitische Oosten. De Tsjetsjeense rebellen, die na 11 september door Putin systematisch 'fundamentalistische moslimterroristen' werden genoemd, waren nu 'gangsters van drugskartels'.

Moskou presenteerde zich als de natuurlijke bondgenoot van de Arabische landen tegen de Amerikaanse hegemonie en stond op goede voet met Syrië en Iran maar ook met Turkije, Egypte en Saudi-Arabië. Tegelijk bewaarde het met Iran de nodige afstand. Iran wilde volwaardig lid worden van de Sjanghai Vijf maar kwam niet verder dan de status van waarnemer. Moskou was als de dood voor een Amerikaanse aanval op Iran wegens de verwoestende gevolgen van zo'n conflict voor de hele regio. Iran was, na China en India, de derde klant van de Russische wapenindustrie, de meest bloeiende tak van de Russische economie. Moskou wilde niets liever dan een akkoord tussen Teheran en het Internationaal

Atoomagentschap (IAEA) maar vreesde een nucleair Iran minder dan een Amerikaanse aanval op dat land. De demarches van het Kremlin hadden er intussen ook toe geleid dat de ooit openlijke steun van de Saudi's voor de Tsjetsjeense rebellen was verdwenen.

De NAVO mocht dan al toestemming hebben om zijn troepen in Afghanistan te bevoorraden via de Russische spoorlijn, het bleef een dure oplossing en in de ogen van Washington allerminst ideaal. Daarom werd gezocht om Moskou buiten spel te zetten: een route via Turkmenistan of Oezbekistan, Azerbeidjan en Georgië naar de Zwarte Zee. Op Turkmenistan na behoorden die landen tot de GUUAM-alliantie[198] van voormalige Sovjetrepublieken die zich wilden loswrikken uit de Russische omhelzing.

Een route via bevriende landen loste niet alleen het probleem op van de bevoorrading, het was ook een klap voor de Russische aanspraken op zijn energierijke onderbuik.

Het probleem was dat de zogenaamde -stan-landen (naar het achtervoegsel van hun naam) meestal werden bestuurd door wispelturige autocraten. De Oezbeekse leider Karimov had zich de voorbije jaren grillig gedragen, vooral na de westerse afwijzing van zijn brutale onderdrukking van een opstand in Andijan. Evenmin gemakkelijk was de sluwe despoot Turkmenbashy van Turkmenistan die intussen op een geheimzinnige manier was ontslapen en opgevolgd door Berdimuhammedov die sprekend op hem leek maar druppelsgewijs komaf scheen te maken met de zotternijen van zijn bevlogen voorganger. Met Turkmenistan waren misschien zaken te doen, al was Moskou nooit ver.

Dat gold ook voor Oezbekistan. Begin september 2008 vereerde de Russische premier Putin de Oezbeekse president Karimov met een bezoek dat de wederzijdse samenwerking moest bevorderen. Samenwerking op het vlak van de 'regionale veiligheid' en in de gasnijverheid met de Russische belofte om het netwerk van pijplijnen uit de Sovjettijd uit te breiden. 'Regionale veiligheid' was een ander woord voor het terrorisme en Afghanistan, dat in het noorden het best kon worden bevoorraad vanuit de Oezbeekse grensstad Termez, die ook een eindstation van het Russische spoor was. Zoals Andijan Karimov met andere ogen naar het Westen had doen kijken, zo deed de oorlog van augustus 2008 tussen Rusland en Georgië dat voor veel andere republieken in de regio. De eerste krachtmeting tussen een beschermeling van het Westen en het machtige Moskou was uitgedraaid in het voordeel van de Russen. Zelfs Kazachstan, waar westerse oliemaatschappijen wortel hebben geschoten, spoorde zijn industrie aan tot samenwerking met Gazprom. Enkele dagen na het bezoek van Putin aan Tashkent koos de door Rusland geleide Collectieve Veiligheidsverdragsorganisatie (CSTO) de kant van Moskou in het conflict met Georgië. Dat betekende onder meer dat Azerbeidzjan nog tijdens het conflict de olie-uitvoer staakte via de 'westerse' pijp Bakoe-Tbilisi-Ceyhan en overschakelde op de oude Sovjetpijp Bakoe-Novorossiysk. Ernstiger was het Russische voorstel om al het gas uit Azerbeidzjan op te kopen tegen wereldmarktprijs, een bod waar geen westerse maatschappij tegenop kon.

Dick Cheney trok meteen naar Bakoe voor overleg met president Aliyev, tevens hoofd van de staatsoliemaatschappij SOCRAM, die hij kende uit zijn tijd bij Halliburton.[199] Hij werd koeltjes ontvangen en moest een volle dag wachten op een audiëntie.

Rond dezelfde tijd was minister van Buitenlandse Zaken Lavrov, ondanks een uitzonderlijk drukke diplomatieke agenda, op bezoek in Turkije. Sinds de Krimoorlog van halfweg de negentiende eeuw kende het Kremlin het belang van Turkije voor de veiligheid van zijn vloot in de Zwarte Zee en voor de toegang van die vloot tot de Middellandse Zee. Het was de Russische leiders niet ontgaan dat Ankara zich op de vlakte had gehouden tijdens de Russisch-Georgische crisis. Turkije, aspirant-lid van de EU, lid van de NAVO en bondgenoot van Amerika, had zich beperkt tot het uiten van zijn 'bezorgdheid'. Al was de olieterminal van het Turkse Ceyhan een sleutel in de westerse plannen om Moskou buiten spel te zetten bij de export van olie en gas uit Centraal-Azië, toch wilde Turkije een van zijn belangrijkste handelspartners niet voor het hoofd stoten door mee te huilen in het koor van verontwaardiging over de militaire interventie in Georgië. Het koos liever geen partij en suggereerde een Stabiliteits- en Samenwerkingsverdrag voor de Kaukasus. Premier Erdogan was dat persoonlijk in het heetst van de crisis in Moskou voor een aandachtig gehoor gaan bepleiten. Turkije had veel invloed in de zuidelijke Kaukasus en was een belangrijke handelspartner van Georgië, Azerbeidjan en andere Centraal-Aziatische landen waarvan de bevolking etnisch en taalkundig aan de Turkse verwant is. Ook Moskou verkoos een regionale oplossing van de crisis boven de bemoeienissen van Washington en Brussel. Lavrov zag in Erdogans droom van een 'harmonische Zwarte Zee' het begin van een regionaal samenwerkingsverband naar het model van de ASEAN, de vereniging van Zuid-Oost Aziatische landen. Vanzelfsprekend was het ook een middel om de omsingeling te doorbreken van met Washington bevriende republieken. Lavrov suggereerde op zijn beurt om gemeenschappelijke initiatieven te nemen in verband met Irak ('een definitieve oplossing op basis van de soevereiniteit') en Iran ('een vreedzame oplossing voor het nucleair programma'). Turkije was de Amerikanen niet terwille geweest bij de invasie van Irak en al was Iran een rivaal, toch wilde Ankara er geen last mee krijgen.

De Georgische crisis had herinnerd aan het strategisch belang van de Zwarte Zee waarvan de toegang, de Bosporus en de Dardanellen, al zeventig jaar stevig in handen was van de Turken die het militair verkeer sterk aan banden legden.[200] Tijdens de Georgische crisis had Ankara de doortocht geweigerd van twee Amerikaanse oorlogsbodems met 'hulp' voor Tbilisi.

Voor de Russen was er veel aan gelegen dat de Zwarte Zee een Turks-Russisch jachtgebied bleef en dat de Amerikaanse marine er geen vrij spel kreeg. De Turken voerden een pro-westerse koers maar hielden een oog gericht op Rusland, Centraal-Azië en het Midden-Oosten. Lavrov zei geen probleem te hebben met het NAVO-lidmaatschap van Turkije, zolang Ankara en Moskou maar 'oprecht, betrouwbaar en wederzijds respectvol' bleven en de internationale verdragen, die vreemde vloten weerden uit de Zwarte Zee, werden geëerbiedigd. Dat laatste was nodig om de kersverse Russische 'verovering' van Zuid-Ossetië en Abkhazië veilig te stellen. Voor Moskou was elk internationaal overleg over de veiligheid van de regio voortaan zinloos zonder vertegenwoordigers van die twee nieuwe staten.

Een andere opdoffer voor het Westen was de gemeenschappelijke Turkse en Russische interesse voor een verzoening tussen Azerbeidzjan en Armenië. Er werd druk gependeld tussen Ankara, Jerevan, Bakoe en Moskou. Er werd zelfs gesproken van de opening van de grens tussen Turkije en Armenië, die bijna een eeuw was dicht geweest. De Russisch-Turkse tandem was een streep door het plan om van de Georgische havenstad Poti een 'westerse' olieterminal en een bruggenhoofd te maken voor het transport naar Afghanistan.

Nu de neoconservatieve confrontatiepolitiek ten einde liep in Washington was het de vraag of ook Obama zou kiezen voor een verdere isolering van Rusland en Iran en wat daarvan de gevolgen zouden zijn voor Afghanistan en Centraal-Azië. In een laatste stuiptrekking probeerde de regering-Bush de Amerikaanse militaire aanwezigheid in Centraal-Azië te versterken en een corridor aan te leggen tussen Poti in Georgië en Termez op de Amu Darya, de Oezbeekse poort tot Afghanistan. Rusland en Iran waren daarover zeer ongerust en zochten toenadering tot elkaar. Volgens de Russische stafchef, generaal Nikolai Makarov, onderhandelde Amerika over de opening van bases in Oezbekistan en Kazachstan. Mochten de twee Centraal-Aziatische zwaargewichten bezwijken voor de Amerikaanse sirenenzang, dan was dat slecht nieuws voor Moskou en de bondgenootschappen waarin de Russen de eerste viool speelden, zoals het Collectief Veiligheidsverdrag (CSTO) en de Sjanghai Groep.

Er circuleerden berichten dat Rusland op het punt stond om zijn raketenschild, de S-300, te verkopen aan Iran en via Wit-Rusland SA-20 raketten te leveren voor de verdediging van de Iraanse nucleaire installaties. De S-300 kon honderd raketten en vliegtuigen tegelijk neerhalen en was ontwikkeld als een schild tegen mogelijke westerse luchtaanvallen.

China sloot intussen via Kazachstan en Kirgizië zijn spoorwegnet aan op dat van Centraal-Azië, dat dateerde uit de Sovjettijd. Daarmee kwam Termez binnen Chinees bereik, wat nuttig kon zijn voor de bevoorrading van buitenlandse troepen in Afghanistan, maar in de eerste plaats voor het hongerige China de rijke grondstoffen ontsloot van heel Centraal-Azië.

De Verenigde Staten stonden in de regio tegenover drie landen dat het onder controle wilde houden. Iran was daarvan het minst gevaarlijke en het enige dat misschien ooit van kamp kon veranderen en een bondgenoot worden.

Washington probeerde de bestaande hoofdroute veilig te stellen door de Pakistaanse generaals te paaien met transportcapaciteit voor kernwapens voor hun F-16's en een groot hulpprogramma. Daarnaast werd gewerkt aan de alternatieve aanvoerlijn via de Centraal-Aziatische republieken en Georgië. Om die mogelijk te maken was een stevig bruggenhoofd nodig en onbelemmerde toegang tot de Zwarte Zee. Daarom moest Georgië lid worden van de NAVO. Amerikaanse pogingen om Georgië in te lijven bij het bondgenootschap strandden totnogtoe op verzet van Frankrijk, Duitsland en Italië die voor hun gasvoorziening afhankelijk waren van het Russische Gazprom. Een militair akkoord tussen Washington en Tbilisi was bijna rond en hetzelfde gold voor een Amerikaans bijstandsplan om Georgië te helpen voldoen aan de voorwaarden voor lidmaatschap van de NAVO. In Kazachstan, onrechtstreeks betrokken maar met immense energiereserves, had het parlement intussen een motie van steun goedgekeurd voor operatie Enduring Freedom in Afghanistan en aan de Amerikanen groen licht gegeven voor noodvluchten op de militaire luchthaven van Almaty. Kirgizië dan weer sloot de luchtmachtbasis van Manas, die vitaal was voor de Amerikaanse bevoorrading.

De race tussen de grootmachten in Centraal-Azië voltrok zich in de eindmaanden van de regering-Bush en zou gevolgen hebben voor een tijdperk waarin, na de financiële wereldcrisis, de economie weer zou aantrekken en brandstofschaarste onafwendbaar zou zijn. Sommigen in de regio vonden de slotbalans voor Bush en de neoconservatieven lang niet zo kwaad. Amerika had in Afghanistan - dus in Centraal-Azië - een stevig bruggenhoofd gevestigd, een uitkijkpost over de regionale grootmachten Rusland, Iran, India en China. Wilden die daar iets tegen ondernemen, dan moesten ze de krachten bundelen, een moeilijke oefening in het licht van de oude wrijvingen tussen India en China, China en Rusland, Rusland en Pakistan, Pakistan en India, om van de algemene en wederzijdse achterdocht tegenover de ayatollahs maar te zwijgen.[201]

Dat de Verenigde Staten niet snel zouden vertrekken uit Afghanistan bleek uit grote infrastructuurwerken die in dat land op stapel stonden. De kostprijs van een ervan, een basis in Kandahar voor vijfduizend soldaten, werd geraamd op een half miljard dollar en er waren ook drie bouwprojecten voor kazernes ter waarde van honderd miljoen dollar elk, te voltooien tegen eind 2009.

'Je mag van de volgende president een volgehouden betrokkenheid verwachten om de vijanden van het Afghaanse volk te verslaan', zei Robert Gates, de oude en nieuwe minister van Defensie. 'Amerika bereidt zich voor om nog jaren asymmetrische oorlogen te voeren in de moslimwereld.' Zijn uitspraak viel samen met een studie van de Amerikaanse legerleiding over wat nodig was om nog een kwarteeuw opstanden en kleinschalige bedreigingen te bestrijden en oorlogjes te voeren. We moeten even superieur zijn in een asymmetrische als in een conventionele oorlog, zei de studie. Stafchef Mike Mullen herhaalde dat het aantal Amerikaanse soldaten in Afghanistan tegen de zomer van 2009 bijna zou verdubbelen tot 61.000.

Dat Afghanistan en Pakistan de agenda in 2009 zouden beheersen bleek ook toen de Italiaanse minister van Buitenlandse Zaken Frattini aankondigde dat dit een prioriteit van de G8 zou zijn onder het voorzitterschap van Rome dat op 1 januari een aanvang nam. In juni zouden de ministers van Buitenlandse Zaken van de rijke industrielanden daarover bijeenkomen en onder meer ook China, India, Turkije, Saudi-Arabië en Egypte uitnodigen.

Op het terrein bleef de toestand op de weg van Karachi naar de grens in Khyber hachelijk. De branden in de entrepots van Peshawar onderstreepten de ernst van de situatie. De Amerikaanse legerwoordvoerder zei dat dagelijks 150 vrachtwagens de grens overstaken, dat de operaties in Afghanistan geen hinder ondervonden en dat gewerkt werd aan een betere beveiliging en aan alternatieven. Op 18 december bracht de Jamaat-e-Islamiya (JI) in Peshawar de grootste antiregeringsdemonstratie op de been sinds het aantreden van de burgerregering. Tienduizend mensen eisten dat de bevoorrading van de vreemde troepen in Afghanistan werd gestaakt. 'Weg met Amerika' en 'Jihad is de enige oplossing voor de VS', riepen de demonstranten onder leiding van partijvoorzitter Qazi Hussain Ahmed.

Voor de transporteurs was de hoofdstad van de NWFP niet meer veilig. Ze verplaatsten hun opslagplaatsen naar Attock in Punjab, waardoor de laatste etappe in de rit naar de grens met minstens een uur werd verlengd. Ondanks de bescherming die de entrepots na de branden hadden gekregen, waren de aanvallen niet gestopt. De nakende massale versterking van het Amerikaans contingent in Afghanistan zou de werklast voor de plaatselijke vervoersmaatschappijen dramatisch doen stijgen en ze nog kwetsbaarder maken voor de meestal onzichtbare vijand. Baitullah Mehsud maakte er geen geheim van dat hij wilde toeslaan op de laatste vijftig kilometer, het stuk doorheen Khyber naar de grenspost. Het provinciebestuur van de NWFP had bescherming beloofd voor de depots op voorwaarde dat er nooit meer dan tweehonderd containers of vrachtwagens tegelijk waren. In Karachi stonden op dat ogenblik drieduizend voertuigen te wachten om te vertrekken.

Op 30 december sloot Pakistan de weg naar Torkham opnieuw voor een plots offensief tegen de taliban.

Tussen hamer een aambeeld

ISLAMABAD (PAKISTAN) - *De aanslagen in Mumbai brach-*

ten India en Pakistan eind december 2008 op de rand van de oorlog. Op 26 december

werden in Pakistan de militaire verloven ingetrokken en er werden troepen verplaatst

van het grensgebied met Afghanistan naar de grens met India. De bevolking van

Kasjmir werd door het Pakistaanse leger en de plaatselijke overheid opgeroepen zich

voor te bereiden op zelfverdediging tegen een mogelijke Indiase agressie.

Op kerstdag vroeg premier Gillani aan de wereldgemeenschap om de Indiase druk te verlichten. We willen goede betrekkingen met onze buren, verzekerde hij. We hebben ingestemd met uitwisseling van informatie omdat ook wij geen terrorisme willen.

In de miljoenenstad Karachi viel half december 2008 de stroom voortdurend uit en het gefoeter op de Karachi Electricity Supply Company en de gestegen stroomprijs was algemeen. De regering ging niet vrijuit want zij had de exploitatie verkocht aan een groep[202] die niets voelde voor investeringen in het netwerk en des te meer voor nog meer concessies. Beloftes van een verbetering hadden tot het omgekeerde geleid.

De laatste dagen van 2008 gingen gepaard met een opstoot van geweld. De slotbalans van het voorbije jaar in Afghanistan was om en bij de vijfduizend doden van wie tweeduizend burgers. In de ooit zo romantische Swat-vallei in Pakistan waren de taliban nu heer en meester, zelfs in de hoofdplaats Mingora. De politie kwam er alleen nog enkele uren per dag en onder militaire escorte buiten. Elke ochtend lagen er op het belangrijkste plein van Mingora vier, vijf onthoofde lijken. Elders in Swat was dat niet anders. Een bewoner schreef een brief naar *The News* om te klagen dat de bevolking van Swat slechter af was dan die van Gaza waar het Israëlisch leger was binnengevallen. Niemand scheen zich het lot aan te trekken van de bucolische vallei ten noorden van Peshawar, de belangrijkste toeristische trekpleister van het land waarvan de naam is afgeleid van Suvastu, zoals de honderdvijftig kilometer lange rivier in de oudheid werd genoemd. 'Het witte serpent', dat tot voor kort welvaart bracht, was een bloeddorstig monster geworden. De helft van de zestienhonderd politiemannen van Swat was gedeserteerd of had voor onbepaalde tijd verlof genomen. Van de zeshonderd pas opgeleide agenten was er maar één bereid om in de vallei te gaan werken. De Groenplaats, het belangrijkste plein van het hoofdstadje Mingora, dat een toevlucht was geworden voor vluchtelingen uit de streek, heette in de plaatselijke volksmond tegenwoordig de Slachtplaats. In december waren er op een ochtend 27 lijken gedumpt met de waarschuwing ze niet te verwijderen voor 11 uur. Het volk zat tussen de hamer van het militair geweld en het aambeeld van de terroristen die het gebied bij de keel hadden. Niemand wist hoeveel onschuldige burgers de voorbije maanden waren omgekomen, de politie sprak van vele honderden. Ongeveer 180 scholen waren opgeblazen of platgebrand, misschien een historisch record, schreef een Pakistaans commentator.

Mullah Radio was opnieuw in de ether, maar hij had zware concurrentie van zijn luitenant, Shah Doran, die met een krachtige 500 KW-zender de stoorzenders van het leger overstemde. Zeven regionale parlementsleden uit Swat dreigden uit de regerende Awami te stappen. 'Ze waren bijzonder gedeprimeerd.' Een zwaargewicht van de partij zei op een plaatselijk televisiestation dat de inlichtingendiensten het extremisme te bevorderden. Daar was het leger niet blij mee. 'We hebben sinds juli 142 mannen verloren in Swat, dit is geen kinderspel', reageerde een verbolgen inlichtingenofficier. Nu ze de FATA hadden veroverd, beseften Awami-leiders dat de militanten hun zinnen hadden gezet op de hele NWFP. Ze wilden niet 'toekijken en tweede viool spelen', dus hadden ze hun mening over de militaire operatie herzien. Een probleem was dat de Awami-regering van de NWFP in mei aan de militanten had beloofd dat de sharia zou worden ingevoerd in Malakand, een groot gebied in het noorden waar Swat deel van is. Zardari had dat als leider van een 'liberale partij' verworpen als schadelijk voor zijn internationaal imago. De welhaast Belgische oplossing kwam van de oude TNSM-chef Sufi Mohammad. De provincieregering zou zich ertoe verbinden de sharia in Malakand in te voeren, zij het zonder tijdschema, in ruil zou de bejaarde Sufi vanuit zijn woonplaats in Dir naar Swat reizen om de militanten persoonlijk te overtuigen van een bestand. Het leger zou opnieuw de wegen en de centra controleren, te beginnen met Mingora waar een kantoor van drie plaatselijke parlementsleden zou worden geopend. Het allerbelangrijkste was dat het vertrouwen van de beproefde bevolking in de staat werd hersteld. Het resultaat van Sufi's inspanningen liet niet op zich wachten. Half februari werd een Chinees ingenieur vrijgelaten die al ruim zes maanden was gegijzeld en op 15 februari kondigden de taliban een tiendaags bestand af. De volgende dag ondertekenden ze een akkoord met de regering. Alle wetten die strijdig waren met de islam werden nietig verklaard. Een technische overeenkomst, zei Islamabad, die neerkwam op de invoering van de sharia. Het betekende dat televisie kijken, dansen en scheren verboden werden in ruil voor een staakt-het-vuren. De nieuwe Amerikaanse regering, die net nog vier raketten had afgevuurd in de tribale gebieden met 31 doden als gevolg, sprak van een negatieve ontwikkeling en was bang dat de militanten zouden hergroeperen en herbewapenen. Richard Holbrooke, Obama's gezant voor de regio, telefoneerde naar president Zardari maar die verzekerde dat het akkoord geen overgave betekende. Tegen half april overrompelden de taliban het district Buner op 110 kilometer van Islamabad. In Washington stegen alarmkreten op en het Pakistaanse leger zag zich verplicht om in te grijpen, al lag Buner in Malakand.

Oorlog afgewend?

ISLAMABAD (PAKISTAN) - *Op 15 januari zei de facto minister*

van Binnenlandse Zaken Rehman Malik dat vijf kampen van Jamaat-ut-Dawa

waren gesloten en verschillende leiders waren aangehouden, bij wie de leider, Hafiz

Saeed, en Lakhvi, de militaire commandant van Lashkar-e-Toiba.

We zijn zeer, zeer ernstig in de strijd tegen het terrorisme, zei hij, we hebben geen keuze. Er waren in totaal 124 arrestaties verricht en huiszoekingen in 20 kantoren, 87 scholen, twee bibliotheken, zeven koranscholen en een handvol organisaties en websites die met Jamaat verbonden waren. Er waren ook hulpverleningskampen gesloten. Sommige ervan waren vermoedelijk trainingskampen. De federale recherche zou de zaak Mumbai uitpluizen op basis van het bewijsmateriaal uit India maar Islamabad wilde nog meer informatie van New Delhi. Er werd een verband gelegd tussen de actie tegen Jamaat-ut-Dawa en het bezoek van de chef van de Saudische inlichtingendienst kort tevoren.

Vrijwel gelijktijdig zei president Zardari, in aanwezigheid van de minister-president van de NWFP, dat verliezen in de strijd tegen het terrorisme geen optie was. We moeten slagen, zei hij, wat het ook kost en wat onze tegenstanders ook mogen zeggen.

Minstens zo opmerkelijk was dat de Indiase minister van Buitenlandse Zaken Mukherjee diezelfde dag zei dat de verdachten van Mumbai in Pakistan konden worden gevonnist. Tevoren had India herhaaldelijk hun uitlevering geëist. Mukherjee's Britse collega, David Miliband, die op bezoek was in India, had precies hetzelfde gezegd. We steunen hun vervolging in Pakistan, zei hij, want ze hebben de Pakistaanse wet geschonden.

De oorlogsdreiging scheen geweken. 'India en Pakistan hebben de spanning na de aanslagen in Mumbai succesvol beheerst', zei Washington. 'Nu willen we dat ze meer informatie uitwisselen.'

Intussen liep al een tijdje het gerucht dat de president en de eerste minister niet langer beste maatjes waren. Half januari zei premier Gillani dat het 17de amendement zou worden ingetrokken. Daarmee had Musharraf zichzelf als president de macht gegeven om het parlement te ontbinden en de regering te ontslaan.

De laatste dagen van een mislukt president

WASHINGTON (VS) - *Als aan president Bush werd gevraagd*

hoe de geschiedenis zou oordelen over zijn beslissing om Irak binnen te vallen, ant-

woordde hij tegenwoordig: 'De geschiedenis? Hoe kan je dat weten? We zullen alle-

maal dood zijn...'

De vliegende schoenen van de Iraakse journalist waren het symbolisch orgelpunt van een presidentschap dat iedereen zo snel mogelijk wilde vergeten. Bush dacht veel aan Truman, die net als hij onder algemene afwijzing eindigde maar die Stalin het hoofd had geboden met de NAVO, zoals hij het moslimterrorisme de oorlog had verklaard. Hij voelde zich in de beklaagdenbank. Ik was niet klaar voor de oorlog, zei hij tegen ABC. De meeste spijt had hij van de foute informatie van de inlichtingendiensten over Saddams massavernietigingswapens. Was het over te doen, dan had hij hetzelfde gedaan maar liefst met betere informatie.

Hij wuifde de verantwoordelijkheid voor de financiële crisis weg door te zeggen dat de basis ervan was gelegd vóór zijn aantreden.

Bush vertrok met de laagste populariteitsscore uit de geschiedenis. Negen Amerikanen op tien vonden dat hun land zich op een hellend vlak bevond en driekwart veroordeelde de balans van het presidentschap als onaanvaardbaar. Bush was een mislukt president. Ik weet dat mensen op Obama hebben gestemd wegens mij, zei hij. Hij werkte koortsachtig aan een reeks *midnight regulations* die ontsnapten aan de controle van het Congres en van kracht zouden worden voor het aantreden van zijn opvolger. Zo werden honderden hectaren bos verkocht voor olieontginning en kreeg het gezondheidspersoneel de vrijheid om niet mee te werken aan abortus. Vierentwintig van zijn getrouwen werden benoemd op hoge posten. Condoleezza Rice werd bestuurder van het John F. Kennedy Center for Performing Arts. Bush had een riante woning gekocht in een wijk van Dallas, waar tot 2000 geen zwarten mochten wonen. Daar zou hij naar hartenlust gaan lezen, wat volgens Karl Rove een passie van hem was, en 'de koffers vullen' met duurbetaalde lezingen.

HET EINDE

George Bush gaf het ene afscheidsinterview na het andere. Het Witte Huis liep leeg. Tijdens het laatste weekend van zijn presidentschap waren er amper nog twee dozijn medewerkers in de ambtswoning. Ze werden voor de voeten gelopen door stofzuigers en behangers en niet eens de helft van hen zou op de tribune zitten bij de eedaflegging van Barack Obama. Op 15 januari nam Bush officieel afscheid van de natie met een toespraak voor een zorgvuldig geselecteerd publiek in de East Room van het Witte Huis. Dat deed denken aan de gloriedagen van zijn presidentschap, kort na de aanslagen van 2001. De toespraak knoopte aan bij een traditie maar Reagan en Clinton hielden hun afscheidsrede in het Oval Office en zonder publiek.

Bush roemde zijn regering als de kampioen van morele helderheid en menselijke waardigheid. Hij had 'harde beslissingen' genomen en had dat gedaan met 'de beste bedoelingen'. Irak was een onderdeel van een grotere strijd tussen een kleine groep fanaten en de verdedigers van de vrijheid die een geschenk was van God aan elke mens. Er waren tegenslagen geweest en dingen die hij nu anders zou doen, maar verder ging zijn zelfkritiek niet. Hij sprak niet over de redenen waarom hij de invasie van Irak had bevolen en ook niet over de voortvluchtige Osama bin Laden.

Het was een eenzame president die in dit uur behoefte had om zich te omringen met mensen die hem mochten. Hij herhaalde voor de zoveelste keer dat hij het land zeven jaar had behoed voor een nieuwe terreuraanval. Als een echo van zijn eerste State of the Union zei hij dat goed en kwaad bestaan en dat tussen beide geen vergelijk mogelijk is. De genodigden stonden recht bij het eind en applaudisseerden.

Op 20 januari kwam een einde aan een tijdperk dat als een dieptepunt werd gezien in de Amerikaanse geschiedenis. De minst populaire president sinds mensenheugenis kreeg een feestelijke ontvangst in Midland en trok daarna naar de familieranch Prairie Chapel in Crawford. De volgende maand nam hij zijn intrek in zijn nieuwe huis in Dallas, vlakbij de plaats waar het Freedom Institute zou komen, de presidentiële bibliotheek met museum op de campus van de Southern Methodist University.

CRISIS EN TWEE OORLOGEN

Sinds de overwinning van Barack Obama leefden het land en de rest van de wereld in de hoop van '*change*'. Om zeven uur 's morgens toonden de nieuwszenders de zonsopgang achter het Capitool in Washington. Het was bitterkoud maar honderdduizenden feestende mensen vulden de straten in afwachting van de eedaflegging die vijf uur later zou plaatsvinden. Achter de koepel van het Capitool reet een brede, roze dageraad een laatste donkere rest van de nacht aan flarden.

'De nieuwe president erft een crisis en twee oorlogen', luidde het onderschrift bij het televisiebeeld. Welke twee oorlogen? Obama wist dat de oorlog intussen de noordgrens had bereikt van Kenia, het land van zijn vader, waar het veel warmer was en een halve dag later dan in de Amerikaanse hoofdstad en waar nog uitbundiger werd gevierd...

Bob Woodward, die de president de afgelopen acht jaar elf uur had geïnterviewd en over die periode vier boeken schreef, somde Bushs fouten op. Hij kon geen ruzies beslechten tussen naaste medewerkers, hij hield geen tegensprekelijk overleg over cruciale beslissingen, hij kende de grote trekken niet van het verhaal en zag bijvoorbeeld de oorlog in Irak als een conventionele oorlog. Hij had de gevaarlijke neiging te doen alsof hij wist wat iedereen dacht, al had niemand iets gezegd, daardoor behoedde hij zich voor slecht nieuws. Hij twijfelde niet en loog het publiek voor. Hij compenseerde een gebrek aan realiteitszin met een messianistisch idealisme en een hang naar geheimhouding.

Dat was een nogal vernietigend rijtje en het verklaarde de opluchting waarmee de Amerikaanse pers afscheid nam van een president die zo mogelijk nog minder populair was geworden dan Richard Nixon.

Obamarama

WASHINGTON (VS) - *Op 20 januari vierde de wereld het af-*

scheid van George W. Bush en de hoop op verandering. Dawn, de meest gezagheb-

bende krant van Pakistan, bracht op zijn website een special over de machtsoverdracht.

De titels van de bijdragen waren welsprekend.

Bovenaan stond dat Obama de niet-militaire hulp aan Pakistan zou optrekken en Islamabad verantwoordelijk zou houden voor de veiligheid
in het grensgebied met Afghanistan. Dat bleek uit de buitenlandse politieke agenda die het Witte Huis daags na de eedaflegging had verspreid.
Pakistan en Afghanistan stonden op nummer één. Dan kwam de beveiliging van kernwapens en ander nucleair materieel tegen terroristen en
gevaarlijke regimes, vervolgens Iran, energieveiligheid, Israël, partnerschap en openheid. De nieuwe administratie beschouwde de wederopstanding van al-Qaeda en de taliban als de grootste bedreiging voor
de Amerikaanse veiligheid. Verder zei de nota dat Obama op een verant-
woorde manier een einde wilde maken aan de oorlog in Irak en aan de
strijd tegen de 'taliban en al-Qaeda in Afghanistan'. Het nieuwe Washington zou streven naar sterke bondgenootschappen en een duurzame vrede tussen Palestijnen en Israëli's. In een korte beschrijving van de top-
prioriteit benadrukte de nota de noodzaak van meer Amerikaanse troepen
in Afghanistan. Bij de NAVO-bondgenoten zou worden aangedrongen
om dat voorbeeld te volgen. Aan de Afghaanse regering zou worden gevraagd om de corruptie en de opiumteelt aan te pakken. De meest ambitieuze doelstelling van de nieuwe president was het streven naar een
kernwapenvrije wereld via een controleerbaar en afdwingbaar verbod op
de productie van nieuwe kernwapens en een ontmanteling van de bestaande voorraden. Met Iran zou hard maar zonder voorafgaande voorwaarden worden onderhandeld.[203]
    De aankondiging dat Obama de gevangenis van Guantanamo zou
sluiten werd door de moslimwereld als een gebaar opgevat. Obama had
gezwegen over het Israëlisch offensief in Gaza, maar de uitgestoken hand
naar de moslimwereld tijdens zijn inauguratietoespraak had veel goed
gemaakt. Analisten in de moslimlanden wisten dat de koers van Washing-

ton tegenover Israël niet zou omslaan, maar ze verwachtten wel een ingrijpende correctie. De nieuwe president had in zijn speech duidelijk gebroken met het verleden.

Met een pennentrek stelde Obama grenzen aan de oorlog tegen de terreur zoals zijn voorganger die zag. Guantanamo zou binnen het jaar worden gesloten en geheime CIA-gevangenissen in derde landen werden verboden. Alle verordeningen die na 11 september waren uitgevaardigd betreffende de ondervraging van gevangenen, werden ongedaan gemaakt. Tijdens zijn eedaflegging had Obama de keuze verworpen 'tussen onze veiligheid en onze idealen'. De terroristen waarschuwde hij: 'Onze geest is sterker en kan niet worden gebroken. Je kan ons niet overleven en we zullen je verslaan want de verscheidenheid van onze erfenis is onze kracht. We zijn een land van christenen en moslims, joden en hindoes – en ongelovigen... daarom geloven we dat oude vetes ooit verdwijnen, dat de stamverbanden oplossen en dat onze gemeenschappelijke menselijkheid zich openbaart naarmate de wereld kleiner wordt. En dat Amerika zijn rol moet spelen voor een nieuw tijdperk van vrede.'

En de wereld hoopte.

Nawoord

Onmiddellijk na zijn eedaflegging als 44ste president van de Verenigde Staten besliste Barack Obama om binnen het jaar de gevangenis van Guantanamo te sluiten. Het opruimen van deze schandvlek onderstreepte dat een nieuw tijdperk was aangebroken. Terwijl de financiële en economische crisis schreeuwde om zijn volledige aandacht gaf Obama ook een andere oriëntatie aan de heilige wereldoorlog van zijn voorganger. Hij verplaatste de schijnwerper van Irak naar Afghanistan en Pakistan, waar de schuldigen van 11 september 2001 weer grond onder de voeten hadden.

Op 20 maart 2009 zei hij in een vraaggesprek met CBS dat er een exitstrategie moest zijn voor Afghanistan, al had hij pas een maand tevoren het vertrek aangekondigd van 17.000 extra soldaten naar dat land. De nieuwe doelstelling was dat in Afghanistan geen nieuwe complotten konden worden beraamd tegen de VS. De complexiteit van Afghanistan rivaliseert met die van de economie, zuchtte hij. Obama vond dat Amerika niet aan de winnende hand was in Afghanistan. Hij vond ook dat de andere NAVO-landen meer moesten doen, al hadden de lidstaten van de EU hun troepenaantal in Afghanistan sinds eind 2006 met 9000 versterkt van 17.433 tot 26.389.

Tijdens zijn campagne had Obama onderhandelingen bepleit met 'gematigde taliban', maar dat was onder zijn voorganger geprobeerd zonder veel resultaat. Nu hij president was zocht hij de oplossing in een alliantie met de stammen naar Iraaks model en verdedigde hij een unilateraal optreden van de VS tegen vijanden op vreemde bodem. De omstreden aanvallen met onbemande vliegtuigen op doelwitten in Pakistan gingen trouwens onverminderd door. Het nieuwe beleid worstelde met de Afghaanse knoop en stond onder meer voor de vraag of een toenadering tot plaatselijke chefs en talibancommandanten niet zou leiden tot de opkomst van een nieuwe generatie corrupte, onpopulaire en onbetrouwbare krijgsheren. Mullah Muttawakil, de 'gematigde' voormalige talibanminister van Buitenlandse Zaken, waarschuwde dat elk gesprek met de taliban tot mislukken was gedoemd zolang mullah Omar daar niet bij betrokken was. Toch werd er volgens al-Jazeera gepraat met de beruchte voormalige premier Hekmatyar, een bondgenoot van de taliban. Er werd gezocht naar figuren die konden zorgen voor veiligheid en zo mogelijk een uitroeiing van de opiumteelt, zelfs al waren dat krijgsheren met weinig eerbied voor de wet.

Gouverneur Shirzai, alias Gul Agha, van de provincie Nangarhar, kandidaat voor het presidentschap, was zo iemand. Rijk van de corruptie en de opiumhandel maar in Nangarhar had hij de teelt zo goed als uitgeroeid en de provincie was naar Afghaanse maatstaven veilig. Om de Afghanen die ooit hoopvol waren geweest terug te winnen was er een geloofwaardige regering nodig en tastbare economische vooruitgang. Dat laatste kon enkel als er vrede was.

Intussen hergroepeerde al-Qaeda met steun van de belangrijkste talibanmilities in de FATA zijn paramilitaire Brigade 055 onder de naam Lashkar al-Zil, het 'schaduwleger'. Volgens Amerikaanse officieren was de brigade nu sterker dan op haar toppunt onder de taliban in 2001. Ideologisch werden de banden aangehaald door de bekering van de taliban, traditioneel Deobandi-moslims, tot het wahhabisme, de streng formalistische doctrine van al-Qaeda en Saudi-Arabië dat jarenlang met het oliegeld had gemissioneerd. Obama scheen in te zien dat de eigen onlesbare energiedorst vleugels had gegeven aan de vijand. Hij koos voor onafhankelijkheid van energieleveranciers. Het is gevaarlijk voor een supermacht en misschien zelfs zelfvernietigend om afhankelijk te zijn van derden voor een essentieel deel van zijn goed functioneren. Evenmin is het gezond dat door de westerse vraag fortuinen worden verdiend aan de heroïne die bijna integraal afkomstig is uit Afghanistan.

In de strijd met de terroristen en de taliban erfde Obama van zijn voorganger ook de afhankelijkheid van de Pakistaanse inlichtingendienst ISI die altijd een eigen agenda had gevolgd. Het probleem was urgent, nu Amerikaanse veiligheidsfunctionarissen geen geheim meer maakten van de steun van de ISI aan de taliban en andere extremistische groepen. Maar de Pakistaanse regering, die zienderogen verzwakte, had weinig greep op de inlichtingendienst. Er werd hardop gedacht aan een uitbreiding van de Amerikaanse actieradius onder meer om mullah Omar en andere topcommandanten te treffen in Quetta en grondtroepen te laten opereren op Pakistaans grondgebied.

Op 27 maart ontvouwde Obama zijn plan voor Afghanistan. Hij focuste op een beperkt doel: een bekwame regering in Kabul, de strijd tegen de opiumteelt en de heroïnesmokkel en een beter leger moesten voorkomen dat al-Qaeda opnieuw voet aan de grond kreeg in Afghanistan. De Verenigde Staten zouden de grootste inspanning leveren en het troepenaantal optrekken tot 60.000, maar Obama verwachtte ook méér van de bondgenoten. Pakistan was volgens hem onlosmakelijk verbonden met de campagne in Afghanistan. Hij beloofde Islamabad 7,5 miljard dollar steun op voorwaarde dat Pakistan bewees dat het de gewelddadige extremisten en al-Qaeda wilde uitroeien. Er zou geen einde komen aan het geweld in Afghanistan zolang de opstandelingen vrijelijk de grens konden oversteken, maar hoe die grens dicht moest zei Obama niet. Specialisten vonden dat Obama een goede aanpak had van Afghanistan maar twijfelden aan zijn slaagkansen in Pakistan.

Ver daarvandaan, in Somalië, sinds de oudheid bereikbaar met de traditionele houten schepen, de *dhows*, die onder de radar varen en de Indische Oceaan trotseren, escaleerde een nieuwe oorlog 'tussen de islam en de kruisvaarders'. In deze bloedhete Saudische achtertuin op de Afrikaanse oostkust, werd de spits afgebeten door een militie, Shabaab, die verweven was met al-Qaeda en het grootste deel van het land, inclusief stukken van de hoofdstad, had veroverd. De overwinning van de 'oprechte zonen van Somalië' was voor bin Laden van extreem belang. Van de Shabaab, laat staan van hun strijd met de gematigde soefi's, vernam het grote publiek in het Westen alleen sporadisch iets en het wist nauwelijks van de toestroom van jongeren uit de hele wereld die zich in dit nieuwe bolwerk kwamen scholen in een jihad die door de Shabaab werd opgevat als een mondiaal project.

Gelijktijdig voerden zeerovers uit het noorden van het land hun eigen oorlog. Voor de Somalische kust waren tegen begin april bijna vier keer zoveel schepen gekaapt als tijdens dezelfde periode het jaar tevoren. Op 8 april werd een Deens containerschip met 21 Amerikaanse bemanningsleden gepraaid in de Indische Oceaan, 645 kilometer ten oosten van Mogadishu, na een aanval die vijf uur had geduurd. Tien dagen later was het de beurt aan het Belgische baggerschip Pompeï.

In de hoofdsteden bleef men zich zorgen maken. Binnenlandse Zaken in Londen kondigde de opleiding aan van 60.000 burgers om op te treden tegen de terreurdreiging, die volgens de regering hoofdzakelijk uitging van al-Qaeda. Groot-Brittannië, met zijn liberale traditie en zijn grote migrantenbevolking uit Zuid-Azië, was een indrukwekkend reservoir van potentiële terroristen. Een ander wapen van de Britse overheid was het recordaantal bewakingscamera's dat het land had herschapen in een paradijs voor Big Brother. Het publiek werd de lucratieve dood geserveerd van Jade Goody, een vrouw die met haar onwetendheid en indiscretie in de reality soap, genoemd naar Orwells boek, nationale roem en een fortuin had vergaard en ervoor koos om haar levenseinde als kankerpatiënt te laten filmen. De bladen stonden er vol van en Premier Brown zag zich genoodzaakt haar te prijzen omdat ze haar kinderen met de verfilming een 'schitterende toekomst' had bezorgd. Over de 'mediacultus van de domheid' werd niet meer gerept.

In Israël, het epicentrum van de grote confrontatie, lieten verkiezingen een forse ruk naar rechts zien. Na moeizame onderhandelingen ontstond een coalitie die water en vuur verenigde. Tot de regering behoorden zowel de Arbeiderspartij als de populistische Israël Beitenou van Avigdor Lieberman en twee religieuze partijen. Benjamin Netanyahu werd de nieuwe premier. Hij haastte zich om zijn imago van havik te temperen. Hij was een 'vredespartner' en geen vijand van een Palestijnse staat op voorwaarde dat die Israël niet kon bedreigen. Van Obama werd een andere politiek verwacht dan het onvoorwaardelijk pro-Israëlisch standpunt van zijn voorganger, maar de kaarten lagen moeilijk. Het status quo is onhoudbaar, zei Obama. 'Het is niet eenvoudiger dan het al was maar het vredesproces is niet minder noodzakelijk. Het is cruciaal dat we vooruitgang boeken naar een tweestatenoplossing.'

Op 19 maart 2009, nieuwjaarsdag in Iran, stuurde Obama een videoboodschap naar het Iraanse volk en zijn regering met een zinnetje in het Perzisch. Iran moest zijn plaats krijgen in de wereldgemeenschap maar dat kon niet worden bereikt met geweld en terreur. Hij citeerde de grote Perzische dichter Saadi, 'de kinderen van Adam zijn ledematen van elkaar, geschapen uit één essentie', en zei dat zijn regering een diplomatieke oplossing wilde van de geschillen. Teheran beluisterde de boodschap en de geestelijke leider, ayatollah Khamenei, concludeerde dat Obama door zijn onvoorwaardelijke verdediging van Israël hetzelfde dwaalspoor volgde als zijn voorganger... De grote dooi scheen niet voor morgen, al wist niemand wat er gebeurde achter de schermen.

* * *

De pagina's die aan dit nawoord voorafgaan, zijn flarden uit een kroniek die veel omvangrijker is en waarin ik probeerde de etappes in de grote botsing tussen het Westen en de (radicale) islam in kaart te brengen en te begrijpen. Verhalen die niet konden worden verteld omdat de jacht op het anekdotische nieuwsfeit ze verdrong en niet mochten worden verteld omdat ze 'te moeilijk' werden geacht voor een publiek dat intussen was afgericht op aanrijdingen in de mist, familiedrama's, misdaadverhalen en plotse sneeuwval.

Dit boek kan de indruk wekken dat de heilige wereldoorlog pas op 9/11 een aanvang nam, maar de proliferatie van conflicten en confrontaties onder Bush de Jongere mag niet doen vergeten dat ze een episode is in de grote botsing die begon in het bewogen jaar 1400 van de islamitische kalender, toen de revolutie de sjah verdreef uit Iran, Saddam Hoessein de macht greep in Irak en de Russen binnenvielen in Afghanistan.

In de eerste maanden na het aantreden van Barack Obama was er weinig dat wees op een einde van de confrontatie. Sommige signalen waren juist onrustwekkend. In Irak ontstond een conflict tussen de regering en soennitische stammen die al-Qaeda hadden verdreven uit haar bolwerk Anbar. Meteen steeg weer het aantal aanslagen. In Pakistan werden stoutmoedige aanvallen uitgevoerd op het cricketteam van Sri Lanka in Lahore en de politieacademie van Manawan, ver buiten de stamgebieden. Talibanchef Baitullah Mehsud eiste persoonlijk de verantwoordelijkheid op van die laatste aanslag omdat de Amerikaanse aanvallen met onbemande vliegtuigen bleven voortduren. Voor de nieuwe strategie tegenover Afghanistan waren er weinig garanties. De spanning was zelden zo groot tussen Israël en de Palestijnen als na de operatie in Gaza, de overwinning van de haviken bij de Israëlische verkiezingen en het aantreden van Netanyahu. Zijn minister van Buitenlandse Zaken, Avigdor Lieberman, liet weten dat Israël niet gebonden was door de belofte van een Palestijnse staat, zoals afgesproken op de conferentie van Annapolis. Meteen zei Washington dat het een tweestatenoplossing genegen bleef. Tegelijk tekende zich op de top van de G20 op 1 april in Londen een volgende wereldorde af met een nieuwe, zwijgzame maar assertieve speler, China, groot schuldeiser van het door schulden geteisterde Amerika. De dag tevoren was er de eerste onvoorziene ontmoeting tussen de Iraanse onderminister van Buitenlandse Zaken Akhondzadeh en Obama's gezant voor Afghanistan, Richard Holbrooke, in de marge van de Afghanistanconferentie in Den Haag. Ze spraken af om met elkaar in contact te blijven... Praten is beter dan confronteren. Praten doe je met je vijand.

De G20 was het begin van de eerste grote reis van de nieuwe VS-president. Die bracht hem ook naar de NAVO, die zijn zestigste verjaardag vierde, in Straatsburg en de Europese Unie in Praag. Hij eindigde in Turkije dat zich pas nog als enige lidstaat op de NAVO-top had verzet tegen de voormalige Deense premier Anders Fogh Rasmussen als nieuwe secretaris-generaal van het westers bondgenootschap omdat hij destijds de roemruchte Mohammed-cartoons niet had veroordeeld. Eensgezindheid was er op de top wel om de langdurige veiligheid en stabiliteit van Afghanistan te benoemen tot hoogste prioriteit. Daartoe moest nauwer worden samengewerkt met de buren, 'in het bijzonder Pakistan'. In een interview met de Pakistaanse pers legde de nieuwe Amerikaanse Veiligheidsadviseur, generaal James Jones, uit dat Washington aan Kabul en Islamabad hulp vroeg om de bokken van de schapen te scheiden bij de taliban en andere extremisten. Was dat wel een goed idee, nu een video was opgedoken waarin een meisje 34 zweepslagen kreeg in Swat waar de regering het op een akkoordje had gegooid met de taliban over de invoering van de sharia? De taliban zelf zagen maar één oplossing: het on-voorwaardelijke vertrek van de vreemde troepen uit Afghanistan. Het verschil met zijn voorganger was dat Obama Afghanistan en Pakistan niet meer als aparte entiteiten bekeek, zei generaal Jones, maar dat Washington nu een 'regionale focus' had. De benoeming van Richard Holbrooke tot regionaal vertegenwoordiger was daarvan een teken. De nieuwe strategie focuste volgens Jones ook op de echte dreiging: al-Qaeda.

In Ankara lichtte Obama zijn visie toe op het wereldkruitvat. We zijn niet in oorlog met de islam, zei hij, en we zullen dat nooit zijn. We willen niet dat onze betrekkingen worden bepaald door de strijd tegen al-Qaeda. Verder bleek zijn beleid weinig af te wijken van dat van zijn voorganger. Het vredesproces in het Midden-Oosten moest gebaseerd zijn op het stappenplan, een tweestatenoplossing en het akkoord van Annapolis. Het zou helpen als Iran niet langer zou streven naar een kernwapen en de ayatollahs moesten kiezen 'tussen de bom en een betere toekomst' voor hun volk. Voor het overige wees hij pessimisme van de hand en moest elke vooruitgang in het vredesproces worden aangegrepen, zoals de dialoog tussen Syrië en Israël...

Korte tijd later dwongen de Pakistaanse taliban van de TNSM de naleving af van het akkoord met de regering voor de invoering van de sharia in de regio Malakand. Ze veroverden eind april het district Buner in het zuidoosten van Malakand en stonden daarmee op een goede honderd kilometer van Islamabad. Minister Hillary Clinton reageerde gealarmeerd. 'De Pakistaanse regering is bezig zich over te geven aan de taliban en de extremisten', riep ze uit. 'We kunnen niet genoeg de ernst onderstrepen van de bedreiging die de opmars van de taliban betekent voor het voortbestaan van de Pakistaanse staat, nu ze tot op enkele uren van Islamabad zijn genaderd.' Zullen we de moed hebben om de taliban te bevechten of is de strijd al verloren?, vroeg de Pakistaanse krant *The News*.

In een opzicht was er vooruitgang en reden tot hoop: in Washington was de werkelijkheidszin na een lange afwezigheid teruggekeerd. Dat hervonden realisme moest de heelmeester zijn van een monsterachtige veelkoppige kater.

Jef Lambrecht, 1 mei 2009

Eindnoten

1   Niet te verwarren met de gelijknamige geestelijke en al-Qaeda ideoloog sjeik Ahmad al-Qubeisi in Bagdad.

2   Het takfirisme is een oude traditie in de islam, afgeleid van *takfir*, 'ongelovige'.

3   Dame Eliza Manningham-Buller had in april, kort voor haar afscheid als directeur-generaal van MI5, stof doen opwaaien door te zeggen dat Groot-Brittannië het centrum was van een 'intense activiteit' en dat er een zeer reële mogelijkheid was dat al-Qaeda een atoomaanval voorbereidde.

4   Dat werd door de Britse conservatieven aangegrepen voor een pleidooi voor een grenspolitie. Scotland Yard voerde aan dat Ibrahim op dat moment nog niet werd gezocht. Toch was hij in voorlopige vrijheid wegens het verspreiden van opruiende geschriften en was hij gevolgd en gefotografeerd door MI5.

5   Het FIS had in 1992 de absolute meerderheid behaald in de Algerijnse parlementsverkiezingen. Die werden ongeldig verklaard en er begon een jaren durende burgeroorlog met naar schatting 200.000 doden. Nationale verzoening bracht vrede met het FIS maar de radicale GSPC bleef kiezen voor gewelddadig verzet. In september 2006 ging de GSPC een bondgenootschap aan met al-Qaeda. Dat leidde tot een scheuring tussen de oude 'emir' van de GSPC, Hassan Hattab, en de 'nieuwe', Abdelmalek Droukdel. Die kondigde in januari 2007 de naamsverandering aan van de GSPC in 'al-Qaeda in de Maghreb'. Die groep eiste de aanslagen op van 11 april in Algiers. Op 4 juli werd Droukdel bij verstek tot levenslang veroordeeld. Eerder waren al drie doodvonnissen tegen hem geveld.
Een derde 'emir', Mokhtar Belmokhtar, in het zuiden, hield zich buiten de ruzie, allicht omdat hij overwoog zich over te geven. De Sahara bood een ideale schuilplaats voor de Maghrebijnse terroristen. Volgens de terreurbestrijding in Mali opereerden zo'n 300 gewapende terroristen in het grensgebied van Mali met Mauretanië (gericht tegen Marokko?) en tussen het aloude religieuze centrum Timboektoe en de grens met Algerije. In Algerije zelf werd het aantal gewapende islamisten op 1000 geraamd. De groep van Droukdel bleek niet enkel politiek maar ook tactisch op de lijn te zitten van al-Qaeda met een hoge beweeglijkheid, bloedige (zelfmoord)aanslagen en het gebruik van afstandsbediening voor de ontsteking van de bommen. Men sprak van 'Iraakse aanslagen'. Cfr. 'Le "no man's land" du Sahara sert de refuge aux islamistes', *Le Monde Dossiers et Documents*, juillet-août 2007. En: Amir Akef, 'Attentat-suicide d'Al-Qaeda contre une caserne de l'armée algérienne', *Le Monde*, 13.07.2007.

6   Met zijn echte naam Aleksandr Vladimirovitj Kojevnikov, geboren op 28.4.1902 in een aristocratische familie.

7   Een integrale Engelse vertaling van Kojève's tekst werd gepubliceerd in de *Policy Review* van de Hoover Institution van de Stanford University in 2004.

http://www.hoover.org/publications/policyreview/3436846.html

8   Over Strauss en de neoconservatieven: Lambrecht, J., *De zwarte wieg*, p. 151 e.v.

9   Voor het eerst gepubliceerd in een essay in 1989 en later het thema van *The End of History and the Last Man*, Free Press, 1992.

10   Robert Marjolin

11   Een eerste verzameling teksten op basis van zijn colleges in de jaren dertig werd pas in 1947 bezorgd door Raymond Queneau, onder de titel *Introduction à la lecture de Hegel* (Gallimard).

12   De informatie over Kojève is o.m. gebaseerd op een pagina in *Le Figaro* van 22.2.1990 n.a.v. het verschijnen van een eerste Franse biografie: Dominique Auffret, *Alexandre Kojève: La philosophie, l'Etat et la fin de l'Histoire*, Grasset, 1990.

13   Cfr. zijn bio in *France Républicaine*:
     http://www.france-republicaine.fr/henri-guaino.php

14   Khyber, Kurram, Bajaur, Mohmand, Orakzai, Noord- en Zuid-Waziristan. Daarnaast zijn er zes 'Grensgebieden', Frontier Regions: Peshawar, Kohat, Tank, Bannu, Lakki en Dera Ismail Khan.

15   Afkorting van Inter-Services Intelligence, grootste inlichtingendienst van Pakistan.

16   Yuldashev of Yaldeshiv is de leider van de IMU, de Islamic Movement of Uzbekistan, een zusterorganisatie van al-Qaeda, die sinds jaren Afghanistan gebruikt als basis voor operaties in de volkrijke Ferghana-vallei die Kirgizië, Oezbekistan en Tadzjikistan verbindt.

17   Hajji Zahir en Hajji Zaman.

18   Een artikel van Hamid Mir die bin Laden verschillende keren heeft ontmoet. http://www.thenews.com.pk/top_story_detail.asp?Id=10051

19   Kunar, Nuristan, Nangarhar en Laghman.

20   In juni 2006 in *L'Est Républicain*. Het bericht werd de facto tegengesproken door de laatste geluidsboodschap van bin Laden, daterend van 1 juli 2006, waarin hij zijn steun gaf aan de nieuwe leider van al-Qaeda in Irak na de dood van Zarqawi.

21   Wel waren er na december 2004 nog twee geluidsboodschappen geweest.

22   In werkelijkheid ging het om de duurste operatie van de CIA ooit en het levenswerk van de Texaanse democratische senator, Charlie Wilson. Daarover is een schitterende bestseller verschenen van de CBS-producer van '60 minutes': George Crile, *Charlie Wilson's War*, Grove Press, New York, 2003. Het boek werd verfilmd met Tom Hanks en Julia Roberts in de hoofdrollen.

23   Hetgeen niet mocht doen vergeten dat Sarkozy, naar goede Franse traditie, in Algerije ook ging praten over zaken: samenwerking op het domein van de vreedzame kernenergie en de gaswinning. Marokko was enigszins ontstemd over Sarkozy's reisschema, waarop het als laatste van de drie landen stond. Marokko werd als bestemming geschrapt nadat koning Mohammed VI agendaproblemen had ingeroepen.

24   Het gaat om de autonome gebieden van Khyber (500.000 inw.), Khurram (450.000 inw.), Noord-Waziristan (375.000 inw.), Zuid-Waziristan (425.000), Bajaur (600.000 inw.), Mohmand (350.000 inw.) en Orakzai (350.000 inw.). Ze worden bestuurd door vertegenwoordigers van Islamabad onder het bevel van de gouverneur van de Noordwestelijke Provincie. De autonome gebieden zijn een historische erfenis

van de Britten die uiteindelijk via zelfbestuur probeerden de ontembare Pathaanse stammen te neutraliseren. Vandaag leeft ongeveer een derde van de Pakistaanse Pathanen in de tribale gebieden. Aan de overkant van de grens die door hen niet wordt erkend, in Afghanistan, leeft de andere helft van de Pathanen.

25 In totaal een tiental provincies, evenveel ten noorden als ten zuiden van Waziristan (respectievelijk en van noord naar zuid: Kunar, Nangarhar, Laghman, Paktia en Khost en: Paktika, Zabul, Uruzgan, Kandahar en Helmand. Helmand en Nangarhar hebben de oudste en rijkste opiumgebieden van het land. Ze vallen ook grosso modo samen met de Pathaanse gordel van Afghanistan.

26 Cfr. Lambrecht, J., *IXXI. Hoe 11 september mogelijk werd*, Houtekiet, Antwerpen, p. 98 e.v.

27 De Sassanidische dynastie (226-651) was na de Achemeniden het tweede Perzische keizerrijk en de derde Iraanse dynastie. Het was een van de belangrijkste periodes in de geschiedenis van Iran. Het Zoroastrisme was staatsgodsdienst. Het Sassanidische Rijk was een van de machtigste in de Late Oudheid.

28 Met China handelden ze in katoen en opium, waardoor gemeenschappen in China ontstonden. Handelscontacten met de Oost-Afrikaanse kust en Zanzibar deden ook daar gemeenschappen ontstaan.

29 Hinnels, J.R., *The Zoroastrian Diaspora*, Oxford University Press, 2006.

30 Cfr. Buckley, J.J., *The Great Stem of Souls*, Gorgias Press, 2006.

31 Ik verwerkte de ontmoeting in een helaas verminkt verslag voor *De Brakke Hond* (nr. 85, 2004). http://www.brakkehond.be/85/lambr1.html

32 *The Case for Democracy*. Sharansky was ook een favoriet van de Amerikaanse neocons.

33 De Revolutionaire Garde of Pasdaran telt 125.000 elitesoldaten en is sterk verweven met zowel de militaire als de burgerlijke economie van Iran.

34 WHIG met o.m. toenmalig stafchef van het Witte Huis Andrew Card, veiligheidsadviseur Condoleezza Rice en haar adjunct Stephen Hadley, de stafchef van vicepresident Cheney, Lewis Libby, communicatiestrategen Mary Matalin, Karen Hughes en James Wilkinson en presidentieel adviseur voor rechtsaangelegenheden Nicholas Calio.

35 De oude naam was de Hoge Raad voor de Islamitische Revolutie, een naam die herinnert aan de jaren in Iraanse ballingschap.

36 Resolutie 1559 was een echo van het akkoord van Taif , naar de stad in Saudi-Arabië waar de onderhandelingen plaatsvonden. Het akkoord, ondertekend op 22 oktober 1989, voorzag in het vertrek van vreemde troepen en de ontwapening van de milities. Van de vijf vaste leden van de Veiligheidsraad stemden er drie voor. Rusland en China onthielden zich. Bij de roterende leden onthielden zich Pakistan, Algerije, de Filippijnen en Brazilië. Benin, Angola, Chili, Roemenië, Duitsland en Spanje stemden voor.

37 De groep, officieel de Sjanghai Samenwerkingsorganisatie, is op 26 april 1996 opgericht als de 'Sjanghai Vijf', een militair bondgenootschap van China en Rusland met de Centraal-Aziatische landen Kirgizië, Kazachstan en Tadzjikistan met als doel 'het militair vertrouwen in de grensgebieden te verhogen'. Een jaar later, op 24 april 1997, ondertekenden ze een verdrag voor de 'vermindering van de

troepen in de grensgebieden'. In 2001 sloot Oezbekistan zich aan bij de groep en in 2003 werd een gemeenschappelijk antiterrorismecentrum opgericht in Sjanghai. Het bondgenootschap beschouwt terrorisme, separatisme en extremisme als zijn belangrijkste bedreigingen. Die gevaren zijn geconcentreerd in de Ferghana-vallei die zich uitstrekt over drie van de vier lidstaten: Oezbekistan, Kirgizië en Tadzjikistan. Het extremisme wordt er via de opiumroute gevoed vanuit Afghanistan dat een lange grens heeft met Tadzjikistan.

38 De centrale van Bushehr is een oude kopzorg voor de Amerikanen. Kraftwerk Union AG, een dochter van Siemens, was in 1975 in Bushehr begonnen met de bouw van twee centrales maar de Duitsers trokken zich terug uit het project na de Islamitische Revolutie van begin 1979 en lieten twee half afgewerkte centrales achter. De reactoren werden beschadigd in 1985 en '88 bij bombardementen tijdens de oorlog met Irak. In 1995 tekende Rusland een contract voor de levering van een reactor. Die zou na voltooiing jaarlijks een kwart ton plutonium kunnen produceren, goed voor dertig atoombommen.

39 Analyse van *Hebdo Magazine* in:
http://www.libanvision.com/presidentielle-liban.htm

40 Libanon is een land van minderheden. Bij de enige officiële volkstelling, in 1932, bleken de maronitische christenen met 32 procent de grootste groep, iets talrijker dan de soennitische moslims. Relatief grote groepen werden verder gevormd door de Grieks orthodoxen, de Grieks katholieken, de sjiieten en de druzen. Toen Libanon in 1943 onafhankelijk werd van Frankrijk sloten de maronitische president al-Khuri en de soennitische premier al-Sohl een nationaal pact dat de machtsverhoudingen vastlegde. Het voorzag in de Europese bescherming van de christenen en het verzaken van pan-Arabische strevingen door de moslims. De president zou een christen zijn, de premier een soenniet en de parlementsvoorzitter een sjiiet. De zetelverdeling tussen christenen en anderen werd op basis van de volkstelling van '32 vastgesteld op een verhouding van 6/5. Tot voor de burgeroorlog van 1975 werd het Libanees model vrij algemeen geprezen. Het had zich ontwikkeld tot een sterk presidentieel regime naar Frans voorbeeld maar tijdens de burgeroorlog bleek het een zwakke basis te hebben en kwam het op de helling.

41 Zie over Qassam ook: Lambrecht, J., *De zwarte wieg*, p. 37 en 76.

42 Michel Aflaq, een van beide grondleggers van Baath, was een Syrische christen. Het Arabisch nationalisme was door de christenen in het Midden-Oosten geïntroduceerd in de jaren 1910 als bliksemafleider voor de diepere confessionele verdeeldheid die voor hen als minderheid grote gevaren inhield.

43 Op grond van het principe van de *velayat-e faqih*, de 'voorrang voor de (sjiitische) theologen'. Over het Iraanse initiatief bestaat geen eensgezindheid.

44 *'We've come to know truths that we will never question: Evil is real, and it must be opposed.'*

45 De Arabische sjiieten zijn beperkt in aantal. Enkel in Bahrein, Irak en Libanon vormen ze binnen de moslimgemeenschap de grootste groep. Iran en Azerbeidzjan zijn bijna integraal sjiitisch, maar het zijn geen Arabische landen.

46 Het Libanese leger verloor in enkele uren tijd 33 soldaten. Volgens het leger waren 60 militanten van Fatah al-Islam gedood maar de groep zelf hield het bij 10 do-

den. Volgens humanitaire organisaties waren er tientallen slachtoffers onder de burgerbevolking. Het kamp met ruim 30.000 inwoners werd na de eerste gevechten belegerd door Libanese troepen die het bestookten met artillerie.

47 Na zijn vrijlating en kort voor de oorlog met Israël in de zomer van 2006 was Shakir al-Abssi opgedoken in Shatila.

48 http://observer.guardian.co.uk/print/0,,329932086-119093,00.html
Tijdens zijn verblijf in Shatila hingen op Abssi's hoofdkwartier de foto's van Nasrallah en Saddam Hoessein.

49 Het Libanees leger telt 40.000 manschappen waarvan er 15.000 belast zijn met de bewaking van de grens met Israël en 8000 met die met Syrië.

50 In ruil voor de vrijlating van Johnston eiste Jaish al-Islam de vrijlating van een kandidaat-zelfmoordterroriste die in 2005 was gearresteerd in Jordanië waar ze in opdracht van al-Qaeda wilde deelnemen aan de aanslagen op drie toeristenhotels.

51 Kanan Naji, de ondergedoken leider van de obscure Jund Allah (de soldaten van God) die tijdens de burgeroorlog actief was geweest.

52 Abu Hureira

53 http://www.countercurrents.org/fisk230507.htm

54 Hazim al-Amin, journalist van *al-Hayat.*

55 Respectievelijk: Mohammad Ali Omar, alias Abu Hattab, alias Abu Azzam, Marwan, alias Abd al-Karim al-Saadi (?), alias Abu Muhsin (?) en Mohammad H. Naar verluidt zou de FBI in 2002 onderzoekers naar Libanon hebben gestuurd om na te gaan of Abu Hattab en Marwan de leider van het 11 september-team, Mohammed Atta, hadden ontmoet.

56 Abu Rushd al-Mikati

57 Door R. Nicholas Burns, onderminister van Buitenlandse Zaken, belast met Politieke Zaken, in een brief aan een Amerikaans senator. Cfr. een bericht in de *Boston Globe* van 26 mei 2007.

58 http://worlddefensereview.com/phareso60207.shtml

59 Jund al-Sham, de 'Strijders van Groot Syrië', is waarschijnlijk gesticht in 1999 in Herat, Afghanistan, door Abu Musab al-Zarqawi. De groep heeft de verantwoordelijkheid opgeëist voor de aanslag van 23 maart 2005 in Qatar op een Britse school en heeft zijn basis in Ain al-Hilweh. De groep zou ook in Syrië opereren.

60 In 2003 waren er al gevechten geweest in Ain al-Hilweh tussen Asbat al-Ansar en de Fatah van Arafat. Fatah en Jund al-Sham raakten opnieuw slaags in Hilweh in mei 2006.

61 Vermoedelijk zijn daarmee de Chaudhry Brothers bedoeld, zakenlui uit Lahore, bij wie ex-premier Chaudhry Shujaat Hussain van de PML.

62 Minister Ishaq Khan Khakwani van Informatietechnologie en Telecommunicatie. Khakwani nam later ontslag uit protest tegen de weigering van Musharraf om ontslag te nemen als legerleider.

63 SITE staat voor Search for International Terrorist Entities en is een privéorganisatie die informatie verstrekt aan betalende klanten waarbij inlichtingendiensten en regeringen.

64 Het verhaal werd de volgende dag breed uitgesmeerd door de leidende Pakis-

taanse krant *Dawn*.

65 Levy, A, en Scott-Clark, C., *Deception: Pakistan, the United States, and the Secret Trade in Nuclear Weapons*, Walker & Company, New York, 2007.

66 Onderminister van Buitenlandse Zaken en nummer twee van het departement van 2001 tot 2005.

67 Bij de sjiieten was dat de helft.

68 Van de Government Accountability Office, de week tevoren.

69 Stiglitz, J., Bilmes, L., *The Three Trillion Dollar War*, Norton & co, 2008.

70 Risen, J., 'Blackwater Chief at Nexus of Military and Business', *The New York Times*, 7.10.2007.

71 De Iraakse regering zei dat de bomauto een mijl verderop was geëxplodeerd.

72 Onderzoek van het Project for Excellence in Journalism, PEJ, over de periode van 20 maart 2003 tot 1 april 2007. 'Private Security Companies in Iraq', June 21, 2007. Het onderzoek omvatte 400 kranten, 10 nationale televisiestations en kabeltelevisiemaatschappijen, 24 magazines, twee persbureaus, vier websites en een radiostation.

73 Frank Carlucci, voormalig onderdirecteur van de CIA (1978-81), was tweede secretaris op de Amerikaanse ambassade in Congo, in de begindagen van de onafhankelijkheid. Volgens de film *Lumumba*, een internationale coproductie van de Haïtiaanse filmmaker Raoul Peck, die bijna een kwarteeuw in Congo/Zaïre heeft gewoond, speelde Carlucci een rol in de moord op Lumumba. Carlucci is er te zien op een bijeenkomst van Congolese en Belgische functionarissen die beraadslagen over de moord. Op een vraag mompelt hij dat 'de Amerikaanse regering zich niet bemoeit met de binnenlandse aangelegenheden van andere landen'. Dat was bijna woordelijk ook het antwoord van ambassadeur April Glaspie aan Saddam Hoessein, eind juli 1990, enkele dagen voor de inval in Koeweit. Carlucci was een beschermeling van Donald Rumsfeld met wie hij kamers had gedeeld aan de universiteit van Princeton. Hij werd Nationaal Veiligheidsadviseur in 1986, onder Reagan en een jaar later minister van Defensie. Carlucci werd in 1992 voorzitter van Carlyle en bleef dat tot 2003 om vervolgens nog twee jaar voorzitteremeritus te zijn. Hij was betrokken bij het roemruchte neoconservatieve Project for the New American Century. Carlucci werd bij Carlyle opgevolgd door Louis Gerstner, de voormalige ceo van IBM.

74 Jorge Fernando Quiroga Ramirez, president van 2001 tot 2002 voor hij de verkiezingen verloor van de socialist Evo Morales.

75 Istiqlal, de Union Socialiste des Forces Populaires USFP en de oud-communisten van de Parti du Progrès et du Socialisme PPS. De alliantie werd de 'Koutla' gedoopt.

76 Abu Abdullah al-Naima

77 Alias Abu Hamza al-Muhajir

78 Een Engelse vertaling van de tekst: http://nefafoundation.org/miscellaneous/FeaturedDocs/nefabaghdadi0907.pdf

79 http://in.news.yahoo.com/071020/211/6m76s.html

80 Chaudhry Zahoor Elahi

81 Hasan Waseem Afzal en zijn chef, de directeur van het NAB, Saifur Rehman

82 Genoemd naar Pir Sahab Paraga (of Parago, het woord betekent 'tulband' in het Sindhi, in dit geval die van de Profeet zelf, die door de Pir Parago's wordt gedragen), de geestelijke leider van Hurs, een soefi-orde in Sindh.

83 Ria Oomen-Ruijten is Nederlands (CDA-)parlementslid van de Europese Volkspartij.

84 De vijf vaste leden van de Veiligheidsraad plus Duitsland.

85 Op 17 oktober zei Bush: 'Ik heb gezegd dat als je de derde wereldoorlog wil vermijden, je ook moet voorkomen dat ze (Iran) de noodzakelijke kennis verwerven om een kernwapen te maken.'

86 Iran was een hete politieke aardappel geworden op 26 september met de goedkeuring door de Senaat van een resolutie die de regering ertoe aanspoorde de Garde als een terreurorganisatie te brandmerken en waarin ook stond dat de Amerikaanse militaire aanwezigheid in Irak een kritieke impact kon hebben op Irans mogelijkheden om het hele Midden-Oosten te bedreigen. De tekst ging verder dan de sancties die nu werden afgekondigd. Bij de 76 ja-stemmen waren er 29 van democraten. Acht van hen hadden in 2002 tegen de Irak-resolutie gestemd. Bij de 22 tegenstemmers waren er maar twee republikeinen, de zwaargewichten Richard Lugar en Chuck Hagel. Barack Obama was op de stemming afwezig.

87 De aanleiding was dat de betrokken functionaris, James L. Golden, de instructies van de ambassade in het onderzoek van de dood van een personeelslid niet had nageleefd en ervan werd verdacht bewijsmateriaal te hebben vernietigd.

88 Petraeus was commandant van het noordwesten rond Mosul na de invasie en was opgevallen als de enige min of meer succesvolle. Zie *De Zwarte Wieg*, p. 376.

89 Cfr. Woodward,B., *Staat van Ontkenning*, Balans, Amsterdam, 2007, p.397-8.

90 http://www.cnn.com/2007/WORLD/meast/11/01/saudiarabia.terrorism/index.html

91 Waarmee de regeringscoalitie is bedoeld.

92 Naar het woord van een voormalig Israëlisch onderhandelaar, geciteerd in: Myers, S.L. en Cooper, H., *Israel and Palestinians Set Goal of a Treaty in 2008*, *The New York Times*, 28.11.2007.

93 De Syriërs kozen voor een tussenoplossing tussen het niveau van ambassadeur en dat van minister.

94 Op 29 november, onmiddellijk na Annapolis, schreef de Israëlische krant *Maariv* dat Saltanov inderdaad had bemiddeld over de Golan. Hij stelde voor dat Syrië opnieuw de soevereiniteit kreeg over de Golan maar dat Israël de hoogvlakte voor lange termijn zou leasen. In de omgeving van Olmert werd het bericht tegengesproken. Volgens Maariv bracht Saltanov tijdens zijn twee bezoeken aan Damascus boodschappen over van Assad voor Olmert en minister van Defensie Barak. Ook Olmerts plotse bezoek aan Moskou, begin november, hield volgens Maariv verband met Saltanovs gesprekken.

95 Lavrov zou wel vervroegd, op het einde van de openingsdag, vertrokken om het huwelijk bij te wonen van zijn dochter.

96 'High confidence', gebaseerd op informatie van 'hoge kwaliteit'.

97 'Moderate confidence', gebaseerd op 'geloofwaardige bronnen' en 'plausibel'.

98 Turkmenistan Oil and gas Exhibition and Conference, *News Central Asia*, 19.11.2007.

99 Javier Jordan van Athena Intelligence, een Spaanse onderzoeksgroep voor het terrorisme. Zie ook: http://www.athenaintelligence.org.

100 Isabelle Werenfels, onderzoekster voor Noord-Afrika van het Duits Instituut voor Internationale en Veiligheidszaken.

101 'Djihad à l'algérienne', *Le Monde*, 13.12.2007.

102 Toen waren er 22 doden, bij wie de leider van de VN-missie, de charismatische Sergio Vieira de Mello.

103 Dergham, R., 'Who's responsible for the international "Retreat" in Support for Lebanon's Path of Independence?', 14 december 2007.

104 http://www.joshualandis.com/blog/

105 Bekend als Tunesian Combat Group, TCG of Jama'a Combattante Tunisienne/ GTC, gesticht in 2000.

106 14 Duitse, 2 Franse toeristen en 5 Tunesiërs.

107 Op 9 november 2005 bracht ze zichzelf tot ontploffing bij een Amerikaans konvooi ten zuiden van Bagdad. Ze was het enige slachtoffer.

108 Hij waarschuwde de westerse troepen in Afghanistan dat een eenzijdige actie tegen de extremisten in de tribale gebieden zou worden beschouwd als een invasie.

109 *The New York Times* schreef op 28 december in een hoofdartikel dat er een einde moest komen aan het inzetten van de Amerikaanse belangen op twee individuen.

110 Het scenario leek op wat in 1979 was gebeurd na de executie van Zulfikar Bhutto. Toen werd Nusrat, de weduwe, voorzitter met Benazir als covoorzitter.

111 In Sararogha, in Zuid-Waziristan

112 Bergen, P., 'The Killer Question. Who Murdered Benazir Bhutto', *The New Republic*, 30.1.2008.

113 Een zekere Sher Zaman uit Dera Ismail Khan. De jongen zelf heette Aitzaz Shah en was afkomstig uit Manshera. Begin februari 2008 werden op hun aanwijzing in Rawalpindi nog twee aanhoudingen verricht. Op 13 februari ging het duo over tot bekentenissen.

114 Harkat-ul-Mujahideen, Harkat-ul-Jihad Islami (HUJI) en Jaish-i-Mohammed

115 Lashkar-i-Jhangvi, de Tehrik van Baitullah, en het Haqqani-netwerk.

116 De vraag rijst of er een verband was met wat de Belgische terreurbestrijding op hetzelfde ogenblik op het spoor was gekomen. In ons land zat immers de top van de Tunesische tak van al-Qaeda gevangen.

117 Volgens andere bronnen waren de twee arrestanten twee Mauretaniërs; een van 28, de andere van 26 jaar.

118 Opgericht op 1 november 2007 door de persgroep Al-Athir.

119 Het ging volgens Ennahar om Rachid Abdelmoumène, alias Houdheifa Abou Younès El-Acimi (de Algerijn), een 39-jarige gewezen militant van de Groupe Islamique Armé, de GIA.

120 http://www.who.int/mediacentre/news/releases/2008/pr02/en/index.html
Het studieverslag verscheen in *The New England Journal of Medicine*.

121 http://www.deredactie.be/cm/de.redactie/binnenland/080119_toeristen_jemen

122 Umar Rabie al-Khalaila

123 Op 2 november 2004 in de Linnaeusstraat van Amsterdam door Mohammed Bouyeri, een Nederlandse Marokkaan die tot levenslang werd veroordeeld. Hij bezocht de bijeenkomsten van de zgn. Hofstadgroep, die in zijn huis vergaderde, en de 'Tawhidmoskee' van Amsterdam. Tijdens zijn proces zei hij de Nederlandse rechtsstaat niet te erkennen en enkel de wet van God te accepteren.

124 Voor de integrale tekst: http://www.whitehouse.gov/news/releases/2008/01/20080128-13.html

125 Door een fout in de bewoording bij het Durand-akkoord met de Britse regering was een van de valleien in Kafiristan, de Bashgal-vallei, tegenwoordig een bolwerk van al-Qaeda, afgestaan aan Afghanistan. Daarop viel de Mehtar van Chitral de vallei binnen, gijzelde een aantal bewoners die hij verplichtte om zich te vestigen in zijn gebied. Daarheen vluchtten ook hele families Kafirs toen Abdur Rahman Kafiristan binnenviel. Cfr. Decker, K.D., *Languages of Chitral, Sociolinguistic Survey of Northern Pakistan*, vol. 5, National Institute of Pakistani Studies, Quaid-i-Azam University, Islamabad, 1992,p. 132.
Zie ook: http://www.sil.org/sociolx/pubs/32850_SSNP05.pdf

126 De naamsverandering dateert van 1906 en weerspiegelt de islamisering.

127 Dupree, L., *Afghanistan*, Princeton University Press, 1980, Rama Publishers, 1994, p. 65.

128 Bellew,H.W., 'An inquiry into the ethnography of Afghanistan', 9th International Congress of Orientalists, London 1891, Indus Publivations, Karachi, 1977, p. 144.

129 Althans volgens Afghaanse bronnen, zoals de politicus en geschiedkundige Abdul Hai Habibi, die zich beroept op het archief van de sharia-rechtbank van Kunar. In het Westen en Iran wordt meestal aangenomen dat hij uit Asadabad, vlakbij Hamadan in Iran afkomstig was en eigenlijk een sjiiet. Wat er ook van zij, zijn politieke loopbaan begon in Kabul.

130 Adamec,L., *Historical Dictionary of Afghanistan*, The Scarecrow Press, London, 1991, p.20-21.

131 Dupree, o.c., p. 776.

132 Ook bekend als *Chagha Serai*.

133 Voor een gedetailleerd relaas van de opstand in Kunar, lees: Edwards,D.B., *Before taliban, Genealogies of the Afghan Jihad*, University of California Press, Berkeley Los Angeles London, 2002.

134 Bashgal, Satrgrom en Nasirat. Cfr. Decker, o.c., p. 26.

135 Ook bekend als Bashgali

136 Ibid. p. 138

137 http://users.sedona.net/~strand/Current.html

138 De Tehreek-e-Nafaz-e-Shariat-e-Mohammadi (TNSF), letterlijk de 'Beweging voor het Afdwingen van de Sharia', gesticht in 1992. TNSF is een antidemocratische organisatie die de dood voorziet voor wie zich tegen de invoering van de sharia verzet. Sufi Mohammad, de stichter, was een leider van de Jamaat-e-Islami (JI) vóór hij in 1992 met de partij brak. Het leiderschap was in 2002 overgenomen door zijn schoonzoon, Maulana Fazlullah, alias mullah Radio.

139 Ekhlaas.org

140 De LIFG werd officieel opgericht op 18 oktober 1995 en was in oorsprong een oud-strijdersvereniging van Afghanistanveteranen, maar het radicalisme in Libië had zijn wortels in de jaren tachtig. Het stelde zich de val van Khadaffi tot doel en de internationale jihad.

141 In april 2001. http://icga.blogspot.com/2008/02/rubin-human-rights-watch-audio.html

142 In de *Jyllands-Posten*, eind 2005.

143 http://www.rnw.nl/aboutfitna/

144 http://www.fitnathemovie.com/

145 Cas Mudde in 'Wilders kiest zijn momenten', *De Standaard*, 28.3.2008.

146 Badr is ook de naam van verschillende islamistische milities.

147 Bij hen de leider en de woordvoerder van al-Badil al-Hadari ('Beschavingsalterna-tief', die als beweging bestond sinds 1995 en tien jaar later een partij werd), een lid van de Rechtvaardigheids- en Ontwikkelingspartij en een lid van de Verenigde Socialistische Partij.

148 De moord was destijds toegeschreven aan Abu Nidal en opgeëist door de Liba-nese 'Soldaten van de Waarheid'.

149 De integrale tekst van de Verklaring werd o.a. gepubliceerd door het Chinese persagentschap Xinhua.

150 Minoui, D., 'Au Liban, les clans chiites et sunnites se réarment', *Le Figaro*, 9.4.2008.

151 Het ging om een geluidsboodschap van maar liefst 2 uur en 36 minuten waarin Zawahiri vragen beantwoordde die waren gesteld op islamistische websites. Za-wahiri had eerder al een eerste reeks vragen beantwoord.

152 Volgens een topambtenaar van de Iraakse defensie zelfs 30 procent.

153 Cfr. o.a. de Gentse hoogleraar en specialist Internationale Betrekkingen Rik Coolsaet.

154 Heinsohn, G., *Zonen grijpen de wereldmacht – Terrorisme demografisch verklaard*, Nieuw Amsterdam, 2008.

155 'Allemaal de schuld van jongens', *De Volkskrant*, 5.4.2008.

156 McClellan, S., *What Happened: Inside the Bush White House and Washington's Culture of Deception*, PublicAffairs, New York, 2008.

157 Dennis Hastert en zijn woordvoerder John Feehery.

158 http://www.politico.com/news/stories/0508/10671_Page2.html

159 *The Los Angeles Times* en andere bronnen noemden hem Abu Sulayman Jazairi, 'een topfiguur maar geen deel van de top vijf van al-Qaeda'.

160 Naïm, M., 'Liban: risques de radicalisation sunnite après le coup de force du Hez-bollah chiite', *Le Monde*, 17.5.2008.

161 Waar het principe 'land voor vrede' was afgesproken.

162 De volledige tekst is kort en hier terug te vinden: http://www.pmo.gov.il/PMOEng/Communication/Spokesman/2008/05/spokesyria210508.htm

163 Voor de volledige lijst, zie de notulen van het Huis van Afgevaardigden van 9 juni 2008. http://blogs.usatoday.com/ondeadline/files/kucinich_impeach.pdf

164 De aanslag van 15 maart 2008 op restaurant Luna Caprese, een populaire pleister-plaats voor buitenlanders. De FBI-agenten waren er om te helpen bij een dubbele

zware zelfmoordaanslag van enkele dagen tevoren in Lahore waarbij het hoofdkwartier van de federale recherche belast met smokkel en illegale immigratie was
verwoest en 31 doden vielen.

165 al-Ekhlas, al-Buraq en al-Firdaws, verbonden met el-Fajr, de distributiemaatschap-
pij van al-Qaeda.

166 Physicians for Human Rights

167 Vooral Northrop en General Atomics, respectievelijk goed voor 40 en 25 procent
van de wereldmarkt.

168 Gall, C., 'Old-Line taliban Commander Is Face of Rising Afghan Threat', *The New
York Times*, 17.6.2008.

169 Het memorandum van zes punten was er gekomen onder zware druk van Saad
Hariri. Het werd ondertekend door ruim een dozijn politieke zwaargewichten, bij
wie premier Siniora, het Islamitisch Front en de Salafisten.

170 Onderzoek uitgevoerd door Terror Free Tomorrow en de New America Foundation in mei 2008.

171 Umar Khalid, alias Abdul Wali, een nieuwe figuur die naar verluidt jonge mannen ronselde in families die door de recente bombardementen waren getroffen.

172 De Quami Akhbar

173 http://www.teeth.com.pk/blog/2008/08/25/dr-shahid-masood en:
http://www.pakaffairs.com/?p=5

174 De satellietzender ARY werd in december 2000 opgericht in Londen ten behoeve
van de Zuid-Aziatische gemeenschap. Een van de sterkst groeiende Aziatische me-
dianetwerken. Basis in Dubai maar gericht op de Pakistaanse markt. Beschikt over
een nieuws-, een gezins-, een jeugd- en een religieus kanaal (Quran TV). Samen
met Geo (opgericht in mei 2002) en PTV een van de grote drie spelers in Pakistan.

175 Cuclotrimethylenetrinitramine, ook bekend als cycloniet, hexogeen en RDX.

176 'Friends', Foundation for Research on International Environment, National Development and Security cfr. http://www.friends.org.pk/

177 Daarnaast opereerden er Jaishul Islami van Wali Rahman, Karwan-e-Naimatullah
van maulvi Nahmatullah in Salarzai gebied, de groep van de Afghaanse taliban
commandant Qari Ziaur Rahman in Charmang en de Dr. Ismail groep, genoemd
naar de plaatselijke leider van de voormalige TNSM van mullah Radio, in Damadola, Mamond, het district met het belangrijkste talibankamp. De Afghaanse
groep was aan beide kanten van de grens actief. Ziaur had na zijn vrijlating in ruil
voor de ontvoerde Pakistaanse ambassadeur, een aparte groep opgericht in Bajaur met steun van Arabische militanten. Zijn groep eiste de verantwoordelijkheid
op voor het incident in Loisam dat het offensief had uitgelokt. De milities hadden
Bajaur al vier jaar onder controle met een schrikbewind van moorden op stamoudsten die hen weigerden te steunen.

178 Al-Khidmat

179 De Pakistaanse regering heeft niet de middelen om een eenzijdige actie tegen de
militanten binnen zijn grenzen te ontketenen, zei Gates.

180 http://www.iraqslogger.com/index.php/post/6431/taliban_Training_Children_
to_be_Suicide_Bombers

181 Het Joint Strategic Assessment Team

182 http://www.dni.gov/speeches/20081030_speech.pdf

183 In die periode stichtte Abu Abdur Rahman Sareehi, de oprichter van Lashkar-e-Toiba in Kunar met steun van Saudi-Arabië en Koeweit een islamitisch emiraat, althans volgens Syed Saleem Shahdad van de *Asia Times*. Andere bronnen zeggen dat (Jamil-ur-)Rahman een Nuristani was uit Kunar en dat zijn beweging Jamaat-i-Dawa heette, al dan niet toevallig dezelfde naam die Lashkar in 2002 aannam toen het buiten de wet werd gesteld. Shahdad beweert ook dat Lashkar-e-Toiba via zijn belangrijkste financier, de Saudi Mahmoud Mohammad Ahmed Bahaziq in de jaren tachtig en negentig werd geïnfiltreerd door de CIA en de Saudische inlichtingendienst als een instrument tegen bin Laden. De ISI had een uitgesproken voorkeur voor Lashkar-e-Toiba onder meer omdat de meeste aanhangers uit Punjab kwamen, zoals de meeste militairen. In Kasjmir was de organisatie berucht voor zijn overvallen in militair uniform, op afgelegen hindoe- of sikhdorpen waarvan de bevolking ter afschrikking werd uitgemoord. De groep beschikte over 10 tot 15.000 goed getrainde strijders.

184 Arif Qasmani

185 Harakat-ul-Jihad-al-Islami van Mauwlana Ilyas Kashmiri

186 Zie onder meer een brief van zijn hand op de website van al-Jazeera, n.a.v. de Amerikaanse invasie in Irak die 'tienduizenden Osama's' zou voortbrengen.

187 Het kamp werd gerund door de ngo Jamaat-ut-Dawa en bood officieel hulp aan de slachtoffers van de aardbeving van oktober 2005 in Kasjmir. De ngo werd door Lashkar opgericht nadat de organisatie in 2002 werd verboden door Musharraf onder zware westerse druk. Tijdens de aardbeving was de 'hulporganisatie' een van de eersten om hulp te bieden. Het relaas van de operaties van J-u-D en de strikte scheiding met de internationale hulp werd me in september 2006 verteld door de toenmalige coördinator van de VN-bijstand, Jan Vandemoortele.

188 De andere was volgens de gevangen terrorist Yusuf Muzammil, de chef van Lashkar in Kasjmir. Volgens de Amerikaanse regering had Lakhvi niet enkel operaties van Lashkar geleid in Zuid-Azië, maar ook in Tsjetsjenië en Bosnië en manschappen gestuurd naar Irak.

189 Hij werd gepubliceerd op 9 december 2008 onder de titel: 'The Terrorists Want to Destroy Pakistan, Too'.

190 De Al-Amin Trust en de Pakistan Relief Foundation die naargelang van de omstandigheden ook bekend waren als respectievelijk de al-Rashid Trust – betrokken bij de moord op Daniel Pearl – en de al-Akhtar Trust. Onder die namen kwamen de netwerken al kort na de aanslagen van 11 september in opspraak.

191 Daar leefde hij sinds de eerste grote aanslagen van Mumbai in 1993, volgens Interpol in het Witte Huis bij de Saudische Moskee in de chique Cliftonwijk. In Karachi werkten twee rivaliserende plaatselijke gangsterbendes voor hem en genoot hij bescherming van de overheid. Voor Zardari was hij 'een spook dat door India in het leven was geroepen'. In Dubai leefde hij eveneens in het Witte Huis in de wijk Jumeira.

192 Naar de woorden van Juan Zarate, onderminister voor Terreurfinanciering en Fi-

nanciële Criminaliteit bij Financiën. Hij werd door Washington op 16 oktober 2003 toegevoegd aan de lijst van globale terroristen.

193 De 'Jonge Heilige Strijders Beweging', voluit: Harakah al-Shabaab Mujahedin

194 Het incident is een episode uit de operatie Gothic Serpent, later de Eerste Slag om Mogadishu genoemd. Op 3 oktober 1993 mislukte een poging van Amerikaanse elitesoldaten om twee luitenanten van de Somalische krijgsheer Aidid te ontvoeren in Mogadishu. Twee Black Hawk-helikopters stortten neer en negentien soldaten werden gedood, sommigen van hen gelyncht. Osama bin Laden bevestigde in twee interviews (met CNN en al-Quds al-Arabi) dat al-Qaeda in 1993 Amerikaanse soldaten in Somalië heeft gedood. Volgens onbevestigde berichten stonden de al-Qaedastrijders in Somalië op dat ogenblik onder het bevel van de Egyptenaar Mohammed Atef, de latere schoonzoon van bin Laden en militaire chef van al-Qaeda tot zijn dood op 16 november 2001 bij een Amerikaans bombardement op zijn huis in de buurt van Kabul. Het Black Hawk-incident werd in 2001 verfilmd op basis van een boek van de journalist-auteur Mark Robert Boyden. Toen de film in 2002 werd uitgebracht in Mogadishu liep het storm en was de verontwaardiging groot over de eenzijdige teneur van het verhaal dat weinig oog had voor de vele Somalische burgerdoden. Die gevoelens werden nog versterkt toen de slag ook nog werd verwerkt tot een computerspelletje.

195 Saleh Ali Saleh Nabhan

196 De INS Tabar

197 Zo onder meer Douglas R. Burgess Jr., de auteur van 'The Pirates' Pact: The Secret Alliances Between History's Most Notorious Buccaneers and Colonial America' in een opiniestuk voor *The New York Times*.

198 GUUAM, na de toetreding van Oezbekistan, in april 1999, tot GAUM, een prowesterse alliantie van Georgië, Azerbeidzjan, Oekraïne en Moldavië. Het kwam spoedig tot bilaterale militaire akkoorden tussen de VS en Azerbeidzjan, Georgië en niet-lidstaat Kazachstan. Zie *IX-XI*, p. 306 ev.

199 Cheney bezocht ook de andere GAUM-landen, Oekraïne en Georgië.

200 Op de Conventie van Montreux van 1936 had Kemal Atatürk dat bedongen. Tijdens de Tweede Wereldoorlog verbood Turkije de toegang tot de Zwarte Zee aan de As-mogendheden. De Verenigde Staten drongen aan op een herziening van de Conventie.

201 Dit hoofdstuk is geïnspireerd op twee essays met enigszins tegengestelde teneur van de Indiase ambassadeur en analist M.K. Bhadrakumar (met standplaatsen in o.a. de Sovjet-Unie, Pakistan, Afghanistan, Oezbekistan, Turkije en Koeweit) in *Asia Times Online*: 'Russia and Turkey tango in the Black Sea' en 'All roads lead out of Afghanistan'. En op een derde van de Canadese professor Jacques Lévesque, 'La Russie trouve ses raciness musulmans', *Le Monde Diplomatique*, december 2008.

202 Abrash Group die het bedrijf op 15 september had overgenomen van de eveneens weinig performante Aljomaih Group.

203 http://change.gov/agenda/foreign_policy_agenda/

Glossarium

Abssi, Shakir al-: Palestijnse commandant van Fatah al-Islam in Nahr al-Bared.

Ain al-Hilweh: in de buurt van Sidon, een van de twaalf Palestijnse kampen in Libanon. Bolwerk van soennitische islamisten.

Alawi (alawieten, alawitisch): afgeleid van 'Ali', de schoonzoon van de Profeet. Sjiitische sekte, ontstaan in de tiende eeuw in Syrië en enkel in dat land invloedrijk, vooral in de omgeving van de havenstad Latakia. De Assad-dynastie is alawitisch. Ze vertegenwoordigen tien procent van de Syrische bevolking.

Amal: afkorting van Afwaj al-Muqamawah al-Lubnaniyyah (Libanese Verzets Detachementen), gesticht bij het uitbreken van de burgeroorlog in 1975 door de sjiitische geestelijke Musa as-Sadr. Militie in de burgeroorlog en sjiitische emancipatiebeweging. Sinds 1980 o.l.v. Nabih Berri.

Aoun, Michel: °1935. Voormalig bevelhebber van het Libanees leger (tijdens de burgeroorlog van 1984 tot 1988) en van 1988 tot 1990 premier. In ballingschap van 1990 tot 2005 in Frankrijk waar hij de Free Patriotic Movement oprichtte. Met die partij ging hij een alliantie aan met voormalige pro-Syrische vijanden zoals Hezbollah

Assad, Bashir (of Bashar) al-: °1965, zoon en opvolger van Hafez al-Assad. President van Syrië sinds 2000.

Assad, Hafez al-: °1930, president van Syrië van 1970 tot zijn dood op 10 juni 2000.

Aroud, Malika al- (alias Oum Obeyda): Belgische van Marokkaanse afkomst. Weduwe van Dahmane Abd al-Sattar, een van beide moordenaars van de Tadzjiekse antitaliban leider Ahmad Shah Massoud op 9 september 2001. Hertrouwd met de Tunesiër Moëz Garsalloui. Bijzonder actief als internet-jihadi.

Awami: partij van de Pathaanse nationalisten in Pakistan. Kende een spectaculaire wederopstanding bij de parlementsverkiezingen van 2008.

Baghdadi, Abdullah al-Rashid al- (alias Abu Hamza al-Baghdadi en Abu Omar al-Baghdadi): al dan niet fictieve leider van al-Qaeda in Mesopotamië na de dood van Zarqawi. Bekend van zijn audioboodschappen.

Baitullah Mehsud: door mullah Omar benoemd leider van de taliban van de Mehsud-stam in Zuid-Waziristan. Door Musharraf en Scotland Yard beticht van de moord op Benazir Bhutto.

Belliraj, Abdelkader: °1957. Marokkaanse Belg, in 2008 in Marokko gearresteerd als leider van een 'hybride' terreurorganisatie. Goede bekende van Osama bin Laden. Informant van de Belgische Staatsveiligheid.

Baqmi (ook: Aqmi): afkorting van Branche d'al-Qaeda au pays du Maghreb Islamique, de voormaligde GSPC (tot januari 2007).

Berri, Nabih: leider van de sjiitische Amal in Libanon en parlementsvoorzitter.

CENTCOM: zie Central Command

Central Command: opperbevel van de Amerikaanse troepen in de wijde regio van Centraal-Azië en de Perzische Golf, inclusief Pakistan, Afghanistan, Irak en Somalië. Hoofdkwartier in Doha, Qatar.

Crocker, Ryan: °1949. Vanaf 2007 ambassadeur van de VS in Irak na een lange diplomatieke carrière in de moslimwereld.

Dadullah, -mullah D., ook D. Akhund: topcommandant van de taliban tot zijn dood op 13 mei 2007. Werd opgevolgd door zijn broer Mansur Dadullah, die eind 2007 in ongenade viel bij mullah Omar.

Deoband(i): islamitische herbronningsbeweging met eind negentiende-eeuwse wortels in India (Deoband). Populair in Pakistan, waar hun madrassa's in de jaren negentig de kweekvijvers waren van de (Afghaanse) taliban.

Droukdel, Abdelmalek: *nom de guerre* van Abu Musab Abdel Wadoud; °1970, werd in 2004 leider van de GSPC en twee jaar later van al-Qaeda in de Maghreb (Baqmi).

Druzen: kleine en gesloten religieuze gemeenschap in Libanon, Syrië, Israël en Jordanië. Ontstaan als mystieke afscheiding van de Ismaëlitische tak van het sjiisme, begin elfde eeuw. Hun politieke leider is Walid Jumblatt.

Ejaz (Ijaz) Hussain Shah: ISI-chef van Punjab en in die hoedanigheid contact van Osama bin Laden, mullah Omar en Ahmed Omar Saeed Sheikh, de moordenaar van Daniel Pearl. Chef van de Binnenlandse Veiligheid (IB) op het ogenblik van de moord op Benazir Bhutto. Door haar zelf aangewezen als een van haar aartsvijanden.

Fakir Muhammad: ook mullah Radio genoemd. Derde in rang bij de TTP van Baitullah Mehsud. Pupil van Sufi Mohammad. Machtigste talibancommandant van Bajaur in de FATA. Idem als Maulana Fazlullah.

FATA: afkorting van Federally Administrated Tribal Agencies, de zogenaamde tribale gordel van Pakistan, aan de grens van de North-West Frontier Province met Afghanistan (zie kaart). Omvat Khyber, Kurram, Bajaur, Mohmand, Orakzai, Noord- en Zuid-Waziristan.

Fatah al-Islam: afsplitsing van de pro-Syrische Palestijnse Fatah al-Intifada. Onderscheidde zich door de terroristische opstand in het Palestijnse kamp Nahr al-Bared in de buurt van Tripoli, Noord-Libanon, tijdens de zomer van 2007. De leider Shakir al-Abssi verdween in de eindfase van het beleg.

Fatah al-Intifada: linkse, pro-Syrische Palestijnse groep met hoofdkwartier in Damascus. Ook bekend als de Abu Musa groep, naar de *nom de guerre* van zijn stichter, een kolonel. Scheurde zich af van Fatah in 1983, na de vlucht van Arafat uit Libanon, wat leidde tot bloedige afrekeningen tijdens de 'kampenoorlog' van 1985-88. Leidde na de burgeroorlog een kwijnend bestaan tot de groep in 2007 weer in het nieuws kwam door de opstand van een afscheuring: Fatah al-Islam.

Fazlullah, maulana Qazi: alias mullah Radio.

Gadahn, Adam Yahiye: geboren als Adam Pearlman in 1978, Amerikaans lid van al-Qaeda. Treedt op in video's van al-Qaeda's mediabedrijf as-Sahab. Bekeerde zich in 1995 tot de islam en verhuisde drie jaar later naar Pakistan.

GSPC: Groupe Salafiste pour la Prédication et le Combat, gewelddadige afsplitsing van het Algerijnse Islamitisch Heilsfront (FIS). Werd in januari 2007 al-Qaeda in de Maghreb.

Hakim, Abdul-Aziz al-: leider van de pro-Iraanse Hoge Raad voor de Islamitische Revolutie, later de Hoge Islamitische Raad van Irak, zwaargewicht in de regering-Maliki.

Hamid Gul: directeur-generaal van de Pakistaanse inlichtingendienst ISI (1987-89) onmiddellijk na de Sovjet-Afghaanse oorlog. Werkte in die oorlog samen met de CIA maar ontpopte zich daarna als een gezworen vijand van de VS en een pleitbezorger van de jihad, de taliban en bin Laden. In december 2008 door de VS samen met drie andere ex-ISI agenten gebrandmerkt als terrorist. Volgens president Zardari is Gul eerder een 'politiek ideoloog' van het terrorisme.

Harakatul Jehadul Islami (HUJI): Pakistaanse terreurorganisatie met banden met al-Qaeda, verdacht van verschillende grote aanslagen, waarbij die van Karachi bij de terugkeer van Bhutto, de aanslag op het Marriott in Islamabad, de aanslagen in Lahore op de Marineacademie en het hoofdkwartier van de Federal Investigation Agency en de aanslag van 25 december 2003 op Musharraf.

Haqqani, Jalaluddin: legendarisch mujahedincommandant uit de oorlog met de Sovjets in Afghanistan, later minister in de talibanregering en uiteindelijk opperbevelhebber van de taliban. Tevens leider van de taliban in Noord-Waziristan. Vader van Sirajuddin H.

Haqqani, Sirajuddin: zoon van Jallaludin H., leider van de taliban van Noord-Waziristan (Pakistan). Eiste de verantwoordelijkheid op voor verschillende zware aanslagen in Afghanistan.

Hizbul Mujahedin (HM): grootste en meest autochtone militantengroep in Kasjmir. Wil aanhechting bij Pakistan. Vermoedelijk instrument van de ISI en de Jamaat-e-Islamiya (JI) tegen de Kasjmirse onafhankelijkheidsbeweging (Jammu and Kashmir Liberation Front). Op de Amerikaanse lijst van terreurorganisaties en die van de EU. De leider, Sayeed Salahudin, verblijft meer in Pakistan dan in Kasjmir. Hij en zijn groep leiden de Kasjmirse Jihadraad, een koepel van twintig jihadgroepen.

Hezbollah: 'Partij van God', militie en politieke partij in Libanon. Opgericht in 1982; belangrijk tot oppermachtig in de sjiitische gebieden Zuid-Libanon, West-Beiroet en de Bekaa-vallei. Pleegde als eerste zelfmoordaanslagen. Nauwe banden met Iran. Bestuurd door een raad van twaalf hoge geestelijken en een uitvoerend comité van twaalf o.l.v. sjeik Fadlallah, de geestelijke leider. Hassan Nasrallah is de leider van de partij.

IMU: Islamic Movement of Uzbekistan: opgericht in 1998 door de voormalige paracommando Juma Namangani. Aanvankelijk doel was de omverwerping van het Karimov-regime in Oezbekistan, later de vestiging van een kalifaat in Centraal-Azië. Wil het gebied veroveren door controle te krijgen over het dichtstbevolkte gebied, de Ferghana-vallei.

ISAF: afkorting van International Security Assistance Force, verzamelnaam van de buitenlandse militaire coalitie (37 landen), o.l.v. de Navo in Afghanistan. Telt ca. 58.390 soldaten (maart 2009).

ISI: oppermachtige Inter Services Intelligence, Pakistaanse militaire geheime dienst en staat binnen de staat. De External Wing, een van de drie vleugels van de dienst, lag aan de basis van de oprichting van de Afghaanse taliban en beschermde sinds de tijd van Zia ul-Haq (late jaren zeventig) extremistische groepen als speerpunt voor de strijd in Kasjmir tegen India.

Islamist, -isch: trouw aan een radicaal behoudsgezinde politieke lezing van de islam.

Jamaat ut-Dawa: gesticht als mantelorganisatie van Lashkar e-Toiba nadat die organisatie was verboden in januari 2002. Speelde een belangrijke rol als hulporganisatie na de aardbeving van 8 oktober 2005. Verboden na de aanslagen in Mumbai van eind november 2008.

Jaish al-Islam: 'leger van de islam', al-Qaeda in Gaza.

Jaish-e-Mohammed (JeM): 'leger van Mohammed', onder leiding van Maulana Masood Azhar. Gesticht in 1994 als afscheuring van Harakat-ul-Mujahedin. ISI-instrument in Kasjmir. Banden met de taliban van Afghanistan, al-Qaeda en verschillende Pakistaanse jihadi-netwerken. Betrokken bij de moord op journalist Daniel Pearl. Verantwoordelijk geacht voor o.a. de aanslag op het parlement van India op 13 december 2001.

Jalili, Saeed: secretaris van de nationale veiligheidsraad van Iran en toponderhandelaar (sinds oktober 2007) voor het nucleair dossier. Vertrouweling van Ahmadinejad.

Jama'a al-Islamiya: islamistische groep onder invloed van de 'terreurfilosoof' Qutb in Tripoli, Noord Libanon.

Jamaat-e-Islamiya (JI): broederschap en oudste religieuze partij van Pakistan, gesticht in 1941 door Sayyid Abul Ala Maududi. Vertakkingen in India, Bangladesh, Kasjmir en Sri Lanka en zusterorganisatie van de Moslimbroederschap. Streeft naar de invoering van de sharia als staatswet. Scherp afwijzend tegenover het Westen van kapitalisme en socialisme tot vrouwenemancipatie en normversoepeling. Hiërarchische en gesloten structuur.

Jirga: traditionele Pathaanse stammenraad. Loya Jirga, grote stammenraad, bijeenkomst van alle Afghaanse stamhoofden.

Jund al-Sham: 'Soldaten van de Levant'. Organisatie van Levantijnse al-Qaeda vrijwilligers, opgericht in Herat, Afghanistan, door Abu Musab al-Zarqawi in 1999. Kern van al-Qaeda in Mesopotamië, na de Amerikaanse invasie van Irak. Basis in het Palestijnse kamp Ain al-Hilweh, bij Sidon.

Kafir(s): letterlijk 'ongelovige', ook naam van een volk in het afgelegen oosten van Afghanistan, dat pas eind negentiende eeuw met geweld werd onderworpen en geïslamiseerd. 'Kafiristan', het land van de ongelovigen, heet sinds die tijd 'Nuristan', het land van het licht. Heeft zich met zijn vele natuurlijke schuilplaatsen na 11 september ontwikkeld tot een bolwerk van al-Qaeda.

Khalid Sheikh Mohammed: topman van al-Qaeda en naar eigen zeggen het brein achter verschillende grote aanslagen, waarbij die van 11 september en die van 2002 op een discotheek op Bali. Volgens Musharraf zat hij ook achter de moord op de journalist Daniel Pearl.

Lahoud, Emile: voormalig bevelhebber van het leger en later pro-Syrisch president van Libanon (1998-2007).

Lakhvi, Zakiur Rehman: °1960 (?), Pakistaans terrorist uit Punjab, stichtend lid en militair commandant van Lashkar-e-Toiba. Actief in Tsjetsjenië, Bosnië, Irak, India en

Zuidoost-Azië. Aangehouden na de terreuraanvallen op Mumbai van november 2008.

Lal Majid, Rode Moskee: zo genoemd naar de rode kleur van de muren, gebouwd in 1965 en een van de oudste moskeeën van Islamabad. De stichter, Maulana Mohammad Abdullah, was een vertrouweling van dictator Zia ul-Haq tijdens de oorlog met de Sovjets in Afghanistan en ronselde voor die oorlog vrijwilligers. Na de moord op MMA in 1998, geleid door zijn zoons Abdul Aziz en Abdul Rashid Ghazi. Aziz vaardigde in 2005 een fatwa uit die een religieuze uitvaart ontzegt aan militairen die sneuvelden in de strijd met de taliban. De studenten van de twee seminaries van de moskee radicaliseerden en de meisjesstudenten vormden de zogeheten boerka-brigade die begin 2007 opereerde als een zedenpolitie in de hoofdstad. Op 3 juli 2007 kwam het tot een confrontatie met toenmalig president Musharraf. De afloop was bloedig en voor de Pakistaanse militanten het sein om de rangen te sluiten tegen de regering. Leidde in september tot een oorlogsverklaring van bin Laden aan Musharraf.

Larijani, Ali Ardashir: °1958. Filosoof, politicus en voorzitter van de Iraanse Majlis (parlement). Secretaris van de Iraanse nationale veiligheidsraad van 2005 tot 2007 en in die hoedanigheid toponderhandelaar in het nucleair dossier.

Lashkar: traditioneel Pathaans stammenleger. Komt ook voor in de namen van terreurgroepen als Lashkar-e-Toiba.

Lashkar-e-Janghvi: Pakistaanse, in 2002 verboden organisatie van soennitische extremisten, toegespitst op de strijd tegen de sjiieten. Gesticht in 1996 als afscheiding van Sipah-e-Sahaba en genoemd naar de stichter van SeS, omgekomen bij een vergeldingsaanslag door sjiieten in 1990. Verantwoordelijk voor de ontvoering en moord op Daniel Pearl in 2002 en volgens de Pakistaanse regering behoorde ook de kamikaze die de moord op Bhutto pleegde tot LeJ. Bereidde met Ahmed Sheikh Omar Saeed een aanslag voor op Musharraf eind 2008.

Lashkar-e-Toiba (ook Laskhar-e-Taeba of LeT): het 'Leger van de Zuiveren', ontstaan in 1989 bij het einde van de Sovjetbezetting in de Afghaanse provincie Kunar. Vervolgens vanaf 1993 door de ISI ingezet in Kasjmir, waar ze met Jaish-e-Mohammed de grootste en meest gewelddadige jihadi-organisatie werd. Verantwoordelijk geacht voor de aanslagen van 26 november 2008 in Mumbai, India.

Lashkar-i-Islam: talibanmilitie in het tribaal gebied Khyber, o.l.v. de voormalige buschauffeur Mangal Bagh.

Libi: 'Libiër', zoals in de naam van twee topfiguren van al-Qaeda: -Abu Laith al-Libi, chef van de Libische Gevechtsgroep (LIFG) die in 2007 fuseerde met al-Qaeda, en guerrilla-expert, op 29.1.2008 gedood bij een Amerikaanse raketaanval met een onbemand vliegtuig in Noord-Waziristan, en -Abu Yahya al-Libi die in 2005 ontsnapte uit de gevangenis van Bagram en daarna een topfiguur werd van al-Qaeda.

Maliki, Nouri al-: premier van Irak en leider van de sjiitische Dawa-partij. Ontvlucht-te Irak in 1979 en werd het jaar daarop bij verstek ter dood veroordeeld. Leefde achter-eenvolgens in Syrië (tot 1982), Iran (tot 1990) en opnieuw Syrië tot de val van Saddam in 2003. Volgde op 22 april 2006 zijn partijgenoot Ibrahim al-Jaafari op als tweede premier van het post-Saddam tijdperk.

Maronieten: behoren tot de Syrische oosterse katholieken. Ontlenen hun naam aan de vijfde-eeuwse Syrische monnik Maron. Ooit een absolute meerderheid in Libanon (en nog steeds als ook de Libanese diaspora wordt meegerekend). Aparte liturgie en de priester (khoury) mag huwen.

Masri, Abu Ayyub al- (ook: Abu Hamza al-Muhajir): Egyptische adjunct en opvol-ger van Zarqawi als leider van al-Qaeda in Mesopotamië. Het is onduidelijk of hij de organisatie daadwerkelijk onder controle heeft.

Maulana: (ook:'mawlana'), Arabisch voor 'heer' of 'meester'. Eretitel van vooraan-staande geestelijken, vooral in Zuid-Azië.

Moqtada al-Sadr: °1973, een van de belangrijkste sjiitische leiders van Irak. Zoon en schoonzoon van populaire grootayatollahs die door Saddam Hoessein werden ver-moord. Naar hen heet de grote sjiitische wijk van Bagdad, Sadr City. Dankt zijn popu-lariteit aan zijn illustere afstamming, zijn onbuigzaam Iraaks nationalisme en zijn vij-andschap tegenover de Amerikaanse bezetting. Leider van opstanden in 2004 en 2006 door zijn Leger van de Mahdi.

Mottaki, Manoucher: Iraans minister van Buitenlandse Zaken onder Ahmadinejad.

Muhajir(s): naam van de moslims die bij de onafhankelijkheid vanuit India naar Pa-kistan verhuisden. Ze zijn machtig in Karachi. Ook Musharraf is een 'muhajir'.

Mughniyeh, Imad Fayez (ook: Mughniyah alias Hajj Radwan): topman van Hez-bollah. Geldt als chef van de veiligheid van de partij en volgens sommigen als de stichter ervan. 'Uitvinder' van de zelfmoordaanslag in 1983. Gedood op 12.2.2008 bij een bomaanslag in de Syrische hoofdstad Damascus vermoedelijk door de Mossad, misschien in samenwerking met enkele Arabische landen. Verantwoordelijk voor een waslijst van grote aanslagen, kidnappings en kapingen in Libanon en daarbuiten op Amerikaanse en Israëlische doelwitten. Een van de intelligentste en gevaarlijkste ter-roristen ooit.

Mujahedin: meervoud van 'mujahid','strijder (in de heilige oorlog)' of 'heilige strij-der', een term die populair werd tijdens de oorlog van de Afghanen tegen de Sovjetbe-zetter in de jaren tachtig.

Mullah Omar: °1959(?), schimmige leider van de Afghaanse taliban. Staatshoofd (Emir) van Afghanistan tijdens het talibanbewind (1996-2001). Verdween na de val van de taliban en verblijft volgens o.m. de Afghaanse regering in de Pakistaanse stad Quetta. Verloor een oog tijdens de oorlog met de Sovjets. Er bestaan geen officiële foto's van hem.

Nahr al-Bared: Palestijns kamp vlakbij Tripoli in het noorden van Libanon, waar in mei 2007 de opstand uitbrak van Fatah al-Islam.

Nasrallah, Hassan: °1960, sinds 1992 secretaris-generaal van Hezbollah, de beweging van de radicale sjiieten van Libanon. Bijzonder populair omdat aan hem het einde van de Israëlische bezetting van Zuid-Libanon wordt toegeschreven. Die populariteit in de Arabische wereld bereikte een piek na de zomeroorlog van 2006 met Israël.

NWFP: afkorting van North-West Frontier Province, een van de vier provincies van Pakistan (naast Punjab, Sindh en Baluchistan). Grenst aan Afghanistan en heeft een overwegend Pathaanse bevolking. Omvat de zogehen tribale gebieden, de FATA.

Pathanen: heersers over en numeriek grootste volk (ca. 40 procent) in Afghanistan. Even talrijk in Pakistan. Traditioneel aangetrokken tot militaire carrières. Zeer gesteld op het behoud van eigenheid, zelfstandigheid en traditie. Ook 'Pashtun' of 'Pakhtun' genoemd, naar hun taal, het Pashto. Hun aantal wordt geschat op 42 miljoen.

Pashtunwali: ongeschreven, overgeleverde gedragscode van de Pathanen. Omvat onder meer de voorziening dat gastvrijheid verplicht is op het eigen territorium, zelfs wanneer het een vijand betreft. Deze wet is een van de verklaringen waarom mullah Omar weigerde Osama bin Laden uit te leveren en waarom hij ongrijpbaar bleef.

Petraeus, David: Amerikaans generaal, °1952, sinds 31 oktober 2008 bevelhebber van Central Command. Door minister Gates geprezen als de soldaat-geleerde-staatsman. Had de leiding van de troepenvermeerdering van 2007 en was tevoren de enige succesvolle Amerikaanse generaal in Irak, waar hij rust bracht in het explosieve Mosul.

PML: Pakistan Muslim League, de historische partij van Jinnah viel uiteen in de jaren vijftig en bestaat vandaag uit een half dozijn partijen waarvan de belangrijkste de PML-Q van Musharraf en de PML-N van zijn gezworen vijand Nawaz Sharif.

PPP: Pakistan Peoples Party, gesticht door Zulfikar Ali Bhutto, president van 1971 tot 1973 en premier van 1973 tot 1977. Na zijn executie geleid door zijn dochter Benazir. Na haar dood onder een covoorzitterschap van Benazirs weduwnaar Zardari, de huidige president van Pakistan, en haar zoon Bilawal. Centrum-links profiel en grootste partij van Pakistan.

Quds: (Arabisch voor Jeruzalem, ook soms 'Qods'), elitekorps van de Iraanse Revolutionaire Garde, het ideologisch keurkorps van het Iraans leger. Heeft als opdracht de verspreiding van de islamitische revolutie en onderhoudt contacten met de islamitische ondergrondse in de hele wereld, vooral in Libanon (Hezbollah), Irak, Afghanistan, Kasjmir en Baluchistan in Pakistan. Valt rechtstreeks onder de Geestelijke Leider, ayatollah Khamenei. Ramingen over de omvang van de brigade lopen uiteen van twee- tot vijftigduizend.

Radio, mullah: alias Maulana Fazlullah, leider van de verboden talibanorganisatie TNSM in Swat en Bajaur na de arrestatie van de stichter, zijn schoonvader Sufi Mohammad, begin 2002. Kreeg zijn bijnaam door zijn FM-radiostations waarop hij felle toespraken hield. Bezette eind 2007 maandenlang de toeristische Swatvallei. Sloot in april 2008 een akkoord met de provinciale regering maar dat hield niet stand.

Revolutionaire Garde: voluit: Leger van de Wachters van de Islamitische Revolutie, in Iran bekend als Pasdaran ('gardisten'). Aparte legermacht met eigen grondtroepen, marine, luchtmacht en elitetroepen (Quds). Getalsterkte: 125.000. Controleert het vrijwilligerskorps Basij (hulptroepen die ook fungeren als zedenpolitie). Ahmadinejad is een voormalig Gardist, net als een derde van de Iraanse parlementsleden. Controleert een derde van de Iraanse economie via een netwerk van ruim honderd bedrijven in de sectoren van de bouw, energie, petrochemie en infrastructuurprojecten.

Salafisten: het Arabisch woord 'salaf' heeft meerdere betekenissen die verwijzen naar verwantschap, voorouders en voorlopers. In dit geval: de oorspronkelijke groep van de Profeet en zijn gezellen. Salafisten beschouwen zichzelf als de enige echte moslims. Ze volgen de soenna ('het pad' van de Profeet volgens de 'overlevering', de 'hadith') letterlijk en beroemen zich op de zuiverheid van hun geloof en een correcte levenswandel. Het onderscheid met wahhabieten is subtiel.

Sfeir, Nasrallah: patriarch en dus geestelijke leider van de maronitische christenen in Libanon.

Shabaab ('Jeugd'): aanvankelijk jeugdafdeling van de (islamistische) Unie van Islamitische Rechtbanken in Somalië. Na de Ethiopische invasie van juli 2006 extremistische splintergroep. Voert een jihad voor de invoering van de sharia. Veroverde in augustus 2008 de havenstad Kismayo en grote delen van Zuid- en Centraal-Somalië. Vroeg te worden erkend als al-Qaedafiliaal en telt enkele kopstukken van de terreurorganisatie in zijn rangen. Werkt volgens verschillende bronnen samen met de (zuidelijke) piraten van Somalië.

Sharia: 'wet' of 'weg', religieuze plichtenleer van de moslims

Sheikh Omar Saeed, ook Ahmed -, Sheikh Omar en Omar Sheikh: Brits-Pakistaans topterrorist. Stortte aan Mohammed Atta 100.000 dollar voor de aanslagen van 11 september. In 2003 ter dood veroordeeld voor de moord op Daniel Pearl, een vonnis dat niet werd voltrokken. Regisseur van aanslagen vanuit zijn cel in Hyderabad, o.m. tegen Musharraf eind 2008. Volgens Musharraf was hij aanvankelijk een agent van de Britse geheime dienst MI-6 en later een dubbelspion.

Shura: 'raad', hoogste overleg- en beslissingsorgaan o.a. bij de taliban, al-Qaeda, enzovoort. Gaat terug op de pre-islamitische overlegtraditie bij de Arabische stammen.

Sjiiet, sjiisme, sjiitisch: na de soennieten vormen de sjiieten de tweede grootste groep in de islam. Afgescheurd na een conflict over de opvolging van de Profeet als politiek en religieus leider. De grootste van de drie vertakkingen vormen de Twaalver sjiieten die dominant zijn in o.a. Irak en Iran. De sjiieten hebben een geheel aparte theologie en staan, in tegenstelling tot de soennieten, bijvoorbeeld de voorstelling toe van de menselijke figuur, wat de grote pi_aturale traditie van Iran verklaart.

Soenni, soennitisch, soennisme: hoofdstroming waartoe negentig procent van de moslims behoort. Onderscheidt zich van het sjiisme door onder meer de veel bescheidener rol van de clerus. Al-Qaeda en de meeste Pakistaanse terreurorganisaties zijn soennitisch. Ze behoren meestal tot de hanbali, een van de vier scholen van het soennisme, die tot nieuw leven werd gewekt door Muhammad ibn Abd al-ahhab (1703-1792), de grondlegger van het wahhabisme.

Suleiman, Michel: bevelhebber van het Libanese leger en eind 2007 'consensuskandidaat' voor het presidentschap. Tot president verkozen na het akkoord van Doha op 25 mei 2008.

Sufi Mohammad: talibanleider van Bajaur in de FATA. Stuurde na het offensief tegen de taliban in 2001 tienduizend krijgers naar Afghanistan. Het tribale leger werd gedecimeerd. Sufi werd begin 2002 gearresteerd en zijn organisatie TNSM verboden. Kwam vrij in april 2008 als onderdeel van een vredesakkoord tussen het provinciebestuur van de NWFP en de taliban.

Tahrir: zie Hezb ut-Tahrir.

Takfiri(-s): takfir(-is): 'het kruisen van de armen (tijdens het gebed)', puritein die de strikte naleving eist van de sharia. Beschouwen als afvallig wie zich niet aan de sharia houdt. Het woord bevat de stam 'kfr', die ook in 'kafir', 'heiden', voorkomt. De takfiri's (de TTP en een strekking binnen al-Qaeda) worden beschouwd als gewelddadige salafisten.

Tawhid al-Islami: 'Islamitische Eenheid', felle antichristelijke groep. Controleerde tijdens de burgeroorlog de Libanese havenstad Tripoli, in 1983 en 1984.

Tehrik-i-Taliban Pakistan (TTP): 'Beweging van de Taliban', koepelorganisatie van extremistische milities in Zuid-Waziristan o.l.v. Baitullah Mehsud.

Tehrik Nifaz-e-Shariah Mohhamadi (TNSM): 'Beweging voor het opleggen van de sharia', organisatie van taliban in Swat en Bajaur (FATA) o.l.v. Sufi Mohammad. In januari 2002 verboden door Musharraf. Geallieerd met de TTP sinds de bestorming van de Rode Moskee in Islamabad (juli 2007).

UNIFIL: United Nations Interim Force in Lebanon, opgericht door de VN-Veiligheidsraad in 1978 na de Israëlische terugtrekking uit Libanon. Na de zomeroorlog van 2006 tussen Hezbollah en Israël versterkt en met een ruimer mandaat. In mei 2009 bijna 14.000 soldaten uit 28 landen.

Usbat al-Ansar: 'Verbond der Partisanen'. In 1991 ontstaan uit de pro-Iraanse Ansar Allah (gesticht in 1968). Werd na een grondige ideologische koerswijziging een van de oudste en sterkste soennitisch-extremistische groepen in Libanon. Basis in het Palestijns kamp Ain al-Hilweh, bij Sidon. Leverde in de jaren negentig vrijwilligers aan bin Laden, die na opleiding in Afghanistan werden ingezet in Tsjetsjenië. Pleegde in Beiroet een aantal anti-Russische aanslagen. Banden met de Afghanistanveteranen van Takfir al-Hijra. De leider Abu Muhjin is voortvluchtig na een moord, in 1994, op een geestelijke.

Wahhabi (wahhabisme, wahhabieten): naar de achttiende-eeuwse religieuze hervormer Muhammad Ibn Abd-al-Wahhab die een terugkeer predikte naar de gebruiken en de zuivere leer uit de eerste tijd van de islam. Zijn leer werd meteen geadopteerd door het huis van Saud en werd daardoor uiteindelijk 'staatsgodsdienst' in Saudi-Arabië.

Yuldashev, Tahir (ook: Yaldeshiv, Yoldosh, Yoldoshev): °1967, leider en medestichter (met Namangani) van de Islamic Movement of Uzbekistan in 1991 (IMU), bondgenoot van al-Qaeda. Zijn beweging probeert Centraal-Azië te veroveren via de vruchtbare Ferghana-vallei.

Zarqawi, Abu Musab al-: 'Abu Musab uit Zarqa (in Jordanië)', leider van al-Qaeda in Mesopotamië. Onderwierp zich na een periode van rivaliteit in oktober 2004 aan Osama bin Laden. Werd gelokaliseerd door de Jordaanse inlichtingendienst en bij een Amerikaans precisiebombardement gedood op 7 juni 2006.

Zawahiri, Ayman al-: Egyptisch kinderarts, ideoloog en nummer twee van al-Qaeda na bin Laden. Was van 1991 tot de 'fusie' met al-Qaeda in 2001 leider van de Egyptische Islamitische Jihad en verantwoordelijk voor een golf van aanslagen in Egypte. Mohammed Atta, een van de kamikazes van 11 september, behoorde tot zijn groep. Dook onder na de val van de taliban in 2001, maar manifesteerde zich sindsdien geregeld in video- en andere boodschappen van al-Qaeda. Volgens verschillende experts is hij de eigenlijke sterke man van de terreurorganisatie.

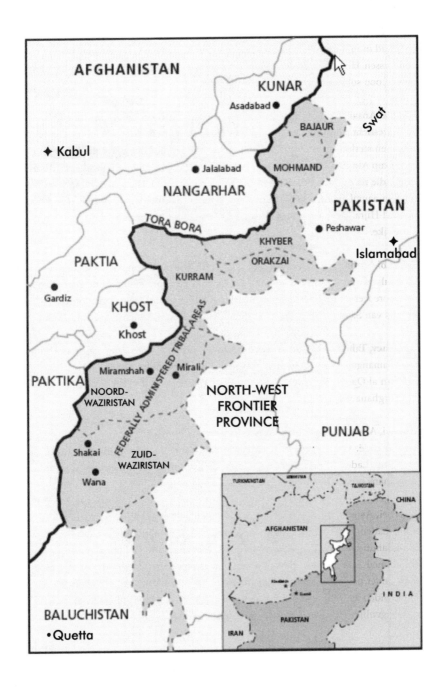

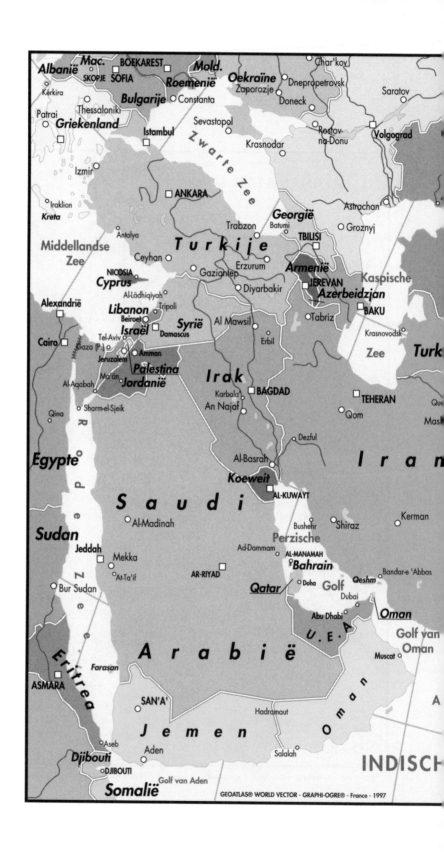

Albanië Mac. BOEKAREST Mold. Char'kov
SKOPJE SOFIA Roemenië Oekraïne Dnepropetrovsk
Kérkira Žaporozje Saratov
Bulgarije Constanta Doneck
Patrai Thessaloniki
Griekenland Sevastopol Rostov-
Istambul na-Donu Volgograd
Z Krasnodar
w
Izmir a
r
t
e
Iraklion Z ANKARA
e Astrachan
Kreta e
Georgië Groznyj
Antalya Trabzon Batumi TBILISI
Middellandse Turkije
Zee Ceyhan Erzurum Armenië Kaspische
NICOSIA Gazigntep JEREVAN
Cyprus Diyarbakir Azerbeidzjan
Al-Lädhiqiyah BAKU
Alexandrië Libanon Tripoli Tabriz
Beiroet Syrië Al Mawsil Krasnovodsk
Israël Damascus
Cairo Tel-Aviv Erbil Zee Turk
Gaza (P.)
Jeruzalem Amman
Palestina Irak
Ma'ân Jordanië Karbala BAGDAD TEHERAN Que
Al-Aqabah An Najaf Qom Mas
Qina Sharm-el-Sjeik
R Dezful
Egypte Al-Basrah I r a n
d
Koeweit
e AL-KUWAYT
S a u d i
Al-Madinah Bushehr Shiraz Kerman
Sudan Perzische
Jeddah Ad-Dammam
Mekka AL-MANAMAH
N At-Ta'if AR-RIYAD Bahrain Bandar-e 'Abbas
Bur Sudan Qatar Doha Golf Qeshm
Dubai
Abu Dhabi Oman
U . E . A
A r a b i ë Golf van
Farasan Muscat Oman
ASMARA
E SAN'A' O
r m
i Hadramaut a A
t n
r J e m e n
e Aseb Aden Salalah
a
Djibouti
DJIBOUTI Golf van Aden
Somalië INDISCH
GEOATLAS® WORLD VECTOR - GRAPHI-OGRE® - France - 1997

Register